Het strandhuis

Nora Roberts bij Boekerij:

Het eiland van de drie zusters
1. *Dansen op lucht*
2. *Hemel en aarde*
3. *Spelen met vuur*

De villa
Droomwereld
Het eind van de rivier
Nachtmuziek
De schuilplaats
Thuishaven
Begraaf het verleden
Geboorterecht
Het noorderlicht
De gloed van vuur
Een nieuw begin
Het heetst van de dag
Eerbetoon
Vastberaden
De zoektocht
Vuurdoop
De ooggetuige
Het strandhuis

www.boekerij.nl

Nora Roberts

Het strandhuis

ISBN 978-90-225-6499-8
ISBN 978-94-6023-580-1 (e-boek)
NUR 302

Oorspronkelijke titel: *Whiskey Beach*
Oorspronkelijke uitgever: Putnam's Sons, G.P.
Vertaling: Iris Bol en Marcel Rouwé
Omslagontwerp: Johannes Wiebel | punchdesign, München
Omslagbeeld: Kotenko Olesandr / Shutterstock en Igor Groncharenko / 123rf.com
Zetwerk: Mat-Zet bv, Soest

Voor mijn zonen en de dochters die ze me gegeven hebben.
En alles wat daaruit voortkomt.

De draak-groene, de lichtgevende,
de donkere, de van serpenten vergeven zee.

JAMES ELROY FLECKER

De meeste mensen leiden een leven van stille wanhoop.
Wat berusting wordt genoemd is bewezen wanhoop.

THOREAU

1

In het telkens terugkerende licht van de grote vuurtoren op de uitstekende zuidelijke klip, torende het enorme silhouet van Bluff House boven Whiskey Beach uit. Van achter het kille ijzelgordijn trad het huis de koude, turbulente Atlantische Oceaan uitdagend tegemoet.

Ik hou het net zo lang vol als jij.

Het robuuste huis verhief zich met twee ruime bovenverdiepingen boven de ruwe, ruige kust en bekeek het rollen en breken van de golven met de donkere ogen van zijn ramen zoals het, in de een of andere vorm, al drie eeuwen deed.

Aan de kleine stenen cottage, waarin tegenwoordig het gereedschap en de tuinspullen werden bewaard, was te zien dat de oorsprong bescheiden was geweest. Het verwees ook naar de mensen die de krachtige, onberekenbare Atlantische Oceaan hadden getrotseerd om een bestaan op te bouwen op de rotsige grond van een nieuwe wereld. Die bescheiden start leek in het niet te vallen bij de omvang en hoogte van de goudgele muren van zandsteen, ronde frontons en ruime terrassen van verweerde plaatselijke stenen, die de hoogtijdagen bezongen.

Het huis had stormen, verwaarlozing, achteloze liefhebberij, slechte smaak, hausses en crises, schandalen en arrogantie overleefd.

Binnen zijn muren hadden vele generaties van de familie Landon geleefd en ze waren er gestorven. Ze hadden er gevierd en gerouwd, gekonkeld, gefloreerd, getriomfeerd en waren er verkommerd.

Het huis had even krachtig gestraald als het felle licht dat over het water aan de rotsige, schitterende noordkust van Massachusetts zwaaide. En het had er kleintjes bij gestaan, de luiken gesloten in de duisternis.

Het stond er al zo lang dat het nu gewoon Bluff House was, dat zich verhief boven de zee, het land en het dorp Whiskey Beach.

Voor Eli Landon was het de enige plek waar hij nog naartoe kon. Het was niet zozeer een toevluchtsoord, als wel een ontsnapping aan alles wat zijn leven in de verschrikkelijke elf maanden die achter hem lagen was geworden.

Hij herkende zichzelf nauwelijks.

De tweeënhalf uur durende rit over gladde wegen vanuit Boston had hem uitgeput. Al moest hij toegeven dat vermoeidheid zich tegenwoordig meestal als een minnares tegen hem aan vlijde. Daarom bleef hij in het donker voor het huis zitten terwijl ijzel neerspatte op zijn voorruit en zijn dak. Hij overwoog of hij voldoende energie had om naar binnen te gaan of dat hij beter kon blijven waar hij was om in slaap te vallen in de auto.

Stom, dacht hij. Natuurlijk zou hij niet in de auto gaan slapen op slechts een paar meter afstand van het huis, waar een keur aan heerlijke bedden was.

Hij kon zich er echter ook niet toe zetten om zijn koffers uit de achterbak te halen. In plaats daarvan pakte hij de twee kleine tassen die op de stoel naast hem stonden en waar zijn laptop en wat onmisbare spullen in zaten.

De ijzel prikte gemeen in zijn gezicht toen hij uit de auto stapte, en de kou en de fluitende Atlantische wind sneden door de buitenste lagen lethargie. Golven sloegen bulderend op de rotsen, beukten op het zand en die geluiden versmolten tot een aanhoudend sissend geraas. Eli haalde de huissleutels uit de zak van zijn jack en liep de beschutting van de brede, stenen portiek in die toegang gaf tot de indrukwekkende dubbele voordeuren die ruim honderd jaar eerder waren vervaardigd van teakhout dat speciaal uit Birma was geïmporteerd.

Het was twee, bijna drie jaar geleden dat hij hier voor het laatst was geweest, dacht hij. Hij had het te druk gehad met zijn leven, zijn werk en zijn rampzalige huwelijk om voor een weekendje, een korte vakantie of tijdens de feestdagen naar zijn grootmoeder te gaan.

Natuurlijk had hij de onverzettelijke Hester Hawkin Landon wel gezien wanneer ze naar Boston was gekomen. Hij had haar regelmatig gebeld, e-mails gestuurd, met haar gefacebookt en geskypet. Hester mocht dan bijna tachtig zijn, ze had technologische vooruitgang en vernieuwing altijd met nieuwsgierigheid en enthousiasme verwelkomd.

Hij had haar mee uit eten genomen, was af en toe iets met haar gaan drinken, had bloemen, kaarten en cadeautjes voor haar gekocht en had samen met haar en zijn familie Kerstmis en belangrijke verjaardagen gevierd.

Dat alles was echter niet meer dan het sussen van een schuldgevoel, omdat hij niet de tijd had genomen om naar Whiskey Beach te gaan, de plek waar zij het meest van hield, en echt de tijd te nemen om haar aandacht te schenken.

Hij vond de juiste sleutel en deed de deur open. Hij liep naar binnen en deed het licht aan.

Hij zag dat ze een aantal dingen had veranderd, maar oma hield van verandering terwijl ze er tegelijk in slaagde om de tradities, als die haar uitkwamen, in ere te houden.

Er hing een aantal nieuwe schilderijen, zeegezichten en landschappen die voor zachte kleuren tegen de diepbruine muren zorgden. Hij liet zijn tassen vlak naast de deuren vallen en nam even de tijd om de grote, glanzende hal rond te kijken.

Hij liet zijn blik langs de trap gaan – de trapspijlen in de vorm van grijnzende gargouilles die een Landon met een grillige smaak had laten maken – en naar omhoog, waar de trap sierlijk naar rechts en links boog voor de noordelijke en zuidelijke vleugel.

Meer dan genoeg slaapkamers, dacht hij. Hij hoefde alleen de trap op te lopen en er eentje te kiezen.

Maar nu nog even niet.

In plaats daarvan liep hij de kamer in die ze de grote salon noemden. Die had hoge, gotische ramen die uitkeken op de voortuin, of wat de voortuin zou worden zodra de winter zijn ijzeren greep erop zou verliezen.

Zijn grootmoeder was al meer dan twee maanden niet thuis geweest, maar er lag nergens stof. In de open haard lagen houtblokken, omringd door de glans van lapis, klaar om aangestoken te worden. Op haar geliefde Hepplewhite-tafel stonden verse bloemen. Op de drie banken in de kamer lagen opgeklopte kussens er uitnodigend bij, en de brede kastanjehouten vloerplanken glommen als een spiegel.

Ze had iemand die de boel bijhield, bedacht hij. Hij wreef over zijn voorhoofd waar hoofdpijn dreigde op te komen.

Dat had ze hem toch verteld? Dat er iemand voor het huis zorgde. Een buurvrouw, iemand die het zware schoonmaakwerk voor haar deed. Hij was niet vergeten dat ze dat tegen hem had gezegd, de informatie was alleen even verdwenen in de mist die zijn gedachten zo vaak vervaagde.

Vanaf nu was het zijn taak om voor Bluff House te zorgen. Om het leven erin te houden, zoals zijn grootmoeder hem had gevraagd. En misschien, had ze gezegd, zou dat ook weer wat leven in hém pompen.

Hij pakte zijn tassen en keek naar de trap. En bleef staan.

Daar was ze gevonden, onder aan de treden. Door een buurvrouw. Dezelfde vrouw? Was het niet de buurvrouw geweest die bij haar schoonmaakte? Godzijdank was er iemand bij haar gaan kijken. Die had haar gevonden, bewusteloos op de grond, onder de blauwe plekken en bloedend, met een verbrijzelde elleboog, een gebroken heup, gebroken ribben en een hersenschudding.

Ze had wel dood kunnen gaan, dacht hij. Tot verbazing van de artsen had ze dat koppig geweigerd. Niemand van de familie had dagelijks contact met haar, niemand dacht eraan haar te bellen en niemand, ook hij niet, zou zich ongerust hebben gemaakt als ze een dag of twee niet zou hebben opgenomen.

Hester Landon, onafhankelijk, onoverwinnelijk en onverwoestbaar.

Ze had kunnen overlijden door een vreselijke val, als er geen buurvrouw was geweest en ze zelf niet zo'n onwrikbare wil had gehad.

Nu zwaaide ze de scepter in een reeks vertrekken in het huis van zijn ouders waar ze herstelde van haar verwondingen. Daar zou ze blijven tot ze sterk genoeg werd bevonden om weer naar Bluff House terug te keren. Maar als zijn ouders hun zin kregen, zou ze daar voorgoed blijven.

Hij wilde geloven dat ze hier terug zou komen, in het huis waar ze van hield. Dat ze 's avonds op het achterterras zou zitten en met een martini in haar hand naar de oceaan zou kijken. Of dat ze in de tuin aan het werk was, of haar ezel klaarzette om te gaan schilderen.

Hij wilde aan haar denken als een vitale, sterke vrouw, niet als een hulpeloos en gebroken vogeltje dat op de grond had gelegen, op het moment dat hij thuis zijn tweede kop koffie van die dag had ingeschonken.

Daarom zou hij zijn best doen tot ze weer thuiskwam. Hij zou zorgen dat er leven in haar huis bleef, ongeacht hoe zijn eigen leven er voor mocht staan.

Eli pakte zijn tassen en liep naar boven. Hij zou de kamer nemen waar hij altijd had geslapen toen hij hier nog regelmatig logeerde, voor die bezoekjes zeer sporadisch waren geworden. Lindsay had een bloedhekel aan Whiskey Beach en Bluff House gehad, en ze had hun bezoekjes veranderd in een koude oorlog, waarbij zijn oma altijd uitermate beleefd was geweest en zijn vrouw zich opzettelijk hatelijk had opgesteld. En hij had tussen twee vuren gezeten.

En daarom had hij voor de gemakkelijke oplossing gekozen, dacht hij nu. Dat speet hem; spijt dat hij was weggebleven, spijt dat hij uitvluchten had verzonnen en dat hij zijn ontmoetingen met zijn grootmoeder had beperkt tot haar bezoekjes aan Boston. Maar hij kon de klok niet terugdraaien.

Hij liep de slaapkamer in. Daar zag hij ook bloemen en dezelfde zachtgroene muren als vroeger, waar twee waterverfschilderijen van zijn grootmoeder hingen die hem altijd bijzonder hadden aangesproken.

Hij legde de tassen op het bankje dat aan het voeteneinde van het sleebed stond, en trok zijn jas uit.

Hier was alles nog hetzelfde. Het bureautje voor het raam, de brede openslaande balkondeuren, de oorfauteuil met de hoge rug en het voetenbankje met het dekje dat de moeder van zijn grootmoeder lang geleden had geborduurd.

Hij besefte dat hij zich voor het eerst in lange tijd ergens, bijna, thuis voelde. Hij opende zijn tas en pakte zijn toilettas, en in de badkamer vond hij schone handdoeken en mooie zeepjes in de vorm van zeeschelpen. In de ruimte hing de frisse geur van citroen.

Hij kleedde zich uit zonder in de spiegel te kijken. Het afgelopen jaar was hij afgevallen, te mager geworden. Daar wilde hij zichzelf niet aan herinneren. Hij zette de douche aan en stapte onder de straal, in de hoop wat van zijn vermoeidheid weg te spoelen. Uit ervaring wist hij dat hij onrustig sliep als hij uitgeput en gespannen naar bed ging, en dat hij dan vervolgens weer wakker werd met dat aanhoudende matte gevoel.

Toen hij onder de douche vandaan kwam, pakte hij een van de handdoeken van de stapel en rook weer een vleug citroen toen hij ermee over zijn haar wreef. Nu het nat was krulde het tot in zijn nek, een bos donkerblond haar, langer dan het sinds zijn twintigste ooit was geweest. Maar het was dan ook bijna een jaar geleden dat hij bij Enrique, zijn vaste kapper, was geweest. Hij had ook niet echt de behoefte aan een knipbeurt van honderdvijftig dollar, evenmin als aan de verzameling Italiaanse maatpakken en schoenen die in een opslagruimte waren opgeborgen.

Hij was niet langer een onberispelijk geklede strafpleiter met een hoekkantoor, die hard op weg was om vennoot te worden. Die man was samen met Lindsay gestorven, al had hij dat destijds nog niet beseft.

Hij sloeg het dekbed open, dat even donzig en wit was als de handdoek, ging in bed liggen en deed het licht uit.

In het donker hoorde hij de zee, een aanhoudend gegrom, en het geruis van ijzel tegen de ruiten. Hij sloot zijn ogen en wenste, zoals elke avond, een paar uur vergetelheid.

En meer dan een paar uur was hem niet vergund.

Godverdomme, wat was hij kwaad. Niemand, echt niemand kon hem zo het bloed onder de nagels vandaan halen als Lindsay, dacht hij terwijl hij door de harde, koude regen reed.

Dat kutwijf.

Haar hersens, en kennelijk ook haar geweten, werkten anders dan die van andere mensen. Ze was erin geslaagd om zichzelf, en ongetwijfeld nog een heel stel vriendinnen, haar moeder en god mocht weten wie nog meer, ervan te overtuigen dat het zíjn schuld was dat hun huwelijk was stukgelopen, dat het zíjn schuld was dat hun relatietherapie was overgegaan in een tijdelijk uit elkaar gaan, en dat dat weer was uitgemond in een juridische strijd ter voorbereiding op hun echtscheiding.

Net zoals het zíjn schuld was geweest dat ze hem al meer dan acht maanden bedroog, vijf maanden langer dan hun 'tijdelijke' adempauze, die zij zo graag had gewild. En op de een of andere manier lag het aan hem dat hij erachter was gekomen dat ze een leugenachtig, overspelig, bedrieglijk kreng was voor hij zijn handtekening op de stippellijn had gezet, waardoor zij kon vertrekken met een wel heel royale schikking.

Kortom, ze waren allebei razend, dacht hij. Hij omdat hij een sukkel was geweest, en zij omdat hij eindelijk de waarheid had ontdekt.

Ongetwijfeld zou hij de schuld krijgen dat ze die middag in de galerie waar zij parttime werkte een verbitterde, venijnige ruzie hadden gehad over haar bedrog. Hij moest toegeven dat het moment slecht gekozen was en dat het getuigde van slecht gedrag van zijn kant, maar op dat moment had het hem geen zak kunnen schelen.

Ze wilde hem de schuld geven omdat zij onvoorzichtig was geworden. Zo onvoorzichtig dat zijn eigen zus de vrouw met wie hij in scheiding lag, samen met een man in de lobby van een hotel in Cambridge had gezien. Die twee hadden hun handen niet van elkaar af kunnen houden en waren even later samen in de lift gestapt.

Tricia had misschien een paar dagen gewacht voor ze het hem vertelde, maar dat kon hij haar niet kwalijk nemen. Het was ook nogal wat om tegen iemand te zeggen. Op zijn beurt had hij een aantal dagen nodig gehad om het nieuws te verwerken, waarna hij zich had vermand en een privédetective in de arm had genomen.

Acht maanden, zo schoot het opnieuw door hem heen. Ze was naar bed geweest met iemand in hotels, bed & breakfasts en de hemel mocht weten waar nog meer, al was ze te slim geweest om het in hun huis te doen. Want wat zouden de buren daar wel niet van hebben gedacht?

Misschien had hij niet naar de galerie moeten gaan om haar ermee te confronteren, gewapend met het verslag van de privédetective en zijn eigen woede. Misschien hadden ze allebei verstandiger moeten zijn dan tegen elkaar te gaan schreeuwen, wat overal in de galerie en zelfs op straat te horen was geweest.

Maar ze zouden allebei met de gêne moeten leven.

Eén ding wist hij wel: de schikking zou niet langer zo royaal zijn. Het hele plan om de scheiding zo snel en eerlijk mogelijk te regelen, en dat ze zich niet heel strak aan hun huwelijkse voorwaarden zouden houden? Vergeet het maar. Dat zou ze merken als ze thuiskwam van haar liefdadigheidsveiling en zag dat hij het schilderij had meegenomen dat hij in Florence had gekocht, de deco-diamant die van zijn overgrootmoeder was geweest en het zilveren koffieservies, waar hij niets om gaf, maar dat nu eenmaal een familiestuk was. Hij mocht hangen als hij dat servies bij het gemeenschappelijk bezit zou voegen.

Ze zou ontdekken dat er van nu af aan een heel ander spel werd gespeeld.

Misschien was het kleinzielig of stom, of misschien was het juist en eerlijk. Hij kon niet meer door zijn woede en het gevoel van verraad heen kijken, en het kon hem ook niet langer schelen. Vervuld van die woede stopte hij op de oprit van hun huis in de Back Bay in Boston. Een huis dat hij had beschouwd als een stevig fundament voor een huwelijk dat langzaam wat scheurtjes was gaan vertonen. Een huis waarvan hij hoopte dat er op een goede dag kinderen zouden wonen en dat heel kort de scheurtjes had weten op te vullen toen Lindsay en hij het hadden ingericht. Ze hadden behang en verf uitgekozen, overlegd en geruzied over details en daar overeenstemming over bereikt, wat hij als doodnormaal had beschouwd.

Nu moesten ze het huis verkopen en zouden ze er allebei ongetwijfeld de helft van weinig tot niets aan overhouden. En in plaats van tijdelijk een appartement te huren, zoals hij had gehoopt, had hij er eentje gekocht.

Voor zichzelf, dacht hij, toen hij uit de auto de regen in stapte. Dan was er geen ruzie of instemming nodig.

En, zo besefte hij terwijl hij naar de voordeur rende, dat was een grote opluchting. Niet langer afwachten, geen mitsen of maren, niet langer doen alsof zijn huwelijk nog te redden viel.

Misschien had ze hem op haar leugenachtige, bedrieglijke, overspelige manier wel een dienst bewezen.

Nu kon hij dit leven zonder schuldgevoel of spijt achter zich laten.

Maar hij zou verdomme meenemen wat van hem was.

Hij deed de deur van het slot en liep de ruime, sierlijke hal in. Bij het bedieningspaneel van het alarm toetste hij de code in. Als ze het had veranderd, had hij zijn identiteitsbewijs, waar zijn naam en adres op stonden. Hij had al bedacht hoe hij eventuele vragen van de politie of de bewakingsdienst zou beantwoorden.

Hij zou zeggen dat zijn vrouw de code had veranderd, wat ook zo was, en dat het hem was ontschoten.

Dat had ze echter niet gedaan. Dat was een opluchting en tegelijkertijd een belediging. Ze dacht dat ze hem zo goed kende, ze was er zeker van dat hij nooit zonder haar permissie het huis zou betreden dat half van hem was. Hij had erin toegestemd om te verhuizen, om hun allebei wat ruimte te geven, zodat hij zich nooit zou opdringen, nooit te hard zou aandringen.

Ze ging er verdomme van uit dat hij beleefd zou zijn.

Nou, ze zou binnenkort tot de ontdekking komen dat ze hem helemaal niet kende.

Hij bleef even staan en nam de stilte van het huis, de sfeer in zich op. Al die neutrale kleuren die als achtergrond dienden voor vegen en flitsen kleur, waaraan de combinatie van oud en nieuw op een slimme manier stijl toevoegde.

Hij moest toegeven dat ze daar talent voor had. Ze wist hoe ze zichzelf en haar huis moest presenteren, hoe ze succesvolle feesten moest geven. Ze hadden hier fijne momenten beleefd, pieken van geluk, periodes van tevredenheid, momenten dat ze goed met elkaar omgingen, af en toe fijne seks, een aantal luie zondagochtenden.

Hoe was het allemaal zo verkeerd gelopen?

'Het kan me allemaal geen donder meer schelen,' mompelde hij.

Snel erin en eruit, hield hij zich voor. Het huis deprimeerde hem. Hij ging naar boven, meteen naar de zitkamer naast de grote slaapkamer, en zag dat er een half ingepakte weekendtas op het bagagerek stond.

Ze mocht gaan waarheen ze wilde, dacht hij, met of zonder haar minnaar.

Eli richtte zijn aandacht op de dingen waarvoor hij was gekomen. In de kast toetste hij de combinatie van de safe in. Hij negeerde de stapel contant geld, de juwelendozen met de sieraden die hij haar in de loop der jaren had gegeven of die ze voor zichzelf had gekocht.

Alleen de ring, dacht hij. De Landon-ring. Hij deed het doosje open en zag de ring flonkeren en flitsen in het licht. Hij stopte het doosje in de zak van zijn jack. Zodra de safe weer dicht was en hij de trap af liep, bedacht hij dat hij bubbeltjesplastic of iets anders had moeten meenemen om het schilderij te beschermen.

Hij zou wat handdoeken pakken. Iets om het doek tegen de regen te beschermen. Hij haalde wat badlakens uit de linnenkast en liep verder.

Erin en eruit, hield hij zich nogmaals voor. Nu pas merkte hij hoe graag hij weg wilde uit dit huis, weg van de herinneringen, de goede én de slechte.

In de woonkamer haalde hij het schilderij van de muur. Hij had het gekocht op hun huwelijksreis omdat Lindsay het zo mooi had gevonden: de door de zon verlichte kleuren, de charme en eenvoud van een veld vol zonnebloemen met op de achtergrond een olijfgaard.

Daarna hadden ze nog meer kunstwerken gekocht, herinnerde hij zich terwijl hij het in de handdoeken wikkelde. Schilderijen, beelden en aardenwerk die zonder twijfel meer waard waren. Dat mocht allemaal op de grote hoop gemeenschappelijk bezit. Dat mocht allemaal onderdeel worden van de onderhandelingen. Maar dit niet.

Hij legde het ingepakte schilderij op de bank en liep door het woongedeelte terwijl het buiten bliksemde. Hij vroeg zich af of ze door het slechte weer reed, op weg naar huis om haar tas verder in te pakken voor haar nachtje weg met haar minnaar.

'Geniet ervan zolang het duurt,' mompelde hij. Want morgenochtend zou hij zijn echtscheidingsadvocaat bellen en hem carte blanche geven.

Vanaf nu zou hij haar naar de strot vliegen.

Hij liep de kamer in waar ze een bibliotheek van hadden gemaakt en net toen hij op het lichtknopje wilde drukken, zag hij haar in een trillende, kille bliksemschicht.

Van dat moment tot het gebulder van de donder die erop volgde, kon hij even niet nadenken.

'Lindsay?'

Hij sloeg op het knopje terwijl hij naar voren snelde. In zijn binnenste woedde een strijd tussen wat hij zag en wat hij kon aanvaarden.

Ze lag op haar zij voor de haard. Bloed, zo veel bloed, op het witte marmer en de donkere vloer.

Haar ogen, dat diepe chocoladebruin dat hem ooit zo had gegrepen, waren als beslagen glas.

'Lindsay.'

Hij liet zich naast haar vallen en pakte de hand die uitgestrekt op de grond lag, alsof ze iets probeerde te pakken. En hij voelde dat ze koud was.

In Bluff House werd Eli wakker, en hij scheurde zich langzaam los uit het bloed en de schrik van de telkens terugkerende droom.

Even bleef hij zitten zoals hij overeind was geschoten, gedesoriënteerd en verward. Hij staarde de kamer in en het voorval schoot hem weer te binnen terwijl zijn bonzende hart tot bedaren kwam.

Bluff House. Hij was naar Bluff House gegaan.

Lindsay was al bijna een jaar dood. Het huis in Back Bay stond eindelijk te koop. De nachtmerrie lag achter hem. Zelfs al voelde hij die nog steeds in zijn nek hijgen.

Hij duwde zijn haar naar achteren en wenste dat hij zichzelf voor de gek kon houden en weer in slaap kon vallen, maar de ervaring had hem geleerd dat als hij zijn ogen sloot, hij weer in de kleine bibliotheek zou zijn, vlak naast het lichaam van zijn vermoorde vrouw.

Toch kon hij geen enkele goede reden bedenken om op te staan.

Hij meende muziek te horen, zacht en ver weg. Wat was dat in godsnaam voor muziek?

In de laatste maanden bij zijn ouders thuis was hij zo gewend geraakt aan lawaai, stemmen, muziek, het geroezemoes op de tv, dat het hem niet was opgevallen dat er geen muziek hoorde te zijn. Behalve het geluid van de zee en de wind hoorde er niets te zijn.

Had hij een radio of televisietoestel of iets dergelijks aangezet en was hij dat vergeten? Dat zou niet de eerste keer zijn in zijn langdurige neerwaartse spiraal.

Nou ja, een reden om op te staan, besloot hij.

Omdat hij de rest van zijn bagage nog niet naar binnen had gebracht, trok hij de spijkerbroek aan die hij de dag ervoor had gedragen, pakte zijn overhemd en deed dat ook aan terwijl hij de slaapkamer uit liep.

Het klonk niet als een radio, hoorde hij toen hij boven aan de trap kwam. Althans, niet alleen een radio. Hij herkende Adele duidelijk toen hij over de begane grond liep, maar hij hoorde ook een tweede vrouwenstem die luidkeels een soort hartstochtelijk duet met de zangeres aanging.

Hij volgde het geluid en liep door het huis naar de keuken.

Adeles zangpartner stak net haar hand in een van de drie stoffen boodschappentassen die op het aanrecht stonden, haalde er een trosje bananen uit en legde die op een bamboeschaal naast de appels en peren.

Hij kon het tafereel voor zich niet helemaal bevatten.

Ze zong uit volle borst en het klonk goed. Weliswaar had ze niet de magie van Adele, maar zingen kon ze. En ze leek net een elfje, van het lange, lenige soort.

Een vracht lange krullen met de kleur van walnoten viel over haar schouders, langs de rug van een donkerblauwe sweater. Haar gezicht was… ongewoon, was het woord dat hem te binnenschoot. Grote, amandelvormige ogen, een scherpe neus en jukbeenderen en een volle mond met een moedervlekje bij de linkerhoek kwam hem net een tikje bovennatuurlijk voor.

Al kon dat ook worden veroorzaakt door zijn troebele brein en de omstandigheden.

Aan haar vingers glinsterden ringen. Aan haar oren bungelden oorbellen. Om haar hals hing een halvemaan en om haar pols droeg ze een horloge met een wijzerplaat die even rond en wit was als een honkbal.

Nog altijd luid zingend, haalde ze een liter melk en een pond boter uit de tas en draaide ze zich om naar de koelkast. En toen zag ze hem.

Ze gilde niet, maar deed wel een onvaste pas achteruit en liet de melk bijna vallen.

'Eli?' Ze zette de melk neer en drukte een met ringen getooide hand tegen haar hart. 'Jezus! Je laat me schrikken.' Met een schor, ademloos lachje schudde ze al die krullen naar achteren. 'Je zou vanmiddag toch pas komen? Ik heb je auto niet zien staan. Maar ik ben ook achterom gekomen,' ging ze verder, wijzend naar de deur die toegang gaf tot het grote achterterras. 'Jij bent zeker door de voordeur gekomen? En waarom ook niet? Ben je hier gisteravond naartoe gereden? Minder verkeer zeker, maar wel nare wegen door de ijzel. Maar goed, je bent er. Heb je trek in koffie?'

Ze leek net een elfje met lange benen, dacht hij opnieuw, en ze lachte als een zeegodin.

En ze had bananen meegenomen.

Hij staarde haar alleen aan. 'Wie ben je?'

'O, sorry. Ik dacht dat Hester je dat wel zou hebben verteld. Ik ben Abra. Abra Walsh. Hester heeft me gevraagd om het huis in orde te maken voor jou. Hoe gaat het met Hester? Ik heb haar al een paar dagen niet gesproken. Alleen wat korte sms'jes en mailtjes.'

'Abra Walsh,' herhaalde hij. 'Jij hebt haar gevonden.'

'Ja.' Ze haalde een pak koffiebonen uit een zak en begon een apparaat te vullen dat erg leek op het ding dat hij dagelijks op zijn advocatenkantoor had gebruikt. 'Vreselijke dag. Ze kwam niet naar yogales, en die slaat ze nooit over. Ik heb haar gebeld, maar ze nam niet op, dus ben ik hiernaartoe gegaan om te kijken of alles goed was. Ik heb een sleutel. Ik ben haar werkster.'

Terwijl het apparaat zoemde, zette ze een grote beker onder de tuit en ging toen verder met het opbergen van de boodschappen. 'Ik ben door de achterdeur gegaan, dat is zo mijn gewoonte. Ik riep haar naam, maar... Toen werd ik bang dat ze zich misschien niet lekker voelde, dus ben ik doorgelopen om naar boven te gaan. En daar lag ze. Ik dacht... Maar ik voelde een hartslag en ze kwam even bij toen ik haar naam zei. Ik heb een ambulance gebeld en ik heb de foulard van de bank gehaald omdat ik haar niet durfde te verplaatsen. Ze waren er heel snel, maar op dat moment leek het uren te duren.'

Ze haalde een pakje koffieroom uit de koelkast en deed een scheutje in de beker. 'Aan de bar of de ontbijttafel?'

'Wat?'

'De bar.' Ze zette de mok op het eiland. 'Zo kun je zitten en tegelijk met mij praten.' Toen hij alleen maar naar de koffie staarde, glimlachte ze. 'Zo wil je hem toch? Hester zei een wolkje room, geen suiker.'

'Ja. Ja, bedankt.' Als een slaapwandelaar liep hij naar het eiland en ging op een kruk zitten.

'Ze is zo sterk, zo slim en helemaal zichzelf. Jouw oma is mijn grote held. Toen ik hier een paar jaar geleden kwam wonen, was zij de eerste met wie ik echt een band kreeg.'

Ze bleef praten. Het maakte niet uit of hij luisterde, dacht ze. Soms bood het geluid van iemands stem troost en hij zag eruit als iemand die wel wat troost kon gebruiken.

Ze dacht aan de foto's van hem die Hester had laten zien, van een paar jaar geleden. De vrolijke glimlach, het licht in zijn Landon-blauwe ogen, kristalblauw met een heel donker randje om de iris. Nu zag hij er moe, verdrietig en veel te mager uit.

Ze zou doen wat ze kon om daar verandering in te brengen.

Daarom haalde ze eieren, kaas en ham uit de koelkast.

'Ze is heel dankbaar dat jij bereid bent om hier te logeren. Ik weet dat ze het vervelend vindt dat Bluff House leeg stond. Ze vertelde dat je een roman schrijft. Klopt dat?'

'Ik... Hm-m.'

'Ik heb een aantal van je korte verhalen gelezen. Die vond ik goed.' Ze zette een omeletpan op het fornuis om warm te laten worden. Ondertussen schonk ze een glas jus d'orange in, deed wat bessen in een kleine vergiet om te wassen en stopte brood in het broodrooster. 'Als tiener heb ik heel slechte romantische gedichten geschreven. Het werd nog erger toen ik ze op muziek probeerde te zetten. Ik ben gek op lezen. Ik heb grote bewondering voor iedereen die woorden aaneen kan rijgen om een verhaal te vertellen. Ze is echt heel trots op jou. Hester, bedoel ik.'

Na die woorden keek hij naar haar en ving haar blik op. Groen, zag hij. Als een zee in een dunne nevel en al even bovennatuurlijk als de rest van haar.

Misschien was ze hier helemaal niet.

Toen legde ze heel kort haar hand op de zijne en die voelde warm en echt aan. 'Je koffie wordt koud.'

'O, ja.' Hij tilde de mok op en nam een slok. En voelde zich iets beter.

'Jij bent hier al een poosje niet geweest,' vervolgde ze, en ze goot de geklutste eieren in de pan. 'In het dorp is een leuk restaurantje, en de pizzeria is er nog altijd. Ik denk dat je alles hebt wat je nodig hebt, maar de supermarkt is er ook nog. Als je iets nodig hebt en geen zin hebt om het dorp in te gaan, moet je het even tegen me zeggen. Ik woon in de cottage Laughing Gull, voor als je buiten bent en even wilt aanwippen. Ken je dat huis?'

'Ik... Ja. Je... werkt voor mijn grootmoeder?'

'Ik maak één of twee keer per week bij haar schoon, afhankelijk van hoe vaak het nodig is. Ik maak ook schoon bij anderen, wanneer ze het nodig hebben. Ik geef vijf keer per week yogales in de kelder van de kerk, en een avond per week bij mij in de cottage. Zodra ik Hester had overgehaald om het een keer te proberen, was ze eraan verslingerd. Ik geef ook massages...' Ze grijnsde even naar hem over haar schouder. '... voor therapeutische doeleinden. Ik ben gediplomeerd. Ik doe heel veel dingen, omdat ik voor veel dingen belangstelling heb.'

Ze legde de omelet op een bord en maakte dat op met de verse bessen en de toast. Ze zette het bord voor hem en legde er een rood linnen servet en bestek naast. 'Ik moet ervandoor, ik loop al wat achter.'

Ze vouwde de stoffen tassen op en stopte ze in een gigantische rode draagtas. Daarna trok ze een donkerpaarse jas aan, wikkelde een gestreepte sjaal in edelsteenkleuren om haar hals, en zette een paarse wollen pet op.

'Ik zie je overmorgen, zo rond negen uur, wel weer.'

'Overmorgen?'

'Om schoon te maken. Als je voor die tijd iets nodig hebt, mijn telefoonnummers, van mijn mobieltje en mijn vaste aansluiting, hangen hier op het bord. En als je een wandeling maakt en ik thuis ben, kom dan even langs. Nou goed... Welkom terug, Eli.'

Ze liep naar de terrasdeur en keerde zich glimlachend om. 'Eet je ontbijt op,' beval ze, en daarna was ze verdwenen.

Hij zat naar de deur te staren en keek toen omlaag naar zijn bord. Omdat hij niks beters kon bedenken, pakte hij zijn vork en begon te eten.

2

Eli dwaalde door het huis, in de hoop dat hij zich daardoor beter zou kunnen oriënteren. Hij haatte het gevoel dat hij op drift was, dat hij van plaats naar plaats en van gedachte naar gedachte zweefde, zonder enig besef van een anker of wortels. Vroeger had zijn leven structuur gekend en een doel gehad. Zelfs na Lindsays dood, toen de structuur in gruzelementen uiteen was gespat, had hij een doel gehad.

Vechten om te voorkomen dat hij de rest van zijn leven in de gevangenis zou doorbrengen stond gelijk aan een sterk, scherpomlijnd doel.

Maar welk doel had hij nog nu de dreiging minder acuut, minder zichtbaar was? Schrijven, hield hij zichzelf voor. Hij dacht vaak dat het proces en de ontsnappingsmogelijkheid die het schrijven hem bood, hadden weten te voorkomen dat hij gek werd.

Maar waar was zijn anker nu? Waar waren de wortels? Was het Bluff House? Was het echt zo eenvoudig?

Als kleine jongen en jongeman had hij veel tijd in dit huis doorgebracht, zo veel zomers waarin het strand altijd verlokkend dichtbij was, zo veel feestdagen en wintervakanties, kijkend hoe de sneeuw hopen vormde op het zand en op de rotsen, waarvan alleen de punten er nog bovenuit staken.

Onbezorgde tijden, maar ook onschuldig? Zandkastelen en picknicken op het strand met familie en vrienden, zeilen met zijn grootvader in de mooie sloep die zijn grootmoeder nog altijd in de haven van Whiskey Beach had liggen, en lawaaiige, drukke en kleurrijke kerstdiners, waarbij alle open haarden knapten en sisten.

Hij had nooit kunnen denken dat hij als een geest door deze kamers zou dwalen, zoekend naar de echo's van die verloren stemmen of de vervaagde beelden van gelukkiger tijden.

Toen hij in de slaapkamer van zijn grootmoeder stond, viel hem op dat ze weliswaar wat veranderingen had aangebracht – qua verf en beddengoed – maar dat het meeste nog precies hetzelfde was als vroeger.

Het prachtige grote hemelbed waarin zijn eigen vader, vanwege een sneeuwstorm en een snelle bevalling, was geboren. De trouwfoto van zijn grootouders – zo jong, levendig en mooi – van ruim een halve eeuw geleden, stond nog altijd in de glanzend zilveren lijst op het bureau. En het uitzicht door de ramen op de zee, het zand en de puntige ronding van de rotsige kust was onveranderd.

Opeens schoot hem een herinnering te binnen, een duidelijk beeld van een zomeravond, een wilde zomerstorm. De donder bulderde, de bliksem flitste. En zijn zus en hij, die een week in Bluff House hadden gelogeerd, waren doodsbenauwd naar het bed van hun grootouders gerend.

Hoe oud was hij geweest? Vijf, misschien zes? Hij zag het weer voor zich alsof hij door een kristalheldere lens keek. De lichtflitsen buiten, het schitterende grote bed waar hij op moest klimmen. Hij hoorde zijn grootvader – en was het niet vreemd om zich precies op dat moment te realiseren dat zijn vader erg op zijn grootvader was gaan lijken nu zijn vader min of meer dezelfde leeftijd had? – nog lachen toen hij de doodsbange Tricia in bed had getild.

'Ze houden daarboven vanavond een wild feest! Het is het rockconcert van de hemel.'

Het beeld vervaagde, maar Eli voelde zich wat evenwichtiger.

Hij liep naar de balkondeuren, maakte het slot open en stapte de wind en de kou in.

De golven sloegen tegen de kust, opgezweept door de sterke, bestendige wind die naar sneeuw smaakte. Op het puntje van de landtong, aan de andere kant van de bocht, rees de bruidswitte vuurtoren boven een warboel van rotsen uit. Ver weg op de Atlantische Oceaan zag hij een stipje, dat een schip was, zijn best doen op het rusteloze water.

Waar ging het schip naartoe? Wat had het bij zich?

Lang geleden hadden ze een spelletje gedaan, een variatie op A is voor appel. Het gaat naar Armenië, dacht Eli, en het heeft artisjokken bij zich.

Voor het eerst in veel te lange tijd glimlachte hij, terwijl hij zijn schouders kromde tegen de kou die aanvoelde als een ijspriem.

Naar Bimini met bavianen. Naar Caïro met castagnetten. Naar Denemarken met dromedarissen, dacht hij toen het stipje verdween.

Hij bleef nog even staan, waarna hij terug naar binnen ging, de warmte in.

Hij moest iets doen. Hij kon naar buiten gaan om zijn spullen te halen. Uitpakken, zich installeren.

Straks misschien.

Hij slenterde de kamer uit en ging helemaal naar de tweede verdieping die vroeger, ver voor zijn tijd, het domein van de bedienden was geweest.

Nu werd het gebruikt als opslagruimte, en stond het vol dozen en spookachtige lakens over meubels en kasten. Die spullen stonden voornamelijk in de grote open ruimte, terwijl de wirwar van kamertjes waar de dienstmeisjes en koks hadden geslapen leeg waren. Nog altijd zonder doel liep hij erdoorheen naar de zeekant en de gevelkamer met de brede ronde ramen die op de oceaan uitkeken.

De kamer van de hoofddienstbode, dacht hij. Of was hij van de hoofdbutler geweest? Hij wist het niet meer, maar wie het ook was geweest, hij had het mooiste plekje voor zichzelf opgeëist, compleet met privéopgang en balkon.

Tegenwoordig was er niet veel personeel meer nodig en de tweede verdieping hoefde niet langer gemeubileerd te zijn en zelfs niet onderhouden of verwarmd te worden. Zijn praktisch ingestelde oma had de etage jaren geleden al afgesloten.

Op een goede dag zou degene die hier de scepter zwaaide er misschien een nieuwe bestemming voor vinden, het weer tot leven wekken, al die spookkleden weghalen en voor warmte en licht zorgen.

Maar op dit moment voelde de verdieping even leeg en koud als hijzelf.

Hij ging weer naar beneden en dwaalde verder door het huis.

Trof nog meer veranderingen aan.

Een van de vroegere logeerkamers op de eerste verdieping had zijn grootmoeder heringericht als kantoor annex zitkamer. Een studeerkamer, dacht hij. Compleet met een schitterend oud bureau waar een computer op stond, een leesstoel en een bank, die hem heel geschikt leek om 's middags een dutje op te doen. Plus meer van haar kunstwerken; een grote bos felroze pioenrozen in een kobaltblauwe vaas, met nevel boven verwaaide duinen.

En natuurlijk het uitzicht; weids als een banket voor een hongerige ziel.

Hij liep naar het bureau en trok de Post-It van de monitor.

Hester zegt:
Ga hier schrijven. Waarom ben je nog niet bezig?
Overgebracht door Abra.

Even keek hij fronsend naar het briefje, half geërgerd dat ze haar bevelen liet overbrengen door haar buurvrouw. Daarna keek hij de kamer door, het briefje nog steeds in zijn hand. Hij zag de ramen, wierp een snelle blik in de kleine badkamer en de kast, waarin nu kantoorspullen en linnengoed, dekens en kussens lagen. Daaruit concludeerde hij dat de bank een slaapbank was.

Ook dat was praktisch. Het huis had wel tien slaapkamers, of meer, hij wist het niet precies, maar waarom zou je ruimte verspillen als je iets voor diverse doeleinden kon aanwenden?

Hoofdschuddend keek hij naar de minikoelkast met de glazen deur die vol stond met flesjes mineraalwater en Mountain Dew, waar hij sinds zijn studietijd een zwak voor had.

Ga hier schrijven.

Het was een goede ruimte, dacht hij, en het idee om te gaan schrijven was een stuk aanlokkelijker dan uitpakken.

'Goed,' zei hij. 'Oké dan.'

Hij ging naar zijn kamer om zijn laptoptas te halen. Hij schoof het toetsenbord en het scherm zo ver mogelijk naar links om plaats te maken voor zijn eigen apparaat. En omdat het er toch was, pakte hij een koud flesje Dew. Waarom niet? Hij zette de laptop aan en stopte zijn memorystick erin.

'Goed,' zei hij opnieuw. 'Waar was ik gebleven?'

Hij opende het flesje, nam een grote slok terwijl hij zijn document opende en het snel even inspecteerde. Na een laatste blik op het uitzicht dook hij in zijn werk.

Hij ontsnapte.

Sinds zijn studententijd had hij geschreven als hobby, een echte liefhebberij, waar hij graag tijd aan besteedde. Hij was best trots geweest toen hij een paar korte verhalen had verkocht.

In de afgelopen anderhalf jaar, toen zijn leven een grote puinhoop was geworden, had hij ontdekt dat schrijven hem iets beters bood dan therapie. Zijn geest werd er kalmer van dan van een sessie van vijftig minuten bij een psychiater.

Hij kon helemaal opgaan in een wereld die hij had gecreëerd en die hij, tot op zekere hoogte, onder controle had. En vreemd genoeg voelde hij zich daar meer zichzelf dan buiten die wereld.

Hij schreef over iets waar hij verstand van had, ook in dit geval tot op zekere hoogte. Het schrijven van juridische thrillers, eerst in korte verhalen, en nu in deze enge, maar toch verlokkelijke poging tot een roman, bood hem de gelegenheid om te spelen met de wet, om die te gebruiken en te misbruiken, afhankelijk van het personage. Hij kon dilemma's en oplossingen scheppen, balanceren op de dunne lijn die de grens vormde tussen de wet en gerechtigheid, die voortdurend in beweging was.

Hij was advocaat geworden omdat de wet met al zijn gebreken, complicaties en verschillende interpretaties hem fascineerde. Maar ook omdat het familiebedrijf, Landon Whiskey, gewoon niet zo goed bij hem paste als bij zijn vader, zijn zus en zelfs zijn zwager.

Hij had strafpleiter willen worden, en was vastberaden op zijn doel afgegaan tijdens zijn studie rechten – waarbij hij als griffier voor rechter Reingold had gewerkt, een man die hij bewonderde en respecteerde – en zijn werk voor Brown, Kinsale, Schubert en partners.

Nu de wet hem echt in de steek had gelaten, schreef hij om het gevoel te hebben dat hij nog leefde, om zich eraan te herinneren dat er tijden waren dat de waarheid het won van leugens, en gerechtigheid echt geschiedde.

Tegen de tijd dat hij opkeek van zijn werk, was het licht veranderd, schemerig geworden, waardoor de kleuren in het water werden verzacht. Met enige verbazing zag hij dat het al over drieën was. Hij had bijna vier uur aan een stuk door geschreven.

'Hester had weer eens gelijk,' mompelde hij.

Hij sloeg zijn pas geschreven tekst op en ging naar zijn e-mail. Veel spam, die hij direct verwijderde. Verder was er niet veel bijzonders, en zeker niets dat hij meteen wilde lezen.

In plaats daarvan schreef hij een mail aan zijn ouders en eentje aan zijn zus, met praktisch dezelfde tekst. Geen problemen tijdens de rit hierheen, het huis ziet er geweldig uit, fijn om er weer te zijn, ben aan het acclimatiseren. Niks over terugkerende dromen, op de loer liggende depressies of een praatzieke buurvrouw die omeletten maakte.

Daarna schreef hij een mail aan zijn grootmoeder.

Ik ben aan het schrijven, zoals me is opgedragen. Dank je. Het water lijkt net golvend staal met snelle witte paarden. Het gaat sneeuwen, je kunt het proeven. Het huis ziet er prima uit en voelt nog beter. Ik was vergeten welk gevoel het me altijd bezorgt. Het spijt me – en zeg nou niet dat ik me niet nog eens moet verontschuldigen – het spijt me dat ik er zo lang niet ben geweest, oma. Maar nu spijt het me minstens zo veel voor mezelf als voor jou. Als ik wel naar Bluff House was blijven komen, had ik de zaken misschien helderder kunnen zien, dingen kunnen accepteren of veranderen. Als ik dat had gedaan, zou dan ook alles zo vreselijk zijn misgelopen?

Ik zal het nooit weten en het heeft geen zin om hypothetische vragen te stellen.

Wat ik wel zeker weet is dat het fijn is om hier te zijn, en ik zal voor het huis zorgen tot jij er weer bent. Ik ga straks een strandwandeling maken en als ik weer terug ben ga ik de haard aanmaken zodat ik daarvan kan genieten zodra het begint te sneeuwen.

Ik hou van je,

Eli

O, PS. Ik heb Abra Walsh ontmoet. Ze is erg interessant. Ik ben vergeten of ik haar wel eens heb bedankt omdat ze de liefde van mijn leven heeft gered. Als ze weer terugkomt, zal ik dat zeker doen.

Nadat hij de e-mail had verzonden, bedacht hij dat hij weliswaar niet meer wist of hij haar had bedankt, maar dat hij wel zeker wist dat hij haar niet had betaald voor de boodschappen.

Hij schreef een herinnering voor zichzelf op het bovenste briefje van een pakje Post-Its dat hij in een la vond, en plakte dat op het computerscherm. Tegenwoordig vergat hij veel te gemakkelijk.

Het had geen zin om het uitpakken nog langer uit te stellen. Het werd tijd om eens iets anders aan te trekken dan de kleren die hij al twee dagen aanhad. Die kant wilde hij niet nog eens op.

Hij maakte gebruik van de oppepper die het schrijven hem had bezorgd en trok zijn jas aan. Net op tijd bedacht hij dat hij ook schoenen moest aantrekken, en daarna ging hij naar buiten om zijn bagage te halen.

Bij het uitpakken ontdekte hij dat hij bij het inpakken niet echt slim te werk was gegaan. Hij had niet eens één pak nodig, laat staan drie, of vier paar nette schoenen en (godsamme!) vijftien dassen. Puur automatisme, hield hij zich voor. Hij had ingepakt op de automatische piloot.

Hij hing alles in de kast of legde het opgevouwen in lades, stapelde boeken op, zocht zijn telefoonoplader en zijn iPod. Zodra een deel van zijn eigen spullen zich in de kamer bevond, voelde hij zich er beter thuis.

Daarom pakte hij zijn laptoptas uit en stopte zijn chequeboekje in de bureaula, want hij moest de buurvrouw betalen als ze kwam schoonmaken. Ook legde hij zijn overdreven aantal pennen in de la.

Nu ging hij die wandeling maken. Zijn benen strekken, wat beweging krijgen, frisse lucht inademen. Gezonde, productieve dingen. Omdat hij er geen zin in had, dwong hij zichzelf ertoe, precies zoals hij zich had voorgenomen. Hij had besloten om elke dag naar buiten te gaan, zelfs al was het alleen voor een strandwandeling. Niet klagen, niet piekeren.

Hij trok zijn parka aan en duwde de sleutels in zijn zak. Vervolgens ging hij naar buiten via de terrasdeuren voor hij van gedachten kon veranderen.

Hij dwong zich om tegen de maniakale windstoten in over de tegels naar de andere kant van het terras te lopen. Een kwartier, besloot hij, toen hij met gebogen hoofd en opgetrokken schouders naar de trap liep die naar het strand voerde. Hij zou zevenenhalve minuut één kant uit lopen en daarna terugkeren.

In Bluff House zou hij in de haard een vuur stoken en ervoor gaan zitten tobben, met een glas whiskey, als hij dat wilde.

Van de duinen wervelde zand dansend omhoog, terwijl de wind die van zee kwam als een bullebak aan het zeegras rukte. De witte paarden waar hij zijn grootmoeder over had verteld steigerden en galoppeerden over water dat hard, ijzig grijs was. Bij elke ademteug sneed de lucht als gebroken glas in zijn keel.

De winter kleefde aan Whiskey Beach als bevroren klitten, en hij besefte dat hij zijn handschoenen en muts had vergeten.

Hij kon morgen een half uur gaan lopen, zo onderhandelde hij met zichzelf. Of een dag per week uitkiezen om een uur te lopen. Wie zei dat het elke dag moest? Wie stelde die regels op? Het was verrekte koud hier en iedere idioot kon aan de opgezwollen hemel zien dat die zelfvoldane, draaiende wolken popelden om een lading sneeuw te laten vallen.

Alleen idioten maakten een strandwandeling tijdens een sneeuwstorm.

Hij kwam bij de met zand bedekte trap en zijn gedachten werden bijna overstemd door het gebulder van het water en de wind. Dit had geen zin, overtuigde hij zichzelf, en net toen hij zich wilde omdraaien om weer naar boven te gaan, hief hij zijn hoofd op.

Uit die staalgrijze wereld rolden golven vol woede en kracht als stormrammen tegen de kust. Strijdkreet na strijdkreet echode na hun niet-aflatende opmars en terugtocht. Tegen het bewegende zand rezen de puntige, wanordelijke rotsen op die de golven aanvielen, waarna ze zich hergroepeerden en opnieuw aanvielen, in een strijd die geen van beide kanten ooit zou winnen.

Boven het strijdtoneel wachtte de gezwollen hemel. Die keek toe, alsof hij berekende wanneer hij zijn eigen wapens kon loslaten.

Eli bleef staan, overdonderd door de verschrikkelijke kracht en schoonheid.

Toen, terwijl de strijd woedde, begon hij te lopen.

Op het uitgestrekte strand was verder geen mens te bekennen. Hij hoorde niets anders dan het geluid van de bittere wind en boze branding. Boven de duinen stonden de huizen en cottages, hun luiken stevig gesloten tegen de kou. Voor zover zijn oog reikte, zag hij niemand die de strandtrap op liep of af daalde, of op de kaap of het klif stond. Niemand keek naar de oceaan vanaf de steiger waar de turbulente branding onbarmhartig op de pilaren beukte.

Op dat moment was hij volkomen alleen. Maar niet eenzaam.

Het was onmogelijk om hier eenzaam te zijn, omringd door al deze kracht en energie, bemerkte hij. Hij nam zich heilig voor om dit te onthouden, om aan dit gevoel te denken wanneer hij weer uitvluchten probeerde te verzinnen, de volgende keer dat hij probeerde te rechtvaardigen dat hij zich in zijn eentje opsloot.

Hij hield van het strand, en dit was om sentimentele redenen een van zijn lievelingsplekken. Hij hield van het gevoel op een strand in een storm, of het nou in de winter, zomer of lente was. En van de levendigheid in het zomerseizoen, wanneer de mensen in de golven doken, languit op handdoeken lagen of onder parasols op strandstoelen zaten. Hoe het eruitzag met zonsondergang of hoe het voelde in de zachte zoen van de zomerschemering.

Waarom had hij zich dit zo lang ontzegd? Dat kon hij niet aan de omstandigheden of aan Lindsay wijten. Hij had naar zijn grootmoeder moeten gaan, voor zichzelf. Maar hij had voor de weg van de minste weerstand gekozen. Dat leek eenvoudiger dan uitleggen waarom zijn vrouw niet was meegegaan, om uitvluchten voor haar, en voor zichzelf, te verzinnen. Of om ruzie te maken met Lindsay toen zij had aangedrongen op een bezoekje aan Cape Cod, Martha's Vinyard of een lange vakantie naar de Côte d'Azur.

Maar de weg van de minste weerstand had het niet gemakkelijker gemaakt en hij was iets kwijtgeraakt, iets wat belangrijk voor hem was.

Als hij dat nu niet terugnam, kon hij het alleen nog zichzelf verwijten.

Dus liep hij helemaal naar de steiger en dacht aan het meisje met wie hij een serieuze zomerromance had beleefd, vlak voor hij ging studeren. Vissen met zijn vader, iets waar ze allebei geen enkele aanleg voor hadden. En langer geleden, zijn kindertijd waarin hij bij eb in het zand had gegraven op zoek naar piratenschatten, samen met vakantievriendjes.

Esmeralda's bruidsschat, dacht hij. De oude en nog altijd levende legende van de schat die door piraten was gestolen in een fel zeegevecht, en vervolgens weer verloren was gegaan toen het beruchte piratenschip Calypso op de rotsen van Whiskey Beach in stukken was geslagen, bijna aan de voet van Bluff House.

In de loop der jaren had hij alle varianten van het verhaal gehoord, en als kind was hij met zijn vrienden op jacht gegaan. Zij zouden de schat opgraven, moderne piraten worden met de Spaanse matten, edelstenen en zilver.

Net als iedereen hadden ze niets anders gevonden dan schelpdieren, zandkrabben en lege schelpen. Maar in die zonovergoten zomers van lang geleden hadden ze genoten van de avonturen.

Whiskey Beach was goed voor hem geweest. Nu hij hier stond en die vervaarlijke omkrullende golven schuim en nevel sproeiden, geloofde hij dat het opnieuw goed voor hem zou zijn.

Hij was verder gelopen dan zijn bedoeling was geweest en hij was langer buiten gebleven, maar toen hij aan de terugtocht begon, zag hij de whisky bij het vuur eerder als een beloning dan een ontsnapping of een voorwendsel om te mogen gaan piekeren.

Eigenlijk zou hij iets te eten moeten maken, aangezien de lunch er volkomen bij in was geschoten. In feite had hij na het ontbijt niets meer gegeten. Dat betekende dat hij een ander voornemen niet was nagekomen, namelijk het gewicht dat hij was kwijtgeraakt er weer bij krijgen, een begin maken om gezonder te gaan leven.

Goed, dan zou hij een flinke avondmaaltijd maken en gaan werken aan dat gezondere leven. Er moest iets zijn wat hij kon klaarmaken. De buurvrouw had voedsel ingeslagen, dus...

Toen hij aan haar dacht, keek hij op en zag Laughing Gull samen met de andere cottages achter de duinen genesteld. Het felle zomerblauw van de overnaadse planken viel op tussen de andere huizen die pastel- of crèmekleurig waren geschilderd. Hij wist nog dat het vroeger zachtgrijs was geweest. Maar de grillige vorm van het huis, met de ene spitse dakpunt, het brede dakterras en de glazen uitstulping van de serre, maakte het uniek.

Achter dat glas zag hij licht fonkelen om de duisternis op afstand te houden.

Hij zou meteen naar haar toe gaan om haar te betalen, besloot hij. Contant. Dan hoefde hij er niet langer aan te denken. Vanaf daar zou hij naar huis lopen en zijn geheugen opfrissen wat betreft de andere huizen, wie daar woonden, of wie er vroeger hadden gewoond.

Een deel van zijn hersens ging ervan uit dat hij dan naar waarheid iets vrolijks naar huis kon schrijven. Heb strandwandeling gemaakt (beschrijf nader), ben op terugweg even bij Abra Walsh langsgegaan. Bla, bla, nieuwe kleur van Laughing Gull staat mooi.

Zien jullie wel? Ik zonder me niet af, bezorgde familieleden. Ik ga naar buiten en heb contact met mensen. Niets aan de hand.

Geamuseerd stelde hij in gedachten de e-mail op, terwijl hij de trap op liep. Hij liep over een glad keienpad door een ondiepe tuin vol struiken en beelden, een fantasievolle zeemeermin die opgekruld op haar staart lag, een kikker die banjo speelde en een stenen bankje op poten in de vorm van feeën. Hij was zo verbaasd door de – voor hem – nieuwe inrichting van de tuin, en hoe goed die bij de aparte cottage paste, dat hij de bewegingen in de serre pas zag toen hij met zijn voet op de drempel van de voordeur stond.

Verschillende vrouwen op yogamatten kwamen omhoog, in diverse gradaties van souplesse en vaardigheid, in de omgekeerde v-vorm die hij herkende als de omlaag kijkende hondhouding.

De meesten droegen yogakleding, kleurrijke topjes en strakke broeken. Die had hij vaak in de sportschool gezien. Toen hij nog lid van een sportschool was. Sommigen droegen een joggingbroek, anderen een korte broek.

Allemaal brachten ze een voet naar voren, al wiebelden er een paar angstvallig, tot een *lunge*. Daarna kwamen ze, een aantal wat schommelend, overeind; voorste been gebogen, achterste recht, armen gespreid, van voor naar achter.

Een tikje beschaamd deed hij een pas terug om weg te lopen, toen hij ineens zag dat de groep Abra's voorbeeld volgde.

Zij hield haar positie vast, haar dikke haar in een staart getrokken. Omdat ze een dieppaars topje droeg, waren haar lange, gespierde armen goed te zien en haar steengrijze broek kleefde aan haar slanke heupen en gleed over lange benen naar lange, smalle voeten waarvan de teennagels in dezelfde tint paars waren gelakt als haar topje.

Het fascineerde hem, deed hem iets, toen zij, gevolgd door de anderen, zich naar achteren boog, haar voorste arm gebogen boven haar hoofd hield, haar bovenlichaam draaide en haar hoofd ophief.

Ze strekte haar voorste been, drukte haar heupen naar voren en boog zich helemaal omlaag tot haar hand op de grond bij haar voorste voet rustte en haar andere arm naar het plafond reikte. Weer draaide ze haar bovenlichaam. Voor hij achteruit kon deinzen, keerde ze haar hoofd. Toen haar blik omhoog ging, ontmoette die de zijne.

Ze glimlachte. Alsof ze hem had verwacht, alsof hij niet voor gluurder speelde, hoe onbedoeld dan ook.

Haastig stapte hij naar achteren en hij maakte een gebaar waaruit hopelijk bleek dat het hem speet, maar ze ging al rechtop staan. Hij zag dat ze een van de vrouwen wenkte, waarna ze zich tussen de matten en lijven door bewoog.

Wat moest hij nu doen?

De voordeur ging open en ze glimlachte weer naar hem. 'Eli. Hoi.'

'Het spijt me. Ik wist niet... tot ik het zag.'

'Jezus, het is ijskoud. Kom gauw binnen.'

'Nee, je hebt het druk. Ik was een stukje aan het lopen en toen...'

'Nou, kom gauw binnen voor ik bevries.' Ze stapte naar voren op haar lange, blote voeten en pakte zijn hand beet.

'Jouw hand lijkt wel een ijsklomp.' Ze trok er dwingend aan. 'Ik wil niet dat de groep last krijgt van de koude lucht.'

Omdat ze hem geen keus liet, stapte hij naar binnen zodat ze deur kon sluiten. In de serre mummelde new age-muziek als water in een beek. Hij zag dat de vrouw die achteraan zat weer overeind kwam in de uitstap-houding.

'Het spijt me,' zei hij opnieuw. 'Ik wilde je niet storen.'

'Dat geeft niks. Maureen kan de rest voordoen. We zijn bijna klaar. Kom mee naar de keuken. Wil je een glas wijn terwijl ik het afrond?'

'Nee. Nee, dank je.' Hij wenste bijna wanhopig dat hij niet zo impulsief was geweest om een omweg te maken. 'Ik wilde alleen... Ik was aan het wandelen en ik kwam alleen even langs omdat ik ineens bedacht dat ik je nog niet voor de boodschappen heb betaald.'

'Dat heeft Hester al geregeld.'

'O. Dat had ik moeten weten. Ik zal met haar praten.'

De ingelijste potloodtekening in het halletje leidde hem eventjes af. Hij herkende het werk van zijn grootmoeder zelfs zonder het H.P. Landon in de onderhoek te lezen.

Ook herkende hij Abra, die slank en recht als een lans in de boomhouding stond, met haar armen boven haar hoofd en een lach op haar gezicht.

'Die heb ik vorig jaar van Hester gekregen,' zei Abra.

'Wat?'

'Die tekening. Ik had haar overgehaald om naar de les te komen om te schetsen, een eerste stap om haar daarna te overreden mee te gaan doen. En nadat ze helemaal verzot is geraakt op yoga heeft ze me die geschonken als bedankje.'

'Hij is prachtig.'

Hij had niet door dat Abra zijn hand nog altijd vasthield tot ze een stap achteruit deed en hij gedwongen werd er eentje naar voren te zetten. 'Schouders omlaag en naar achteren, Leah. Ja, zo. Ontspan je kaak, Heather. Heel goed. Zo moet het. Sorry,' zei ze tegen Eli.

'Nee, het spijt mij. Ik sta je in de weg. Ik zal je weer aan je werk laten.'

'Wil je echt geen wijn? Of gezien de omstandigheden liever warme chocolademelk?' Ze sloot ook haar andere hand om de zijne en wreef de kou weg.

'Nee, dank je. Ik moet echt terug.' De wrijving van haar handen veroorzaakte een snelle, bijna pijnlijke warmte die benadrukte dat hij zich tot op het bot had laten verkleumen. 'Het, eh... Het gaat sneeuwen.'

'Een mooie avond voor een haardvuur en een goed boek. Nou.' Ze liet zijn hand los en deed de deur weer open. 'Ik zie je over een paar dagen wel weer. Bel me maar of kom langs als je iets nodig hebt.'

'Dank je.' Hij liep snel weg, zodat ze de deur weer dicht kon doen en de warmte binnen bleef.

In plaats daarvan bleef ze in de deuropening staan om hem na te kijken.

Haar hart, waarvan anderen vaak hadden gezegd dat het te zacht of te open was, stroomde vol medeleven.

Hoe lang was het geleden dat iemand die geen familielid was hem had verwelkomd uit de kou?

Ze sloot de deur en liep terug naar de serre. Nadat ze even had geknikt naar haar vriendin Maureen nam zij het weer over.

Na de laatste ontspanningsoefening zag ze dat de sneeuw, die door Eli was voorspeld, dik en zacht voor het raam viel, zodat haar gezellige vertrek wel op de binnenkant van een grillige sneeuwbol leek.

Dat vond ze volmaakt.

'Vergeet niet genoeg te drinken.' Ze tilde haar eigen waterfles op toen de vrouwen hun mat oprolden. 'En er is morgen nog plek in de Oost ontmoet West-groep in de kelder van de Unitarian kerk om kwart over negen.'

'Die les vind ik heerlijk.' Heather Lockaby streek met haar vingers door haar korte blonde haar. 'Als je wilt, kan ik je morgenochtend wel ophalen, Winnie.'

'Bel eerst maar even. Maar ik wil het graag proberen.'

'Maar goed.' Heather wreef zich in de handen. 'Was dat wie ik dacht dat het was?'

'Pardon?' reageerde Abra.

'De man die binnenkwam tijdens de les. Dat was Eli Landon toch?'

Bij het horen van die naam klonk onmiddellijk gemompel. Abra voelde de heilzame werking van haar uurtje yoga bijna volledig verdwijnen toen haar schouders verstrakten. 'Ja, dat was Eli.'

'Zei ik het niet?' Heather gaf Winnie een por met haar elleboog. 'Ik zei toch dat ik had gehoord dat hij in Bluff House gaat wonen. Ben je echt van plan om daar schoon te blijven maken als hij er woont?'

'Er valt niet veel schoon te maken als er niemand woont.'

'Maar ben je dan niet bang, Abra? Ik bedoel, hij wordt beschuldigd van moord. Ze zeggen dat hij zijn eigen vrouw heeft omgebracht. En...'

'Hij ging vrijuit, Heather. Weet je nog wel?'

'Alleen omdat ze niet voldoende bewijs hadden om hem te arresteren. Dat wil niet zeggen dat hij het niet gedaan heeft. Je zou niet alleen met hem in dat huis moeten zijn.'

'Dat de pers smult van een sappig schandaal, vooral wanneer het om seks, geld en oude families uit New England gaat, wil niet zeggen dat hij níét onschuldig is.' Driftig trok Maureen haar rode wenkbrauwen op. 'Je kent de wet toch, Heather? Onschuldig tot het tegendeel is bewezen.'

'Ik weet dat hij is ontslagen, en hij was nota bene strafpleiter. Als je het mij vraagt, is er iets niet in de haak. Waarom zouden ze hem ontslaan als hij onschuldig is? En ze zeiden dat hij de hoofdverdachte was. Getuigen hebben hem zijn vrouw horen bedreigen op de dag dat ze is vermoord. Bij een echtscheiding zou ze flink wat geld hebben gekregen. En hij had toch helemaal niks in dat huis te zoeken?'

'Het was zijn eigen huis,' merkte Abra op.

'Maar hij woonde er niet meer. Ik zeg alleen dat waar rook is...'

'Als er ergens rook is, wil dat meestal zeggen dat iemand anders de brand heeft gesticht.'

'Jij bent veel te goed van vertrouwen.' Heather sloeg een arm om Abra heen, een gebaar dat evenzeer hartelijk als bevoogdend was. 'Ik zal me zorgen om je maken.'

'Volgens mij kan Abra mensen heel goed inschatten, en kan ze ook prima voor zichzelf zorgen.' Greta Parrish, de oudste van de groep met haar tweeënzeventig jaar, trok haar warme, praktische wollen jas aan. 'En Hester Landon zou Eli Landon, die overigens altijd een welgemanierde jongeman is geweest, niet in Bluff House laten wonen als ze ook maar de geringste twijfel had over zijn onschuld.'

'O, ik heb niets dan waardering en eerbied voor mevrouw Landon,' begon Heather. 'Iedereen hoopt en bidt dat ze binnenkort voldoende is hersteld om naar huis te komen. Maar...'

'Geen gemaar.' Greta zette ruw een clochehoed op haar staalgrijze haar. 'Die jongen maakt deel uit van de gemeenschap. Hij mag dan in Boston hebben gewoond, maar hij is een Landon en hij is één van ons. God mag weten dat hij door de mangel is gehaald. Ik zou het vreselijk vinden als iemand hier zijn problemen verergert.'

'Ik... Zo bedoelde ik het niet.' Van haar stuk gebracht, keek Heather van de een naar de ander. 'Echt niet. Ik maak me alleen zorgen om Abra. Daar kan ik ook niks aan doen.'

‘Dat geloof ik best.’ Greta knikte kordaat naar Heather. ‘Maar ik denk ook dat je daar geen reden toe hebt. Dit was een fijne les, Abra.’

‘Dank je. Zal ik je naar huis rijden? Het sneeuwt behoorlijk hard.’

‘Ik denk dat ik een wandelingetje van drie minuten nog wel red.’

De vrouwen kleedden zich warm aan en vertrokken. Alleen Maureen treuzelde.

‘Heather is een domoor,’ zei ze.

‘Dat zijn heel veel mensen. En heel veel mensen zullen er hetzelfde over denken als zij. Als de politie hem verdacht, moet hij schuldig zijn. Dat is verkeerd.’

‘Ja, natuurlijk.’ Maureen O’Malley, wier korte, stekelige haar dezelfde vurige kleur had als haar wenkbrauwen, nam nog een slok uit haar flesje water. ‘Het probleem is dat ik betwijfel of ik er niet heel cynisch hetzelfde over zou denken als ik Eli niet kende.’

‘Ik wist niet dat je hem kende.’

‘Hij was de eerste jongen met wie ik echt heb gezoend.’

‘Wacht eens even.’ Abra wees met beide wijsvingers naar haar. ‘Je moet echt even wachten. Bij dat verhaal hoort een glas wijn.’

‘Dat laat ik me geen twee keer zeggen. Ik zal Mike even sms’en dat ik een half uurtje later thuiskom.’

‘Doe dat, dan schenk ik de wijn vast in.’

In de keuken koos Abra een fles shiraz terwijl Maureen op de bank in de gezellige woonkamer neerplofte.

‘Hij vindt het prima. De kinderen hebben elkaar nog niet vermoord en genieten op dit moment van een sneeuwstorm.’ Ze keek op van haar telefoon en glimlachte toen Abra haar de wijn aangaf en daarna zelf ook ging zitten. ‘Dank je. Ik zal dit zien als een poging me te vermannen voor ik naar hiernaast ga om de manschappen te voeden.’

‘Gezoend?’

‘Ik was vijftien en ik was weliswaar al eerder gekust, maar dat was de eerste echte zoen. Tongen en handen en veel gehijg. Als eerste wil ik zeggen dat de jongen heerlijke lippen had en zeer behendige handen. Ik durf ook toe te geven dat hij de eerste was die deze prachtige tieten heeft aangeraakt.’ Ze klopte zacht op haar borsten en nam een slokje wijn. ‘Maar niet de laatste.’

‘Kom op, ik wil details horen.’

‘4 juli, na het vuurwerk. We hadden een kampvuur op het strand gemaakt. We waren met een heel stel. Ik mocht erheen, en geloof me, dat had me heel wat moeite gekost. En vanwege mijn ervaring zal het mijn kinderen nog veel meer moeite kosten. Hij was zo’n schatje. Jezus, Eli Landon uit Boston was hier voor een maand en ik had mijn zinnen op hem gezet. En ik was trouwens niet de enige.’

‘Hoe schattig was hij?’

‘Mmm. Dat gekrulde haar dat elke dag lichter werd door de zon, die geweldige kristalblauwe ogen. En hij had een glimlach die je kon betoveren. Hij was atletisch gebouwd, ik geloof dat hij basketbalde. Als hij niet met ontbloot bovenlijf op het strand was, dan was hij met ontbloot bovenlichaam aan het basketballen bij het dorpshuis. Ik herhaal: Mmm.’

‘Hij is afgevallen,’ mompelde Abra. ‘Hij is veel te mager.’

‘Ik heb foto’s en nieuwsberichten gezien en hij is inderdaad te mager. Maar die zomer was hij prachtig, jong, gelukkig en vrolijk. Ik heb als een gek geflirt en bij dat kampvuur op 4 juli plukte ik daar de vruchten van. De eerste keer dat hij me zoende, zaten we bij het vuur. Er klonk harde muziek, sommigen dansten en sommigen waren in het water. Van het een kwam het ander en we liepen naar de steiger.’

Ze zuchtte bij de herinnering. ‘Gewoon een stel hormonale tieners op een warme zomeravond. We zijn niet te ver gegaan, al weet ik zeker dat mijn vader het daar niet mee eens zou zijn geweest, maar het was het tot dan toe zwoelste moment van mijn leven. Nu lijkt het lief en onschuldig, maar nog altijd bespottelijk romantisch. De branding, de zee en het maanlicht, muziek op het strand en een stel warme, halfnaakte lichamen die nog maar net begrepen waar ze voor bedoeld waren. Dus…’

‘Ja, dus? Nou?’ Abra boog zich naar voren en draaide rondjes met haar handen in een schiet-opgebaar. ‘Wat gebeurde er toen?’

‘We zijn teruggegaan naar het kampvuur. Het had te ver kunnen gaan, als hij niet had gezegd dat we terug moesten gaan naar de groep. Ik was totaal niet voorbereid op wat er vanbinnen bij je gebeurt als iemand je zo aanraakt, begrijp je?’

'Nou, reken maar.'

'Maar hij hield op en later bracht hij me naar huis. Ik heb hem nog een paar keer gezien voor hij weer naar Boston vertrok, en we hebben nog wel eens getongd, maar het maakte niet meer zo'n indruk op me als die eerste keer. De keer daarna dat hij hier was, hadden we allebei verkering. We hebben nooit meer echt contact met elkaar gekregen, niet op die manier. Waarschijnlijk herinnert hij zich die 4 juli met de roodharige meid onder de steiger van Whiskey Beach niet eens meer.'

'Nou denk je vast veel te min over jezelf.'

'Wie weet. Als hij hier op bezoek was en we elkaar tegenkwamen, maakten we altijd een gezellig babbeltje, je weet hoe het gaat. Ik liep hem een keer tegen het lijf in de supermarkt toen ik ontzettend zwanger was van Liam. Toen heeft Eli mijn boodschappen naar de auto gebracht. Hij is een goede man. Dat geloof ik echt.'

'Heb je zijn vrouw wel eens ontmoet?'

'Nee. Ik heb haar één of twee keer gezien, maar nooit met haar gesproken. Ik moet toegeven dat ze beeldschoon was. Maar ik denk niet dat ze het type was dat graag gezellige babbeltjes maakt bij de supermarkt. Het gerucht ging dat Hester Landon en zij elkaar niet mochten. Na hun huwelijk is Eli hier een aantal keer alleen of met familie geweest, maar daarna bleef hij weg. Voor zover ik weet, tenminste.'

Ze keek op haar horloge. 'Ik moet naar huis om de wilde meute te voederen.'

'Misschien moet je een keertje bij hem langsgaan. Bij Eli, bedoel ik.'

'Ik vrees dat dat op dit moment als een onwelkome inbreuk zou voelen. Alsof ik ziekelijk nieuwsgierig ben.'

'Hij heeft vrienden nodig, maar je zou wel eens gelijk kunnen hebben. Waarschijnlijk is het nog te vroeg.'

Maureen bracht haar lege wijnglas naar de keuken en zette het daar neer. 'Ik ken je, Abracadabra. Jij zult hem niet lang laten tobben.' Ze trok haar jas aan. 'Het ligt in jouw aard om problemen op te lossen, beter te maken, een zoen te geven als iemand zich heeft bezeerd. Hester wist precies wat ze deed toen ze aan jou vroeg om voor hem en het huis te zorgen.'

'Dan kan ik haar maar beter niet teleurstellen.' Ze knuffelde Maureen even en opende daarna de achterdeur. 'Fijn dat je het me hebt verteld. Niet alleen vanwege dat sexy verhaal over tienerwellust, maar omdat ik hem daar weer ietsje beter door ga begrijpen.'

'Jij kunt wel een tongzoen of twee gebruiken.'

Abra hief haar handen op. 'Ik ben aan het vasten.'

'Ja, ja, ik wil alleen maar zeggen dat als de kans zich voordoet... Hij heeft geweldige lippen. Tot morgen.'

Vanuit de deuropening keek Abra haar vriendin na die zich door de dikke sneeuw haastte, net zo lang tot ze de lamp bij de achterdeur van het buurhuis uit zag gaan.

Ze zou de haard aansteken, dacht ze. Ze ging soep eten en eens diep nadenken over Eli Landon.

3

Misschien had hij over het geheel genomen wat aan vooruitgang ingeboet, peinsde Eli, maar hij had zich bijna de hele dag aan het boek gewijd en daar was hij verder mee gekomen.

Als hij zijn brein scherp wist te houden, kon hij schrijven van het moment dat hij wakker werd tot de tijd dat hij van vermoeidheid instortte. Dat was misschien niet erg gezond, maar het zou wel heel productief zijn.

Bovendien was het pas halverwege de middag minder hard gaan sneeuwen. Zijn voornemen om minstens een keer per dag het huis te verlaten was mislukt door zestig centimeter sneeuw, en daar kwam nog steeds meer bij.

Op een gegeven moment, toen hij echt niet langer helder genoeg kon nadenken om begrijpelijke woorden op papier te zetten, was hij verdergegaan met zijn verkenning van het huis.

Keurige logeerkamers, smetteloze badkamers en tot zijn verrassing en verbazing stond er in de voormalige zitkamer boven, in de noordelijke vleugel, een crosstrainer, lagen er losse gewichten en was er een enorme flatscreen-tv. Hij kuierde de kamer door en keek fronsend naar de yogamatten die netjes opgerold op een plank lagen, de ordentelijke stapel handdoeken en de grote map met dvd's.

Die opende hij en hij bladerde erdoorheen. Power yoga? Zijn grootmoeder? Echt waar? Tai chi, pilates en... *Hoe krijg ik spierbundels?*

Oma?

Hij probeerde het zich voor te stellen. Hij geloofde oprecht dat hij een verdomd goede fantasie had, anders zou hij nooit fatsoenlijk zijn brood kunnen verdienen met het schrijven van romans. Maar toen hij zich probeerde voor te stellen hoe zijn oma, die waterverfschilderijen en pentekeningen maakte en lid was van een tuinclub, aan het gewichtheffen was, schoot zijn fantasie tekort.

Toch deed Hester Landon nooit iets zonder reden. Hij kon niet ontkennen dat de gekozen apparatuur en de inrichting van de kamer op een zorgvuldige planning en goede research wezen.

Misschien had ze besloten dat ze een geschikte plek nodig had om te bewegen wanneer het weer, zoals vandaag, verhinderde om een van haar befaamde dagelijkse wandelingen van vierenhalve kilometer te maken. Wellicht had ze iemand ingehuurd om de kamer in te richten?

Nee, ze deed nooit iets zonder goede reden, en ze hield ook niet van half werk.

Toch kon hij zich niet voorstellen dat ze een dvd in de speler zou stoppen met de bedoeling om gespierd te worden.

Afwezig bladerde hij verder door de map tot hij de Post-It zag.

Eli, regelmatig bewegen is goed voor lichaam,
hoofd en geest. Kom op,
minder piekeren en meer zweten.
Ik hou van je, oma
via Abra Walsh

'Jezus.' Hij wist niet of hij dit grappig vond of zich ervoor schaamde. Hoeveel had zijn grootmoeder eigenlijk aan Abra verteld? Hoe zat het met zijn privacy?

Hij stopte zijn handen in zijn zakken en liep naar het raam dat uitkeek op het strand.

De zee was kalmer geworden, maar was nog altijd grijs onder de hemel die de kleur had van een wegtrekkende bloeduitstorting. Golven sloegen stuk op het besneeuwde strand en knabbelden langzaam aan het gerimpelde witte laken. De witte bergen van de duinen rezen omhoog, en stukjes zeewier staken omhoog als naalden op een speldenkussen. Ze trilden in de wind en bogen onder zijn kracht.

De trap naar het strand ging verscholen onder de sneeuw die dik en zwaar op de leuning lag.

Hij zag geen voetstappen, maar toch was de wereld buiten niet leeg. Ver weg, in de grijze oneindigheid, zag hij iets springen, een korte waas van vorm en beweging. Zo was het er en zo was het weg. En hij zag meeuwen boven de sneeuw en het water vliegen. In de door sneeuw gedempte stilte hoorde hij ze krijsen.

En hij dacht aan Abra.

Hij keek om en bestudeerde de crosstrainer weinig enthousiast. Hij had het nooit leuk gevonden om kilometers te maken op een apparaat. Als hij lekker wilde zweten, ging hij wel basketballen.

'Je hebt geen bal en geen basket,' zei hij in het lege huis. 'Maar wel een flinke laag sneeuw. Misschien kan ik de oprit schoonmaken? Ach, waarom zou ik? Ik ga toch nergens heen.'

Die laatste opmerking was al bijna een jaar onderdeel van het probleem, dacht hij.

'Goed dan. Best. Maar ik ga echt geen power yoga doen. Jezus, wie bedenkt die dingen? Misschien tien minuten of een kwartier op dat stomme apparaat. Een paar kilometer.'

Hij ging regelmatig een aantal kilometer joggen op het trainingspad langs de rivier de Charles. Als het weer goed was, toch zeker een paar keer per week. Hij beschouwde de lopende band in zijn sportschool als een laatste redmiddel, maar ook daar had hij vaak gebruik van gemaakt.

Zijn grootmoeders kleine crosstrainer kon hij echt wel aan.

Dan kon hij haar daarna e-mailen om te zeggen dat hij het briefje had gevonden en braaf had gesport. En als ze ergens met hem over wilde praten, moest ze dat gewoon doen. Het was verdorie niet nodig om haar yogamaatje overal bij te betrekken.

Met een diep gewortelde afkeer liep hij naar de crosstrainer en wierp een blik op de flatscreen-tv. Nee, geen tv. Hij was gestopt met kijken op het moment dat hij zijn eigen gezicht veel te vaak op de beeldbuis had gezien, en niet alleen het commentaar en de debatten over zijn schuld of onschuld had gehoord, maar ook de echt afschuwelijke beschrijvingen van zijn privéleven, of die nou verzonnen waren of niet.

De volgende keer, als die er kwam, zou hij zijn iPod meenemen, bedacht hij terwijl hij plaatsnam op het apparaat. Maar deze keer zou hij gewoon aan de slag gaan en genoegen nemen met zijn eigen gedachten.

Om het gevoel een beetje te krijgen, pakte hij de hendels en bewoog zijn voeten. Opeens verscheen zijn oma's naam op het display.

'O.' Nieuwsgierig las hij het en riep haar gegevens op.

'Jeetje. Goed zeg, oma.'

Volgens haar laatste resultaat, en hij realiseerde zich dat dat van dezelfde dag was dat ze was gevallen, had ze vierenhalve kilometer in achtenveertig minuten en tweeëndertig seconden afgelegd.

'Niet slecht. Wedden dat ik je kan verslaan.'

Opeens geïntrigeerd, voerde hij een tweede gebruiker in en toetste zijn naam in. Hij begon langzaam om op te warmen. Daarna ging hij harder.

Veertien minuten en negentienhonderd meter later, druipend van het zweet en met brandende longen, gaf hij zich gewonnen. Zwaar hijgend strompelde hij naar de minikoelkast en pakte een flesje water. Nadat hij dat had leeggedronken liet hij zich op de grond vallen en ging plat op zijn rug liggen.

'Jezus nog aan toe. Godsamme. Ik kan niet eens een oud dametje bijhouden. Triest. Gewoonweg zielig.'

Hij staarde naar het plafond en deed zijn best om weer op adem te komen. Tot zijn afschuw voelde hij zijn beenspieren letterlijk trillen van inspanning en vermoeidheid.

Hij had verdomme basketbal gespeeld op Harvard. Met zijn lengte van een meter negentig was hij aan de kleine kant, maar dat nadeel had hij goedgemaakt door zijn snelheid, behendigheid en uithoudingsvermogen.

Ooit was hij een echte sporter geweest en nu was hij slap en zwak, te licht en te traag.

Hij wilde zijn leven terug. Nee, nee, dat klopte niet. Zelfs vóór de nachtmerrie van de moord op Lindsay had zijn leven lelijke scheuren vertoond en was het vreselijk onbevredigend geweest.

Hij wilde zichzélf terugvinden. Al mocht hij doodvallen als hij wist hoe hij dat voor elkaar kon krijgen.

Waar was hij gebleven? Hij kon zich niet herinneren hoe het voelde om gelukkig te zijn. Maar hij wist dat hij het ooit was geweest. Hij had vrienden gehad, hobby's en ambities. Hij had verdorie hartstocht gehad.

Hij kon zelfs zijn woede niet meer vinden, bedacht hij. Hij kon niet eens diep in zichzelf kijken en kwaad worden om wat hem was afgenomen, om wat hij op de een of andere manier had opgegeven.

Hij had antidepressiva geslikt en was met een psychiater gaan praten. Dat wilde hij niet nog eens. Dat kon hij niet.

Maar hij kon ook niet bezweet op de grond blijven liggen. Hij moest iets doen, hoe onbelangrijk of simpel ook. Doe gewoon wat hierna komt, hield hij zichzelf voor.

Hij kwam overeind en strompelde naar de douche.

Terwijl hij het stemmetje in zijn achterhoofd negeerde dat hem aanmoedigde om op bed te gaan liggen en de rest van de dag te slapen, kleedde hij zich op de kou. Over een gevoerd onderhemd trok hij een sweater aan, en daarna pakte hij een skimuts en handschoenen.

Ook al ging hij nergens naartoe, dat wilde niet zeggen dat de stoep, de oprit en zelfs het terras niet sneeuwvrij moesten worden gemaakt.

Hij had beloofd om Bluff House te onderhouden en dat zou hij doen ook.

Het kostte hem uren met de sneeuwblazer en de sneeuwschuiver. Hij raakte de tel kwijt van het aantal keren dat hij moest stoppen om uit te rusten, terwijl zijn hartslag in zijn hoofd als een alarmbel leek te rinkelen en zijn armen trilden alsof hij de ziekte van Parkinson had. Maar hij maakte de oprit en de stoep sneeuwvrij en daarna een flink pad over het hoofdterras naar de strandtrap.

En hij dankte de hemel toen het begon te schemeren, waardoor het bijna onmogelijk werd om ook de andere terrassen te doen. Binnen legde hij zijn winterkleding in de bijkeuken en liep als een zombie de keuken in, waar hij wat vleeswaren en Zwitserse kaas tussen twee boterhammen deed en besloot dat dat zijn avondeten was.

Hij spoelde het weg met een biertje, omdat het er nou eenmaal was, en at en dronk staande voor de gootsteen terwijl hij uit het raam keek.

In elk geval had hij iets gedaan, dacht hij. Hij was opgestaan, en dat was altijd de eerste hindernis. Hij had geschreven. Hij had zichzelf vernederd op de crosstrainer. En hij had voor Bluff House gezorgd.

Alles bij elkaar was het een behoorlijk goede dag geweest.

Hij slikte vier ibuprofens en sleepte daarna zijn pijnlijke lijf naar boven. Hij kleedde zich uit, kroop in bed en sliep tot de dageraad.

Droomloos.

Het verbaasde en verheugde Abra dat de oprit van Bluff House sneeuwvrij was gemaakt. Ze had zich erop voorbereid om door zestig centimeter maagdelijke sneeuw te moeten ploeteren.

Normaal gesproken zou ze vanaf haar cottage zijn komen lopen, maar ze had geen zin gehad om zich door diepe sneeuw of over dun ijs te moeten begeven. Ze parkeerde haar Chevy Volt achter Eli's BMW en pakte haar tas.

Met haar sleutel maakte ze de voordeur open en hield haar hoofd schuin om te luisteren. Toen ze werd begroet door stilte, besloot ze dat Eli nog op bed lag of zich ergens in een kamer had opgesloten.

Ze hing haar jas in de kast en verruilde haar laarzen voor werkschoenen.

Ze maakte eerst de haard in de salon aan, om de ruimte op te vrolijken, en daarna ging ze naar de keuken om koffie te zetten.

Geen vaat in de gootsteen, zag ze, en ze opende de vaatwasser.

Ze kon precies zien wat hij had gegeten sinds hij hier was. Het ontbijt dat ze voor hem had klaargemaakt, een paar soepkommen, twee kleine bordjes, twee glazen, twee koffiebekers.

Ze schudde haar hoofd.

Dat was niet goed.

Om het te controleren, keek ze in de kastjes en de koelkast.

Nee, dit was echt niet goed.

Ze zette de iPod in de keuken zacht aan en pakte vervolgens de benodigde ingrediënten. Toen ze een kom pannenkoekenbeslag had gemaakt, liep ze naar boven om hem te zoeken.

Als hij nog in bed lag, was het tijd om op te staan.

Maar ze hoorde het getik van een toetsenbord uit Hesters kantoor komen, en ze glimlachte. Dat was tenminste iets. Zachtjes liep ze naar de open deur en keek voorzichtig naar binnen. Ze zag hem zitten aan het schitterende oude bureau met een open flesje Mountain Dew naast het toetsenbord (ze prentte zich in om er meer voor hem te kopen).

Ze zou hem hier nog wat tijd geven, besloot ze, en ze liep terug naar zijn slaapkamer. Ze maakte het bed op, haalde de waszak uit de mand en legde schone handdoeken in de badkamer.

Op weg naar de trap keek ze even in de andere badkamers, voor het geval hij handdoeken of washandjes had gebruikt, en ze keek in de sportkamer.

Beneden gekomen bracht ze de tas naar de bijkeuken, sorteerde de was en zette de wasmachine aan. Ze schudde zijn buitenkleding uit en hing die op.

Er viel niet veel op te ruimen, dacht ze. Bovendien had ze het hele huis de dag voor zijn komst nog grondig schoongemaakt. Hoewel er altijd wel iets te doen viel, liep ze in gedachten de tijd na. Voor ze haar mouwen opstroopte en echt aan de slag ging, zou ze een brunch voor hem maken.

De volgende keer dat ze naar boven ging, maakte ze met opzet lawaai. Toen ze bij het kantoor kwam, was hij opgestaan en liep hij net naar de deur. Waarschijnlijk om hem dicht te doen, bedacht ze, dus stapte ze de kamer in voor hij daar de kans voor kreeg.

'Goedemorgen. Het is een schitterende dag.'

'Eh...'

'Prachtige blauwe lucht.' Met de vuilniszak in haar hand liep ze naar het bureau om de prullenbak die eronder stond te legen. 'Blauwe zee, de zon die fonkelt op de sneeuw. De meeuwen zijn aan het vissen. Ik heb vanochtend een walvis gezien.'

'Een walvis?'

'Puur toeval. Ik keek net uit het raam toen hij onderdook. Heel ver weg, maar toch spectaculair. Goed.' Ze keerde zich om. 'Je brunch is klaar.'

'Mijn wat?'

'Brunch. Het is te laat voor ontbijt. Waarom heb je niet gegeten?'

'Ik heb... koffie gehad.'

'En nu krijg je echt eten.'

'Weet je, ik ben...' Hij gebaarde naar zijn laptop.

'En het is irritant om onderbroken te worden, om te worden weggesleurd om te eten. Maar je voelt je vast beter als je wat in je maag hebt. Hoe lang heb je vandaag al geschreven?'

'Ik weet het niet.' Het was inderdaad irritant, dacht hij. De interruptie, de vragen, het eten waar hij geen tijd voor wilde vrijmaken. 'Ongeveer sinds zes uur, denk ik.'

'Ja, jeetje! Het is al over elven. De hoogste tijd voor een pauze. Ik heb deze keer voor je gedekt in de ochtendkamer. Van daaruit heb je zo'n mooi uitzicht, vooral vandaag. Wil je dat ik hier schoonmaak terwijl je eet? Wil je überhaupt dat ik hier schoonmaak?'

'Nee. Ik... Nee.' Na nog een korte stilte: 'Nee.'

'Ik heb het begrepen. Ga maar gauw eten, dan doe ik mijn werk op deze verdieping. Als je straks weer verder wilt gaan, ben ik beneden, en heb je geen last van me.'

Met een vriendelijke glimlach stond ze tussen hem en zijn laptop in. Ze droeg een vaal paars sweatshirt met precies in het midden een ban-de-bomteken, een nog valere spijkerbroek en feloranje Crocks.

Omdat tegensputteren tijdverspilling leek, liep hij maar de kamer uit.

Hij was van plan geweest om op te houden en iets te eten, een bagel of iets dergelijks. Hij was de tijd uit het oog verloren. Hij vond het prettig om de tijd uit het oog te verliezen, want dat betekende dat hij helemaal in het boek opging.

Ze hoorde het huis schoon te maken, niet op te treden als zijn verzorgster.

Hij was niet vergeten dat ze zou komen. Maar zijn plan om op te houden met schrijven als ze kwam, een bagel te pakken en die al lopend op te eten en naar huis te bellen als hij buiten was, nou... dat alles had het boek opgeslokt.

Hij ging naar links, de ochtendkamer met de ronde glazen wand in.

Abra had gelijk. Het uitzicht was de moeite meer dan waard. Als hij een behoorlijke route kon vinden in de sneeuw, zou hij straks zeker een stuk gaan lopen. Hij kon in elk geval naar de strandtrap gaan en daar met zijn telefoon wat foto's maken en die naar huis sturen.

Hij ging aan de tafel zitten, voor een bord met een deksel erop, een kleine pot koffie en een kristallen glas sap. Ze had zelfs een bloem uit het boeket in de salon gehaald en die in een vaasje gezet.

Dat deed hem denken aan zijn kindertijd, wanneer hij ziek was en zijn moeder een bloem, spelletje, boek of speeltje op het dienblad had gelegd als ze hem eten kwam brengen.

Hij was niet ziek. Hij hoefde niet bemoederd te worden. Hij had alleen behoefte aan iemand die kwam schoonmaken zodat hij kon schrijven, leven en sneeuwruimen, wanneer dat nodig was.

Hij ging zitten en huiverde even bij het voelen van de stijfheid in zijn nek en schouders. Goed, de 'sneeuwschuiven om je trots te redden'-sessie was hem duur komen te staan.

Hij tilde de deksel op.

Een wolk heerlijk geurende stoom steeg op van een stapel bosbessenpannenkoeken. Aan de rand van het bord lag een knapperig uitgebakken plakje bacon en ernaast stond een glazen schaaltje met meloen, gegarneerd met muntblaadjes.

'Wauw.'

Hij staarde er even naar, worstelend met zowel irritatie als aanvaarding.

Ach, die gevoelens waren allebei goed. Hij zou het opeten omdat het voor zijn neus stond en hij praktisch uitgehongerd was, en hij kon er tegelijkertijd geërgerd over zijn.

Hij smeerde wat van de boter die ze in een klein schaaltje had geschept op de stapel, en zag het smelten terwijl hij er stroop over goot.

Het bezorgde hem het enigszins rare gevoel dat hij de heer des huizes was, maar het smaakte heerlijk.

Hij wist heel goed dat hij uit een bevoorrecht gezin kwam, maar een mooi verzorgde brunch waarbij de ochtendkrant opgevouwen op tafel had gelegen was bepaald geen dagelijkse gebeurtenis geweest.

De Landons waren bevoorrecht omdat ze werkten, en ze werkten omdat ze bevoorrecht waren.

Al etend sloeg hij de krant open, maar legde die toen weer weg. Net als aan de televisie kleefden er aan kranten te veel slechte herinneringen. Het uitzicht stelde hem tevreden en hij liet zijn gedachten dwalen. Hij keek naar het water en het druipen van de smeltende sneeuw toen de zon krachtiger begon te schijnen.

Hij voelde zich... bijna vredig.

Hij keek op toen ze binnenkwam. 'De eerste verdieping is schoon,' zei ze, en ze wilde het blad weghalen.

'Ik doe het wel. Ja,' zei hij vastbesloten. 'Ik doe het wel. Hoor eens, je hoeft heus niet voor me te koken. Het was heerlijk, nog bedankt, maar je hoeft niet te koken.'

'Ik kook graag, maar het is weinig bevredigend om het alleen voor mezelf te doen.' Ze volgde hem naar de keuken en liep daarna naar de bijkeuken. 'En jij eet niet goed.'

'Ik eet tenminste iets,' mompelde hij.

'Een blik soep, een boterham, een kom koude cornflakes?' Met een wasmand liep ze de keuken in en ging aan de ontbijttafel zitten om de was op te vouwen. 'Er bestaan geen geheimen voor de huishoudster,' zei ze ontspannen. 'Niet waar het eten, douchen of seks betreft. Ik schat dat je zo'n zeven kilo moet aankomen. Negen kilo kan ook geen kwaad.'

Hij mocht zijn woede dan in geen maanden hebben kunnen vinden, maar zij tekende er een routebeschrijving naartoe. 'Hoor eens...'

'Je kunt best zeggen dat het mijn zaken niet zijn, maar daar zal ik me niet door laten tegenhouden,' zei ze. 'Dus als ik tijd heb, zal ik koken. Ik ben hier toch.'

Er schoot hem geen enkele steekhoudende tegenwerping te binnen tegenover de vrouw die zijn boxershorts zat op te vouwen.

'Kun jij koken?' vroeg ze.

'Ja. Goed genoeg.'

'Eens even denken.' Ze hield haar hoofd schuin en liet haar groene ogen over hem heen gaan. 'Kaastosti's, roerei, biefstuk op de barbecue, en ook hamburgers en... iets met kreeft of schelpdieren?'

Hij noemde het schelpdieren à la Eli, en wenste vurig dat ze uit zijn hoofd zou gaan. 'Doe je naast pannenkoeken bakken ook aan gedachtelezen?'

'Ik lees handpalmen en tarotkaarten, maar alleen voor de lol.'

Dat verbaasde hem eigenlijk niets.

'Maar goed, ik zal een of twee stoofschotels maken, iets wat je alleen hoeft op te warmen en dan kunt eten. Voor ik hier de volgende keer kom, moet ik boodschappen doen. Ik heb mijn dagen aangekruist op de kalender daar, zodat je een rooster hebt. Moet ik nog iets voor je meenemen, behalve dan meer Mountain Dew?'

Haar kordate, zakelijke optreden liet zijn brein dichtslibben. 'Er schiet me zo niks te binnen.'

‘Mocht dat wel gebeuren, schrijf het dan op. Waar gaat je boek over? Of is dat geheim?’

‘Het gaat over... Een geroyeerde advocaat is op zoek naar antwoorden, en verlossing. Zal hij letterlijk zijn leven verliezen of het juist terugkrijgen? Dat soort dingen.’

‘Mag je hem?’

Hij staarde haar even aan, omdat dat precies de juiste vraag was. Het soort dat hij liever beantwoordde dan weg te wuiven of te ontwijken. ‘Ik begrijp hem en ik heb veel tijd in hem gestopt. Hij verandert langzaam in iemand die ik mag.’

‘Hem begrijpen is belangrijker dan hem mogen, zou ik zo zeggen.’ Ze fronste toen Eli over zijn schouder en zijn nek wreef. ‘Je trekt je schouders op.’

‘Pardon?’

‘Aan het toetsenbord. Je trekt je schouders op. Dat doen de meeste mensen.’ Ze zette de was opzij en voor hij begreep wat haar bedoeling was, stond ze achter hem en boorde haar vingers in zijn schouder.

Een plotselinge, felle pijn trok helemaal door tot zijn voetzolen. ‘Hoor eens... Au!’

‘Lieve hemel, Eli. Je hebt hier stenen zitten.’

Zijn ergernis veranderde in een soort verblufte frustratie. Waarom liet die vrouw hem niet met rust? ‘Ik heb gisteren gewoon wat al te enthousiast sneeuw geruimd.’

Ze liet haar handen zakken toen hij bij haar vandaan stapte, het kastje opende en ibuprofen pakte.

Gedeeltelijk overdreven, gedeeltelijk met kromme schouders achter het toetsenbord gezeten, dacht ze. Maar daaronder ging een diepe, complexe, algehele stress schuil.

‘Ik ga een tijdje naar buiten om wat mensen te bellen.’

‘Goed idee. Het is koud, maar prachtig.’

‘Ik weet niet hoeveel ik je moet betalen. Dat heb ik je nooit gevraagd.’

Toen ze een bedrag noemde, wilde hij zijn portemonnee pakken. Maar zijn zak was leeg. ‘Ik weet niet waar ik mijn portemonnee heb gelaten.’

‘In je spijkerbroek. Hij ligt nu op je ladekast.’

'Oké, dank je. Ik ben zo terug.'

Arme, verdrietige, gestreste Eli, dacht ze. Ze moest hem helpen. Ze dacht aan Hester en schudde haar hoofd terwijl ze de vaatwasser inruimde. 'Jij wist dat ik dat zou doen,' mompelde ze.

Eli keerde terug en legde het geld op het aanrecht. 'En nog bedankt, voor het geval ik je niet meer zie voor je weggaat.'

'Graag gedaan.'

'Ik ga even... kijken hoe het op het strand is en mijn ouders en mijn oma bellen.' En maken dat ik bij jou uit de buurt kom.

'Goed. Doe ze allemaal de groeten.'

Bij de deur van de bijkeuken bleef hij staan. 'Ken je mijn ouders?'

'Tuurlijk. Ik heb ze een aantal keer ontmoet toen ze hier waren. En ik heb ze gezien toen ik naar Boston ging om Hester te bezoeken.'

'Ik wist niet dat je haar in Boston hebt bezocht.'

'Natuurlijk heb ik dat gedaan. We zijn elkaar toevallig misgelopen, jij en ik.' Ze zette het apparaat aan en draaide zich om. 'Ze mag dan jouw oma zijn, Eli, maar ze is er ook een voor mij geweest. Ik hou van haar. Je moet vanaf het strand een foto van het huis nemen en die naar haar sturen. Dat zou ze enig vinden.'

'Ja, dat is waar.'

'Zeg, Eli?' vroeg ze, toen hij weer naar de bijkeuken ging en zij de wasmand oppakte. 'Ik kom zo rond half zes terug. Ik heb vanavond niks op het programma staan.'

'Terug?'

'Ja, met mijn tafel. Jij hebt een massage nodig.'

'Ik wil geen...'

'Je hebt het nodig,' herhaalde ze. 'Je denkt misschien dat je er geen wilt, maar geloof me, dat wil je wel als ik eenmaal bezig ben. Deze is gratis, een welkom-thuiscadeautje. Een therapeutische massage, Eli,' voegde ze eraan toe. 'Ik ben gediplomeerd masseuse. Ik neem de spieren onder handen, niet dat andere ding.'

'Jezus nog aan toe.'

Lachend ging ze de deur uit. 'Dat we elkaar maar goed begrijpen. Half zes!'

Hij wilde haar achterna gaan, haar te verstaan geven dat hij geen behoefte had aan die dienst. Maar toen hij zich met een ruk omdraaide, schoot er een doffe pijn door zijn schouders.

'Shit. Gewoon shit.'

Hij moest zijn armen heel voorzichtig in de mouwen van zijn jas steken. Hij hoefde alleen maar te wachten tot de ibuprofen werkte, hield hij zich voor. En hij moest weer in zijn eigen hoofd zien te komen, zonder dat zij erbij was, zodat hij weer over zijn boek kon denken.

Hij zou ergens naartoe lopen, zijn familie bellen en rustig ademhalen, en als deze vervelende stijfheid, deze eindeloze pijn weg was, zou hij haar sms'en – ja, een sms'je zou het beste zijn – om te zeggen dat ze niet moest komen.

Maar eerst moest hij haar raad opvolgen en naar het strand gaan om een foto van Bluff House te nemen. En misschien kon hij zijn oma wat informatie over Abra Walsh ontfutselen.

Tenslotte was hij nog altijd advocaat, hij moest in staat zijn om antwoorden te ontlokken aan een getuige die hem toch al graag mocht.

Hij liep over het pad dat hij op het terras had schoongeveegd. Op een gegeven moment keek hij even om en zag Abra voor het raam van de slaapkamer staan. Ze wuifde.

Hij hief zijn hand op en keerde zich weer om.

Haar gezicht was zo fascinerend dat een man er graag een tweede blik op wilde werpen.

Juist daarom bleef hij heel nadrukkelijk recht voor zich uit kijken.

4

Hij genoot meer van de wandeling over het besneeuwde strand dan hij voor mogelijk had gehouden. De witte winterzon bescheen alles, weerkaatste op het water en de sneeuw, en deed beide fonkelen. Er hadden al andere mensen gelopen, dus hij volgde een van de sporen die zij hadden gemaakt naar de natte, koude strook zand die de golven hadden blootgelegd.

Op de grens tussen water en zand landden strandvogels om er kalm rond te stappen of juist driftig te trippelen. Ze lieten hun ondiepe afdrukken achter, waarna het water er schuimend overheen rolde en het weer uitwiste. Ze riepen, krijsten, kwetterden en deden hem beseffen dat de lente naderbij kwam, ondanks het winterlandschap om hem heen.

Hij volgde een trio van wat volgens hem een soort stern was, nam nog een paar foto's en verstuurde die naar huis. Toen hij verder liep, keek hij hoe laat het was en ging na wat het dagschema in Boston was, waarna hij het vaste nummer van zijn ouders belde.

'En wat ben jij aan het doen?'

'Oma.' Hij had niet verwacht dat zij op zou nemen. 'Ik maak een wandeling op Whiskey Beach. Er ligt ongeveer een halve meter sneeuw. Het ziet er net zo uit als toen ik, nou wat zou het zijn geweest, een jaar of twaalf was?'

'Jij en je neven en de jongens van Grady maakten een sneeuwkasteel op het strand. En jij hebt mijn goede sjaal van rood kasjmier als vlag gebruikt.'

'Dat was ik vergeten. Dat van die vlag.'

'Ik niet.'

'Hoe gaat het met je?'

'Steeds beter. Ik ben alleen pissig op mensen die weigeren me twee passen te laten lopen zonder dat ellendige looprek. Met een stok red ik me straks best.'

Aangezien zijn moeder hem een e-mail had gestuurd waarin de strijd om het looprek uitgebreid werd beschreven, was hij hierop voorbereid. 'Het is slimmer om voorzichtig te zijn en ervoor te zorgen dat je niet nog eens valt. En je bent altijd slim geweest.'

'Die indirecte manier van doen werkt niet bij mij, Eli Andrew Landon.'

'Ben je dan niet altijd slim geweest?'

Daar moest ze om lachen, en dat beschouwde hij als een kleine overwinning. 'O, jawel, en ik ben van plan dat te blijven. Mijn hersens werken toevallig nog prima, zelfs al kan ik me niet herinneren hoe ik nou eigenlijk ben gevallen. Ik weet niet eens meer dat ik uit bed ben gestapt. Maar dat doet er niet toe. Ik ben herstellende en dan hoef ik dat ouwedameslooprek niet meer te gebruiken. En hoe gaat het met jou?'

'Wel goed. Ik schrijf elke dag en ik lijk echt vooruitgang te maken met het boek. Dat geeft me een goed gevoel. En het is fijn om hier te zijn. Zeg oma, ik wil je nogmaals bedanken...'

'Niet doen.' In haar stem klonk de hardheid van het graniet uit New England door. 'Bluff House is net zo goed van jou als van mij. Het is van de familie. Je weet dat er brandhout in de schuur ligt, maar als je meer nodig hebt, moet je bij Digby Pierce zijn. Zijn telefoonnummer staat in mijn adresboek. Er ligt er een in het bureau in het kantoortje en eentje in de meest rechterla in de keuken. Abra weet wel waar, als jij ze niet kunt vinden.'

'Goed. Geen probleem.'

'Eet je wel genoeg, Eli? Ik wil niet dat je vel over been bent de volgende keer dat ik je zie.'

'Ik heb net pannenkoeken op.'

'Aha. Ben je naar Cafe Beach in het dorp geweest?'

'Nee... Abra heeft ze gebakken. Zeg, nu we het toch over haar hebben...'

'Ze is een lieve meid,' onderbrak Hester hem. 'En ze kan ook goed koken. Als je vragen of problemen hebt, moet je bij haar zijn. Als zij het antwoord niet weet, komt ze er wel achter. Ze is een slimme vrouw, en ook heel knap. Ik hoop dat je dat hebt gezien. Of ben je behalve mager ook blind geworden?'

Hij voelde een waarschuwende tinteling in zijn nek. 'Oma, je probeert ons toch niet te koppelen?'

'Waarom zou ik zoiets doen? Kun je soms niet voor jezelf denken? Heb ik me ooit met jouw liefdesleven bemoeid, Eli?'

'Nee, je hebt gelijk. Het spijt me. Het is gewoon... Jij kent haar veel beter dan ik. Ik wil niet dat ze zich verplicht voelt om voor me te koken, maar dat lijk ik haar niet aan haar verstand te kunnen brengen.'

'Heb je de pannenkoeken opgegeten?'

'Ja, maar...'

'Omdat je je verplicht voelde?'

'Ik begrijp waar je heen wilt.'

'Belangrijk is dat Abra altijd doet wat ze zelf wil. Geloof me maar. Dat bewonder ik aan haar. Ze geniet van het leven en leeft met volle teugen. Daar kun jij een voorbeeld aan nemen.'

De waarschuwende tinteling kwam opnieuw. 'Dus je probeert me niet aan de vrouw te brengen?'

'Ik vertrouw erop dat je weet wat er in jouw eigen hoofd en hart omgaat, en dat je weet welke lichamelijke behoeften je hebt.'

'Goed, laten we het ergens anders over hebben. Nou ja, nog wel even over je vriendin. Ik wil haar niet beledigen, vooral niet omdat ze mijn was doet. Zoals ik al zei, ken jij haar het beste. Hoe kan ik haar er tactvol van overtuigen dat ik geen massage nodig heb, en er ook geen wil?'

'Heeft ze aangeboden om jou te masseren?'

'Jazeker. Of liever gezegd, ze heeft meegedeeld dat ze om half zes terugkomt met haar tafel. Mijn "nee, dank je" maakte geen enkele indruk.'

'Je zult ervan genieten. Die vrouw heeft magische handen. Voor ze mij wekelijks begon te masseren en me heeft overgehaald om yoga te gaan doen, had ik altijd pijn in mijn onderrug en steken precies tussen mijn schouderbladen. Dat schreef ik toe aan mijn leeftijd en ik had me er al bij neergelegd dat het zo zou blijven. Tot Abra kwam.'

Hij merkte dat hij verder was gelopen dan hij van plan was geweest toen hij de trap zag die naar het dorp leidde. De paar seconden die het hem kostte om zich om te draaien en te besluiten om omhoog te gaan, gaf Hester de kans die ze nodig had.

'Je bent één brok zenuwen, jongen. Denk je soms dat ik dat niet aan je stem kan horen? Je leven is een grote puinhoop geworden en dat is niet goed. Het is niet eerlijk. Maar dat is het leven zelden. Dus het komt erop aan wat wij daartegen doen. Wat jij nu moet doen is precies hetzelfde als iedereen zegt dat ík moet doen. Word weer gezond en sterk en krabbel weer overeind. Ik vind het ook vervelend om te horen, maar dat wil niet zeggen dat het niet waar is.'

'En een massage van jouw pannenkoeken bakkende buurvrouw helpt daarbij?'

'Baat het niet, dan schaadt het niet. Moet je jezelf eens horen hijgen en zwoegen als een oude man.'

Beledigd en diep beschaamd zei hij verdedigend: 'Ik ben helemaal naar het dorp gelopen, voor een deel door die verrekte sneeuw heen. En ik klim net een trap op.'

'Wat een smoesjes voor een voormalige sterbasketballer van Harvard.'

'Ik was geen ster,' mompelde hij.

'Voor mij wel. Dat ben je nog steeds.'

Boven aan de trap bleef hij staan. Niet alleen om op adem te komen maar ook om te wachten tot zijn hart, dat zij aan het bonzen had gemaakt, weer tot bedaren kwam.

'Heb je mijn nieuwe fitnesskamer gezien?' vroeg ze.

'Jazeker. Hoeveel kilo kun je opdrukken, Hester?'

Ze lachte. 'Jij vindt jezelf zo slim en brutaal. Geloof me, ik ga niet schriel en afgeleefd dood. Maak gebruik van die fitnesskamer, Eli.'

'Dat heb ik al een keer gedaan. Ik heb jouw boodschap gelezen. Ik sta nu tegenover de Lobster Shack.'

'De lekkerste broodjes kreeft aan de noordkust.'

'Er is hier niet veel veranderd.'

'Hier en daar, maar wat telt is de fundering. Ik reken erop dat jij de jouwe niet vergeet. Je bent een Landon en via mij heb je de pit van de Hawkins. Niemand slaagt erin ons lang eronder te houden. Zorg goed voor Bluff House.'

'Zal ik doen.'

'En denk eraan: soms is een pannenkoek niet meer dan dat.'

Ze maakte hem aan het lachen. Het geluid mocht hees klinken, maar het was er nog. 'Goed, oma. Gebruik jij je looprek.'

'Ik zal dat verduvelde looprek gebruiken, voorlopig althans, als jij die massage neemt.'

'Goed dan. Kijk straks even naar je e-mail. Ik heb je wat foto's gestuurd. Ik bel je over een paar dagen weer.'

Hij liep langs plekken die hij zich nog herinnerde – IJssalon Cones 'N Scoops, Maria's Pizza – en nieuwe zaken zoals Surf's Up, waarvan de houten planken strandroze waren geverfd. De witte toren van de methodistenkerk, het eenvoudige vierkante gebouw van de Unitarian kerk, het statige gebouw van het North Shore Hotel en de charmante, verspreid liggende bed & breakfasts die in het zomerseizoen toeristen zouden verwelkomen.

Af en toe reed er verkeer voorbij, maar toen hij naar huis liep was er bijna geen auto meer te zien.

Misschien zou hij de volgende zonnige middag naar het dorp gaan om wat ansichtkaarten te kopen en er wat vlugge berichtjes opschrijven waar zijn ouders, en de weinige vrienden die hij nog had, om zouden glimlachen.

Dat kon geen kwaad.

Het kon evenmin kwaad om een keer wat winkels te bekijken, zowel oude als nieuwe, en zich de omgeving weer vertrouwd te maken.

Zijn bakermat herontdekken, zogezegd.

Maar op dat moment was hij moe en koud en wilde hij naar huis.

Tot zijn opluchting was zijn auto de enige die op de oprit stond. Hij had zijn wandeling lang genoeg gerekt tot Abra klaar was. Hij hoefde geen gesprek meer met haar te voeren of juist te vermijden. Toen hij zag hoe zijn laarzen eraan toe waren, liep hij om het huis heen en ging naar binnen via de bijkeuken.

Hij had geen last meer van zijn schouder, dacht hij toen hij zijn buitenkleding uittrok. Althans, bijna niet meer. Hij kon Abra sms'en en zeggen dat de pijn door zijn wandeling was verdwenen.

Alleen had hij een afspraak gemaakt met zijn oma en daar zou hij zich ook aan houden, maar hij kon het wel enkele dagen uitstellen. Hij had nog een paar uur om dat uit te werken. Praktiserend of niet, hij was nota bene advocaat en schrijver. Hij kon echt wel een duidelijk en redelijk bericht opstellen.

Hij liep de keuken in en zag de Post-It op het aanrecht.

Stoofschotel met kip en aardappel in de vriezer.
De houtmanden zijn bijgevuld.
Eet een appel en vergeet niet genoeg te drinken na
je wandeling. Tot een uur of half zes.
Abra

'Zeg, je bent mijn moeder niet. Misschien heb ik wel helemaal geen zin in een appel.'

De enige reden dat hij water uit de koelkast haalde was het feit dat hij dorst had. Hij had echt geen behoefte aan iemand die hem ging vertellen wanneer hij moest eten of drinken. Voor je het wist zou ze tegen hem zeggen dat hij eraan moest denken om zijn tanden te flossen of zich achter zijn oren te wassen.

Hij zou naar boven gaan om wat research te doen en daarna ging hij dat sms'je schrijven.

Vlak nadat hij de keuken uit was, draaide hij zich vloekend om en pakte een appel van de bamboeschaal omdat hij er nu verdomme wel trek in had.

Hij wist dat zijn ergernis onlogisch was. Ze was gewoon aardig en zorgzaam. Maar eigenlijk wilde hij alleen maar met rust gelaten worden. Hij had tijd en ruimte nodig om zijn evenwicht te hervinden, geen helpende hand.

In het begin waren er meer dan genoeg van die handen geweest, maar dat aantal was almaar afgenomen toen vrienden, collega's en buren zich steeds meer distantieerden van een man die werd verdacht van de moord op zijn vrouw. Die haar schedel zou hebben ingeslagen omdat ze hem ontrouw was geweest, of omdat een scheiding hem veel geld zou hebben gekost.

Of vanwege een combinatie van beide redenen.

Hij was niet van plan om ooit weer een beroep op die handen te doen.

Op kousenvoeten, nog altijd een beetje verkleumd van de lange wandeling, liep hij eerst naar zijn slaapkamer om schoenen te halen.

Met de appel halverwege zijn mond bleef hij staan en keek met een frons naar het bed. Hij liep er dichter naartoe en lachte gesmoord. Dat was de tweede keer al die dag, een record.

Ze had een kleine handdoek gevouwen, gedraaid en gevormd tot iets wat op een vreemde vogel leek die op zijn hurken op het dekbed zat. De vogel droeg een zonnebril en er zat een klein bloemetje tussen het pootje en de stof geklemd.

Maf, dacht hij. En lief.

Hij ging op de rand van het bed zitten en knikte naar de vogel. 'Blijkbaar krijg ik straks een massage.'

Hij liet de vogel op het bed staan en ging naar het kantoor om wat research te plegen en misschien een beetje aan de volgende passage te sleutelen, alleen om een beginnetje te krijgen.

Uit gewoonte keek hij eerst of hij nieuwe e-mails had. Tussen de spam, een mailtje van zijn vader en eentje van zijn oma als reactie op de foto's die hij haar had gestuurd, vond hij een bericht van zijn advocaat.

Liever niet, dacht hij. Hij had geen zin om erop te klikken. Maar dan zou het gewoon op hem blijven wachten.

De spieren in zijn schouders balden zich tot vuisten toen hij het mailtje opende.

Hij werkte zich door het advocatentaaltje heen, negeerde de geruststellingen en zelfs de vragen hoe ze hierop moesten reageren, en concentreerde zich op de lelijke kern van het bericht.

Lindsays ouders hadden, opnieuw, laten weten dat ze een rechtszaak wegens dood door schuld tegen hem wilden aanspannen.

Het zou nooit voorbij zijn, dacht hij. Het zou nooit voorbij zijn. Tenzij de politie de ware schuldige van Lindsays dood zou oppakken, was hij de dader bij gebrek aan beter.

Lindsays ouders verachtten hem, en waren er rotsvast van overtuigd dat hij hun enig kind had vermoord. Als zij dit zouden doorzetten – en hoe langer hij bij gebrek aan beter de dader bleef – hoe waarschijnlijker die kans werd, zou alles opnieuw worden opgerakeld, zou het nogmaals in de borrelende kookpot van de media worden geworpen om te sudderen en op te zwellen. En zou het niet alleen over hem worden uitgestort, maar ook over zijn familie.

Opnieuw.

Geruststellingen dat de zaak op dit moment niet zou worden doorgezet, of niet ver zou komen als dat wel gebeurde, brachten weinig troost. Ze zouden ermee doorgaan in de overtuiging dat dit de enige manier was waarop er gerechtigheid zou geschieden.

Hij dacht aan de publiciteit, al die pratende hoofden die discussieerden, analyseerden en speculeerden. De privédetectives die de Piedmonts zouden inhuren, en dat ongetwijfeld al hadden gedaan, en die naar Whiskey Beach zouden komen en al die speculaties, twijfel en vragen mee zouden nemen naar de enige plek die hij nog over had.

Hij vroeg zich af of rechercheur Wolfe van het politiekorps van Boston een rol had gespeeld bij hun besluit. Op slechte dagen beschouwde Eli die man als zijn persoonlijke Javert, die hem hardnekkig en obsessief bleef vervolgen voor een misdaad die hij niet had gepleegd. Op betere dagen zag hij Wolfe als koppig en eigenwijs, een agent die weigerde om te geloven dat gebrek aan bewijs gelijkstond aan onschuld.

Wolfe was er niet in geslaagd om de zaak dusdanig sterk te maken dat de openbaar aanklager Eli in staat van beschuldiging had gesteld. Maar dat had de man er niet van weerhouden het te proberen, waarbij zijn onderzoek steeds meer op het hinderlijk intimideren van Eli was gaan lijken, tot zijn meerderen hadden gezegd dat hij daarmee op moest houden.

In elk geval officieel.

Ja, hij achtte Wolfe heel goed in staat om de Piedmonts bij hun zoektocht aan te moedigen en te helpen.

Steunend op zijn ellebogen wreef Eli met zijn handen over zijn gezicht. Hij had geweten dat het zo ver zou komen. Dus misschien was het op een afschuwelijke manier beter om het maar achter de rug te hebben.

Omdat hij het eens was met de laatste regel van Neals e-mail – *We moeten praten* – pakte Eli de telefoon.

De hoofdpijn was een woedeaanval in zijn schedel, schoppend, slaand en gillend. Geruststellingen van zijn advocaat brachten daar weinig verlichting voor. Volgens hem zeiden de Piedmonts dat ze een rechtszaak zouden aanspannen om de druk op te voeren, om de belangstelling van de pers vast te houden, om het idee van een schikking te opperen.

Geen van die meningen stelde hem gerust, al was hij het er wel mee eens.

De suggestie om zich gedeisd te houden, het onderzoek met niemand te bespreken en zijn eigen privédetective opnieuw in de arm te nemen, hielp nauwelijks. Hij was al van plan om zich gedeisd te houden. Nog gedeisder, dan was hij dood en begraven. Met wie moest hij in godsnaam iets bespreken? En het vooruitzicht om geld en hoop in het onderzoek van een privédetective te investeren, wat de eerste keer ook niks zinvols had opgeleverd, veroorzaakte alleen een nieuwe golf gedeprimeerdheid.

Net zoals zijn advocaat en de politie wist hij dat hoe meer tijd er verstreek, hoe kleiner de kans werd dat ze hard bewijs zouden vinden.

De waarschijnlijkste uitkomst was dat hij de rest van zijn leven in onzekerheid zou verkeren. Niet vrijgepleit, niet aangeklaagd, maar altijd achtervolgd door achterdocht.

Daar moest hij mee leren leven.

Hij moest leren om te leven.

Hij hoorde de klop op de deur, maar het geluid en de betekenis ervan drongen niet echt tot hem door tot de deur openging. Hij zag Abra worstelen om een enorme gevoerde koffer en een uitpuilende boodschappentas binnen te krijgen.

'Hoi. Let maar niet op mij. Blijf daar maar lekker staan terwijl ik alles zelf naar binnen sleep. Nee, nee, dat is geen enkel probleem, hoor.'

Ze had het bijna voor elkaar tegen de tijd dat hij naar haar toe liep. 'Het spijt me. Ik had nog contact met je willen opnemen. Je willen zeggen dat het nu niet gelegen komt.'

Ze leunde tegen de deur om hem te sluiten en liet een duidelijk verstaanbaar 'pfoe' horen. 'Te laat,' begon ze, maar toen ze naar zijn gezicht keek, verdween haar vrolijke glimlach. 'Wat is er aan de hand? Wat is er gebeurd?'

'Niks.' Niet veel meer dan anders, dacht hij. 'Het komt gewoon ongelegen.'

'Heb je een andere afspraak? Ga je dansen of zo? Wacht er boven een blote vrouw op je voor seks? Nee?' zei ze voor hij kon reageren. 'Dan kan het net zo goed nu.'

Zijn gedeprimeerdheid veranderde abrupt in ergernis. 'Wat denk je hiervan? Nee betekent nee.'

Nu blies ze haar adem uit. 'Dat is een uitstekende reden en ik weet dat ik opdringerig ben, zelfs onaangenaam. Wijt dat maar aan het feit dat ik Hester heb beloofd om te helpen. Bovendien kan ik het niet verdragen om iets of iemand pijn te zien lijden. Ik weet het goed gemaakt.'

Verdorie, dat deed hem denken aan zijn eerdere gesprek met zijn grootmoeder. 'Wat zijn de voorwaarden?'

'Gun me een kwartier. Als je je na vijftien minuten op de tafel niet prettiger voelt, neem ik al mijn spullen weer mee en zullen we het er nooit meer over hebben.'

'Tien minuten.'

'Goed, tien,' stemde ze in. 'Waar moet ik de tafel zetten? Je slaapkamer is er ruim genoeg voor.'

'Hier is prima.' Met het gevoel dat hij in de val zat, wees hij naar de grote salon. Vanuit die kamer kon hij haar het snelst het huis uit werken.

'Goed. Waarom steek jij de haard niet aan terwijl ik alles klaarzet? Ik wil graag dat de kamer warm is.'

Hij was al van plan geweest de haard aan te maken, maar hij was afgeleid geraakt en had de tijd uit het oog verloren. Hij kon een vuurtje maken en haar tien minuten geven, en in ruil daarvoor zou zij hem daarna met rust laten.

Toch maakte het hem kwaad.

Hij hurkte bij de haard om aanmaakhout neer te leggen. 'Ben je niet bang om hier te zijn?' wilde hij weten. 'Alleen met mij?'

Abra trok aan de rits van de hoes die om haar draagbare tafel zat. 'Waarom zou ik?'

'Veel mensen geloven dat ik mijn vrouw heb vermoord.'

'Veel mensen geloven dat de opwarming van de aarde een fabeltje is. Daar ben ik het toevallig niet mee eens.'

'Je kent me niet. Je weet niet waartoe ik onder sommige omstandigheden misschien wel in staat ben.'

Met precieze, ervaren bewegingen klapte ze haar tafel uit en vouwde de hoes netjes op. 'Ik weet niet wat je zult doen onder welke omstandigheden dan ook, maar ik weet wel dat je je vrouw niet hebt vermoord.'

Haar kalme toontje maakte hem woedend. 'Waarom dan? Omdat mijn oma niet gelooft dat ik een moordenaar ben?'

'Dat is een van de redenen.' Ze deed een hoes van fleece om de tafel heen, streek hem glad en legde er een laken overheen. 'Hester is een intelligente, zelfbewuste vrouw, en ze geeft om me. Als zij ook maar de minste twijfel had, zou ze hebben gezegd dat ik bij je uit de buurt moet blijven. Maar dat is slechts één reden. Ik heb er nog meer.'

Al pratend zette ze her en der in de kamer wat kaarsen neer en stak deze aan. 'Ik werk voor je oma en ben met haar bevriend. Ik woon in Whiskey Beach, en daar horen de Landons thuis. Dus ik heb het verhaal gevolgd.'

Daar had je de op de loer liggende zwarte wolk van depressie weer. 'Dat geldt ongetwijfeld voor iedereen hier in de buurt?'

'Dat is heel natuurlijk en menselijk. Net zoals het heel natuurlijk en menselijk is om er een hekel aan te hebben en er aanstoot aan te nemen dat mensen over jou praten en bepaalde conclusies over je trekken. Ik heb je gezien, op tv, in de kranten en op internet. En wat ik zag was schrik en verdriet. Geen schuldgevoel. En weet je wat ik nu zie? Stress, woede en frustratie. Geen schuldgevoel.'

Onder het praten haalde ze een elastiekje van haar pols en met een paar snelle polsbewegingen deed ze haar haar in een staart. 'Ik geloof niet dat schuldigen last hebben van slapeloosheid. En dan is er nog een reden, hoewel ik er een aantal heb, zoals ik al zei. Jij bent niet dom. Waarom zou je haar vermoorden op dezelfde dag dat je in het openbaar ruzie met haar hebt gemaakt? De dag dat je erachter kwam dat je een pressiemiddel had om haar bij de scheiding onder druk te zetten?'

'Ik werd ook niet beschuldigd van moord met voorbedachten rade. Ik was kwaad. Een crime passionnel.'

'Nou, dat is gelul.' Ze pakte haar massageolie. 'Dus je was zo gepassioneerd dat je naar je eigen huis ging om drie dingen op te halen die aantoonbaar van jou waren? De zaak tegen jou sneed geen hout omdat hij zwak was én is. Ze hebben bewezen hoe laat je het huis bent binnengegaan omdat je het woningalarm hebt afgezet, en ze hebben het tijdstip van je telefoontje naar het alarmnummer. En je collega's konden precies vertellen hoe laat je die avond van kantoor was vertrokken. Dus je bent nog geen twintig minuten binnen geweest. Maar in die korte tijd ben je naar boven gegaan om de ring van je overgrootmoeder uit de kluis te halen, ben je weer naar beneden gegaan, waar je het schilderij dat je zelf had gekocht van de muur hebt gehaald, het in badlakens hebt gewikkeld en heb je je vrouw vermoord in een vlaag van hartstocht, waarna je de politie hebt gebeld. En dat allemaal in nog geen twintig minuten?'

'De politiereconstructie heeft bewezen dat het kan.'

'Maar het is niet erg waarschijnlijk,' wierp ze tegen. 'Maar goed, we kunnen hier blijven staan om de zaak tegen jou te bespreken, of je kunt me op mijn woord geloven dat ik niet bang ben dat je me zult vermoorden omdat ik je lakens niet glad genoeg instop of je sokken verkeerd opvouw.'

'De zaken zijn niet zo simpel als jij ze nu voorstelt.'

'Zaken zijn zelden zo simpel of ingewikkeld als iemand ze maakt. Ik ga me even opfrissen op het toilet. Kleed jij je maar uit en ga op de tafel liggen. Om te beginnen met je gezicht omhoog.'

Op het toilet sloot Abra haar ogen en oefende ze een hele minuut haar yoga-ademhaling. Ze begreep heel goed dat hij naar haar had uitgehaald om haar weg te duwen en angst in te boezemen. Maar het enige wat hij ermee had bereikt was dat ze nijdig was geworden.

Om spanning, duistere gedachten en frustratie weg te kunnen nemen door middel van massage, moest ze eerst de hare zien kwijt te raken. Ze bleef haar hoofd leegmaken terwijl ze haar handen waste.

Terug in de kamer zag ze hem op de tafel liggen, onder het bovenste laken en zo stijf als een plank. Begreep hij dan niet dat ze zelfs daaruit afleidde dat hij onschuldig was? Hij had een afspraak met haar gemaakt en daar hield hij zich aan, ook al was hij boos.

Zonder iets te zeggen dimde ze de lampen en liep naar haar iPod om rustige muziek op te zetten. 'Doe je ogen dicht,' mompelde ze, 'en haal diep adem. In... Uit. Nog een keer,' zei ze, olie in haar handen gietend. 'Nog een keer.'

Toen hij gehoorzaamde, drukte ze haar handen op zijn schouders.

Die lagen niet eens op tafel, zag ze. Zo stijf, zo in de knoop.

Ze streelde, duwde, kneedde en liet daarna haar handen langs zijn keel omhoog glijden om hem een lichte gezichtsmassage te geven.

Ze herkende de tekenen van hoofdpijn. Als ze hem daar wat verlichting kon brengen, zou hij zich wellicht wat ontspannen voor ze aan het zware werk begon.

Het was niet bepaald zijn eerste massage. Voor zijn leven in gruzelementen was gebarsten, had hij een masseuse gehad die Katrina heette, een stevig gebouwde, gespierde blondine wier sterke, brede handen alle spanning van zijn werk en pijntjes van het sporten hadden weggenomen.

Nu zijn ogen gesloten waren, kon hij zich bijna inbeelden dat hij weer in de stille massagekamer op zijn club lag en dat zijn spieren werden getroost na een dag in de rechtszaal of een paar uur fanatiek sporten.

Trouwens, over een paar minuten zou hij zich aan hun afspraak houden en zou de vrouw, die niet de stevige Katrina was, vertrekken.

Haar vingers begonnen langs zijn kaak te strijken en drukten zacht onder zijn ogen.

En de gillende heftigheid van zijn hoofdpijn nam af.

'Haal nog een keer adem. Lang in, lang uit.' Haar stem versmolt met de muziek, even soepel en zacht.

'Heel goed. Gewoon in en dan uit.'

Ze draaide zijn hoofd, liet haar vingers langs de ene zijkant van zijn hals gaan en daarna langs de andere, waarna ze zijn hoofd optilde.

Daar zorgde de stevige, diepe druk van haar duimen voor een snelle, intense pijn. Voor hij zijn lichaam ertegen kon spannen, verdween die, als de kurk uit een fles.

Alsof je beton in stukken brak, dacht Abra. Centimeter voor centimeter. Daarom sloot ze haar ogen terwijl ze bezig was, en stelde ze zich voor hoe dat beton zachter werd en onder haar handen verkruimelde. Toen ze aan zijn schouders begon, verhoogde ze de druk beetje bij beetje.

Ze voelde hem ontspannen, een tikkeltje. Niet genoeg, maar toch betekende die kleine toegeving gelijk een overwinning.

Omlaag langs zijn arm, de vermoeide spieren knedend tot zijn vingertoppen. Met een deel van haar hersens lachte ze zelfvoldaan toen de periode van tien minuten ongemerkt verstreek, maar met de rest concentreerde ze zich op haar taak.

Tegen de tijd dat ze de gezichtssteun pakte, wist ze dat hij niet zou tegensputteren.

'Ik wil dat je je omkeert, wat omhoog komt en je gezicht op de steun legt. Zeg maar als ik hem moet verstellen. Neem de tijd.'

Loom, half in slaap, deed hij wat hem was opgedragen.

Toen ze met de muizen van haar handen in zijn schouderbladen duwde, kreunde hij het bijna uit vanwege de heerlijke mengeling van pijn en verlichting.

Sterke handen, dacht hij. Ze zag er niet erg sterk uit. Maar toen ze met haar handen duwde, wreef en drukte, en ze met haar vuisten zijn rug bewerkte, stegen er pijntjes waar hij in de loop der tijd mee had leren leven naar de oppervlakte en verdwenen vervolgens.

Ze gebruikte haar onderarmen, glad van de olie, haar lichaamsgewicht, knokkels, duimen en vuisten. Elke keer dat de druk bijna te veel werd, verdween er iets.

Daarna begon ze te strelen. En ze streelde en streelde, stevig, ritmische en constant.

En hij viel in slaap.

Toen hij weer wakker werd en terugdreef naar zijn bewustzijn als een blad op een rivier, duurde het even voor hij merkte dat hij niet in bed lag. Hij lag nog altijd languit op de gecapitonneerde tafel, zedig bedekt met een laken. Het vuur smeulde en de kaarsen gloeiden. Nog altijd klonk er zachte muziek.

Bijna sloot hij opnieuw zijn ogen en dommelde weer weg.

Toen schoot het hem te binnen.

Eli duwde zich omhoog op zijn ellebogen en keek de kamer door. Hij zag haar jas, laarzen en tas. Opeens merkte hij dat hij haar kon ruiken, die subtiele, aardse geur die zich had vermengd met het kaarsvet en de olie. Behoedzaam trok hij het laken om zich heen toen hij overeind ging zitten.

Maar eerst moest hij zijn broek hebben.

Het laken vasthoudend stapte hij voorzichtig van de tafel af. Toen hij zijn spijkerbroek wilde pakken, zag hij weer zo'n vervloekte Post-It.

Drink het water. Ik ben in de keuken.

Hij trok zijn broek aan en keek ondertussen goed om zich heen. Daarna pakte hij het flesje water dat ze naast hem had neergezet. Toen hij zijn overhemd aantrok, merkte hij opeens dat het geen pijn deed. Hij had geen hoofdpijn meer, hij voelde geen puntige klemmen in zijn nek en hij had geen last van de steken die hem parten hadden gespeeld sinds zijn poging wat lichaamsbeweging te krijgen.

Staand dronk hij het water. De kamer voelde zacht aan door het licht van de kaarsen, de haard en de muziek, en hij merkte dat hij iets voelde wat hij nauwelijks herkende.

Hij voelde zich lekker.

En dom. Hij had het haar met opzet lastig gemaakt. En als reactie had ze hem geholpen. Ondanks zijn tegenwerking.

Bedremmeld liep hij door het huis naar de keuken.

Ze stond bij het fornuis en de hele ruimte rook heerlijk. Hij wist niet wat ze klaarmaakte, maar het riep een andere vergeten sensatie in hem wakker.

Echte honger.

Ze had harde rock gekozen als keukenmuziek, maar had het wel zacht gezet. Opeens voelde hij een steek van schuldgevoel. Niemand hoorde zich gedwongen te voelen om goede, harde rockmuziek op een fluisterstand te spelen.

'Abra.'

Deze keer maakte zij een lichte schrikbeweging, wat hem geruststelde. Kennelijk was ze toch menselijk.

Ze draaide zich om, maar voor hij iets kon zeggen, kneep ze haar ogen tot spleetjes en hief een vinger op. Ze liep dichter naar hem toe en bekeek hem aandachtig. Daarna glimlachte ze.

'Mooi. Je ziet er een stuk beter uit. Uitgerust en minder gespannen.'

'Ik voel me goed. Om te beginnen wil ik me verontschuldigen. Ik heb me onhebbelijk gedragen.'

'Daar kunnen we het over eens zijn. Koppig?'

'Misschien. Ja. Goed dan, ik geef toe dat ik koppig ben.'

'Ziezo, een schone lei.' Ze pakte een glas wijn en hief het. 'Je vindt het hopelijk niet erg dat ik een glas heb ingeschonken.'

'Nee, dat vind ik prima. Daarnaast wil ik je bedanken. Toen ik zei dat ik me goed voel... Ik kan me niet herinneren wanneer dat voor het laatst zo was.'

Haar blik werd zachter. Medelijden zou hem wellicht weer gespannen hebben gemaakt, maar genegenheid was iets anders.

'O, Eli. Het leven kan echt klote zijn, nietwaar? Je moet de rest van dat water drinken. Om je vochtvoorraad aan te vullen en de gifstoffen af te voeren. Je kunt morgen wat pijn hebben. Ik moest echt heel hard drukken. Wil je een glas wijn?'

'Ja, eigenlijk wel. Ik pak het wel.'

'Nee, ga maar zitten,' zei ze. 'Zorg dat je ontspannen blijft en geniet daar een tijdje van. Eigenlijk zou je twee keer per week een massage moeten krijgen, tot we die stress echt hebben verdreven. Daarna is een keer per week wel voldoende of zelfs een keer per veertien dagen, als je het te veel vindt.'

'Het is moeilijk om te kibbelen als ik half in een roes verkeer.'

'Mooi. Ik zal de afspraken op jouw kalender schrijven. Voorlopig zal ik bij jou komen. We kijken wel hoe dat gaat.'

Hij ging zitten en nam zijn eerste slok wijn. Die smaakte hemels op zijn tong. 'Wie ben je?'

'O, dat is een vreselijk lang verhaal. Dat vertel ik je nog wel eens, als we bevriend raken.'

'Je hebt mijn ondergoed gewassen en ik heb bloot op je tafel gelegen. Dat is toch behoorlijk bevriend.'

'Dat is zakelijk.'

'Je kookt alweer voor me.' Met zijn kin gebaarde hij naar het fornuis. 'Wat is het?'

'Wat precies?'

'Dat ding, op het fornuis.'

'Dat ding op het fornuis is een lekkere, stevige soep, met groente, bonen en ham. Ik heb het niet al te scherp gemaakt omdat ik niet weet hoeveel je aankunt. En dit?' Ze keerde zich om en deed de oven open. Er stroomde meer geur uit die zijn ontluikende eetlust aanwakkerde. 'Dit is gehaktbrood.'

'Heb je gehaktbrood gemaakt?'

'Met aardappels, wortelen en sperziebonen. Heel mannelijk.' Ze zette de schaal op het fornuis. 'Je bent ruim twee uur onder zeil geweest. Ik moest iets te doen hebben.'

'Twee... Twee úúr?'

Ze gebaarde afwezig naar de klok en pakte borden. 'Ga je vragen of ik wil blijven eten?'

'Tuurlijk.' Hij staarde naar de klok en keek toen weer naar Abra. 'Je hebt gehaktbrood gemaakt.'

'Hester heeft me een lijst gegeven. Gehaktbrood stond in de top drie. En volgens mij kun je ook wel wat rood vlees gebruiken.' Ze schepte voor hem op. 'O, trouwens. Als je hier ketchup bij doet, ga ik je pijn doen.'

'Ik heb het begrepen en geaccepteerd.'

'Nog één voorwaarde.' Ze hield het bord net buiten zijn bereik.

'Als het legaal is, weet ik bijna zeker dat ik ermee in zal stemmen in ruil voor gehaktbrood.'

'We kunnen praten over boeken, films, kunst, mode, hobby's, alles wat algemeen is. Maar niks persoonlijks. Vanavond niet.'

'Ik vind het best.'

'Nou, dan kunnen we aan tafel.'

5

In de kelder van de kerk bracht Abra haar groep langzaam uit hun laatste ontspanningsoefening. Die ochtend had ze twaalf leerlingen, een behoorlijk aantal voor de tijd van het jaar en dit vroege uur.

Dat aantal zorgde ervoor dat haar persoonlijke tevredenheid hoog en haar budget stabiel bleef.

Er steeg geroezemoes op toen haar dames, plus twee heren, opstonden en hun eigen matje oprolden, of een van de extra exemplaren die ze altijd meenam voor degenen die er zelf geen hadden.

'Het ging vandaag heel goed, Henry.'

De gepensioneerde dierenarts van zesenzestig wierp haar zijn brutale grijns toe. 'Binnenkort kan ik die halvemaanhouding langer dan drie seconden aanhouden.'

'Gewoon blijven ademen.' Abra herinnerde zich toen zijn vrouw hem voor het eerst had meegenomen naar haar les, waarbij Henry inwendig hevig had tegengestribbeld. Toen had de man zijn tenen nog niet kunnen aanraken.

'Denk eraan,' riep ze. 'Donderdag is er een les Oost ontmoet West.'

Maureen liep naar Abra toe toen die haar eigen matje oprolde. 'Die zal ik hard nodig hebben en flink wat cardio-training. Ik heb cupcakes gebakken voor Liams klassenfeest vandaag. En daar heb ik er twee van opgegeten.'

'Wat voor cupcakes?'

'Extra chocola met botercrèmeglazuur. Met hagelslag en gomballen.'

'Waar is de mijne?'

Lachend klopte Maureen op haar buik. 'Die heb ik opgegeten. Ik moet naar huis om te douchen en moederkleren aan te trekken en daarna de cakejes naar school brengen. Anders zou ik je smeken en omkopen om met me te gaan hardlopen zodat ik die extra chocolade eraf kan rennen. De kinderen gaan na school bij vriendjes spelen, ik ben helemaal bij met de administratie en het archiveren, dus ik heb geen enkel excuus om het niet te doen.'

'Vraag het straks nog maar een keer, na drieën. Tot dan moet ik werken.'

'Bij Eli?'

'Nee, hij staat morgen op het rooster.'

'Gaat alles nog goed daar?'

'Hij is er pas een paar weken, maar ik vind van wel, ja. Hij werpt me niet meer elke keer zo'n "wat doet zij hier in godsnaam?"-blik toe als hij me ziet. Dat gebeurt nu eerder om de dag. Als ik er overdag ben, zit hij meestal in zijn kantoor te schrijven met de deur dicht, en hij ontloopt me door naar buiten te glippen voor een wandeling als ik de trap op kom om de bovenverdieping te doen. Maar hij eet wat ik voor hem neerzet als ik wegga, en hij ziet er niet meer zo ingevallen uit.'

Abra stopte haar eigen mat in de hoes en deed de rits dicht. 'Maar elke keer dat ik hem masseer, en dat is me nu vier keer gelukt, lijkt het alsof we opnieuw moeten beginnen. Hij is zo gespannen en bovendien zit hij elke dag uren over zijn toetsenbord gebogen.'

'Jij weet hem wel te kraken, Abracadabra. Ik heb het volste vertrouwen in je.'

'Ik doe mijn best.' Abra trok haar hoodie aan en deed de rits dicht. 'Maar nu moet ik wat nieuwe sieraden naar Buried Treasures brengen, dus duim maar voor me, en daarna moet ik nog wat boodschappen doen voor Marcia Frost. Haar zoontje is nog niet over dat virus heen en ze kan niet weg. Om twee uur heb ik een afspraak voor een massage, maar daarna wil ik graag samen met jou rennen.'

'Als ik alles zo kan schuiven dat ik tijd heb, zal ik je sms'en.'

'Tot straks.'

Toen haar leerlingen vertrokken, pakte Abra haar matten en stopte ze haar iPod in haar tas. Net toen ze haar jack aantrok, kwam er een man de trap af.

Ze herkende hem niet, maar hij had een vriendelijk gezicht. Onder zijn ogen zaten wallen, waardoor hij er vermoeid uitzag en hij had een dikke bos bruin haar en een buikje dat minder zou zijn als hij zijn schouders niet zo zou laten hangen.

'Kan ik iets voor u doen?'

'Ik hoop het. Bent u Abra Walsh?'

'Jazeker.'

'Ik ben Kirby Duncan.' Hij gaf haar een hand en overhandigde haar daarna een visitekaartje.

'Privédetective.' Automatisch nam haar wantrouwen toe.

'Ik kom uit Boston en doe wat werk voor een cliënt daar. Ik zou u graag een paar vragen stellen. Ik wil u graag een kop koffie aanbieden als u een paar minuutjes voor me hebt.'

'Voor vandaag heb ik mijn quotum koffie al op.'

'Kon ik me maar aan een quotum houden. Ik drink veel te veel koffie. Maar ik weet zeker dat het koffiehuis iets verderop ook thee schenkt, of wat u anders ook maar wilt.'

'Ik heb een afspraak, meneer Duncan,' zei Abra, terwijl ze haar laarzen aantrok. 'Waar gaat het precies over?'

'Uit onze informatie blijkt dat u voor Eli Landon werkt.'

'Uw informatie?'

Zijn gezichtsuitdrukking bleef vriendelijk, zelfs innemend. 'Dat is toch zeker geen geheim?'

'Nee, inderdaad, maar het is evenmin uw zaak.'

'Informatie verzamelen is mijn zaak. U weet ongetwijfeld dat Eli Landon een verdachte is in de zaak van de moord op zijn vrouw.'

'Is dat wel zo?' vroeg Abra terwijl ze haar muts opzette. 'Volgens mij is het eerder zo dat het de politie na een onderzoek van een jaar niet is gelukt om genoeg bewijs te verzamelen waaruit blijkt dat Eli Landon iets met de dood van zijn vrouw te maken heeft.'

'Weet u, heel veel openbaar aanklagers weigeren aan een zaak te beginnen die ze niet makkelijk kunnen winnen. Dat wil niet zeggen dat er geen bewijs is of dat er geen zaak is. Het is mijn werk om meer informatie te verzamelen... Laat me u even helpen.'

'Nee, dank u, ik ben eraan gewend mijn eigen spullen te dragen.'

'Dat kan best zo zijn, maar mijn moeder heeft me ingeprent om een dame altijd de helpende hand toe te steken.' Hij pakte een aantal van haar matten op.

'Voor wie werkt u?' vroeg Abra.

'Zoals ik al zei, heb ik een cliënt.'

'Die ook een naam moet hebben?'

'Die informatie kan ik niet prijsgeven.'

'Ik begrijp het.' Ze glimlachte vriendelijk en liep naar de trap. 'Ik heb ook geen informatie om prijs te geven.'

'Als Landon onschuldig is, heeft hij niks te verbergen.'

Ze bleef even staan en keek Duncan recht aan. 'Dat meent u toch zeker niet? Ik betwijfel of u inderdaad zo naïef bent, meneer Duncan. Dat ben ik in elk geval niet.'

'Ik heb toestemming om te betalen voor informatie,' begon hij, toen ze vanuit de kelder de trap op liepen naar de kerkzaal.

'Hebt u toestemming om voor roddels te betalen? Nee, dank u. Als ik roddel, doe ik het gratis.' Ze liep naar buiten en nam haar matten uit zijn handen, waarna ze naar de parkeerplaats ging waar haar auto stond.

'Bent u persoonlijk bevriend met Landon?' riep Duncan haar achterna.

Ze voelde haar kaak verstrakken en vervloekte het feit dat hij haar post-yogastemming had bedorven. Ze smeet haar matten en tas in de auto en opende haar portier. En als een woordeloze reactie op zijn vraag, stak ze haar middelvinger naar hem op, waarna ze instapte, het contactsleuteltje omdraaide en wegreed.

De ontmoeting zorgde ervoor dat ze nijdig bleef, terwijl ze van de ene naar de andere klus ging. Ze overwoog om haar massage af te zeggen, maar had daar eigenlijk geen goede reden voor. Ze kon een cliënt niet straffen omdat een bemoeizuchtige privédetective uit Boston rondneusde in haar leven. Omdat hij haar zo snel het bloed onder de nagels vandaan had gehaald dat ze onbeleefd was geweest.

Nee, niet echt in haar leven, dacht ze. In dat van Eli.

Hoe dan ook, ze vond het vreselijk oneerlijk en opdringerig.

Ze wist alles over oneerlijk en opdringerig.

Toen Maureen haar sms'te om te gaan hardlopen, verzon ze bijna een smoes om niet te hoeven gaan. Maar misschien waren wat beweging en gezelschap juist precies wat ze nodig had.

Ze kleedde zich om, trok haar sportvest weer aan en ritste het dicht, zette haar muts op en trok vingerloze handschoenen aan. Daarna ging ze naar de trap die naar het strand leidde waar haar vriendin op haar wachtte.

'Dit heb ik echt nodig.' Maureen jogde op de plaats. 'Achttien kleuters die te veel suiker op hadden. Iedere leraar in Amerika moet twee keer zo veel betaald krijgen en elke week een boeket rozen cadeau krijgen. Plus een fles Landon Whiskey gold label.'

'Ik begrijp dat de cupcakes een succes waren?'

'Het leken wel sprinkhanen,' zei Maureen, toen ze de trap af daalden naar het strand. 'Volgens mij was er geen hagelslagje meer over. Is alles goed met je?'

'Hè?'

'Nou, je hebt hier dat ding.' Maureen tikte tussen haar eigen wenkbrauwen.

'Verdomme.' Automatisch wreef Abra over het plekje. 'Ik krijg daar geen rimpeltjes, maar sleuven.'

'Niet waar. Je hebt die lijn alleen als je van streek of kwaad bent. Welke van de twee is het?'

'Misschien wel allebei.'

Ze begonnen langzaam te rennen, met de schuimende oceaan aan de ene en het zand waar her en der sneeuwpieken lagen aan de andere kant.

Maureen, die haar vriendin goed kende, deed er het zwijgen toe.

'Zag je die vent toen jij vanochtend naar huis ging na de les? Van gemiddelde lengte, bruin haar, leuk gezicht, klein buikje.'

'Ik weet het niet zeker... misschien, ja. Hij hield de deur voor me open. Hoezo? Wat is er gebeurd?'

'Hij kwam naar beneden.'

'Wat is er gebeurd?' Maureen bleef abrupt staan en moest daarna haar tempo versnellen omdat Abra gewoon door rende. 'Liefje, heeft hij iets bij je geprobeerd? Heeft hij...'

'Nee. Nee, zoiets was het niet. We zijn hier in Whiskey Beach, Maureen, niet in South Boston.'

'Maar toch. Wel verdraaid. Ik had je daarbeneden niet alleen moeten laten. Ik kon nota bene alleen aan cupcakes denken.'

'Echt, zoiets was het niet. En wie heeft die cursus zelfverdediging voor vrouwen ook alweer gegeven?'

'Jij, maar dat wil nog niet zeggen dat jouw beste vriendin gewoon kan weglopen zodat jij alleen bent.'

'Hij is een privédetective uit Boston. Toe nou,' zei Abra toen Maureen weer bleef staan. 'Blijf bij me. Ik moet deze stemming van me af rennen.'

'Wat wilde hij? Die klootzak zit toch nog in de gevangenis?'

'Ja, en het ging niet om mij, maar om Eli.'

'Eli? Je zei toch dat hij privédetective was, geen agent? Wat wilde hij?'

'Hij noemde het informatie. Wat hij wilde, was dat ik zou gaan roddelen over Eli. Hij wilde de sappige nieuwtjes en hij bood zelfs aan ervoor te betalen. Op zoek naar een vertrouweling,' mompelde ze. 'Iemand die Eli kan bespieden en door kan geven wat hij heeft gedaan of gezegd. Ik kan helemaal niks doorgeven, want Eli doet of zegt niets. En toen ik hem zo ongeveer te verstaan gaf dat hij moest ophoepelen, vroeg hij of Eli en ik persoonlijk bevriend waren. Waarmee hij eigenlijk bedoelde of Eli en ik als gekken neuken. Dat beviel me niks. En hij beviel me ook niks. En nu krijg ik sleuven in mijn gezicht.'

Maureens gezicht werd rood, zowel van woede als van het rennen. Haar stem, ademloos door beide, steeg boven de branding uit. 'Het gaat hem geen zak aan of jullie als gekken neuken. Eli's vrouw is al een jaar dood en toen ze stierf lagen ze in scheiding. En ze hebben alleen heel indirect bewijs tegen hem. De politie kan niet bewijzen dat hij iets heeft gedaan, dus nu pakken ze het anders aan en zijn ze op zoek naar lasterpraatjes.'

'Ik geloof niet dat de politie privédetectives in de arm neemt.'

'Nee, dat zal wel niet. Maar wie dan wel?'

'Geen idee.' Toen haar spieren warm werden en de frisse lucht langs haar gezicht waaide, voelde Abra haar humeur opklaren. 'Een verzekeringsmaatschappij? Misschien had zijn vrouw een levensverzekering en willen ze niet uitbetalen. Alleen vertelde hij dat hij was ingehuurd door een cliënt. En hij wilde niet zeggen wie dat was. Misschien de advocaten van een verzekeringsmaatschappij of, ik zeg maar iets, de ouders van de overleden vrouw, die hem voortdurend belasteren in de media? Ik weet het echt niet.'

'Ik ook niet. Zal ik Mike ernaar vragen?'

'Mike? Waarom hem?'

'Hij heeft veel te maken met advocaten en cliënten.'

'Onroerend goed-advocaten en cliënten,' merkte Abra op.

'Een advocaat is een advocaat en een cliënt een cliënt. Misschien heeft hij een idee. Hij zal het niet doorvertellen.'

'Ik geloof niet dat het er veel toe doet. Die kerel is mij op het spoor gekomen, dus wie weet met wie hij verder nog praat? Alles zal weer worden opgerakeld.'

'Arme Eli.'

'Jij hebt ook nooit geloofd dat hij het heeft gedaan?'

'Nee.'

'Waarom geloof je in hem, Maureen?'

'Nou, zoals je weet heb ik mijn vergunning als privédetective via de tv. Dat gezegd hebbende, waarom zou een man die nog nooit gewelddadig is geweest opeens zijn vrouw de hersens inslaan met een kachelpook? Ze had hem bedrogen en daar was hij kwaad om. Maar dat zou in haar nadeel zijn bij de echtscheiding. Ik heb ook wel eens zin om Mikes hersens in te slaan met een pook.'

'Niet waar.'

'Niet letterlijk, maar ik bedoel dat ik echt van Mike hou. Volgens mij moet je echt van iemand houden of iemand echt haten om hem de hersens in te slaan. Tenzij het ergens anders om draait. Geld, angst, wraak. Ik weet het niet.'

'En wie heeft het dan wel gedaan?'

'Als ik dat wist en het kon bewijzen, zou ik van rechercheur tot inspecteur worden bevorderd. Of tot kapitein. Dat lijkt me wel wat.'

'Dat ben je al. Kapitein van het dappere schip O'Malley.'

'Dat is waar. Jij mag kapitein worden van het door-de-tv-opgerichte politiekorps dat Eli Landon voor eens en altijd vrij moet pleiten.'

Toen haar vriendin er het zwijgen toe deed, gaf Maureen een klap op Abra's arm. 'Dat was een geintje. Waag het niet om hier betrokken bij te raken. Het gaat wel weer voorbij, Abra. Eli zal het overleven.'

'Wat zou ik kunnen doen?' Daarmee zei ze niet dat ze niets zou doen, dacht Abra.

Toen ze halverwege omkeerden, merkte ze dat ze blij was dat ze was gegaan. Het was een goede manier om na te denken, om haar slechte humeur te verdrijven en alles te relativeren. Ze had het hardlopen gemist tijdens de ergste kou van de winter, het geluid van haar voeten die op het zand kletsten terwijl zij de zeelucht met diepe teugen inademde.

Het was niks voor haar om te wensen dat de tijd op zou schieten, nog geen minuut hoefde sneller te gaan, maar ze kon wel hunkeren naar de lente en de daaropvolgende zomer.

Zou Eli nog in Bluff House zijn als de lucht warmer werd en de bomen weer groen werden? Zouden de milde lentebriesjes de schaduwen die hem achtervolgden wegblazen?

Misschien hadden die schaduwen wat hulp nodig om te vertrekken. Daar moest ze eens over nadenken.

Toen zag ze hem opeens bij de rand van het water staan, met zijn handen in de zakken en zijn blik op de einder gericht.

'Daar heb je Eli.'

'Wat? Waar? O, shit.'

'Is er een probleem?'

'Ik had me de eerste keer dat ik hem zou ontmoeten anders voorgesteld. Niet zweterig, rood aangelopen en hijgend. Een vrouw wil er graag een beetje leuk uitzien bij een toevallige ontmoeting met de man met wie ze het eerst heeft getongd. Waarom heb ik mijn oudste joggingbroek aangetrokken? Nu lijken mijn benen net boomstronken.'

'Welnee. Ik zou je nooit een broek laten dragen waarin je benen op boomstronken lijken. Je beledigt mijn vrienschapscode.'

'Je hebt gelijk. Dat was stom en egoïstisch van me. Sorry.'

'Verontschuldiging aanvaard, maar kijk uit. Eli!'

'Shit,' mompelde Maureen opnieuw toen hij zich omdraaide. Ze had toch in elk geval een lipgloss in haar zak kunnen doen?

Abra hief een hand op. Door zijn zonnebril kon ze zijn ogen niet zien. Maar in elk geval liep hij niet weg na kort terug gezwaaid te hebben. Hij wachtte en dat beschouwde ze als een gunstig teken.

'Hoi.' Ze bleef staan en legde haar handen op haar dijen toen ze een been achteruit zette om te stretchen. 'Als ik je eerder had gezien, hadden we je kunnen overhalen mee te rennen.'

'De laatste tijd kom ik niet verder dan een wandeltempo.' Hij draaide zijn hoofd een klein stukje, waarna hij zijn zonnebril afzette.

Voor het eerst zag Abra een gemeend glimlachje op zijn gezicht toen hij Maureen zag. Hij wierp haar een warme blik toe.

'Kijk eens aan. Maureen Bannion.'

'Ja, kijk eens aan.' Met een lachje hief ze een hand op om haar haar naar achteren te duwen tot ze zich herinnerde dat ze een skimuts droeg. 'Dag, Eli.'

'Maureen Bannion,' herhaalde hij. 'Nee, sorry, het is nu... Hoe heet je ook alweer?'

'O'Malley.'

'O, ja. De laatste keer dat ik je zag, was je...'

'Heel erg zwanger.'

'Je ziet er geweldig uit.'

'Ik zie er zweterig en verwaaid uit, maar bedankt. Het is fijn om je weer eens te zien, Eli.'

Toen Maureen naar hem toe liep om hem te omhelzen, bedacht Abra dat dat de reden was dat ze zo snel en overtuigd van Maureen was gaan houden. Vanwege dat eenvoudige, oprechte medeleven en haar grote hart waarin plaats was voor alles en iedereen.

Ze zag dat Eli zijn ogen sloot en ze vroeg zich af of hij terugdacht aan een avond onder de steiger van Whiskey Beach toen alles simpel en onschuldig was geweest.

'Ik heb je tijd gegund om hier te wennen,' zei Maureen toen ze hem losliet. 'Maar zo te zien is die tijd voorbij. Je moet een keer komen eten, dan kun je Mike en de kinderen leren kennen.'

'O, nou...'

'We wonen in Sea Breeze, naast Abra. We zullen een afspraak maken, dan kunnen we bijpraten. Hoe gaat het met Hester?'

'Beter. Veel beter.'

'Zeg maar dat we haar missen bij yoga. Ik moet rennen, haha. Ik moet de kinderen ophalen bij hun vriendjes. Welkom terug, Eli. Ik vind het een fijn idee dat je in Bluff House woont.'

‘Dank je.’

‘Ik zie je later wel weer, Abra. Zeg, Mike en ik willen vrijdagavond uit naar de Village Pub. Haal Eli eens over om mee te gaan.’

Na een keer snel gezwaaid te hebben, rende ze weg.

‘Ik wist niet dat jullie elkaar kenden,’ zei Eli.

‘Hartsvriendinnen.’

‘Hm-m.’

‘Dat is niet alleen iets voor tieners. En hartsvriendinnen van welke leeftijd dan ook vertellen elkaar alles.’

Hij wilde afwezig knikken, maar ze zag dat haar woorden opeens tot hem doordrongen. ‘O. Nou.’ Hij zette zijn zonnebril weer op. ‘Hmm.’

Lachend porde ze hem in zijn buik. ‘Lieve en sexy tienergeheimpjes.’

‘Misschien moet ik haar echtgenoot uit de weg gaan.’

‘Mike? Nee, hoor. Ik vind hem niet alleen bijzonder schattig, hij is ook een goede man. Een goede papa. Je zult hem aardig vinden. Waarom ga je vrijdagavond niet mee naar de pub?’

‘Die ken ik niet.’

‘Vroeger heette-ie anders. Katydis.’

‘O, ja. Dat is ook zo.’

‘Ik heb begrepen dat het daarmee bergafwaarts is gegaan, maar dat was voor mijn tijd. Drie jaar geleden heeft het een nieuwe naam en nieuwe eigenaars gekregen. Het is een leuke tent. Gezellig. Lekkere drankjes, leuke bezoekers en livemuziek op vrijdag- en zaterdagavond.’

‘Het is niet echt mijn bedoeling om met andere mensen om te gaan.’

‘Dat zou je wel moeten doen. Dat helpt om je stress te verminderen. Je hebt geglimlacht.’

‘Wat?’

‘Toen je Maureen herkende, glimlachte je. Een echte glimlach. Je vond het leuk om haar te ontmoeten en dat was je aan te zien. Waarom loop je niet met me mee?’ Ze gebaarde over het strand, in de richting van haar cottage. Zonder hem de kans te geven te weigeren, pakte ze zijn hand en begon te lopen.

‘Hoe voel je je?’ vroeg ze. ‘Sinds de laatste massage?’

‘Goed. Je had gelijk. Meestal heb ik er de dag erna wat last van, maar die pijn neemt snel af.’

'Je zult er nog meer baat bij hebben als we die knopen eindelijk weten weg te werken en je eraan went om je lekker los te voelen. Ik zal je wat yogastretches leren.'

Al kon ze zijn ogen niet zien, aan zijn lichaamshouding zag ze zijn weerstand. 'Dat lijkt me geen goed idee.'

'Het is niet alleen voor vrouwen, hoor.' Ze slaakte een diepe zucht.

'Is er iets aan de hand?'

'Ik voer een inwendige discussie met mezelf. Of ik jou wel of niet iets moet vertellen. Maar volgens mij heb je het recht om het te weten, ook al zul je het waarschijnlijk vervelend vinden. Het spijt me dat ik degene moet zijn die je van streek zal maken.'

'Wat gaat me van streek maken?'

'Na mijn ochtendles kwam er een man met me praten. Een privédetective... onderzoeker. Hij heet Kirby Duncan en hij komt uit Boston. Hij zei dat hij daar een cliënt had. Hij wilde me vragen stellen over jou.'

'Oké.'

'Oké? Dat is helemaal niet oké. Hij was opdringerig en hij zei dat hij me zou betalen voor informatie, wat ik persoonlijk bijzonder beledigend vind. Dus dat is helemaal niet oké. Het is intimidatie, en dat is ook niet oké. Je wordt lastiggevallen. Je moet...'

'Het melden bij de politie? Dat lijkt me een gepasseerd station. Een advocaat in de arm nemen? Die heb ik al.'

'Het klopt niet. De politie heeft je een heel jaar op de huid gezeten. En nu verschuilen de agenten, of anderen, zich achter advocaten en privédetectives zodat ze dat kunnen blijven doen? Er moet toch een manier zijn om daar een einde aan te maken?'

'Er is geen wet die het verbiedt om vragen te stellen. En ze verschuilen zich niet. Ze willen dat ik weet wie er voor de vragen en de antwoorden betaalt.'

'Wie dan? En zeg nou niet dat het me niet aangaat,' snauwde ze, voor het geval hij dat van plan was. 'Die klootzak heeft míj benaderd. En hij suggereerde dat ik weigerde mee te werken omdat wij een persoonlijke band hebben, waarmee hij in feite bedoelde dat ik met je naar bed ga.'

'Dat spijt me.'

'Nee.' Toen hij zijn hand lostrok, greep ze die weer vast. 'Dat zal je niet spijten, en weet je, als we wel een persoonlijke band hadden, van het soort dat hij bedoelde? Dat zou hem geen zak aangaan. We zijn allebei volwassen en single. En er is niks verkeerds aan, niks immoreels, helemaal niks mis om verder te gaan met je leven. Je huwelijk was al voorbij voordat jouw vrouw overleed. Waarom zou je geen leven leiden waartoe een relatie met mij, of met welke vrouw dan ook, behoort?'

Hij zag dat haar ogen een heel bijzonder, glanzend groen waren als ze echt goed kwaad was.

'Het lijkt wel alsof jij dit erger vindt dan ik.'

'Waarom ben jij niet boos?' wilde ze weten. 'Waarom ben je niet pisnijdig?'

'Dat ben ik heel lang geweest, maar ik ben er geen moer mee opgeschoten.'

'Het maakt inbreuk op je privacy en... en het is rancuneus. Wat heeft het voor nut om rancuneus te zijn, als...' Opeens werd het haar heel duidelijk. 'Het is haar familie, hè? Lindsays familie. Die mensen kunnen zich er niet bij neerleggen.'

'Zou jij dat dan wel kunnen?'

'O, doe toch niet zo verrekte redelijk.' Ze beende weg, naar de rand van het schuimende water. 'Ik denk dat, als zij mijn zus, moeder of dochter was geweest, ik de waarheid zou willen weten.' Ze keerde zich om en staarde naar hem terwijl hij alleen maar naar haar stond te kijken. 'Hoezo is iemand in de arm nemen om hier vragen te gaan stellen een manier om achter de waarheid te komen?'

'Toegegeven, het lijkt niet erg logisch.' Hij haalde zijn schouders op. 'En het zal ook niks opleveren, maar zij geloven dat ik haar heb vermoord. Voor hen is er niemand anders die het had kunnen of zullen doen.'

'Dat is een bekrompen en kortzichtige opvatting. Jij was niet de enige persoon in haar leven en op het moment van haar overlijden was je niet eens de belangrijkste voor haar. Ze had een minnaar, een parttime baan, vrienden, ze zat in allerlei commissies en ze had familie.'

Ze hield op en zag dat hij fronsend naar haar keek. 'Ik zei toch dat ik de zaak heb gevolgd? En ik heb naar Hester geluisterd. Ze praatte veel met me, dat ging haar gemakkelijker af dan praten met jou of je familie.

Ik geef weliswaar om haar, maar ik heb geen echte band met haar. Dus ze kon haar hart bij me uitstorten.'

Hij zweeg even en knikte toen. 'Het heeft haar vast goed gedaan om haar hart bij jou te kunnen uitstorten.'

'Inderdaad. En ik weet dat Hester haar absoluut niet mocht. Dat heeft ze ongetwijfeld wel geprobeerd, en ze zal hebben geprobeerd om het haar naar de zin te maken.'

'Dat weet ik.'

'Ik bedoel dat Hester haar niet mocht, en dat het niet erg voor de hand ligt dat zij de enige was voor wie dat gold. Dus net zoals de meeste mensen, had Lindsay vijanden, of in elk geval mensen die haar niet mochten of die een wrok tegen haar koesterden.'

'Geen van hen was met haar getrouwd, heeft in het openbaar ruzie met haar gemaakt op de dag dat ze werd vermoord of heeft haar lichaam gevonden.'

'Als je er zo over denkt, hoop ik van harte dat je nooit hebt overwogen om jezelf te vertegenwoordigen.'

Hij glimlachte vaagjes. 'Alleen een domoor verdedigt zichzelf, dus nee, maar het zijn allemaal steekhoudende redenen. En die heeft haar familie allemaal toegevoegd aan hun reeds bestaande lijst grieven. Ik heb mijn behoeftes en ambities boven de hare gesteld. Ik maakte haar niet gelukkig, en daarom heeft ze haar geluk elders gezocht. Ze heeft hun verteld dat ik haar verwaarloosde en vervolgens dat ik had geklaagd over de tijd die ze aan haar interesses besteedde. Ze heeft gezegd dat ze dacht dat ik verhoudingen had en dat ik kil was en haar uitschold.'

'Zelfs al is er nooit een greintje bewijs geweest, ook niet na een grondig politieonderzoek, dat je overspel pleegde, terwijl zij dat wel deed? Of dat je haar op wat voor manier dan ook kwaad deed?'

'Ik was nogal grof tegen haar de laatste keer dat ik haar heb gesproken en daar waren getuigen bij.'

'Uit wat ik heb gelezen, bleek dat jullie allebei grof waren. En ik geef toe dat ik begrijp dat haar familie steun zoekt, dat zij willen weten wat er is gebeurd. Zij willen natuurlijk alles doen waar zij troost uit kunnen putten. Maar om een privédetective achter je aan te sturen naar Whiskey Beach? Hier is niks. Je bent hier in geen jaren geweest, dus wat zou hij hier kunnen vinden?'

Ja, hij begreep waarom het zijn oma goed had gedaan om haar hart bij Abra uit te storten. Ondanks zijn eigen afkeer van ouwe koeien uit de sloot te halen, wist hij dat het hem ook hielp. 'Het gaat er meer om dat ze me duidelijk willen maken dat ze me er niet mee weg laten komen. Haar ouders dreigen me aan te klagen voor dood door schuld.'

'O, Eli.'

'Ik gok dat dit hun manier is om me te laten weten dat ze alle mogelijke middelen zullen inzetten.'

'Waarom is een van die mogelijkheden niet het intimideren van haar minnaar, of een andere man met wie ze iets kan hebben gehad?'

'Hij heeft een keihard alibi. Ik niet.'

'Wat is er zo hard aan?'

'Hij was thuis bij zijn vrouw.'

'Ja goed, dat heb ik allemaal gelezen en gehoord, maar zijn vrouw zou kunnen liegen.'

'Dat kan natuurlijk, maar waarom zouden ze dat doen? Zijn vrouw was ontzet en kwaad toen de politie haar vertelde dat hij haar had bedrogen met iemand die ze allebei kenden, en ze heeft met tegenzin toegegeven dat hij die avond al voor zessen thuis was. Hun getuigenissen over de tijdlijn, wat ze hebben gedaan tijdens de uren waar het om draait, kwamen overeen met elkaar. Justin Suskind heeft Lindsay niet vermoord.'

'Maar jij ook niet.'

'Nee, ik ook niet, maar als je kijkt hoe het zit met de mogelijkheid, blijkt dat ik die had en hij niet.'

'Aan wiens kant sta jij eigenlijk?'

Hij glimlachte flauwtjes. 'O, aan de mijne. Ik weet dat ik haar niet heb vermoord, net zoals ik weet dat ik schuldig lijk door alles wat ze hebben.'

'Dan hebben ze meer nodig. Hoe kun jij meer krijgen?'

'We hebben al zo'n beetje alles gedaan wat we konden.'

'Zij hebben een privédetective in de arm genomen. Dat moet jij ook doen.'

'Heb ik al gedaan, maar dat heeft niks bruikbaars opgeleverd.'

'En dan geef je het maar op? Niet doen.' Ze gaf hem een duwtje. 'Huur er nog een in en probeer het opnieuw.'

‘Nu klink je net als mijn advocaat.’

‘Mooi zo. Luister goed naar je advocaat. Je moet niet over je heen laten lopen. Dat weet ik uit ervaring,’ voegde ze eraan toe. ‘Dat is dat lange verhaal dat ik je op een goede dag zal vertellen. Voorlopig zal ik ermee volstaan om te zeggen dat je je daardoor treurig, zwak en laf gaat voelen. Je zult het gevoel krijgen dat je een slachtoffer bent. Maar je wordt geen slachtoffer als je dat zelf niet toestaat.’

‘Heeft iemand jou pijn gedaan?’

‘Ja. Veel te lang. Ik deed precies hetzelfde wat jij nu doet. Ik accepteerde het. Vecht terug, Eli.’ Ze legde haar handen op zijn schouders. ‘Of ze ooit zullen geloven dat je onschuldig bent of niet, ze zullen in elk geval begrijpen dat jij niet hun zondebok bent. En dat zul jij ook weten.’

Impulsief ging ze op haar tenen staan en drukte haar lippen zacht op de zijne. ‘Ga je advocaat bellen,’ beval ze, waarna ze naar de strandtrap liep.

Boven hen, vanaf de lange kaap, maakte Kirby Duncan foto’s met zijn telelens.

Hij had al gedacht dat er iets speelde tussen Landon en de brunette met de lange benen. Op zich hoefde dat natuurlijk niks te betekenen, maar het was zijn werk om vast te leggen, vragen te stellen en Landon uit zijn evenwicht te brengen.

Mensen die uit hun evenwicht waren gebracht maakten meer fouten.

6

Toen Abra Bluff House in ging om schoon te maken, kwam de geur van koffie haar tegemoet. Ze keek de keuken in, die hij netjes en schoon hield, en omdat hij het nog niet had gedaan, maakte ze een boodschappenlijstje.

Toen hij binnenkwam, stond ze op een krukje om de keukenkastjes te boenen.

'Goedemorgen.' Ze keek om en glimlachte onbekommerd naar hem. 'Ben je al een tijdje op?'

'Ja. Ik wilde eerst flink wat gedaan hebben.' Vooral omdat die verdomde droom hem vlak voor het licht werd wakker had gemaakt. 'Ik moet vandaag naar Boston.'

'O.'

'Ik heb een afspraak met mijn advocaat.'

'Mooi zo. Heb je al gegeten?'

'Ja, mam.'

In het geheel niet beledigd poetste ze door. 'Heb je ook tijd om bij je familie langs te gaan?'

'Dat was wel de bedoeling. Hoor eens, ik weet nog niet wanneer ik terugkom. Misschien blijf ik slapen. Die kans is heel groot.'

'Geen probleem. We kunnen een andere afspraak maken voor je massage.'

'Ik zal geld voor je neerleggen. Evenveel als de vorige keer?'

'Ja. Als het te veel of te weinig blijkt te zijn, verrekenen we het volgende week wel. Aangezien je er toch niet zult werken, zal ik je kantoor een snelle beurt geven, en ik beloof dat ik niks zal aanraken wat op je bureau ligt.'

'Goed.' Hij bleef staan waar hij stond en keek naar haar. Ze droeg een effen zwart T-shirt, heel behoudend voor haar doen, met een strakke zwarte broek en hoge rode Chucks.

Aan haar oren bungelden kettingen met rode balletjes en op het keukeneiland zag hij een bakje met diverse ringen daarin. Die had ze zeker afgedaan om ervoor te zorgen dat er geen poetsmiddel op zou komen.

'Je had gelijk onlangs,' zei hij na een poosje.

'Ik vind het heerlijk als dat gebeurt.' Ze stapte van het krukje af en draaide zich om. 'Over wat had ik deze keer gelijk?'

'Over dat terugvechten. Dat heb ik erbij laten zitten. Daar had ik mijn redenen voor, maar die halen niks uit. Ik moet in elk geval gewapend zijn, om het maar zo uit te drukken.'

'Heel mooi. Niemand moet het goed vinden dat hij wordt geïntimideerd, en dat is precies wat Lindsays familie doet. Ze gaan die rechtszaak heus niet doorzetten.'

'O, nee?'

'Juridisch gezien valt er niks voor ze te halen. Althans, niet voor zover ik dat kan bepalen, en ik heb heel wat advocatenseries gevolgd.'

Hij liet een kort lachje horen. 'Dan ben je dus bevoegd.'

Blij met zijn reactie knikte ze. 'Ik zou er mijn brood mee kunnen verdienen. Ze zijn aan het desalnietteminnen en het "maar edelachtbaren" dat het een lieve lust is, om jou gek te maken.'

'Dat is een... unieke redenatie.'

'En volstrekt logisch. Ze denken vast dat er nieuw bewijsmateriaal boven tafel komt als ze dit kunnen rekken en jou blijven aanvallen. Of ze hopen dat jou koeioneren, je begraven onder documenten en bevelschriften en wat al niet meer, ertoe zal leiden dat je hun een financiële schikking aanbiedt. Wat volgens hen dan weer zou bewijzen dat je schuldig bent. Ze rouwen om hun dochter en daarom slaan ze wild om zich heen.'

'Misschien kun je er inderdaad je geld mee verdienen.'

'Ik vind *The Good Wife* leuk.'

'Wie?'

'Het is een advocatenserie. Of eigenlijk is het een karakterstudie, en het is ook nog eens sexy. Maar goed, ik wil alleen zeggen dat het goed is dat je een afspraak hebt gemaakt met je advocaat, dat je stappen onderneemt. Je ziet er vandaag beter uit.'

'Dan wanneer?'

'Dan eerst.' Met haar poetshand in haar zij hield ze haar hoofd schuin. 'Doe een das om.'

'Een das?'

'Meestal zie ik er het nut niet van in dat een man een strop om zijn nek doet, wat een das in feite is. Maar jij moet een das omdoen. Daardoor zul je je sterker voelen, het idee hebben dat je de zaak in de hand hebt. Je zult je meer jezelf voelen. Bovendien heb je boven een hele verzameling.'

'Verder nog iets?'

'Laat je haar niet knippen.'

Weer verraste ze hem. 'Ik moet het niet laten knippen omdat...?'

'Ik vind je haar mooi, het past niet bij een advocaat, maar wel bij een schrijver. Als je het per se nodig vindt, misschien alleen een beetje in model laten knippen. Dat kan ik trouwens wel voor je doen, maar...'

'Nee, dat kun je niet.'

'Wel als het op knipkunst aankomt. Maar laat het niet kortwieken tot een dasje-jasje advocatenlook.'

'Een das omdoen, van het haar afblijven.'

'Precies. En koop bloemen voor Hester. Je moet intussen wel tulpen kunnen krijgen en die zullen haar aan de lente doen denken.'

'Moet ik dit soms gaan opschrijven?'

Glimlachend liep ze om het eiland heen. 'Je ziet er niet alleen beter uit, je voelt je ook beter. Je krijgt weer babbels en die komen niet alleen voort uit een automatische drift.' Ze veegde over de revers van zijn sportjasje. 'Ga een das uitzoeken. En rij voorzichtig.' Ze ging op haar tenen staan en drukte een zoen op zijn wang.

'Wie ben je? Ik meen het echt.'

'Daar hebben we het nog wel eens over. Doe je familie de groeten van me.'

'Goed. Ik zie je wel weer... wanneer ik je zie.'

'Ik zal de massage verzetten en het op je kalender schrijven.'

Ze liep weer om het eiland heen en klom op het krukje om het poetsen te hervatten.

Hij zocht een das uit. Niet dat hij zich sterker voelde of het idee had dat hij de zaken meer in de hand had toen hij hem omdeed, maar vreemd genoeg gaf het hem wel het gevoel dat hij completer was. Met dat in zijn achterhoofd pakte hij zijn aktetas en deed er dossiers, een leeg notitieblok, geslepen potloden, een reservepen en, na een korte aarzeling, ook zijn minirecorder in.

Hij trok een mooie overjas aan en bekeek zich in het voorbijgaan in de spiegel.

'Wie ben jij?' vroeg hij zich af.

Hij zag er niet uit als vroeger, maar hij had ook niet meer het uiterlijk waar hij aan gewend was geraakt. Hij was geen advocaat meer, maar hij had zich nog niet bewezen als schrijver, dacht hij. Niet schuldig, maar ook nog niet onschuldig verklaard.

Nog altijd in het voorgeborchte, maar misschien eindelijk klaar om daaruit te klauteren.

Op weg naar beneden legde hij het geld voor Abra op zijn bureau en liep vervolgens rechtstreeks naar buiten, terwijl haar schoonmaakmuziek – klassieke Springsteen die dag – achter hem aan golfde.

Hij stapte in zijn auto en besefte dat het de eerste keer was dat hij achter het stuur ging zitten sinds hij zijn auto hier drie weken eerder bij zijn aankomst had geparkeerd.

Het voelde prettig, vond hij. De leiding nemen, stappen zetten. Hij zette zijn eigen radio aan en lachte van verbazing toen The Boss uit de speakers dreunde.

Het was net alsof Abra hem gezelschap hield, dacht hij toen hij wegreed van Whiskey Beach.

De auto die een stukje achter hem kwam rijden, viel hem niet op.

Omdat het een redelijk zachte dag was, zette Abra deuren en ramen wijd open om alles lekker door te laten luchten. Ze haalde Eli's bed af, deed er schone lakens op en klopte het dekbed op. Na een paar minuten te hebben nagedacht, maakte ze een vis uit een kleine handdoek. Ze zocht in wat ze haar noodtas vol gekkigheden noemde en vond een groen plastic pijpje voor in zijn mond.

Toen de slaapkamer aan haar strenge eisen voldeed en de eerste was in de wasmachine ronddraaide, begon ze aan het kantoor.

Ze zou het heerlijk hebben gevonden om aan de slag te gaan met het bureaublad, voor het geval hij aantekeningen of andere aanwijzingen had laten liggen over het boek waar hij mee bezig was. Maar afspraak was afspraak. En daarna ging ze stoffen, stofzuigen en vulde ze de voorraad mineraalwater en Mountain Dew aan. Ze schreef de volgende boodschap die Hester had gedicteerd op een Post-It en plakte die op een fles. Nadat ze de leren bureaustoel had afgenomen, bleef ze een poosje voor het raam staan en keek naar zijn uitzicht.

Dat was mooi, dacht ze. De sneeuw was bijna helemaal verdwenen door de wind en zon. Vandaag strekte de zee zich uit in een mooi, krachtig blauw en het zeewier deinde in de bries. Ze keek naar een vissersboot – dof rood tegen het diepe blauw – die traag over het water voer.

Beschouwde Eli dit nu als zijn thuis? Dat uitzicht, die lucht, geluiden en geuren? Hoe lang had het geduurd voor zij zich hier had thuis gevoeld?

Dat wist ze niet meer precies. Misschien was het de eerste keer gebeurd dat Maureen bij haar had aangeklopt met een bord brownies en een fles wijn. Of wellicht de eerste keer dat ze over dat strand had gewandeld en zich echt kalm had gevoeld in haar hoofd.

Net als bij Eli was dit haar ontsnappingsplek geweest. Maar zij had een keuze gehad, en ze had Whiskey Beach heel specifiek uitgezocht.

Het was de juiste keuze geweest, bedacht ze nu.

Afwezig liet ze haar vingers langs haar ribben aan de linkerkant gaan en het dunne litteken dat er overheen liep. Tegenwoordig dacht ze er nog maar zelden aan, evenmin als aan de situatie die ze was ontvlucht.

Maar Eli bracht de herinnering terug, en dat kon best een van de redenen zijn dat ze zich verplicht voelde om hem te helpen.

Er waren heel veel andere redenen. En daar kon ze nog een nieuwe aan toevoegen, besefte ze. De glimlach die ze op zijn gezicht had zien verschijnen toen hij Maureen had herkend.

Ze had een nieuw doel: Eli Landon aanleiding geven om vaker te glimlachen.

Maar nu moest ze eerst zijn ondergoed in de wasdroger gaan doen.

Eli had nog maar net plaatsgenomen in de wachtkamer van Neal Simpson en de koffie of iets anders die een van de drie secretaresses hem aanbood afgeslagen, toen Neal in eigen persoon zijn kantoor uit kwam om hem te begroeten.

Neal, die er fit uitzag in zijn prachtige pak, stak zijn hand resoluut uit en drukte die van Eli stevig. 'Het is fijn om je te zien. Kom mee naar mijn kantoor.'

Hij liep soepel door de luxe ingerichte doolhof die het kantoor van Gardner, Kopek, Wright en Simpson was. Een zelfverzekerde man, een buitengewoon begaafde advocaat die al op zijn negenendertigste volledig vennoot was geworden en zijn naam op het briefhoofd van een van de beste firma's van de stad had mogen zetten.

Eli vertrouwde hem, hij had geen andere keus. Hoewel ze voor verschillende kantoren hadden gewerkt en vaak hadden gestreden om dezelfde cliënten, hadden ze zich in dezelfde kringen bewogen en hadden ze gemeenschappelijke vrienden.

Of liever gezegd die hadden ze 'gehad', dacht Eli, want bijna al zijn vrienden waren verdwenen door het voortdurende gebeuk van de media.

In zijn kantoor met het wijde, winterse uitzicht over The Commons, keurde Neal zijn bureau geen blik waardig, maar gebaarde dat Eli plaats moest nemen op een van de twee leren stoelen.

'Laten we eerst even bijpraten,' begon Neal, toen zijn assistente een blad binnenbracht met twee grote bekers schuimige cappuccino. 'Dank je, Rosalie.'

'Graag gedaan. Willen jullie nog iets anders?'

'Dan zal ik het zeggen.'

Neal leunde achterover en nam Eli grondig op toen zijn assistente de deur achter zich sloot. 'Je ziet er een stuk beter uit.'

'Dat heb ik vaker gehoord.'

'Schiet het boek een beetje op?'

'Op sommige dagen meer dan andere. Maar over het geheel genomen gaat het niet slecht.'

'En hoe gaat het met je oma? Herstelt ze van haar ongeluk?'

'Jazeker. Ik ga straks bij haar langs. Zeg, dit is echt niet nodig, Neal.'

Met een intelligente blik in zijn bruine ogen pakte Neal zijn beker en ging weer lekker zitten. 'Wat niet?'

'Over koetjes en kalfjes praten om de cliënt op zijn gemak te stellen.'

Neal nam een slokje koffie. 'We stonden op vriendschappelijke voet met elkaar toen je me in dienst nam, maar dat is niet de reden dat je me in de arm hebt genomen. Of in elk geval was het niet de belangrijkste drijfveer. Toen ik je vroeg waarom je mij had gekozen, had je verscheidene goede redenen. Onder meer dat je het gevoel had dat jij en ik de wet en ons werk op dezelfde manier benaderden. Wij vertegenwoordigen de hele cliënt. Ik wil weten hoe je gemoedstoestand is, Eli. Dat helpt mij te bepalen welke actie ik jou moet aanbevelen, of juist afraden. En in hoeverre ik je moet overhalen om iets te doen waar je je nog niet klaar voor voelt.'

'Op mijn gemoedstoestand is verdomme geen peil te trekken. Op dit moment is hij niet... optimistisch, maar wel agressiever. Ik heb er genoeg van om deze ketting achter me aan te slepen, Neal. Ik ben het zat om te betreuren dat ik niet meer kan krijgen wat ik had, al weet ik niet eens of ik dat nog wel wil. Ik heb er genoeg van om met de versnelling klem te zitten in de vrijloop. Dat is wellicht beter dan achterstevoren van een rots af glijden, zoals het een paar maanden geleden voelde, maar het is bepaald ook niet vooruitgaan.'

'Goed.'

'Ik kan er niks aan veranderen hoe Lindsays ouders of wie dan ook over me denken. Niet tot Lindsays moordenaar wordt gevonden, gearresteerd, berecht en veroordeeld. En zelfs dan zullen sommige mensen blijven denken dat ik door de mazen van de wet ben geglipt. Dus flikker daar maar mee op.'

Neal nam nog een slok en knikte. 'Oké.'

Eli kwam overeind. 'Ik moet het weten, voor mezelf,' zei hij, door het kantoor ijsberend. 'Ze was mijn vrouw. Het doet er niet toe dat we niet meer van elkaar hielden, als we dat ooit al hebben gedaan. Het maakt niet uit dat ze me had bedrogen of dat ik een einde aan ons huwelijk wilde maken en haar uit mijn leven wilde. Ze was mijn vrouw en ik moet weten wie ons huis binnen is gegaan en haar heeft vermoord.'

'We kunnen Carlson weer een opdracht geven.'

Eli schudde zijn hoofd. 'Nee, hij heeft gedaan wat hij kon. Ik wil iemand met een frisse blik, iemand die hier onbevooroordeeld mee aan de slag gaat en die begint bij het begin. Dat is overigens geen verwijt naar Carlson. Het was zijn taak om bewijs te zoeken dat gerede twijfel zou ondersteunen. Ik wil vers bloed, niet om bewijs te zoeken dat ik het niet heb gedaan, maar om erachter te komen wie het wel heeft gedaan.'

Op zijn notitieblok maakte Neal loom een aantekening met zwierige letters. 'Om eraan te beginnen, zonder jou direct uit te sluiten.'

'Precies. Degene die we inhuren moet mij bijzonder kritisch onder de loep nemen. Ik wil een vrouw.'

Neal glimlachte. 'Wie niet?'

Half lachend ging Eli weer zitten. 'Ik, de afgelopen anderhalf jaar.'

'Geen wonder dat je er zo slecht uitziet.'

'Zo net zei je nog dat ik er stukken beter uitzag.'

'Dat is ook zo, wat maar bewijst hoe erg het was. Maar je wilt dus specifiek een vrouwelijke onderzoeker?'

'Ik wil een intelligente, ervaren, grondige vrouwelijke onderzoeker. Iemand tegenover wie Lindsays vriendinnen eerder het achterste van hun tong zullen laten zien dan bij Carlson. We waren het eens met de conclusie van de politie dat Lindsay haar moordenaar had binnengelaten of dat die een sleutel had. Er waren geen sporen van braak, en nadat ze om half vijf thuis was gekomen en haar code had ingevoerd, was ik de volgende die de code invoerde, om half zeven. Ze is van achteren aangevallen, dus ze heeft haar moordenaar de rug toegekeerd. Ze was niet bang voor hem. Er was geen gevecht, geen worsteling, het was geen inbraak die uit de hand is gelopen. Ze kende hem en was niet bang. Suskind heeft een alibi, maar stel je voor dat hij niet haar enige minnaar was? Alleen de laatste?'

'Dat hebben we al onderzocht,' bracht Neal hem in herinnering.

'Dan doen we het nog eens, maar dan grondiger. En we volgen ook zijsporen als die veelbelovend lijken. De politie kan de zaak open houden en blijven proberen te bewijzen dat ik erbij betrokken ben. Dat doet er niet toe, Neal. Ik heb haar niet omgebracht en ze hebben alle mogelijkheden om te bewijzen dat ik het wel was al uitgeput. Het is niet eens meer zo dat ik daar een einde aan wil maken. Het gaat erom dat ik het voor eens en altijd wil weten en er een streep onder kan zetten.'

'Goed. Ik zal wat telefoontjes plegen.'

'Dank je. En nu we het toch over privédetectives hebben. Kirby Duncan.'

'Ik heb al wat rondgebeld.' Hij stond op, liep naar zijn bureau en pakte een map. 'Dit is jouw kopie van het dossier. Het komt erop neer dat hij een klein bedrijf heeft. Hij staat erom bekend dat hij vaak net te ver gaat, maar hij heeft nog nooit een officiële berisping gekregen. Hij heeft acht jaar als agent voor het politiekorps van Boston gewerkt en heeft daar nog altijd veel contacten.'

Terwijl Neal praatte, opende Eli de map en las hij het verslag.

'Ik dacht dat Lindsays familie hem in dienst had genomen, maar hij lijkt te onbeduidend, te onopvallend voor hen.' Met een frons bestudeerde hij de details en probeerde een andere invalshoek en andere mogelijkheden te bedenken. 'Ik zou zeggen dat zij liever in zee gaan met iemand die opvalt, een dure hightech firma die erg bekend is.'

'Dat ben ik met je eens, maar mensen baseren dit soort beslissingen op heel wat factoren. Misschien heeft een vriend, kennis of familielid hun iemand aanbevolen.'

'Nou, als zij hem niet in de arm hebben genomen, zou ik niet weten wie dan wel.'

'Hun advocaat weigert het te bevestigen of te ontkennen,' zei Neal. 'Op dit moment is ze ook niet verplicht om die informatie vrij te geven. Duncan is agent geweest. Misschien kende hij Wolfe en heeft Wolfe besloten er wat geld tegenaan te gooien. Als dat zo is, zal hij het heus niet aan mij vertellen.'

'Het lijkt ook niet echt een methode voor hem, maar... We kunnen niet verhinderen dat Duncan vragen stelt in Whiskey Beach, wie zijn cliënt ook is. Het is niet verboden.'

'Net zoals jij niet verplicht bent om met hem te praten. Dat wil niet zeggen dat onze onderzoeker geen vragen over hem kan stellen of informatie over hem kan verzamelen. En het wil ook niet zeggen dat we kunnen laten uitlekken dat we iemand in dienst hebben genomen om dat te doen.'

'Ja,' stemde Eli in. 'Tijd om de boel een beetje op te porren.'

'Op dit moment maken de Piedmonts alleen nog maar veel lawaai. Ze proberen twijfel te zaaien over jouw onschuld en ervoor te zorgen dat de media-aandacht voor de zaak van hun dochter niet verslapt. Dat heeft als bijkomend voordeel voor hen dat het jouw leven zo onaangenaam mogelijk maakt. Dus deze laatste zet met de privédetective kan van hen afkomstig zijn.'

'Ze proberen me te verneuken.'

'Daar komt het grof gezegd wel op neer.'

'Ze gaan hun gang maar. Het kan niet erger worden dan toen dit een circus was dat dag en nacht doorging. Dat heb ik overleefd, dus dit zal me ook wel lukken.' Dat geloofde hij echt. Hij zou het niet passief ondergaan, maar het actief doorstaan. 'Deze keer zal ik me er niet gelaten bij neerleggen als ze het weer op mij gemunt hebben. Ze hebben hun dochter verloren en dat spijt me voor ze, maar het zal ze niet lukken om mij te vernachelen.'

'Dus als hun advocaat peilt hoe wij over een schikking denken, en ik vermoed dat ze dat op een gegeven moment zal doen, is het antwoord een duidelijk "nee"?'

'Het is een duidelijk "loop naar de hel".'

'Je voelt je echt beter.'

'Het afgelopen jaar heb ik bijna volledig in een soort mist geleefd, van schrik, schuldgevoel en angst. Elke keer dat de wind van richting veranderde en voor een beetje helderheid zorgde, zag ik dat alleen als een nieuwe valstrik. Die mist is nog niet helemaal opgetrokken, en ik ben verdomd bang dat hij weer dikker zal worden en me zal verstikken, maar nu, vandaag, ben ik bereid om het risico van zo'n val te lopen om eruit te geraken en weer frisse lucht in te kunnen ademen.'

'Goed.' Neal hield een zilveren Mont Blanc-pen boven zijn notitieblok. 'Tijd om de strategie te bespreken.'

Nadat hij Neals kantoor eindelijk had verlaten, liep Eli naar The Commons. Hij stelde zichzelf de vraag hoe hij het vond om weer in Boston te zijn, ook al was het maar voor een dag. Hij wist het niet precies. Alles was vertrouwd, en daar putte hij troost uit. Er was hoop en waardering voor de eerste groene scheuten die uit de wintergrond omhoog kwamen en die zich naar de lentezon richtten.

De mensen trotseerden de wind, die vandaag niet al te onstuimig was, om buiten op bankjes te lunchen of een stukje te lopen, zoals hij deed, of alleen om door The Commons te lopen op weg ergens anders naartoe.

Hij had er met plezier gewoond, dat wist hij nog. Dat was die vertrouwdheid weer, het gevoel van doelbewust, praktisch denken. Als hij een stevige wandeling had willen maken, had hij vanaf daar naar het kantoor kunnen lopen waar hij vroeger zijn cliënten ontving om de strategie te bespreken, zoals Neal nu met hem had gedaan.

Hij wist waar hij de lekkerste koffie kon krijgen, waar hij naartoe kon gaan voor een snelle lunch, of waar hij er juist heel lang over kon doen. Hij had zijn favoriete cafés, zijn kleermaker en de juwelier waar hij meestal cadeautjes voor Lindsay had gekocht.

Geen van die plaatsen was nog van hem. En terwijl hij daar stond te kijken naar het stevige groen van narcissen die wachtten tot ze konden openbarsten, merkte hij dat hij dat niet betreurde. Of in elk geval minder dan eerst.

Goed, hij moest een nieuwe zaak zoeken om zijn haar niet echt te laten knippen en een winkel om tulpen voor zijn oma te kopen. En voor hij terugging naar Whiskey Beach, zou hij de rest van zijn kleren inpakken, zijn sportkleding. Hij wilde echt werk gaan maken om de delen van zijn leven die nog braak lagen op te eisen en de rest echt los te laten.

Er waren wolken voor de zon geschoven toen hij zijn auto parkeerde voor het schitterende oude huis van rode baksteen in Beacon Hill. Het grote boeket paarse tulpen zou een tegenhanger zijn van die somberheid. Hij nam het op een arm, terwijl hij de grote vaas kashyacinten, een van zijn moeders lievelingsbloemen, uit de auto probeerde te halen.

Als hij eerlijk was, moest hij bekennen dat de autorit, de bespreking en de wandeling hem lichamelijk meer hadden vermoeid dan hem lief was. Maar dat zou hij zijn familie niet laten merken. Het weer mocht dan somber zijn geworden, hij klampte zich vast aan de hoop die op The Commons tot hem was gekomen.

Net toen hij naar de deur liep, zwaaide die open.

'Meneer Eli! Welkom thuis.'

'Carmel.' Als zijn armen leeg waren geweest zou hij de huishoudster die al zo lang bij hen werkte hebben omhelsd. Nu boog hij zich voorover naar de opgewekte, stevig gebouwde vrouw van net anderhalve meter lang en drukte een zoen op haar wang.

'Je bent veel te mager.'

'Ik weet het.'

'Ik zal Alice een boterham voor je laten maken. En die eet je ook op.'

'Ja, mevrouw.'

'O, kijk toch wat een mooie bloemen.'

Eli slaagde erin een tulp uit de bos te trekken. 'Voor jou.'

'Je bent een schat. Kom gauw binnen. Je moeder komt dadelijk thuis en je vader heeft beloofd dat hij er om half zes is, zodat hij je niet zal missen als je niet blijft slapen. Maar dat doe je wel, en je gaat hier ook lekker eten. Alice maakt Yankee Pot Roast en als toetje crème brûlee van vanillepeulen.'

'Dan kan ik maar beter een tulp voor haar bewaren.'

Op Carmels brede gezicht verscheen een warme glimlach, waarna haar ogen vochtig werden.

'Niet doen.' Hier had je de pijn, het verdriet dat hij elke dag na de moord op Lindsay op het gezicht van zijn dierbaren had gezien. 'Alles komt goed.'

'Ja. Ja, natuurlijk. Toe, geef die vaas maar aan mij.'

'Die zijn voor mam.'

'Je bent een lieve jongen. Dat ben je altijd geweest, zelfs als je stout was. Je zus komt ook eten.'

'Ik had meer bloemen moeten kopen.'

'Ha.' Ze knipperde de tranen weg en maakte een handgebaar om hem weg te sturen. 'Breng die maar gauw naar je oma. Ze is in haar zitkamer en ze zit vast weer achter die computer van haar. Je kunt haar er niet van weghouden, ze is er dag en nacht op bezig. Ik zal dadelijk je boterham en een vaas voor die tulpen brengen.'

'Dank je.' Hij liep naar de brede, sierlijke trap. 'Hoe gaat het met haar?'

'Elke dag iets beter. Ze vindt het erg dat ze zich nog altijd niet kan herinneren wat er is gebeurd, maar het gaat echt beter. Ze zal het fijn vinden om je te zien.'

Eli liep de trap op naar de oostelijke vleugel.

Zoals Carmel al had voorspeld, zat zijn oma aan haar bureau druk op haar laptop te typen.

Hij zag dat haar schouders en rug kaarsrecht waren onder haar keurige groene vest. Haar met zilvergrijs doorschoten donkere haar was stijlvol gekapt.

Hoofdschuddend zag hij dat haar looprek ontbrak, maar dat haar stok met de zilveren knop in de vorm van een leeuw tegen de rand van het bureau stond.

'Ben je de boel weer aan het opruien?'

Hij ging achter haar staan en drukte zijn lippen op haar hoofd. Ze hief alleen haar hand en pakte de zijne vast. 'Dat doe ik mijn hele leven al. Waarom zou ik daar nu opeens mee ophouden? Laat me je eens goed bekijken.'

Ze duwde hem naar achteren en keerde zich om op de draaistoel. Met haar hazelnootbruine ogen nam ze hem onbarmhartig op. Toen krulden haar lippen een klein beetje op.

'Whiskey Beach doet je goed. Je bent nog steeds te mager, maar niet meer zo bleek en verdrietig. Je hebt wat lente voor me meegenomen.'

'Dat heb je aan Abra te danken. Zij heeft me opgedragen ze te kopen.'

'En jij was slim genoeg om haar te gehoorzamen.'

'Ze is het soort vrouw dat geen genoegen neemt met nee. Dat is waarschijnlijk ook de reden dat jij haar graag mag.'

'Een van de redenen.' Ze stak haar hand uit en pakte de zijne even beet. 'Je voelt je beter.'

'Vandaag wel.'

'Vandaag is alles wat we hebben. Ga zitten. Je bent zo verdraaid lang dat ik een stijve nek van je krijg. Ga zitten en vertel me wat je de laatste tijd hebt gedaan.'

'Gewerkt, gepiekerd, medelijden gehad met mezelf, en ten slotte besloten dat werken het enige is waardoor ik me mezelf voel. Dus ik ga proberen iets te doen wat een einde maakt aan de behoefte om te piekeren en medelijden met mezelf te hebben.'

Hester glimlachte tevreden. 'Kijk aan. Zo ken ik mijn kleinzoon weer.'

'Waar is je looprek?'

In haar ogen verscheen weer een hooghartige blik. 'Dat heb ik afgedankt. De artsen hebben genoeg ijzerwaar in me gestopt om een slagschip bij elkaar te houden. De fysiotherapeut laat me werken als een drilsergeant. Als ik dat aankan, kan ik ook heus wel zonder ouwe-dameslooprek.'

'Heb je nog pijn?'

'Hier en daar, af en toe, maar steeds minder. Hetzelfde als jij, zou ik zo zeggen. Ze krijgen ons niet klein, Eli.'

Ook zij was afgevallen en het ongeluk en het moeizame herstel hadden voor meer rimpels in haar gezicht gezorgd. Maar haar ogen stonden even fel als anders en daar putte hij moed uit.

'Dat begin ik ook te geloven.'

Terwijl Eli met zijn grootmoeder praatte, zette Duncan zijn auto langs de stoep en bekeek het huis door de lange lens van zijn camera. Vervolgens liet hij die zakken en haalde zijn recorder tevoorschijn om zijn aantekeningen van die dag aan te vullen.

Hij bereidde zich erop voor dat hij hier een hele poos zou moeten zitten.

7

Verveling hoorde nou eenmaal bij het werk. Kirby Duncan zat onderuitgezakt in zijn onopvallende sedan en knabbelde op geraspte worteltjes. Hij had een nieuwe vriendin en de mogelijkheid tot seks had hem ervan overtuigd dat hij vijf kilo moest afvallen.

Het was hem gelukt om negen ons kwijt te raken.

De afgelopen twee uur had hij de auto een keer verplaatst en hij overwoog dat nog eens te doen. Zijn intuïtie vertelde hem dat Landon vermoedelijk nog een poosje zou blijven. Het was waarschijnlijk een familiediner, aangezien Duncan foto's had genomen van de moeder, de vader en als laatste van de zus met haar man en kleuter bij zich.

Hij had echter opdracht gekregen om Landon in de gaten te houden, dus dat zou hij doen.

Hij was de man gevolgd naar Boston, wat heel eenvoudig was geweest ondanks het drukke verkeer, naar het gebouw waar Landons advocaat kantoor hield. Dat had hem de kans gegeven om nonchalant om Landons auto heen te lopen. Daar was niks te zien geweest.

Ongeveer anderhalf uur later was hij Landon achterna gelopen over The Commons en daarna had hij voor een dure kapsalon gewacht terwijl Landon werd geknipt. Niet dat Duncan veel verschil zag voor de ruim vijftig dollar die de knipbeurt had gekost.

Maar je had nou eenmaal rare snoeshanen.

Landon ging ook nog naar een bloemist en kwam met zijn armen vol weer naar buiten.

Gewoon een man die wat boodschappen deed in de stad voor hij op bezoek ging bij zijn familie. De gebruikelijke ongein.

Sterker nog, voor zover Duncan dat kon beoordelen voerde Landon alleen maar gebruikelijke ongein uit, en niet eens zo veel. Als die vent zijn vrouw had vermoord en daarmee was weggekomen, was hij het in elk geval niet aan het vieren.

In zijn verslag tot nu toe stond nog niet erg veel. Een paar strandwandelingen, de ontmoeting met de sexy hulp in de huishouding en de vrouw die Landon stevig had omhelsd, en die, naar later bleek, een getrouwde vrouw met drie kinderen was.

Hij vermoedde dat er iets speelde tussen Landon en de huishoudster, maar hij kon niet bewijzen dat ze elkaar al kenden voor Landon naar het huis aan het strand was teruggekeerd.

Toch was uit zijn antecedentenonderzoek gebleken dat Abra Walsh een verleden had van relaties met gewelddadige types, waardoor Landon de volmaakte kandidaat voor haar zou zijn, áls hij zijn vrouw tenminste de hersens had ingeslagen, waar Duncan aan was gaan twijfelen. Landon was wellicht haar huidige keus, dacht hij, maar het sleutelwoord was 'huidig', want hij had geen spoortje bewijs gevonden dat zou aantonen dat ze het voor de moord samen al heel gezellig hadden.

Zelfs het weinige wat hij wist, kwam niet overeen met de overtuiging van zijn cliënt dat Landon schuldig was of de zekerheid van Duncans oude vriend Wolfe, een diender uit Boston, dat Landon was ontploft en de schedel van zijn ontrouwe vrouw had ingeslagen.

Hoe langer hij hem in de gaten hield, hoe minder schuldig de arme kerel leek.

Om informatie te verkrijgen had hij de directe manier geprobeerd, zoals bij de sexy huishoudster, en de meer indirecte bij de receptioniste van de bed & breakfast en een paar anderen. Een terloopse opmerking maken over het grote huis op de kaap, en als een echte toerist vragen naar de geschiedenis en de bewoners ervan.

Hij had een heel verhaal te horen gekregen over een kapitaal dat oorspronkelijk was vergaard met sterkedrank; van geplunderde schatten door piraten tot distilleerderijen en whiskeysmokkel in de kwade dagen van de drooglegging, legenden over gestolen juwelen die generaties lang verborgen hadden gelegen, familieschandalen, de overbekende geestverschijningen, helden en schurken, helemaal tot aan het schandaal rond Eli Landon.

Zijn vermakelijkste bron was de knappe verkoopster in een cadeauzaak geweest. Die vond het heerlijk om een half uur op een naargeestige wintermiddag te roddelen met een klant die flink wat geld uitgaf. Roddelaars waren vaak het beste hulpmiddel van een privédetective en Heather Lockaby was bijzonder behulpzaam gebleken.

Ze vond het echt vréselijk voor Eli, wist Duncan nog. Ze had de overleden vrouw een koele, onaardige snob genoemd die niet eens de moeite nam om bij Eli's oude oma op bezoek te gaan. Ze was wat afgedwaald met het verhaal over de val van Hester Landon, maar hij had haar vrij eenvoudig weer bij de les kunnen krijgen.

Volgens de loslippige Heather had het Landon bepaald niet ontbroken aan vrouwelijk gezelschap tijdens zijn zomervakanties en andere bezoekjes in Whiskey Beach, in elk geval niet toen hij een tiener of een jongeman van in de twintig was geweest. Hij hield van feesten, bier zuipen in de plaatselijke cafés en rondrijden in zijn cabriolet.

Volgens Heather had echt niemand verwacht dat hij al voor zijn dertigste zou trouwen. En daar was flink over gespeculeerd, maar dat was gestopt toen er geen baby was gekomen.

Het werd duidelijk dat ze problemen hadden toen Eli haar niet meer meenam naar Bluff House en later ook zelf niet meer kwam.

Al voor het bekend werd, had zij al geweten dat de koele kikker van een vrouw een verhouding had. Dat lag nogal voor de hand. Ze kon het Eli echt niet kwalijk nemen dat hij kwaad was geweest en haar had uitgemaakt voor alles wat mooi en lelijk was. Zeker niet. En áls hij haar had vermoord, al geloofde zij dat natuurlijk geen seconde, dan was het ongetwijfeld een ongeluk geweest.

Hij vroeg maar niet hoe je per ongeluk een vrouw een paar keer met een kachelpook tegen haar achterhoofd kon slaan, aangezien hij al tweehonderdvijftig dollar had uitgegeven aan snuisterijen om haar aan de praat te houden. Maar op een paar vermakelijke anekdotes na had het niets opgeleverd.

Toch vond hij het interessant dat er in het dorp op zijn minst een paar mensen waren die de favoriete dorpsjongen verdachten van moord. En achterdocht opende deuren. In de komende dagen zou hij bij de mensen aankloppen en zijn honorarium gaan verdienen.

Voorlopig overwoog hij om er voor die dag een eind aan te maken. Of in elk geval om even een plaspauze te houden.

Hij verschoof zijn gevoelloze achterwerk wat en toen ging zijn mobieltje.

'Met Duncan.' Hij verschoof opnieuw bij het horen van de stem van zijn cliënt. 'Toevallig sta ik voor het huis van zijn ouders in Beacon Hill geparkeerd. Hij is vanochtend naar Boston gereden. Ik heb het verslag voor je klaar om...'

Weer bewoog hij zijn billen toen de cliënt hem onderbrak met een spervuur aan vragen.

'Ja, dat klopt. Hij is de hele dag al in Boston. Eerst is hij bij zijn advocaat geweest, daarna heeft hij zijn haar laten knippen en bloemen gekocht.'

De cliënt betaalde de rekeningen, hield hij zich voor toen hij het telefoontje noteerde in zijn logboek. 'Zijn zus en haar gezin zijn ongeveer een half uur geleden gekomen. Het lijkt op een familiebijeenkomst. Gezien het tijdstip vermoed ik dat hij zeker blijft eten. Ik denk niet dat hier nog iets zal gebeuren, dus... Als dat is wat je wilt. Ja, dat kan ik doen.'

Het is jouw geld, dacht Duncan en hij legde zich erbij neer dat het een lange avond zou worden. 'Ik meld me wel als bij naar buiten komt.'

Toen hij de telefoon hoorde klikken in zijn oor, schudde Duncan zijn hoofd. Cliënten betaalden de rekening, dacht hij opnieuw, en hij at nog een worteltje.

Ook al was hij pas een paar weken weg geweest, het voelde alsof hij thuiskwam. In de grote stenen schouw knetterden en vlamden houtblokken op. De oude hond, Sadie, lag gekruld voor de haard. Iedereen zat in wat de familiezitkamer werd genoemd, met de overbekende mengeling van antieke meubels en familiekiekjes, rode lelies in een slanke vaas op de piano, zoals ze ook bij elkaar hadden kunnen zitten om te praten en wijn te drinken op een avond vóór hun wereld was ingestort.

Zelfs zijn oma, die niet had geprotesteerd maar het juist leuk had gevonden dat hij haar naar beneden had gedragen en in haar favoriete oorfauteuil had gezet, babbelde vrolijk, alsof er niets was gebeurd.

Dat werd vergemakkelijkt door de peuter, dacht hij. Selina van bijna drie was om op te vreten zo schattig, zo snel als een bliksemschicht, en ze vulde de kamer met energie en vrolijkheid.

Ze eiste dat hij met haar zou spelen, dus ging Eli op de grond zitten om een kasteel van blokken voor haar prinsessenpop te bouwen.

Iets eenvoudigs en doodnormaals, en iets wat hem eraan deed denken dat hij vroeger dacht dat hij zelf kinderen zou krijgen.

Hij vond dat zijn ouders er wat minder gespannen uitzagen dan toen hij een paar weken eerder naar Whiskey Beach was vertrokken. De beproeving die ze hadden doorstaan, had de rimpels in zijn vaders gezicht dieper gemaakt en zijn moeders gelaat een bijna doorschijnende matheid bezorgd.

Maar ze waren standvastig gebleven, dacht hij.

'Ik ga dit drukke meisje even eten geven.' Eli's zus gaf een kneepje in de hand van haar man toen ze opstond. 'Oom Eli, wil jij me komen helpen?'

'Eh... Tuurlijk.'

Omdat Selina met een stralend gezicht haar armen ophield, haar pop bungelend in haar hand, bukte hij zich om haar op te tillen en naar de keuken te dragen.

De breedgeschouderde Alice was de onbetwiste baas over het zespitsfornuis. 'Ze heeft zeker honger?'

Selina liet Eli onmiddellijk voor wat hij was en stak haar armpjes uit naar de kokkin. 'Daar is mijn prinsesje. Ik heb haar, hoor,' zei ze tegen Tricia, en ze zette Selina behendig op haar brede heup. 'Ze kan hier eten en mij gezelschap houden, en Carmel ook, als ik haar vertel dat we ons meisje voor onszelf hebben. De rest van jullie kan over ongeveer veertig minuten aan tafel.'

'Dank je. Als ze jou last bezorgt...'

'Last?' Met overdreven wijd opengesperde ogen zei Alice op quasi geschrokken toon: 'Moet je dat snoetje toch eens zien.'

Lachend sloeg Selina haar armpjes om de hals van de kokkin en zei, op haar manier fluisterend: 'Ikke koekje?'

'Als je hebt gegeten,' fluisterde Alice terug. 'Wij redden ons wel.' Ze wuifde hen weg. 'Gaan jullie maar lekker binnen zitten.'

'Lief zijn, hoor,' waarschuwde Tricia haar dochtertje en daarna pakte ze de hand van haar broer. Met haar lengte van bijna een meter tachtig, strakke lijf en grote wilskracht, trok ze hem moeiteloos mee de keuken uit en toen weg van de zitkamer, naar de bibliotheek. 'Ik wilde je even onder vier ogen spreken.'

'Dat dacht ik al. Met mij gaat het goed. Alles is goed. Dus...'

'Hou je mond.'

In tegenstelling tot hun zachtaardigere, tactvollere moeder had Tricia meer van haar rechtdoorzee, harde en koppige opa van vaders kant.

Wat heel goed de reden kon zijn dat zij nu de algemeen directeur van Landon Whiskey was.

'We letten er allemaal goed op om niets te zeggen over wat er is gebeurd, wat er nu gebeurt en hoe jij daarmee omgaat. En dat geeft niet, maar nu zijn we alleen. Jij en ik, onder vier ogen, geen e-mail die je zorgvuldig kunt schrijven en redigeren. Hoe gaat het met je, Eli?'

'Het schrijven vordert gestaag. Ik wandel veel op het strand. Ik eet regelmatig omdat oma's huishoudster telkens maaltijden voor me klaarmaakt.'

'Abra? Vind je haar niet adembenemend?'

'Nee. Ze is interessant.'

Geamuseerd ging Tricia op de armleuning van een grote leren fauteuil zitten. 'Onder andere. Ik ben blij dat allemaal te horen, Eli, want het klinkt alsof je precies dat doet wat je op dit moment hoort te doen. Maar als alles zo goed gaat, waarom ben je dan terug in Boston?'

'Kan ik niet een keertje op bezoek komen bij mijn familie? Ik ben toch zeker niet verbannen?'

Zelfs de manier waarop ze haar vinger omhoog opstak, deed hem aan zijn grootvader denken.

'Praat er niet omheen. Je was niet van plan om voor Pasen terug te komen, maar je bent er wel. Vertel op.'

'Het is niet belangrijk. Ik wilde Neal persoonlijk spreken.' Hij wierp een blik naar de deuropening. 'Hoor eens, ik wil papa en mama niet van streek maken, dat heeft geen nut. Ze zien er juist minder gespannen uit. De Piedmonts bazuinen rond dat ze een rechtszaak wegens dood door schuld willen aanspannen.'

'Dat is gelul, puur gelul. Ze proberen je echt te intimideren, Eli. Je moet… met Neal gaan praten,' maakte ze haar zin af, en ze slaakte een diepe zucht. 'En dat heb je ook gedaan. Wat vindt hij ervan?'

'Dat het voorlopig niet meer dan praatjes zijn. Ik heb hem de opdracht gegeven een nieuwe onderzoeker in te huren, en deze keer voor een vrouw te kiezen.'

'Langzaam word je jezelf weer,' mompelde Tricia, en haar ogen schoten vol.

'Doe dat nou niet. Jezus, Tricia.'

'Het komt niet door jou, althans niet alleen door jou. Het ligt aan mijn hormonen. Ik ben zwanger. Vanochtend moest ik huilen toen ik een kinderliedje zong met Sellie.'

'O. Wauw.' Hij voelde dat zijn grijns begon in zijn tenen en recht naar zijn hart schoot. 'Dat is toch fijn, nietwaar?'

'Het is geweldig. Max en ik zijn dolblij. We vertellen het voorlopig nog aan niemand, alhoewel ik denk dat mam het vermoedt. Ik ben pas zeven weken. Ach, wat maakt het ook uit?' Ze snifte de tranen weg. 'Ik heb het er wel met Max over. We vertellen het iedereen tijdens het eten. We kunnen er net zo goed een echt feestje van maken.'

'En tegelijk voorkomen dat er over mij wordt gesproken.'

'Ja, dus zeg nou niet dat ik nooit iets voor je doe.' Ze stond op en sloeg haar armen om hem heen. 'Ik zal de aandacht van iedereen afleiden, als jij belooft dat je geen zorgvuldig opgestelde mailtjes meer stuurt, niet aan mij. Als je een slechte dag hebt, wil ik dat je me dat vertelt. En als dat zo is, en je behoefte hebt aan gezelschap, dan kan ik het zo regelen dat Sellie en ik een paar dagen naar je toe komen. Max ook, als hij vrij kan krijgen. Je hoeft niet alleen te zijn.'

Ze zou het nog doen ook, dacht hij. Tricia zou verschuiven, herindelen, verzetten – want daar was ze heel bedreven in – en dat allemaal speciaal voor hem.

'Ik red me prima in mijn eentje, en vat dat niet op als een belediging. Ik ben eindelijk dingen aan het uitzoeken die ik al veel te lang op hun beloop heb gelaten.'

'Het aanbod blijft staan. En we wachten niet op een uitnodiging als je er van de zomer nog steeds bent. Dan komen we gewoon. Dan kan ik drijven als de walvis waar ik tegen die tijd op lijk en me door iedereen laten bedienen.'

'Typisch.'

'Zeg dat maar als jij ruim negen kilo extra meezeult en bang bent voor zwangerschapsstrepen. Ga jij alvast maar terug. Ik werp even een blik in de keuken om te kijken of Selina Alice niet heeft overgehaald om haar voor het eten koekjes te geven.'

Om negen uur die avond beëindigde Abra haar yogales en pakte ze een flesje water terwijl haar leerlingen hun mat oprolden.

'Het spijt me dat ik wat te laat was,' zei Heather, voor de zoveelste keer. 'Vandaag leek alles meer tijd te kosten.'

'Geeft niks.'

'Ik vind het vervelend om de warming-up-ademhalingen te missen. Die helpen me altijd.' Heather slaakte een zucht en duwde lucht omlaag met haar handen.

Abra moest erom glimlachen. Heather had een onverwoestbare energie. Waarschijnlijk praatte ze zelfs in haar slaap, net als ze tijdens de zestig minuten durende massage deed.

'Ik ben als een gek het huis uit gerend,' ging Heather verder. 'O, trouwens, ik zag dat Eli's auto niet voor Bluff House stond. Zeg niet dat hij nu al terug is naar Boston.'

'Nee.'

Niet van plan om het daarbij te laten, deed Heather de rits van haar jas dicht. 'Ik vroeg het me gewoon af. Het is zo'n groot huis. Met Hester, ach, zij hoort daar echt, je weet wel wat ik bedoel. Maar ik stel me zo voor, vooral vanwege alles wat hij aan zijn hoofd moet hebben, dat Eli zich wat verloren voelt in dat huis.'

'Niet dat ik weet.'

'Ik weet dat jij hem ziet als je ernaartoe gaat om er schoon te maken, dus in elk geval heeft hij dan wat gezelschap. Maar het lijkt me gewoon, met alle vrije tijd die hij heeft, nou, dat hij zich dood verveelt. Dat kan toch niet gezond zijn?'

'Hij schrijft een roman, Heather.'

'Ja, ik weet wel dat hij dat zégt. Of liever, dat de mensen zeggen dat hij dat zegt, maar hij was advocaat. Wat weet een advocaat nou van het schrijven van romans?'

'Ach, ik weet het niet. Vraag het eens aan John Grisham.'

Heather deed haar mond open, maar sloot hem weer. 'O, ja. Daar zeg je zowat. Maar toch...'

'Heather, volgens mij gaat het regenen.' Greta Parrish kwam bij hen staan. 'Wil jij me naar huis brengen? Ik geloof dat ik verkouden word.'

'O. Ja, natuurlijk doe ik dat. Even mijn matje pakken.'

'Je staat bij me in het krijt,' mompelde Greta toen Heather zich weg haastte.

'Reken maar.' Ze gaf de oudere vrouw een dankbaar kneepje in haar hand, en ging toen snel weg om net te doen alsof ze het druk had met matten opstapelen.

Zodra haar huis leeg was, slaakte ze een zucht.

Ze was dol op de lessen die ze thuis gaf, de intimiteit, de gezellige gesprekjes vooraf en na afloop. Maar soms...

Nadat ze de serre aan kant had gemaakt, ging ze naar boven en trok haar lievelingspyjama aan, met wollige witte schapen die ronddartelden tegen een roze achtergrond. Vervolgens ging ze weer naar beneden.

Ze was van plan om een glas wijn te pakken, een flink vuur in de haard te maken en lekker een boek te gaan lezen. Het geluid van stortregen op haar terras deed haar glimlachen. Een regenachtige avond, een vuur, een glas wijn...

Regen. Verdomme, had ze alle ramen van Bluff House wel weer gesloten?

Natuurlijk had ze dat gedaan. Ze zou dat heus niet vergeten...

Had ze het echt gedaan? Elk raam? Ook die in Hesters sportkamer?

Ze kneep haar ogen stijf dicht en probeerde het zich voor te stellen, probeerde zichzelf door het huis te zien lopen om de ramen te sluiten.

Maar ze wist het domweg niet meer. Ze was er niet zeker van.

'Verdomme, verdomme, verdomme.'

Ze zou zich pas kunnen ontspannen als ze het had gecontroleerd, en dat zou niet meer dan een paar minuten in beslag nemen. En ach, eerder op die dag had ze die kalkoenstoofpot gemaakt. Ze zou het bakje dat ze apart had gehouden voor Eli meteen meenemen.

Ze haalde het uit de koelkast en trok haar dikke sokken uit zodat ze haar blote voeten in haar stokoude Uggs kon steken. Haar jas trok ze over haar pyjama aan, ze greep snel een muts en zette hem op, en daarna rende ze naar haar auto.

'Vijf minuten, hoogstens tien en dan zit ik weer thuis met dat glas wijn.'

Ze reed vlug naar Bluff House, niet verbaasd door het gerommel van de donder. Eind maart was het weer hier volstrekt onvoorspelbaar. Vanavond donder, morgen sneeuw of zonnig en ruim tien graden. Wie het wist mocht het zeggen.

Ze holde rechtstreeks door de regen naar de voordeur met de sleutels in haar ene en de kalkoenstoofpot in haar andere hand.

Met haar heup duwde ze deur achter zich dicht. Op de tast deed ze haar laarzen uit en daarna stak ze haar hand uit naar de lichtschakelaar zodat ze de alarmcode zou kunnen intoetsen.

'Fantastisch, dat ontbrak er nog aan,' mompelde ze toen de hal donker bleef. Ze was maar al te bekend met de twijfelachtige stroomvoorziening in Bluff House, en zelfs die in heel Whiskey Beach, tijdens een storm. Ze deed het lampje aan haar sleutelbos aan en volgde het piepkleine straaltje naar de keuken.

Ze ging het raam controleren en dan zou ze doorgeven dat de stroom was uitgevallen, en dat de noodgenerator het ook niet deed. Alweer niet. Ze zou willen dat Hester dat oude ding eens verving. Ze maakte zich zorgen hoe Hester zich zou redden als de stroom een keer langdurig zou uitvallen, hoe vaak de vrouw haar ook vertelde dat ze er al heel wat had meegemaakt en dat ze wist hoe ze zich moest redden.

In de keuken pakte ze een grote zaklamp uit de la. Ze kon naar de kelder gaan om bij de generator te kijken. Niet dat ze wist waar ze op moest letten, maar ze zou het kunnen doen.

Ze liep naar de deur, maar bleef toen staan. Donker, koud, mogelijk vochtig. Spinnen.

Misschien ook niet.

Ze zou een briefje neerleggen voor Eli. Als hij midden in de nacht thuiskwam en er geen stroom, warmte of licht was, mocht hij wel bij haar op de bank slapen. Maar eerst ging ze kijken of de ramen dicht zaten.

Haastig liep ze naar boven. Uiteraard was het raam waar ze zich zorgen over had gemaakt veilig dicht, en nu stond haar opeens weer helder voor de geest dat ze het had dichtgetrokken en de klink had dichtgedaan.

Ze ging de trap weer af en liep naar de keuken. Ze was niet snel bang, maar ze wilde naar huis, weg uit het grote, donkere, lege huis en naar haar eigen gezellige cottage.

Weer klonk er een rollende donder en ditmaal maakte ze een sprongetje van schrik, waardoor ze even om zichzelf moest lachen.

De zaklamp vloog uit haar hand toen hij haar van achteren vastgreep. Even, heel even maar, werd ze overvallen door blinde paniek. Ze worstelde hulpeloos door aan de arm te klauwen die strak om haar nek zat.

Ze dacht aan een mes dat tegen haar keel werd gedrukt, het lemmet dat langs haar ribben omlaag gleed en onderweg vlees opensneed. Doodsangst dwong de schreeuw van haar binnenste naar haar keel, waar de arm hem verstikte tot een gesmoord gepiep.

Die arm sneed haar de adem af, deed haar vechten om lucht tot de kamer begon te tollen.

Toen trad haar overlevingsdrang in werking.

Zonnevlecht, harde elleboogstoot. Wreef van voet. Met het volle gewicht erop trappen. Neus, een snelle draai toen de greep wat losser werd, daarna een beuk met de muis van haar hand op de plek waar haar intuïtie haar vertelde dat zijn gezicht zou zijn. Kruis, een snel, driftig omhoog brengen van haar knie.

Vervolgens zette ze het op een lopen. Opnieuw werd ze door haar instinct gedreven, blindelings naar de deur. Haar handen raakten die met zo veel kracht dat er een pijnscheut door haar armen schoot, maar ze stopte niet. Ze trok de deur open, rende op blote voeten naar haar auto en haalde de sleutels met bevende hand uit haar zak.

'Ga. Ga gewoon.'

Ze sprong in de auto en ramde het sleuteltje in het contactslot. De banden piepten toen ze de wagen in de achteruit zette. Daarna draaide ze het stuur met een ruk om, zette de auto in de drive en gaf een dot gas.

Zonder er echt over na te denken, reed ze langs haar eigen huis en trapte hard op de rem voor dat van Maureen.

Licht. Mensen. Veiligheid.

Ze rende naar de deur, duwde die met een klap open en bleef pas staan toen ze haar vrienden gezellig samen voor de tv zag zitten.

Ze schoten allebei overeind.

'Abra!'

'Politie.' De kamer tolde weer. 'Bel de politie.'

'Je bent gewond! Je bloedt!' Maureen rende op haar af, terwijl Mike de telefoon pakte.

'Echt waar? Nee.' Wankelend op haar benen bekeek ze zichzelf toen Maureen haar beetgreep. Ze zag het bloed op haar hoodie en het pyjamajasje eronder.

Niet van het mes. Nee, deze keer niet. Niet haar bloed.

'Nee, het is niet van mij. Het is van hem.'

'Jezus. Is er een ongeluk gebeurd? Toe, ga zitten.'

'Nee. Nee!' Niet haar bloed, dacht ze opnieuw. Ze had weten te ontsnappen. Ze was veilig. En de kamer hield op met draaien. 'Er was iemand in Bluff House. Zeg tegen de politie dat er iemand in Bluff House was. Hij greep me beet.' Haar hand vloog naar haar keel. 'Hij wilde me wurgen.'

'Hij heeft je pijn gedaan. Ik kan het zien. Ga zitten. Vooruit, ga zitten. Mike.'

'De politie komt eraan. Hier.' Hij wikkelde een plaid om Abra heen, nadat Maureen haar naar een stoel had gebracht. 'Alles is goed met je. Je bent nu veilig.'

'Ik ga wat water voor je halen. Mike blijft bij je,' zei Maureen tegen haar.

Hij knielde voor haar neer. Wat had hij toch een mooi gezicht, dacht Abra terwijl haar ademhaling bleef zwoegen. Een zorgzaam gezicht met donkere puppy-ogen.

'De stroom is uitgevallen,' zei ze, bijna afwezig.

'Nee, hoor.'

'In Bluff House. Daar is geen stroom. Het was donker. Hij was in het donker. Ik zag hem niet.'

'Dat geeft niet. De politie komt eraan en met jou is alles in orde.'

Ze knikte en staarde in zijn puppy-ogen. 'Met mij is alles in orde.'

'Heeft hij je pijn gedaan?'

'Hij... Hij had zijn arm heel strak om mijn keel, en zijn andere om mijn middel, denk ik. Ik kon geen adem halen en ik werd duizelig.'

'Liefje, er zit bloed op je. Mag ik eventjes kijken?'

'Dat is van hem. Ik heb hem in zijn gezicht geslagen. Ik heb SING gedaan.'

'Wat heb je gedaan?'

'SING,' zei Maureen, toen ze terugkwam met een glas water in haar ene hand en een glas whiskey in de andere. 'Zelfverdedigingstechniek. Abra, je bent geweldig.'

'Ik dacht er niet bij na. Ik deed het gewoon. Ik moet hem een bloedneus hebben bezorgd. Ik weet het niet. Ik wist los te komen en ben ervandoor gegaan. Ik ben naar buiten gerend en hierheen gegaan. Ik voel me... een beetje misselijk.'

'Drink wat water. Heel langzaam.'

'Goed. Oké. Ik moet Eli bellen. Hij moet dit weten.'

'Dat doe ik wel,' zei Mike. 'Geef me z'n nummer, dan zal ik het regelen.'

Abra nipte, haalde diep adem en nam nog een slokje. 'Dat staat in mijn telefoon. Die heb ik niet meegenomen. Die ligt nog thuis.'

'Ik haal hem wel. Ik zal het regelen.'

'Hij heeft me geen pijn kunnen doen, deze keer niet. Daar heb ik voor gezorgd.' Abra sloeg een hand voor haar mond toen de tranen kwamen. 'Deze keer niet.'

Maureen ging naast haar zitten, trok haar in haar armen en wiegde haar heen en weer.

'Sorry. Sorry.'

'Sst. Alles is goed met je.'

'Alles is goed met me.' Maar Abra hield haar stevig vast. 'Eigenlijk zou ik moeten dansen van blijdschap. Ik ben niet ingestort. Tot nu toe tenminste niet. Ik heb precies het juiste gedaan. Ik heb ervoor gezorgd dat hij mij geen pijn kon doen. Alleen... Het brengt alles terug.'

'Dat weet ik.'

'Maar dat is voorbij.' Ze ging iets achteruit en wreef haar tranen weg. 'Ik heb het afgehandeld. Maar jezus nog aan toe, Maureen, iemand heeft ingebroken in Bluff House. Ik weet niet wie het was of wat diegene daar deed. Ik zag niks vreemds, maar ik ben alleen in de fitnesskamer en in de keuken geweest. Ik stond op het punt om naar de kelder te gaan om naar de generator te kijken, maar... Hij had daar beneden kunnen zijn. Hij moet de stroom hebben afgesneden om binnen te komen. Er was geen stroom. Ik...'

'Drink nu dit maar.' Maureen duwde de whiskey in haar hand. 'Heel langzaam.'

'Met mij is alles goed.' Langzaam nam ze een slokje whiskey, en ze ademde uit toen het warm door haar zere keel vloeide. 'Het begon te stormen en ik kon me niet meer herinneren of ik alle ramen dicht had gedaan. Dat zat me dwars, dus ben ik erheen gereden. Ik dacht dat er gewoon een stroomstoring was. Ik heb hem niet gezien of zelfs maar gehoord, Maureen. De regen en de wind maakten te veel lawaai.'

'Je hebt hem laten bloeden.'

Wat kalmer keek Abra omlaag. 'Ik heb hem laten bloeden. Dat was goed van me. Ik hoop dat zijn kloteneus gebroken is.'

'Dat hoop ik ook. Je bent mijn held.'

'En jij die van mij. Waarom denk je dat ik linea recta hierheen ben gegaan?'

Mike kwam de kamer weer in. 'Hij komt eraan,' zei hij. 'En de politie gaat naar Bluff House. Als ze daar klaar zijn, komen ze hier om met je te praten.' Hij liep naar Abra toe en gaf haar een sweater. 'Ik dacht dat je deze wel aan zou willen trekken.'

'Dank je. Jezus, Mike. Dank je. Je bent een kei.'

'Daarom hou ik hem ook.' Nadat Maureen een bemoedigend klopje op Abra's dij had gegeven stond ze op. 'Ik ga koffiezetten.'

Ze liep de kamer uit en Mike liep naar de tv en deed hem uit. Hij ging zitten en nam een slokje van Abra's whiskey. Daarna glimlachte hij naar haar.

'Vertel eens, hoe was jouw dag?' vroeg hij, waarop ze moest lachen.

8

Binnen twee uur had Eli de afstand tussen Boston en Whiskey Beach afgelegd. Hij was de woedende storm in en vervolgens weer uit gereden toen die zich naar het zuiden bewoog. De twintig minuten durende hel waarin hij door het oog ervan had gereden, had hem geholpen om zich te blijven concentreren.

Rij gewoon door, dacht hij. Denk aan niets wat zich buiten de auto en de weg bevindt.

Kleine flarden nevel stegen op van de weg toen hij door het dorp raasde. Straatlantaarns verspreidden aarzelende lichtbundels die glinsterden op plassen, op stroompjes die naar de goten kronkelden en toen was hij alweer voorbij de lichten, weg van de winkelpuien en restaurants en nam hij de bocht op de strandweg.

Hij rukte aan het stuur en reed naar de stoep voor Laughing Gull. Net toen hij met grote passen naar de kleine veranda aan de voorkant beende, ging de deur van de naastgelegen cottage open.

'Eli?'

Hij kende de man niet die naar buiten stapte en een licht jack aantrok toen hij over het kleine gazon liep.

'Mike O'Malley,' zei hij, zijn hand uitstekend. 'Ik heb in de gaten gehouden of je al kwam.'

'Ach, natuurlijk.' De stem aan de telefoon. 'Abra.'

'Die is bij ons.' Hij wees naar zijn huis. 'Het gaat goed met haar, ze is vooral geschrokken. Er zijn een stel agenten in Bluff House. Je moet met hen gaan praten. Ik...'

'Straks. Eerst wil ik Abra zien.'

'Ze is in de keuken.' Mike ging hem voor.

'Heeft hij haar pijn gedaan?'

'Laten schrikken,' herhaalde Mike. 'En bang gemaakt. Hij hield haar in een wurggreep, daardoor is haar keel een beetje rauw. Maar het lijkt erop dat zij hem erger pijn heeft gedaan dan hij haar. Hij heeft haar wat blauwe plekken bezorgd, maar zij heeft hem aan het bloeden gemaakt.'

Eli hoorde de trots in Mikes stem en vermoedde dat die geruststellend moest klinken. Maar hij wilde, nee, hij moest het met eigen ogen zien.

Hij hoorde haar stem toen ze van uit een knusse zitkamer een brede, open woonkeuken in liepen. Ze zat aan een tafel in een slobberige blauwe sweater met capuchon en dikke roze sokken aan haar voeten. Ze keek op met een mengeling van medeleven en verontschuldiging op haar gezicht. Die maakte plaats voor verbazing toen hij voor haar knielde en haar handen in de zijne nam.

'Waar is de ring?'

'Hou je mond.' Onderzoekend bekeek hij haar gezicht en bracht zijn vingers toen voorzichtig naar haar hals. 'Waar ben je nog meer gewond?'

'Nergens.' Dankbaar en geruststellend kneep ze in zijn handen. 'Echt niet. Hij heeft me wel laten schrikken.'

Eli keek naar Maureen voor bevestiging.

'Alles is goed met haar. Als ik dat niet zou geloven, zou ze op de Spoedeisende Hulp zijn, of ze dat nou wilde of niet.' Maureen ging staan en wees naar de koffiepot en fles whiskey die gebroederlijk naast elkaar stonden. 'Welke wil je? Of misschien een combinatie?'

'Koffie, graag.'

'Het spijt me dat we je moesten bellen, dat we je familie van streek hebben gemaakt,' begon Abra.

'Ze zijn niet van streek. Ik heb tegen ze gezegd dat de stroom was uitgevallen en dat ik terug wilde om de boel te controleren. Ik had toch al besloten om vanavond terug te gaan.'

'Mooi. Het heeft geen zin dat zij zich ongerust maken. Ik weet niet of er iets is gestolen,' ging Abra door. 'De agenten zeiden dat alles in orde leek, maar wat weten zij ervan? Van deze twee mocht ik er niet heen om even door alle kamers te lopen. Als Maureen zich beschermend opstelt, is ze heel angstaanjagend.'

'Als er is ingebroken en er iets is meegenomen, wat zou je er dan nog aan kunnen doen?' Maureen hield op en hief haar handen op naar Eli. 'Sorry. Zo draaien we al een half uur in een kringetje rond.' Ze gaf Eli koffie. Voor ze kon vragen of hij melk of suiker gebruikte, had hij de helft al zwart opgedronken.

'Ik ga er zo heen om met de politie te praten en even rond te kijken.'

'Ik ga met je mee. Ten eerste,' zei Abra, toen Maureen wilde protesteren, 'heb ik me verdedigd. Ten tweede zullen er agenten en zal Eli bij me zijn. En ten derde weet ik beter wat er in dat huis is en waar het hoort dan wie dan ook, op Hester na. Maar die is er niet. En tot slot...'

Ze stond op en gaf Maureen een stevige knuffel. 'Dank je wel, niet alleen voor de sokken, maar omdat je voor me klaarstond. Dank je wel.' Ze draaide zich om zodat ze ook Mike kon omhelzen.

'Kom terug als je klaar bent, dan kun je in de logeerkamer slapen,' zei Maureen volhardend.

'Liefje, de enige reden dat die klootzak het op mij had gemunt, was dat ik het huis binnenging terwijl hij dacht dat hij het voor zichzelf had. Hij zal echt niet bij mij naar binnen sluipen. Ik zie je morgen weer.'

'Ik zal ervoor zorgen dat haar niks overkomt,' zei Eli. 'Bedankt voor de koffie... en de rest.'

'Ze heeft het bezorgdheidsgen van een moeder,' mompelde Abra toen ze samen met Eli naar buiten ging. 'Iedereen weet dat het hem niet om mij te doen was.'

'Jij bent aangevallen, dus het ging wel degelijk om jou. Ik rij.'

'Ik rij wel achter je aan in mijn auto, anders moet je me ook weer terugbrengen.'

'Precies.' Hij pakte haar arm en leidde haar naar zijn auto.

'Goed dan. Iedereen heeft vanavond het bezorgdheidsgen van een moeder.'

'Vertel eens wat er is gebeurd. Mike heeft geen details verteld.'

'Toen het begon te stormen wist ik niet meer of ik al je ramen had gesloten. Ik heb het huis vandaag laten luchten en kon me niet meer herinneren of ik het raam in Hesters fitnesskamer had gesloten. Dat zat me dwars, dus ben ik erheen gegaan om het te controleren. O, ik heb ook een bak kalkoenstoofschotel meegenomen, met knoedels, omdat ik er toch naartoe moest.'

'Over moederlijke genen gesproken.'

'Ik heb liever dat je behulpzame-burengenen zegt. Er was geen stroom. Ik voel me nou heel stom, omdat ik er geen moment bij stil heb gestaan. Het kwam ook niet bij me op dat het geen vijf seconden eerder, daar in de buurt, nog niet uit was geweest. Ik was gewoon geïrriteerd. Met behulp van mijn kleine zaklampje ben ik naar de keuken gelopen om daar een grotere zaklamp te pakken.'

Nijdig blies ze haar adem uit. 'Ik heb niks gehoord, niks gevoeld, en dat stoort me mateloos, aangezien ik graag mag geloven dat ik een zesde zintuig heb. Dat werkte vanavond bepaald niet. Maar goed, ik ging dus naar boven en ik had het raam 's middags natuurlijk gewoon dichtgedaan. Ik weer naar beneden en daar besloot ik om toch maar niet naar de kelder te gaan om te kijken of ik de oude generator weer aan de praat kon krijgen. Zelfs als je geen acht slaat op spinnen, is het er donker en eng. Bovendien heb ik geen verstand van generatoren. Toen nam hij me te pakken.'

'Van achteren.'

'Ja. Het donderde en er was regen en wind, maar ik vind het toch heel vervelend dat ik niks hoorde of voelde tot hij me vastpakte. Na mijn aanvankelijke paniek, waarbij ik schopte en in zijn arm klauwde...'

'Huid of stof?'

'Stof.' Kleine details, dacht ze. De voormalige strafpleiter dacht daar natuurlijk aan, net zoals de politie had gedaan. 'Wol, denk ik. Zachte wol. Een trui of jas. Ik kon niet zo heel goed nadenken omdat mijn luchttoevoer werd afgeknepen. Gelukkig ging ik me automatisch verdedigen. Ik heb een aantal cursussen gegeven. SING. Dat houdt in...'

'Ik weet wat het is. Wist je nog hoe je het moest gebruiken?'

'Een deel van me wist het. Dit heb ik al aan de politie verteld,' zei ze toen hij tot stilstand kwam bij Bluff House. 'Ik ramde naar achteren met mijn elleboog en dat had hij niet verwacht. Dat moet hem in elk geval een beetje pijn hebben gedaan, want zijn greep werd iets losser en ik kon weer ademhalen. Ik trapte op zijn voet, wat hem waarschijnlijk eerder verraste dan dat het pijn deed, want ik was blootvoets. Toen draaide ik me om en richtte op zijn gezicht... In het donker kon ik het niet zien, maar ik voelde waar het was. Met de muis van mijn hand. En toen de genadestoot.'

'Een knietje in zijn ballen.'

'Ik weet dat ik hem pijn heb gedaan. Op dat moment drong het niet echt tot me door, aangezien ik als een gek naar de deur rende om naar mijn auto te gaan, maar ik weet bijna zeker dat ik hem heb horen neervallen. En de dreun op zijn neus werkte ook, want hij heeft bloed op me verloren.'

'Je blijft er nogal kalm onder.'

'Nu wel. Jij hebt niet gezien hoe ik in Maureens armen heb liggen janken als een baby.'

Dat beeld liet al zijn spieren verstrakken. 'Ik vind het echt vreselijk, Abra.'

'Ik ook. Maar het is niet jouw schuld, en ook niet de mijne.' Ze stapte uit de auto en glimlachte naar de hulpsheriff die naar hen toe kwam. 'Hoi, Vinnie. Eli, dit is hulpsheriff Hanson.'

'Eli. Je kent me vast niet meer.'

'Jawel.' Zijn haar was korter en niet langer door de zon gebleekt, maar bruin, en zijn gezicht was dikker geworden. Maar Eli wist nog wie hij was. 'Je was het prototype van een surfer.'

Vinnie lachte. 'Dat ben ik nog steeds, als ik kans zie een plank te pakken en een goeie golf te vinden. Het spijt me van de problemen hier.'

'Mij ook. Hoe is hij binnengekomen?'

'Hij heeft de stroomtoevoer afgesneden. Kortsluiting veroorzaakt en toen de zijdeur opengebroken, die van de bijkeuken. Dus hij wist, of vermoedde, dat er een alarmsysteem was. Abra vertelde dat jij laat in de ochtend naar Boston bent vertrokken.'

'Dat klopt.'

'Dus jouw auto heeft hier de hele dag niet gestaan, en 's avonds ook niet. Kijk maar even rond of er iets weg is. We hebben het elektriciteitsbedrijf gebeld, maar dat heeft waarschijnlijk morgen pas tijd om te komen.'

'Dat is vroeg genoeg.'

'We hebben nergens vernielingen aangetroffen.' Vinnie ging hen voor. 'Midden in de hal ligt wat bloed op de grond, en er zat ook wat op Abra's sweatervest en pyjamajasje. Genoeg voor DNA als hij in de databank zit, of voor als we hem te pakken krijgen. Maar dat zal tijd kosten.'

Hij opende de voordeur en scheen naar binnen met zijn zaklamp en raapte daarna het exemplaar op dat Abra had laten vallen en zette die op een tafeltje in de hal.

'Af en toe hebben we te maken met een inbraak, in huurhuisjes die in het laagseizoen leeg staan. Maar dat zijn voornamelijk jongeren die een hangplek zoeken, seks willen hebben, een stickie willen roken of, in het ergste geval, wat vernielingen willen aanrichten of elektronica willen jatten. Dit lijkt niet op het werk van jongeren. Geen van de jongens uit het dorp zou het wagen om Bluff House te betreden.'

'Kirby Duncan, een privédetective uit Boston. Hij neust hier rond en stelt allerlei vragen over mij.'

'Die was het niet,' zei Abra, maar toch pakte Vinnie zijn opschrijfboekje en noteerde de naam.

'Het was donker. Je hebt zijn gezicht niet gezien.'

'Nee, maar ik heb wel van dichtbij gevoeld wat voor lichaamsbouw hij had. Duncan heeft een zacht middel, een buikje, en dat had deze man niet. En Duncan is kleiner en steviger gebouwd.'

'Maar toch.' Vinnie borg zijn boekje weer op. 'We zullen met hem gaan praten.'

'Hij logeert in Sand Dunes bed & breakfast. Ik heb wat rondgeneusd,' legde Abra uit.

'We zullen het natrekken. Er zijn hier in huis een aantal waardevolle spullen die makkelijk mee te nemen zijn, plus wat elektronica. Boven staat een mooie laptop en er zijn flatscreen-tv's. Ik neem aan dat mevrouw Hester sieraden in de kluis heeft? Misschien had je ergens ook nog wat contant geld liggen?'

'Ja, wel wat.' Eli nam de zaklamp uit de keuken en liep naar boven. Eerst keek hij in zijn kantoor, waar hij zijn laptop opstartte.

Als Duncan iets had gewild, was het ongetwijfeld een blik werpen op zijn privé e-mails, bestanden en webgeschiedenis. Dus voerde hij een snelle controle uit.

'Niks sinds ik hem vanochtend heb afgesloten. In elk geval is er niks zichtbaar.' Hij opende laden en schudde zijn hoofd. 'Zo te zien is er niks doorzocht. En hier ontbreekt ook niks.'

Eli liep het kantoor uit en ging naar zijn slaapkamer. Hij opende een la en zag de paar honderd dollar liggen die hij voor het gemak in huis bewaarde. 'Als hij hier is geweest,' zei Eli, terwijl hij met zijn lamp scheen en een rondje draaide, 'dan heeft hij alles precies zo achtergelaten als het was.'

'Het lijkt erop dat Abra hem heeft gestoord voor hij kon beginnen. Hoor eens, je moet hier op je gemak rondkijken. Je kunt beter wachten tot het licht is. We zullen hier vaker langs rijden, maar het zou wel heel stom van hem zijn als hij nu terug zou komen. Het mag dan laat zijn, maar ik heb er helemaal geen moeite mee om een privédetective uit bed te trommelen,' voegde Vinnie eraan toe. 'Ik kom morgen nog een keer met je praten, Eli. Moet ik jou naar huis brengen, Abra?'

'Nee dank je. Je kunt rustig gaan.'

Met een knikje pakte hij een visitekaartje. 'Abra heeft er al een, maar hou deze bij je. Voor het geval er toch iets weg is of als je nog meer problemen krijgt. En als je een keer een surfplank pakt, kunnen we kijken of je de lessen nog weet die ik je vroeger heb gegeven.'

'In maart? Het water is ijskoud.'

'Daarom dragen echte mannen wetsuits. Je hoort nog van me.'

'Hij is niet veel veranderd,' zei Eli toen Vinnies voetstappen wegstierven. 'Nou ja, behalve zijn kapsel dan. Maar gebleekt schouderlang haar is vast tegen de regels van de politie.'

'Maar het stond hem vast heel schattig.'

'Kennen jullie elkaar? Voor vanavond, bedoel ik?'

'Ja. Vorig jaar heeft hij een weddenschap met zijn vrouw verloren en toen moest hij een van mijn yogacursussen volgen. Nu komt hij heel regelmatig.'

'Is Vinnie getrouwd?'

'Ja, en hij heeft anderhalf kind. Ze wonen in South Point en geven spectaculaire barbecues.'

Misschien was Vinnie echt veranderd, dacht Eli, terwijl hij de kamer bleef rondkijken. Hij herinnerde zich een graatmagere knul die constant high was geweest, die had geleefd voor de volgende goede golf en ervan had gedroomd om op Hawaii te gaan wonen.

De lichtstraal gleed over het bed en keerde toen terug om op de handdoek in de vorm van de pijprokende vis te schijnen. 'Ongelooflijk.'

'Hierna ga ik proberen een waakhond te maken. Een rottweiler of een dobermann. Misschien helpt dat.'

'Dan heb je een grotere handdoek nodig.' In het flauwe licht bekeek hij haar gezicht. 'Je zult wel moe zijn. Ik breng je naar huis.'

'Eerder opgefokt dan moe. Ik had geen koffie moeten drinken. Hoor eens, je moet hier niet blijven zonder stroom. Het wordt nog kouder, en je hebt geen licht, pomp of water. Ik heb een logeerkamer, of wat daar voor moet doorgaan, en een bijzonder comfortabele bank. Je mag kiezen.'

'Nee, dat is niet nodig. Ik wil het huis hierna niet leeg laten staan. Ik ga naar beneden om op de generator te slaan.'

'Goed. Dan ga ik mee en zal ik meisjesachtige geluiden maken en je het verkeerde gereedschap aangeven. Je bent weliswaar nogal slungelig, maar je moet in staat zijn om alle spinnen dood te trappen. Ik weet dat het verkeerd is, gezien het goede werk dat ze doen, maar ik heb iets tegen die beesten.'

'Ik kan mannelijke geluiden maken en zelf het verkeerde gereedschap pakken. Jij hebt slaap nodig.'

'Daar ben ik nog niet klaar voor.' Een beetje beverig haalde ze haar schouders op. 'Tenzij je ernstige bezwaren tegen mijn aanwezigheid daarbeneden hebt, blijf ik liever bij jou. Helemaal als ik een glas wijn mag.'

'Best.' Hij vermoedde dat ze, wat ze ook tegen Maureen had beweerd, het eng vond om alleen in haar huis te zijn.

'Dan kunnen we allebei dronken worden en op de generator slaan.'

'Goed plan. Voor jij kwam heb ik er halfslachtig schoongemaakt, in elk geval in de belangrijkste ruimtes, de wijnkelder en de plek waar de zomerspullen staan. Verder kom ik meestal niet, en volgens mij is Hester er ook al in geen jaren geweest. De rest van de kelder is enorm en donker, bedompt en echt eng,' zei ze toen ze de trap af liepen. 'Ik kom er bepaald niet graag.'

'Griezelig?' vroeg hij, en hij hield de zaklamp onder zijn kin om het op iets uit een griezelfilm te laten lijken.

'Ja, en hou daarmee op. De ketels knorren en knarsen en er zijn dingen die rinkelen en kraken. En er zijn veel te veel vreemde kamertjes en ruimtes. Het is de *The Shining* onder de kelders. Dus…'

In de keuken bleef ze staan en pakte ze zelf de fles wijn. 'Moed uit druiven, wat tevens de effecten van de late koffie en avonturen tegen kan gaan. Hoe was het thuis? In Boston?'

'Daar was alles goed. Echt waar.' Als ze het ergens anders over wilde hebben, kon hij daarvoor zorgen. 'Oma ziet er beter uit en mijn ouders zijn minder gespannen. En mijn zus verwacht haar tweede kind. Dus we hadden iets te vieren.'

'Dat is fantastisch.'

'Het zorgde voor een andere sfeer, als je me kunt volgen,' zei hij, toen ze voor allebei een glas wijn inschonk. 'In plaats van heel zorgvuldig niet te praten over waarom ik hiernaartoe ben gegaan, hebben we er niet meer aan gedacht.'

'Op een nieuw begin, een nieuwe baby en elektriciteit.' Ze tikte met haar glas tegen het zijne.

Na een slokje besloot ze om de fles mee te nemen naar de kelder. Misschien zou ze echt een beetje dronken worden. Wellicht zou ze dan makkelijker kunnen slapen.

De kelderdeur piepte. Uiteraard, dacht ze, en ze haakte een vinger in een van Eli's riemlussen toen hij de trap af daalde. 'Zodat we elkaar niet kwijtraken,' zei ze toen hij even omkeek.

'We zijn niet in het Amazonegebied.'

'Als je het over kelders hebt wel. De meeste huizen hier hebben niet eens een kelder, laat staan eentje ter grootte van het Amazonegebied.'

'De meeste huizen hier zijn niet op een rots gebouwd. En een deel ervan is boven de grond.'

'Een kelder is een kelder. En in deze is het te stil.'

'Ik dacht dat hij te veel geluiden maakte?'

'Maar dat kan hij niet zonder de ketels en pompen en de hemel mag weten wat voor andere inwendige dingen er zijn. Dus is het er te stil. Het ligt op de loer.'

'Goed, nou maak je mij bang.'

'Ik wil niet de enige zijn die bang is.'

Onder aan de trap pakte Eli een zaklamp van de oplader aan de muur, in een goed gevulde en zeer precies geordende wijnkelder.

Er was vast een tijd geweest dat er in elke nis een fles had gelegen, en dat de honderden exemplaren systematisch werden gekeerd door de butler, dacht hij. Maar hij schatte dat er nog altijd minstens honderd flessen lagen. Ongetwijfeld allemaal zeer bijzondere wijnen.

'Hier. Dan kun je me seinen als we elkaar kwijtraken en kan ik een zoekploeg organiseren.'

Ze liet zijn riemlus los en knipte de zaklamp aan die hij haar aanreikte.

Zij zag de kelder van Bluff House als grotten. Een serie grotten. Sommige muren waren van oude steen waar de bouwers simpelweg doorheen hadden gehakt. Er waren gangen en lage bogen, en het ene deel volgde op het andere. Normaal gesproken had ze op lichtknoppen kunnen drukken en de hele ruimte kunnen laten baden in vriendelijk licht, maar nu flikkerde haar straal en kruiste die van Eli.

'We zijn net Mulder en Scully,' mompelde ze.

'*The truth is out there.*'

Ze glimlachte en bleef vlak achter hem toen hij onder een boog door dook, naar links ging en bleef staan, waarop Abra tegen hem aan botste.

'Sorry.'

'Hm.' Eli scheen met zijn licht op de afgebladderde rode verf van het enorme apparaat.

'Het lijkt iets uit een andere wereld.'

'In elk geval uit een andere tijd. Waarom hebben we deze niet vervangen? Waarom hebben we geen nieuwe generator permanent aan het huis gekoppeld?'

'De stroomstoringen kunnen Hester niet zo veel schelen. Ze zegt dat ze daardoor niet vergeet om zelfvoorzienend te zijn. En ze houdt van de stilte. Ze heeft meer dan genoeg batterijen, kaarsen, hout, blikken eten en dat soort dingen.'

'Ze zal binnenkort zelfvoorzienend zijn met een nieuwe, betrouwbare generator. Misschien zit dit rotding alleen maar zonder benzine.' Hij schopte er zacht tegen. Hij nam een slok wijn en zette het glas op een andere plank met gereedschap. Hij ging op zijn hurken zitten en opende een benzineblik van bijna twintig liter. 'Goed, hier is benzine. Laten we dit gedrocht uit een andere wereld eens nakijken.'

Abra keek toe toen hij eromheen liep. 'Weet je hoe het werkt?'

'Ja. We hebben al een paar keer met elkaar in de clinch gelegen. Dat mag dan een poosje geleden zijn, maar zoiets vergeet je niet.' Hij keek om naar haar. Zijn ogen werden groot en hij richtte zijn lamp op haar linkerschouder. 'Eh...'

Ze maakte een sprong en draaide rondjes met het glas in haar ene en de fles in haar andere hand. 'Zit hij op me? Zit hij op me? Haal hem eraf!'

Ze hield op toen hij lachte, een diepe, volle, hulpeloze lach die voor een warm, heerlijk gevoel in haar binnenste zorgde, zelfs al maakte het haar ook woedend.

'Verdomme, Eli! Wat hebben mannen toch? Jullie zijn allemaal zo kinderachtig.'

'Je hebt net in je eentje, in het donker, een insluiper uitgeschakeld. En dan gil je als een meisje bij de gedachte aan een spin.'

'Ik ben een meisje, dus is het logisch dat ik zo gil.' Ze vulde haar glas bij en nam een slok. 'Dat was heel gemeen.'

'Maar wel grappig.' Hij pakte de dop van de benzinetank van de generator en draaide eraan. Niks. Hij rolde met zijn schouders en probeerde het opnieuw. 'Stik.'

'Moet ik hem voor je losmaken, grote kerel?' Ze knipperde met haar wimpers.

'Ga je gang, yogameisje.'

Ze spande haar biceps en liep naar hem toe zodat hun heupen elkaar raakten. Na twee krachtige pogingen, deed ze een stap achteruit. 'Het spijt me. Hij is duidelijk vastgelast.'

'Nee, het is verroest en oud, en degene die het de vorige keer heeft dichtgedraaid wilde stoer zijn. Ik heb een moersleutel nodig.'

'Waar ga je heen?'

Hij bleef staan en keek even om. 'Al het gereedschap ligt daar. Althans, dat was vroeger zo.'

'Ik wil daar niet meer naartoe.'

'Ik kan die moersleutel wel in mijn eentje pakken.'

Ze had ook weinig zin om in haar eentje te blijven waar ze was, maar wilde dat niet toegeven. 'Nou, blijf wel praten. En ga geen stomme kokhals- of verstikkingsgeluiden maken of ineens gillen. Dan ben ik niet blij.'

'Als het keldermonster aanvalt, zal ik het bevechten in stilte.'

'Blijf praten,' hield ze vol, toen hij dieper de duisternis in liep. 'Hoe oud was jij toen je je maagdelijkheid verloor?'

'Wat?'

'Dat is het eerste wat me te binnenschoot. Ik weet ook niet waarom. Ik zal het eerst vertellen. Het was de avond van het eindexamenbal. Dat is niet voor niets een cliché. Ik dacht dat we voor altijd bij elkaar zouden blijven, Trevor Bennington en ik. Maar het was niet langer dan tweeënhalve maand, of zes als je de periode voor de seks meetelt. Eli?'

'Ik ben er nog. Wie heeft wie de bons gegeven?'

'We waren gewoon uit elkaar gegroeid, wat nogal onbevredigend is. We hadden wat drama moeten hebben, bedrog en woede.'

'Dat klinkt leuker dan het is.' Zijn stem echode luguber, waardoor Abra haar heil zocht bij ujjayi-ademhaling terwijl ze met haar zaklamp om zich heen scheen.

Ze hoorde een soort bons en een vloek. 'Eli?'

'Godverdomme, wat doet dat hier?'

'Probeer nou niet grappig te zijn.'

'Ik heb net mijn klotekuit gestoten tegen een vervloekte kruiwagen omdat die hier zomaar midden in die kloteruimte staat. En...'

'Ben je gewond? Eli...'

'Kom hier, Abra.'

'Daar heb ik geen zin in.'

'Er zijn geen spinnen. Ik wil dat je dit ziet.'

'O god.' Voetje voor voetje liep ze naar hem toe. 'Leeft het?'

'Nee, het is iets heel anders.'

'Als dit een achterlijk jongensgeintje is, word ik hartstikke kwaad.' Ze ademde gemakkelijker toen haar lichtstraal hem bescheen. 'Wat is het?'

'Dat.' Hij wees met zijn licht.

De vloer, een mengeling van aangestampte aarde en stenen, lag open. De sleuf liep bijna van muur tot muur, minstens anderhalve meter breed en zeker negentig centimeter diep.

'Wat... Lag hier iets begraven?'

'Iemand denkt duidelijk van wel.'

'Bedoel je... een lijk?'

'Ik denk dat een lijk eerder begraven dan opgegraven wordt in een kelder.'

'Waarom zou iemand hier gaan graven? Hester heeft nooit iets gezegd over een opgraving.' Ze bescheen een pikhouweel, spaden, emmers en een voorhamer. 'Het duurt een eeuwigheid om in deze grond te graven met handgereedschap.'

'Elektrisch gereedschap maakt lawaai.'

'Ja, maar… O god. Was dat waar het vanavond om ging? Was hier iemand om te graven naar… wat dan ook. De legende? Esmeralda's bruidsschat? Dat is belachelijk… maar toch moet dat het zijn geweest.'

'Dan verspilde hij zijn tijd en moeite. Jezus nog aan toe, als er echt een schat lag, denk je dan niet dat wij dat hadden geweten, of dat we hem onderhand gevonden zouden hebben?'

'Ik beweer niet…'

'Sorry… sorry.' Hij beende een stukje bij haar vandaan. 'Dit is niet allemaal vanavond gedaan. Dit heeft weken gekost, telkens een paar uur.'

'Dan moet hij hier dus al eerder zijn geweest. Maar hij heeft de stroom uitgeschakeld en de deur opengebroken. Hester heeft de alarmcode veranderd,' herinnerde Abra zich. 'Ze vroeg of ik de code wilde veranderen toen ze uit het ziekenhuis kwam. Ze was van streek, en het sloeg eigenlijk nergens op, maar ze stond erop. Een nieuw code en ik moest de sloten omzetten. Dat heb ik ook gedaan, ongeveer een week voor jij hier kwam.'

'Ze is niet gewoon gevallen.' Die plotselinge overtuiging trof hem als een vuist. 'Die vuile klootzak. Heeft hij haar geduwd, laten struikelen of laten schrikken zodat ze haar evenwicht verloor? En daarna heeft hij haar gewoon laten liggen. Op de grond.'

'We moeten Vinnie bellen.'

'Dat kan wel tot morgenochtend wachten. Dit gaat nergens heen. Ik ben de verkeerde kant op gelopen toen ik de moersleutel ging halen. Ik raakte in de war. Het is jaren geleden dat ik hier voor het laatst ben geweest en ik liep de verkeerde kant op. Als kinderen maakten we onszelf hier doodsbenauwd. Het is het oudste deel van het huis. Luister eens.'

Toen hij niks meer zei, kon ze het duidelijk horen. Het geruis van de golven op de rotsen, het gejammer van de wind.

'Het klinkt zoals mensen, dode mensen, vonden wij. De geest van piraten en dode heksen uit Salem, wat dan ook. Ik kan me niet herinneren wanneer ik voor het laatst zo ver ben gegaan. Oma wilde hier nooit komen. Ze zette hier nooit iets neer. Ik ben gewoon de verkeerde kant op gegaan, anders had ik dit nooit gevonden.'

'Laten we hier weggaan, Eli.'

'Ja.' Hij nam haar mee terug en bleef bij de eerste zijgang staan om een oude, verstelbare moersleutel van een plank te pakken.

'Het gaat om de juwelen, Eli,' hield ze vol toen ze terugliepen naar de generator. 'Dat is de enige logische verklaring. Je hoeft niet te geloven dat ze echt bestaan. Volgens de legende zijn ze van onschatbare waarde. Diamanten, robijnen en smaragden, allemaal smetteloos, magisch en schitterend. En goud. De losprijs voor een koningin.'

'Voor de dochter van een rijke hertog, om precies te zijn.' Met de moersleutel draaide hij de dop er moeizaam af. 'Ze bestonden echt en zouden nu vermoedelijk een paar miljoen, of waarschijnlijk vele miljoenen, waard zijn. Maar helaas liggen ze ergens op de bodem van de oceaan bij het schip, de bemanning en de rest van de buit.' Hij gluurde naar binnen en scheen erin met de zaklamp. 'Zo droog als de... van een ouwe vrijster. Eh... kurkdroog,' verbeterde hij zich. 'Sorry.'

'Je wilde iets heel vulgairs zeggen.'

Zij hield de lamp vast zodat hij de tank kon vullen. Daarna pakte ze haar glas terwijl hij aan wat hendels en een soort meter morrelde.

Hij drukte op de aan-knop. Het apparaat hoestte en proestte. Eli deed alles nog een keer en nog eens en toen sloeg hij aan.

'En toen was er licht,' mompelde ze.

'Op een paar goed gekozen plekken.' Hij nam het glas aan dat ze hem toestak, waarbij zijn hand langs de hare streek. 'Jezus, Abra, je bent ijskoud.'

'Goh, hoe zou dat nou komen in zo'n vochtige, onverwarmde kelder?'

'Kom mee naar boven. Ik zal de haard opstoken.' Instinctief sloeg hij een arm om haar schouders.

Even instinctief leunde ze al lopend tegen hem aan.

'Eli? Ik wil het niet geloven, maar kan degene die dit heeft gedaan hier uit de buurt komen? Hij moest tenslotte weten dat jij niet thuis was. Hij kon niet het risico nemen om de elektriciteit uit te laten vallen en in te breken als je er wel was geweest. Eigenlijk was het nog best vroeg. Maar net na half tien.'

'Ik ken de mensen uit de buurt minder goed dan vroeger. Maar ik weet wel dat er een privédetective in een van de bed & breakfasts verblijft. Hij hoorde te weten dat ik er niet was.'

'Hij was het niet. Dat weet ik echt zeker.'

'Misschien niet. Maar hij werkt toch zeker voor iemand?'

'Ja. Ja, inderdaad. Of met iemand. Denk je echt dat hij, of zij, Hester hebben verwond?'

'Ze ging midden in de nacht naar beneden. Niemand van ons heeft ooit begrepen waarom. Ik ga dit allemaal eens vanuit een heel andere invalshoek bekijken. Morgenochtend,' voegde hij eraan toe, toen ze in de keuken kwamen.

Hij zette de zaklamp en het glas neer en wreef over haar armen. 'Het is kouder dan ik dacht in het Amazonegebied.'

Lachend schudde ze haar haren naar achteren en hief haar gezicht op.

Zo stonden ze, dicht bij elkaar, terwijl zijn handen langzamer gingen bewegen, totdat ze eerder streelden dan wreven.

Ze voelde het gefladder in haar buik, iets wat ze had genegeerd sinds ze aan haar seksuele onthouding was begonnen, en de heerlijke hitte die erop volgde.

Ze zag de blik in zijn ogen veranderen, dieper worden, waarna hij omlaag ging en op haar lippen bleef rusten. Als vanzelf boog ze zich naar hem toe.

Hij stapte achteruit en liet zijn handen zakken.

'Slecht moment,' zei hij.

'O, ja?'

'Slecht moment. Verwonding, een emotionele schok, wijn. Laat me de haard opstoken, dan kun je opwarmen voor ik je naar huis breng.'

'Goed, maar zeg alsjeblieft dat het je wel wat moeite heeft gekost.'

'Heel veel.' Nog even bleef hij haar kalm aankijken. 'Heel erg veel.'

Dat was tenminste iets, dacht ze toen hij wegliep. Ze nam nog een slokje wijn, hoewel ze wenste dat ze een andere manier hadden gekozen om de kou te verjagen.

9

Toen Kirby Duncan de deur achter de hulpsheriff had gesloten, liep hij direct naar de fles wodka op de vensterbank en schonk zich een laag van twee vingers in.

Godverdomme, dacht hij toen hij het opdronk.

Het was maar goed dat hij de bonnen had, een voor een luxe koffie, een paar straten bij het huis van de familie Landon vandaan, en nog eentje voor benzine en een broodje ham en kaas bij een benzinepomp een paar kilometer ten zuiden van Whiskey Beach.

Nadat hij had vastgesteld dat Landon naar huis reed, was hij van de snelweg gegaan om te tanken en wat te eten. Gelukkig maar. De bonnetjes bewezen dat hij niet in de buurt van Bluff House was geweest ten tijde van de inbraak. Anders was de kans groot dat hij nu tekst en uitleg aan de plaatselijke politie had mogen geven. Op het bureau.

Godverdomme.

Het kon toeval zijn, dacht hij. Dat er was ingebroken juist op de avond dat hij zijn opdrachtgever had gemeld dat Landon in Boston was?

En varkens vliegen naar het zuiden om te overwinteren.

Hij hield er niet van als er een loopje met hem werd genomen. Hij stond vierkant achter elke cliënt, of vóór hem als het nodig was, maar niet als de cliënt hem verneukte.

Niet als een cliënt zijn informatie misbruikte om ergens in te breken, zonder dat Kirby ervan wist of erin had toegestemd. En al helemaal niet als de cliënt een vrouw aanviel.

Als de cliënt het hem had opgedragen zou hij zelf een kijkje hebben genomen in Bluff House, en dan zou hij de consequenties hebben gedragen als hij was betrapt.

Maar een vrouw zou hij met geen vinger hebben aangeraakt.

Tijd om de kaarten op tafel te leggen, besloot hij. Of de cliënt moest maar op zoek naar een nieuwe hond, want deze weigerde te jagen voor cliënten die vrouwen mishandelden.

Duncan griste zijn telefoon uit de oplader en belde het nummer. Hij was kwaad genoeg om zich niks aan het late tijdstip gelegen te laten liggen.

'Ja, met Duncan, en ja, ik heb iets. Wat ik heb is een hulpsheriff die vragen kwam stellen over een inbraak en de mishandeling van een vrouw vanavond in Bluff House.'

Hij schonk nog wat wodka in zijn glas en luisterde even. 'Probeer me maar niks wijs te maken. Ik werk niet voor mensen die me iets op de mouw spelden. Het kan me geen ruk schelen als ik tegen de plaatselijke politie moet liegen, maar wel als ik niet weet waar het om draait. Ja, ze hebben gevraagd voor wie ik werkte en nee, ik heb het ze niet verteld. Deze keer niet. Maar als ik een cliënt heb die mij gebruikt om te kunnen inbreken in het huis van de vent die ik in de gaten moet houden, en die cliënt vervolgens de vrouw in dat huis aanvalt, dan heb ik zelf ook een aantal vragen. Wat ik hierna ga doen, hangt af van de antwoorden die ik krijg. Ik ga mijn vergunning niet riskeren. Op dit moment heb ik informatie over een misdrijf, waaronder de mishandeling van een vrouw, en dat maakt mij tot medeplichtige. Dus je kunt maar beter met een paar verrekt goede antwoorden op de proppen komen, anders zijn we klaar met elkaar. En als de politie dan weer bij me komt, geef ik hun jouw naam. Precies. Best.'

Duncan keek hoe laat het was. Wat maakte het ook uit, dacht hij. Hij was veel te nijdig om te slapen. 'Ik zal er zijn.'

Eerst ging hij achter zijn computer zitten en maakte uitgebreid aantekeningen. Hij wilde zich per se volledig indekken. En als het nodig was, zou hij die aantekeningen rechtstreeks naar de sheriff van dit district brengen.

De inbraak op zich was nog tot daar aan toe. Maar een vrouw mishandelen? Dat was de druppel die de emmer deed overlopen.

Toch zou hij de cliënt de kans geven het uit te leggen. Soms keken de stomme sukkels te veel tv en gingen ze te ver. De hemel mocht weten dat hij al eerder oerstomme cliënten had gehad.

Dus ze zouden de zaak uitpraten en hij zou heel duidelijk maken hoe hij erover dacht. Geen ongein meer. Laat het onderzoek over aan de beroepskrachten.

Wat gekalmeerd kleedde Duncan zich aan. Hij gorgelde de wodka weg. Het was nooit slim om een ontmoeting met een cliënt te hebben als je adem naar alcohol rook. Uit gewoonte deed hij zijn 9mm in de holster en trok daarna een warme trui aan met daaroverheen een windjack.

Hij stak zijn sleutels in zijn zak, samen met zijn recorder en zijn portemonnee, en glipte vervolgens zijn kamer uit via de privéopgang.

Dat voordeeltje kostte hem vijftien dollar extra per dag, maar het zorgde er wel voor dat zijn opgewekte gastvrouw niet wist wanneer hij kwam of ging.

Even overwoog hij de auto te nemen, maar hij besloot om te gaan lopen. Na de rit naar en van Boston, en de uren voor het huis van de Landons kon hij wel een wandeling gebruiken.

Hoewel hij zichzelf als een overtuigde stadsbewoner beschouwde, hield hij van de rust van het dorp, de nachtelijke, haast bovennatuurlijke sfeer als alles gesloten was, en het geluid van de kabbelende golven in de buurt.

Wat flarden grondmist kropen naderbij en droegen bij aan de bovennatuurlijke sfeer. De storm was gaan liggen, maar had de lucht dik van het vocht achtergelaten en had er tevens voor gezorgd dat de hemel te zwaar was om de maan te tonen.

De draaiende lichtbundel van de vuurtoren op de rotspunt versterkte het gevoel buiten de tijd te staan. Hij liep ernaartoe en gebruikte die tijd om te bepalen hoe hij de zaak aan zou pakken.

Alles bij elkaar genomen was het waarschijnlijk het verstandigst om te zeggen dat hij niet meer voor de man wilde werken, dacht hij nu hij wat rustiger was. Als je je cliënt niet kon vertrouwen, leed je werk eronder. Daar kwam nog bij dat Landon geen flikker uitvoerde. Na een paar dagen surveillance en gesprekken met de mensen uit het dorp, was de vernietigendste informatie de roddels van een babbelzieke verkoopster uit een cadeauwinkel.

Het kon zijn dat Landon zijn vrouw had vermoord, al viel dat te betwijfelen, maar Duncan had niet het idee dat er binnenkort grote bekentenissen zouden volgen uit het stranddorpje of het huis op de rots.

Eventueel zou hij zich laten overhalen om door te gaan als hij terug kon naar Boston om daar te spitten, de verslagen te lezen en het bewijs vanuit een andere invalshoek te bekijken. De zaak bespreken met Wolfe.

Maar eerst was het tijd voor het vraag- en antwoordspel.

Hij wilde weten waarom zijn cliënt in het huis had ingebroken. En of dat de eerste keer was geweest.

Niet dat Duncan iets tegen professionele insluiperij had. Maar het was domweg achterlijk om te geloven dat er in dat huis iets te vinden was wat Landon in verband zou brengen met de moord op zijn vrouw in Boston, die een jaar eerder had plaatsgevonden.

En nu zou de plaatselijke politie het huis scherper in het oog houden, evenals Eli Landon zelf, én de privédetective die in dienst was genomen om rond te neuzen.

Amateurs, dacht Duncan licht hijgend toen hij het steile pad naar de rotsige klip op liep, waar de vuurtoren van Whiskey Beach oprees in de duisternis.

De mist wervelde daar wat hoger en dempte zijn voetstappen. Ook veranderden de mistflarden het geklots van het water tegen de rots in een echoënd tromgeroffel en bedierf die het uitzicht, zag hij toen hij de vuurtoren bereikte. Misschien kon hij er de volgende dag, op de terugweg naar Boston, nog een keer naartoe wandelen, als het dan tenminste helder weer was.

Feitelijk had hij zijn besluit al genomen, dacht hij. Een klus kon je gaan vervelen. Een cliënt kon je razend maken. Een onderzoek kon op een dood spoor komen. Maar als het alle drie tegelijk gebeurde, was het hoog tijd om het zinkende schip te verlaten.

Hij had eerder niet zo tegen de cliënt moeten uitvallen. Maar jezus, wat was die inbraak een stomme zet geweest.

Bij het geluid van voetstappen draaide hij zich om en zag de cliënt door de mist lopen.

'Je hebt me in een vreselijk lastig parket gebracht,' begon Duncan. 'We moeten dit echt regelen.'

'Ja, ik weet het. Het spijt me.'

'Nou, we moesten het maar vergeten als jij...'

Hij zag het wapen niet. Net zoals de voetstappen, werden ook de schoten door de mist gedempt, zodat ze laag, dik en vreemd klonken. Ze verwarden hem op dat moment van verschrikkelijke pijn.

Hij had niet de tijd om zijn eigen wapen te trekken, dat kwam geen seconde bij hem op.

Hij viel met wijd open ogen terwijl zijn mond bewoog. Maar zijn woorden waren niet meer dan gemurmel. De stem van zijn moordenaar leek van heel ver weg te komen.

'Het spijt me. Dit was niet de bedoeling.'

De handen die zijn zakken doorzochten en die hem zijn telefoon, recorder, sleutels en wapen afnamen voelde hij niet.

Wat hij wel voelde, was kou. Een bijtende, verlammende kou. Vermengd met een onuitspreekbare pijn toen zijn lichaam over de rotsige grond naar de rand werd gesleept.

Even dacht hij dat hij vloog, en voelde hij de wind koel over zijn gezicht gaan. Toen raakte hij de rotsen beneden en nam het razende water hem op.

Dit was niet de bedoeling geweest. Het was veel te laat om het anders te aan te pakken. Doorgaan was de enige mogelijkheid. Geen fouten meer. Hij zou geen privédetectives meer inhuren, niemand die niet te vertrouwen was, die niet loyaal was.

Doe wat er gedaan moet worden, tot de klus geklaard is.

Misschien zouden ze denken dat Landon de privédetective had vermoord, net zoals met Lindsay.

Maar Landon hád Lindsay ook vermoord.

Wie had het anders kunnen doen? Wie zou het hebben gedaan?

Er was een kans dat Landon voor Lindsay zou boeten via Duncan. Soms was gerechtigheid een kronkelig pad.

Voorlopig was het belangrijkste dat hij de kamer van de privédetective leeghaalde en alles meenam wat hen mogelijk met elkaar in verband kon brengen. En hetzelfde moest hij doen in Duncans kantoor en huis.

Veel werk te doen.

Hij moest maar eens gaan beginnen.

Toen Eli de volgende ochtend beneden kwam, wierp hij een blik in de salon. De plaid waarmee hij Abra had toegedekt toen ze op de bank in slaap was gevallen lag keurig over de rugleuning gedrapeerd. En hij zag dat haar laarzen niet langer bij de voordeur stonden.

Zo was het beter, dacht hij. Veel minder ongemakkelijk na dat onverwachte en onbehaaglijke moment dat ze de avond ervoor hadden gedeeld. Beter dat hij het huis weer voor zichzelf had.

Min of meer dan, dacht hij toen hij koffie rook, en de volle pot met de Post-It zag.

Had die vrouw soms aandelen in dat bedrijf? Een onuitputtelijke voorraad van dat soort papiertjes?

Omelet in warmhoudla. Vergeet die niet uit te zetten.
Vers fruit in koelkast.
Bedankt dat ik op je bank mocht slapen.
Ik bel je nog wel. Bel Vinnie!

'Goed, goed. Jezus, mag ik eerst koffiedrinken en even kijken of ik een paar hersencellen heb om op te porren?'

Hij schonk koffie in, voegde zijn wolkje melk toe en wreef over de harde knopen in zijn nek. Hij zou Vinnie heus wel bellen, daar hoefde hij niet aan herinnerd te worden. Alleen wilde hij even wat tijd voor zichzelf voor hij zich met agenten en vragen moest bezighouden. Voor de zoveelste keer.

En misschien had hij helemaal geen trek in een omelet. Niemand had haar gevraagd om zo'n kloteding te maken. Dat denkend rukte hij de warmhoudla open.

Misschien wilde hij alleen... Verdomme, die zag er wel heel lekker uit.

Met een boze blik keek hij ernaar en vervolgens haalde hij de omelet eruit en pakte een vork. Hij at hem op terwijl hij naar het raam slenterde. Hoe dom het ook was, hij had minder sterk het idee dat hij had toegegeven wanneer hij staande at.

Het bord in evenwicht houdend liep hij naar buiten, het terras op.

Fris, maar niet ijskoud, merkte hij. En dat frisse briesje blies de wereld weer schoon. Zon, branding, zand en glinstering… daardoor werden de knopen in zijn spieren iets zachter.

Hij zag een paartje hand in hand op het strand lopen. Sommige mensen waren gemaakt voor gezelschap, om deel van een stel te zijn. Daar was hij jaloers op. Hij had zo'n puinhoop gemaakt van zijn enige serieuze poging, dat hij alleen door moord aan een echtscheiding was ontsnapt.

Wat zei dat over hem?

Hij nam nog een hapje omelet toen het slenterende paar even bleef stilstaan om elkaar te omhelzen.

Ja, hij was zeker jaloers op hen.

Hij dacht aan Abra. Hij voelde zich niet eens tot haar aangetrokken.

Het was echt ongelooflijk stom om tegen zichzelf te liegen. Natuurlijk voelde hij zich wel tot haar aangetrokken. Ze had immers dát gezicht, dát lichaam en díé manier van doen.

Hij zou zich liever niet tot haar aangetrokken voelen, dat was beter geformuleerd. Hij wilde niet aan seks denken. Hij wilde niet aan seks met haar denken.

Hij wilde alleen schrijven, ontsnappen in een wereld die hij zelf had geschapen en op die manier de weg terugvinden naar de echte wereld.

Hij wilde erachter komen wie Lindsay had vermoord en waarom, omdat er niet genoeg oceaanbriesjes waren om de wereld schoon te blazen tot hij dat wist.

Maar wensen hielden geen rekening met de huidige situatie. En waar bestond die uit? Een gat in de keldervloer dat door een onbekende, of door onbekenden, was gegraven.

Tijd om de politie te bellen.

Hij ging naar binnen, zette het bord in de gootsteen, en zag dat Abra Vinnies kaartje tegen de telefoon in de keuken had gezet.

Het liefst zou hij zijn ogen ten hemel slaan, maar het bespaarde hem een gang naar boven om in zijn broekzakken te voelen waar hij het kaartje had gelaten.

Hij belde het nummer.

'Hulpsheriff Hanson.'

'Hoi, Vinnie. Met Eli Landon.'

'Eli.'

'Ik heb een probleem,' begon hij.

Binnen een uur stond Eli met de hulpsheriff naar de sleuf in de oude kelder te kijken.

'Nou.' Vinnie krabde op zijn achterhoofd. 'Dat is een interessant probleem. Dus... Jij hebt hier geen gaten gegraven?'

'Nee.'

'Weet je zeker dat mevrouw Hester niemand heeft ingehuurd om... Ik weet het niet. Nieuwe afvoerbuizen of zo aan te leggen?'

'Dat weet ik bijna zeker. En anders weet ik bijna zeker dat Abra ervan geweten zou hebben. En aangezien er duidelijk nog aan gewerkt wordt, weet ik ook bijna zeker dat de verantwoordelijke wel contact met mij zou hebben opgenomen.'

'Ja. Dat is geen absolute zekerheid, maar het scheelt niet veel. En er is nog iets. Als hier iemand voor was aangenomen, had ik daar intussen wel over gehoord. Maar zou je het toch aan je grootmoeder willen vragen?'

'Liever niet.' Eli had de voor- en nadelen daarvan de halve nacht tegen elkaar afgewogen. 'Ik wil haar niet van streek maken. Ik kan wel haar administratie, haar rekeningen, doorkijken. Als ze er iemand opdracht toe heeft gegeven, heeft ze die persoon moeten betalen. Ik ben bepaald geen expert, Vinnie, maar volgens mij is dit te diep voor waterleidingen of dat soort dingen. En waarom zou ze zoiets in godsnaam helemaal hier achteraan laten aanleggen?'

'Ik probeer alleen de voor de hand liggende redenen uit te sluiten. Iets als dit kost veel tijd met handgereedschap. Tijd en vastberadenheid. En het houdt in dat je het huis in en uit moet.'

'Abra zei dat mijn grootmoeder de alarmcode heeft laten veranderen en de sloten heeft laten omzetten. Na haar val.'

'Hm.' Vinnie keek van de sleuf naar Eli. 'Echt waar?'

'Oma had er geen reden voor, niets wat ze onder woorden kon brengen, maar ze stond erop. Ze herinnert zich de val niet meer goed, maar ik vraag me af of er een bepaalde intuïtie is, een weggestopte herinnering, iets waardoor ze eiste dat de beveiliging werd aangepast.'

'Dus jij vindt een gat in de kelder en vervolgens denk je dat de val van mevrouw Landon geen ongeluk was.'

'Ja, daar komt het kort gezegd wel op neer. Abra is gisteravond aangevallen. Hij heeft de stroom moeten afsnijden om binnen te komen. Hij verwachtte haar niet. Hij wist dat ik er niet was. Misschien werkt hij samen met Duncan. Duncan wist dat ik in Boston was. Je zei zelf dat hij jou bonnetjes heeft laten zien en heeft verteld hoe laat hij overal was. Hij zou tegen de insluiper kunnen zeggen dat de kust veilig was. "Ik ben in Boston, ga erheen en begin te graven."'

'Naar wat?'

'Vinnie, jij en ik vinden de verhalen over Esmeralda's bruidsschat onzin, maar veel mensen nemen ze serieus.'

'Dus iemand heeft de sleutel en alarmcode van mevrouw Landon bemachtigd, en die gekopieerd. Dat kan ik nog wel geloven. Zo moeilijk is dat niet. Hij gebruikt ze om toegang tot de kelder te krijgen en gaat als een gek aan het graven. Op een nacht valt hij haar aan en duwt haar van de trap.'

'Ze kan het zich niet herinneren. Nog niet.'

Toen hij haar in gedachten weer gebroken en bloedend op de grond zag liggen, begon Eli te ijsberen om zijn woede kwijt te raken. 'Misschien ging ze naar beneden en hoorde ze iets. Ze probeerde weer naar boven te gaan. De deur van haar slaapkamer is van stevig hout gemaakt en je kunt hem aan de binnenkant afsluiten. Misschien wilde ze daar naar binnen gaan en de politie bellen. Of hij heeft haar bang gemaakt en ze is gestruikeld. Hoe dan ook, hij heeft haar daar gewoon laten liggen. Bewusteloos, bloedend, met gebroken botten. Hij heeft haar aan haar lot overgelaten.'

'Als het zo is gebeurd.' Vinnie legde een hand op Eli's schouder. '*Als.*'

'Als. Een hoop activiteit hier in de weken na haar val. De politie, Abra die in en uit loopt om spullen voor oma te halen. Maar dan wordt het rustiger en kan hij terugkomen om weer te gaan graven. Tot bekend wordt dat ik hier voorlopig kom wonen. Tot Abra de beveiliging verandert. Vinnie, hij moet hebben geweten dat het huis gisteren een paar uur leeg zou zijn. Dat moet hij van Duncan hebben gehoord.'

'We zullen nog een keer met Duncan praten. Ondertussen zal ik hier iemand foto's laten nemen en alles laten opmeten. We zullen het gereedschap in beslag nemen en laten onderzoeken, maar daar gaat wat tijd overheen. Wij zijn maar een klein korps, Eli.'

'Ik begrijp het.'

'Laat die beveiliging maken. We zullen hier vaker langsrijden. Overweeg om een hond te nemen.'

'Een hond? Meen je dat nou?'

'Ze blaffen. Ze hebben tanden.' Vinnie haalde zijn schouders met een rollende beweging op. 'South Point is bepaald geen broeinest van criminaliteit, maar ik vind het een geruststellend idee dat er een hond in mijn huis is als ik niet thuis ben. Maar goed, ik zal wat lui sturen. Waarom zou iemand helemaal hier achterin willen graven?' vroeg Vinnie zich af toen ze terugliepen.

'Dat is het oudste deel van het huis. Dit deel stond er al toen de Calypso hier voor de kust verging.'

'Zeg, hoe heette hij eigenlijk? De overlevende?'

'Volgens sommigen Giovanni Morenni en volgens anderen Jose Corez.'

'O, ja. En ik heb ook verhalen gehoord waarin wordt beweerd dat het kapitein Broome zelf was. Harr!'

'En van je jo-ho-ho,' voegde Eli eraan toe.

'Hoe dan ook, hij heeft de kist met de bruidsschat, die heel toevallig tegelijk met hem aan land is gespoeld, dus hierheen gesleept en begraven? Zelf houd ik erg van de versie waarin hij een boot heeft gestolen en daarmee naar een van de buitengaatse eilanden is gevaren om het daar te begraven.'

'En wat denk je van de lezing waarin mijn voorouder hier kwam, de man vond en hem samen met de schat meenam naar het huis en hem heeft verzorgd tot hij weer beter was.'

'Die vindt mijn vrouw het leukst. Het is romantisch. Behalve dan het deel dat de broer van je voorouder hem heeft vermoord en zijn lichaam van de rots heeft gegooid.'

'En de bruidsschat is nooit meer gevonden. Maar voor welke theorie je ook gaat, de man die dit heeft gedaan, gelooft er heilig in.'

'Daar ziet het wel naar uit. Ik ga even naar de bed & breakfast om nog een keer met Duncan te babbelen.'

Het was bepaald niet de manier waarop hij de dag het liefst had doorgebracht: alles regelen met de politie, het elektriciteitsbedrijf, de verzekeringsmaatschappij en de technici van het beveiligingsbedrijf. Het huis voelde te vol, te druk en hierdoor begreep hij hoezeer hij gewend was geraakt aan ruimte, rust en eenzaamheid. Hij had een verlangen naar kalmte en alleen zijn ontdekt, iets wat in tegenspraak was met het leven dat hij vroeger had geleid. Weg waren de dagen vol afspraken, besprekingen en mensen, en de avonden vol feesten en bijeenkomsten.

Dat speet hem niets. Als een dag waarop hij niets anders deed dan vragen beantwoorden, beslissingen nemen en formulieren invullen hem vreemd voorkwam, dan kon hij daar prima mee leven.

En toen het huis en de tuinen eindelijk weer leeg waren, slaakte hij een zucht van verlichting.

Maar toen hoorde hij de deur van de bijkeuken opengaan.

'Godsamme, wat nou weer?' Hij liep erheen en deed de binnendeur open.

Abra pakte een van de boodschappentassen die over haar schouder hing en zette hem op de wasmachine. 'Je had wat dingen nodig.'

'O ja?'

'Ja.' Ze haalde een fles wasmiddel uit de tas en zette hem in een witte kast. 'Zo te zien heb je weer stroom.'

'Ja. We hebben ook een nieuwe alarmcode.' Hij stopte zijn hand in zijn zak voor het briefje en gaf dat aan haar. 'Dat heb jij waarschijnlijk ook nodig.'

'Tenzij je liever naar beneden rent op de ochtenden dat ik kom schoonmaken.' Na er een blik op geworpen te hebben, stopte ze het in haar handtas. 'Ik liep Vinnie tegen het lijf,' ging ze verder, langs Eli de keuken in lopend. 'En ik heb hem beloofd dat ik tegen jou zou zeggen dat Kirby Duncan schijnt te hebben uitgecheckt. Niet op de officiële manier, door tegen Kathy van de B&B te zeggen dat hij vroeg zou vertrekken, maar al zijn spullen zijn verdwenen. Vinnie zei dat je hem moest bellen als je nog vragen hebt.'

'Is hij gewoon vertrokken?'

'Daar lijkt het op,' zei ze, terwijl ze de tassen uitpakte. 'Vinnie gaat zijn licht opsteken... Vind je dat niet leuk klinken? Zo'n echte politieterm. Hij gaat zijn licht opsteken bij de politie van Boston en vragen of zij Duncan nog een keer willen ondervragen vanwege de opgraving in jouw kelder. Maar aangezien hij weg is, kan hij niet langer rondneuzen en jouw privacy schenden. Dat is goed nieuws.'

'Zou de opdrachtgever hem hebben teruggefloten? Of heeft hij hem ontslagen? Of leek het Duncan gewoon beter om het zinkende schip te verlaten?'

'Geen idee.' Ze zette een doos volkorencrackers in een kastje. 'Maar ik weet wel dat hij al betaald had tot en met zondag en dat hij had laten doorschemeren dat hij eventueel langer zou blijven. En toen, poef! Alles ingepakt en verdwenen. Ik zit er niet mee. Ik mocht hem niet.'

Toen de boodschappen waren opgeborgen, vouwde ze de tassen op en stopte ze in haar handtas. 'Nou, volgens mij heb je wat te vieren.'

'Hoezo?'

'Geen rondsnuffelende privédetectives, je hebt weer stroom en je beveiliging is weer op orde. Dat is een productieve dag na een ongelooflijke kutavond. Kom straks naar het café om wat te drinken. Er is vanavond goede muziek en je kunt lekker kletsen met Maureen en Mike.'

'Ik ben hier bijna de hele dag mee bezig geweest, ik moet tijd inhalen.'

'Smoesjes.' Ze tikte met een vinger tegen zijn borstkas. 'Iedereen heeft op vrijdagavond een verzetje nodig. Een koud pilsje, wat muziek en een beetje babbelen. Bovendien draagt je serveerster, en dat ben ik, een bijzonder kort rokje. Ik pak even wat water om onderweg op te drinken.' Ze draaide zich om en wilde de koelkast openen.

Met een klap legde hij een hand op de deur, waardoor ze zich met opgetrokken wenkbrauwen weer naar hem toe keerde. 'Mag ik geen water?'

'Waarom blijf je aandringen?'

'Zo zie ik het niet.' Hij stond heel dicht bij haar, dacht ze. Interessant. En, of hij het besefte of niet, heel opwindend. 'Het spijt me dat jij het wel zo opvat. Ik zou je daar graag zien in een ontspannen sfeer, bij vrienden. Omdat het goed voor je zou zijn en omdat ik het leuk zou vinden om jou te zien. En misschien moet jij mij zien in een kort rokje zodat je kunt bepalen of je wel of geen belangstelling voor me hebt.'

Hij kwam nog iets dichter bij haar staan, maar in plaats van dat hij voorzichtigheid bij haar opriep, wat vermoedelijk zijn bedoeling was, riep het wellust in haar wakker.

'Je steekt je neus in zaken die je beter met rust kunt laten.'

'Wie bemoeit zich nou niet graag met dingen die zo duidelijk zichtbaar zijn?' kaatste ze terug. 'Dat soort mensen begrijp ik niet, evenmin als een dergelijke zelfverloochening. Waarom mag ik niet weten of jij je tot mij aangetrokken voelt, voordat mijn gevoelens voor jou nog sterker worden? Dat lijkt me niet meer dan eerlijk.'

Er verscheen een gefrustreerde uitdrukking op zijn gezicht.

Er gaat zo veel in hem om, dacht ze. Het lijkt wel een storm die rond cirkelt. In de hoop hem wat te kalmeren, legde ze een hand op zijn arm. 'Ik ben niet bang voor je, Eli.'

'Je kent me niet.'

'Dat is een van de dingen die ik bedoel. Ik wil je graag leren kennen voor ik me hier dieper in stort. Maar goed, ik hoef je niet te kennen, niet op de manier die jij bedoelt, om een idee te krijgen hoe je bent of dat ik me tot jou aangetrokken voel. Ik geloof noch dat je een ongevaarlijke teddybeer noch een koelbloedige moordenaar bent. Onder je verdriet gaat veel woede schuil, en dat kan ik je niet kwalijk nemen. Sterker nog, ik begrijp het volkomen.'

Hij leunde wat naar achteren en stak automatisch zijn handen in zijn zakken. Zelfverloochening, dacht ze, want ze wist heel goed wanneer een man haar wilde aanraken. En dat wilde hij maar wat graag.

'Ik wil me helemaal niet tot je aangetrokken voelen of iets met je beginnen.'

'Geloof me, dat weet ik heus wel. Ik dacht er precies zo over voor ik jou ontmoette. Daarom deed ik aan seksuele onthouding.'

Zijn wenkbrauwen bewogen naar elkaar toe. 'Aan wat?'

'Ik onthield me van seks. Wat nog een reden kan zijn dat ik jou wil. Aan elke onthouding moet een keer een einde komen, en toen was jij er ineens. Nieuw, aantrekkelijk, intrigerend en intelligent als je vergeet te piekeren. En je hebt me nodig.'

'Dat heb ik niet.'

'Gelul. Dat is echt gelul.' Haar plotselinge drift verraste hem, net als het duwtje dat ze hem gaf. 'Er is eten in huis omdat ik het koop, en jij eet het omdat ik het voor je klaarmaak. Je bent al een paar pond aangekomen en je gezicht is niet meer zo mager. Je hebt schone sokken omdat ik ze was, en je hebt iemand die naar je luistert als je praat, wat je soms doet zonder dat ik een verbale koevoet hoef te gebruiken om je open te breken. Je hebt iemand die in je gelooft, en zo iemand heeft iedereen nodig.'

Ze beende naar het aanrecht, pakte haar handtas en zette hem toen met een klap weer neer. 'Denk je soms dat jij de enige bent die iets verschrikkelijks heeft meegemaakt, iets wat volkomen buiten je macht lag? De enige die gekwetst is en die heeft moeten leren om te genezen, om zijn leven weer op de rit te krijgen? Je bouwt een leven niet opnieuw op door muren op te trekken. Die bieden geen veiligheid, Eli. Die zorgen er alleen maar voor dat je alleen blijft.'

'Alleen zijn bevalt me prima,' snauwde hij terug.

'Nog meer gelul. Een beetje alleen zijn, een beetje ruimte, ja, logisch. Dat heeft bijna iedereen nodig. Maar iedereen heeft ook behoefte aan contact met andere mensen, een band, een relatie. Dat hebben we nodig omdat we menselijk zijn. Ik zag je blik toen je Maureen die dag op het strand herkende. Zij vormt een band. Net als ik. Dat heb je net zo hard nodig als eten, drinken, werken, vrijen en slapen. Dus ik zorg ervoor dat je eten hebt en ik sla water, sap en Mountain Dew in omdat je het lekker vindt, en ik zorg dat je op schone lakens slaapt. Zeg nou niet dat je me niet nodig hebt.'

'Je hebt het vrijen weggelaten.'

'Daar valt over te praten.'

Omdat ze in intuïtie geloofde, deed ze wat haar gevoel haar ingaf. Ze deed gewoon een stap naar voren, nam zijn gezicht in beide handen en drukte haar lippen op de zijne. Niet seksueel, dacht ze, eerder primitief. Simpel menselijk contact.

Ze ging weer naar achteren, maar liet haar handen nog even waar ze waren. 'Zo, je hebt het overleefd. Je bent menselijk, verkeert in redelijke gezondheid en je...'

Het was niet instinctief, maar een reactie. Zij had de schakelaar omgezet en hij klampte zich vast en stortte zich in het plotselinge felle licht.

En op haar.

Hij draaide haar ruw om en zette haar klem tussen zijn lichaam en het keukeneiland. En hij greep haar haar, die massa wilde krullen – en wikkelde het om zijn hand.

Weer voelde hij haar handen tegen zijn gezicht drukken, voelde haar lippen onder de zijne vaneen wijken, voelde haar hart tegen het zijne bonzen.

Hij voelde.

Het kloppende bloed in zijn aderen, de hunkering van ontwakende begeerte, de heerlijke glorie van een vrouwenlijf dat dicht tegen hem aan gedrukt was.

Warm, zacht, rondingen en hoeken.

Haar geur, het geluid van verbaasd genot in haar keel, de aanraking van lippen en tongen overvielen hem als een tsunami. En daar, op dat moment, wilde hij zich laten meesleuren.

Ze liet haar handen in zijn haar glijden en haar eigen verlangen piekte toen hij haar optilde. Opeens zat ze op het eiland met gespreide benen toen hij ertussen kwam staan en kwam er een withete, zalige wellust tot uitbarsting in haar middelpunt.

Het liefst zou ze haar benen om zijn middel slaan, zodat ze allebei gewoon konden rijden, heet en hard. Maar weer nam haar intuïtie het over.

Nee, niet zonder er eerst over na te hebben gedacht, waarschuwde ze zichzelf. Niet zonder dat hun hart erbij betrokken was. Anders zouden ze er allebei spijt van krijgen.

Daarom legde ze haar handen weer op zijn gezicht en streelde zijn wangen toen ze iets bij hem vandaan ging.

Zijn ogen, vol felle blauwe hitte, keken recht in de hare. Daarin zag ze iets van de woede die ze onder de oppervlakte van zijn begeerte had herkend.

'Goed, je leeft en je verkeert in meer dan redelijke gezondheid voor zover ik kan beoordelen.'

'Ik heb hier geen spijt van.'

'Niemand vroeg toch om een verontschuldiging? Ik heb de zaken immers opgerakeld? Het spijt mij ook niet. Behalve dan dat ik ervandoor moet.'

'Wat?'

‘Ik moet dat korte rokje aantrekken en aan het werk gaan. Ik ben al laat. Het goede nieuws is dat dit ons allebei tijd geeft om te besluiten of we de volgende, natuurlijke stap willen zetten. Maar dat is tegelijk het slechte nieuws.’

Ze gleed van het eiland af en slaakte een zucht. ‘Jij bent de eerste man sinds lange tijd die me in verleiding heeft gebracht om mijn onthouding te beëindigen. De eerste van wie ik vermoed dat hij zowel de onthouding als het einde daarvan de moeite waard zal maken. Ik wil alleen zeker weten dat we niet kwaad op elkaar zijn als ik dat ook echt doe. Dat is iets om over na te denken.’

Ze pakte haar handtas en liep naar de deur. ‘Ga vanavond uit, Eli. Kom naar het café, luister naar de muziek, praat met wat mensen en drink een paar biertjes. Het eerste rondje krijg je van mij.’

Ze liep naar buiten en slaagde erin helemaal bij haar auto te komen, waarna ze een hand op haar trillende buik legde en lang en onvast uitademde.

Als hij haar nog een keer had aangeraakt, als hij haar had gevraagd om niet te gaan… dan zou ze veel te laat op haar werk zijn gekomen.

10

Eli voerde een heftige discussie met zichzelf, woog de voor- en nadelen tegen elkaar af en nam zijn eigen karakter in ogenschouw. Uiteindelijk bepaalde hij dat hij wel naar dat verdomde café kon gaan omdat hij die dag niet aan zijn zelfopgelegde uurtje buitenshuis was toegekomen. De tijd in het café zou dienen als dat uur.

Hij wilde wel eens zien wat de nog vrij nieuwe eigenaars hadden veranderd, dus hij zou een biertje drinken, naar muziek luisteren en vervolgens weer naar huis gaan.

Misschien zou Abra hem daarna met rust laten.

En als hij daarbij evenzeer aan zichzelf als aan haar zou bewijzen dat hij zonder enig probleem het dorpscafé durfde binnen te stappen, dan was dat een mooi bijkomend voordeel.

Hij kwam graag in cafés, bracht hij zichzelf in herinnering. Hij hield van de sfeer, de bijzondere mensen, de gesprekken, het idee dat je een koud pilsje kon drinken in het gezelschap van anderen.

Vroeger althans.

Daar kwam nog bij dat hij het als een soort research kon beschouwen. Schrijven mocht dan een eenzaam beroep zijn, iets waarvan hij had ontdekt dat het volmaakt bij hem paste, maar je moest er wel voor observeren, voelen en af en toe contact hebben met andere mensen. Anders schreef je na verloop van tijd in een vacuüm.

Door zich aan zijn voornemen te houden om één uur per dag het huis uit te gaan, en op die manier tegelijk wat van de couleur locale op te doen die hij wellicht in zijn verhaal kon gebruiken, zou hij het nuttige met het aangename verenigen.

Hij besloot te gaan lopen. Dan bleef zijn auto op de oprit staan en dat kon, tezamen met de lampen die hij had laten branden, een potentiële inbreker ervan overtuigen dat er mensen thuis waren.

Bovendien moest hij daardoor een stevige wandeling maken, wat dan weer aan zijn bewegingseisen voor die dag tegemoetkwam.

De situatie was normaal, dacht hij.

Vlak daarna stapte hij The Village Pub binnen en sloeg de verwarring toe.

Weg was de bruine kroeg waar hij op zijn eenentwintigste verjaardag zijn eerste wettig toegestane biertje had gekocht: een flesje Coors. Verdwenen waren de donkere, ietwat smoezelige muren, rafelige visnetten, gipsen meeuwen, voddige piratenvlaggen en zanderige zeeschelpen die onderdeel waren geweest van de ver doorgevoerde zeevaartinrichting.

De stuurwielen die als kroonluchters waren gebruikt, waren vervangen door armaturen van donker brons met amberkleurige kappen die voor een sfeervolle verlichting zorgden. Er hingen schilderijen, er stonden beelden, en er hing een drieluik van zijn grootmoeders potloodschetsen met plaatselijke taferelen.

Op een gegeven moment had iemand de stokoude laag aangekoekt vuil, gemorst bier en de onherroepelijke oude kotsplekken afgeschraapt en weggeschuurd, zodat de brede vloerplanken weer glommen.

Er zaten mensen aan tafeltjes met stoelen, tafeltjes met vaste banken, leren tweezitsbankjes en ijzeren krukken aan de lange, gelambriseerde bar. Anderen, niet meer dan een handjevol, stonden op een piepkleine dansvloer, om te springen en te dansen op de maat van de vijfkoppige band die net een heel behoorlijke versie van *Lonely Boy* van The Black Keys ten beste gaf.

In plaats van kitscherige piratenkostuums, droeg het personeel zwarte rokjes of zwarte broeken met witte overhemden.

Het bracht hem in verwarring, en hoewel het voormalige Katydis hard op weg was geweest een krot te worden, miste hij het toch een beetje.

Ach, dat deed er niet toe, dacht hij. Hij ging een pilsje drinken, zoals iedere normale kerel op vrijdagavond deed, en daarna zou hij weer naar huis gaan.

Hij liep naar de bar toen hij Abra opeens zag.

Ze bediende net een tafeltje met drie mannen, die volgens Eli's schatting begin twintig waren. Op haar ene hand hield ze een dienblad in evenwicht, terwijl ze met de andere pilsglazen op tafel zette.

Het rokje, dat net zo kort was als ze had gezegd, liet zeer lange, gespierde benen zien die zo'n beetje bij haar oksels leken te beginnen en eindigden in zwarte hoge hakken. Haar strakke witte blouse legde de nadruk op haar lenige bovenlijf en indrukwekkende biceps.

De muziek stond te hard om hun gesprek te kunnen horen. Dat was ook niet nodig, want het gemoedelijke en openlijke geflirt van alle betrokkenen was duidelijk.

Ze gaf een van de mannen een klopje op zijn schouder toen ze zich omdraaide waarop hij begon te grijnzen als een idioot.

Toen ontmoette haar blik die van Eli.

Ze glimlachte, warm en vriendelijk, alsof haar mond, die werd geaccentueerd door het belachelijk sexy moedervlekje, een paar uur eerder niet op de zijne geplakt had gezeten.

Ze stak het dienblad onder haar arm en liep naar hem toe door het sfeervolle licht en de muziek. Haar heupen wiegden, haar zeegodinogen glansden en haar zeemeerminhaar zat verward en wild.

'Hoi. Leuk dat je bent gekomen.'

Hij bedacht dat hij haar in een grote, gulzige slok zou kunnen opdrinken. 'Ik kom alleen een biertje drinken.'

'Dan zit je hier goed. We hebben er achttien van de tap. Wat kan ik voor je betekenen?'

'Eh...' Je uitkleden leek niet het goede antwoord.

'Probeer eens een plaatselijk gebrouwen biertje.' Bij het zien van de snelle lach in haar ogen, vroeg hij zich af of ze zijn gedachten alweer had geraden. 'Beached Whale is hier erg populair.'

'Ja, prima.'

'Ga maar bij Mike en Maureen zitten.' Ze gebaarde. 'Ik kom de Whale zo brengen.'

'Ik wilde even aan de bar gaan zitten en...'

'Doe niet zo gek.' Ze pakte hem bij z'n arm en trok hem mee, om mensen heen lopend waar dat nodig was. 'Kijk eens wie ik heb gevonden.'

Vriendelijk klopte Maureen op de lege stoel naast zich. 'Hoi, Eli. Neem plaats. Kom gezellig bij ons ouwe lui zitten, zodat we een echt gesprek kunnen voeren zonder te hoeven schreeuwen.'

'Ik zal je biertje gaan halen. En de nachochips komen zo,' zei Abra tegen Mike.

'Ze hebben hier heerlijke nacho's,' zei Mike toen Abra zich weghaastte, en Eli, die weinig keus had, ging zitten.

'Vroeger kon je hier zakken taaie chips krijgen en schaaltjes pinda's van dubieuze herkomst.'

Met een grijns keek Maureen Eli aan. 'Die goeie ouwe tijd. Mike en ik proberen hier minstens een keer per maand te komen. Even als volwassenen onder elkaar. Bovendien is dit in het weekend en tijdens het zomerseizoen een prima plek om naar mensen te kijken.'

'Er zijn er heel wat.'

'Dit is een populaire band. Daarom zijn we vroeg genoeg gegaan om een tafeltje te bemachtigen. Heb jij weer stroom en zo?'

'Ja.'

Geruststellend gaf Maureen hem een klopje op zijn hand. 'Ik heb vandaag niet veel gelegenheid gehad om met Abra te praten, maar ze zei dat er iemand in de kelder had gegraven.'

'Ja, wat is er aan de hand?' Mike boog zich voorover. 'Tenzij je er juist liever een paar uurtjes niet aan wilt denken.'

'Nee, dat geeft niet.' Bluff House maakte onderdeel uit van de gemeenschap, dus iedereen zou het willen weten. Hij vertelde hun in het kort wat er speelde en haalde toen zijn schouders op. 'Ik vermoed dat het een schatzoeker is.'

'Dat zei ik toch!' Maureen gaf haar man een mep op zijn arm. 'Dat zei ík en Mike had iets van "Kom, kom". Hij heeft geen fantasie.'

'Wel als jij dat korte rode gevalletje aantrekt met de uitgesneden…'

'Michael!' zei ze met een gesmoorde lach.

'Daar ben je met open ogen ingetrapt, schatje. Aha.' Mike wreef in zijn handen. 'Daar zullen we de nacho's hebben. Er staat je een feestmaal te wachten,' zei hij tegen Eli.

'Nacho's met alles erop en eraan. Drie borden, extra servetjes.' Abra zette alles keurig neer. 'En een Beached Whale. Geniet ervan. Ik zou het eerste rondje betalen, weet je nog?' zei ze, toen Eli zijn portemonnee wilde pakken.

'Wanneer heb je pauze?' vroeg Maureen aan haar.

'Nu nog niet.' Na die woorden liep ze weg naar een andere klant die haar had gewenkt.

'Hoeveel baantjes heeft ze?' vroeg Eli.

'Ik kan het niet bijhouden. Ze houdt van afwisseling.' Maureen legde wat nachochips op haar bord. 'Hierna begint ze aan acupunctuur.'

'Gaat ze naalden in mensen steken?'

'Ze volgt lessen. Ze vindt het fijn om voor mensen te zorgen. Zelfs de sieraden die ze maakt zijn bedoeld om ervoor te zorgen dat de drager zich beter en gelukkiger gaat voelen.'

Hij had vragen. Heel veel zelfs. En hij overwoog hoe hij die moest stellen zonder het op een kruisverhoor te laten lijken. 'Ze heeft die variatie in korte tijd weten te bewerkstelligen. Zo lang woont ze hier nog niet.'

'Bijna drie jaar. Ze komt uit Springfield. Vraag haar daar eens naar.'

'Naar wat?'

'Springfield.' Met opgetrokken wenkbrauwen nam Maureen een hapje van een nacho. 'En wat je verder nog wilt weten.'

'Zeg, hoe schat jij de kansen van de Red Sox in dit jaar?'

Maureen wierp haar man een doordringende blik toe. 'Dat is een stuk subtieler dan gewoon zeggen dat ik mijn mond moet houden.'

'Dat vind ik ook. Ik kon met niemand zo goed over honkbal praten als met je oma.'

'Ze is een groot fan,' zei Eli.

'Ze kan statistieken opdreunen als de beste. Weet je, ik moet om de paar weken in Boston zijn. Denk je dat ze een bezoekje aankan?'

'Ik denk dat ze dat heel leuk zal vinden.'

'Mike traint een jeugdteam,' zei Maureen. 'Hester is een niet-officiële assistenttrainer.'

'Ze vindt het vreselijk leuk om de kinderen te zien spelen.' Toen de band even pauzeerde, wist Mike Abra's aandacht te trekken, en hij maakte met zijn vinger een rondje door de lucht om aan te geven dat ze nog een rondje wilden. 'Ik hoop dat ze in elk geval snel genoeg terugkomt om een deel van het honkbalseizoen mee te maken.'

'We zijn een tijdje bang geweest dat ze het helemaal niet zou halen.'

'O, Eli.' Maureen legde haar hand op de zijne.

Dat had hij nog nooit hardop gezegd. Tegen niemand. Hij wist niet precies waarom nu wel. Misschien omdat hij opeens allerlei nieuwe beelden van zijn oma in zijn hoofd had. Beelden die hij had gemist. Yoga, jeugdhonkbal en potloodschetsen in een café.

'De eerste dagen... Ze is twee keer aan haar arm geopereerd. Haar elleboog was... verbrijzeld. Dan had je nog de verwondingen aan haar heup, ribben en hoofd. Elke dag was het kantje boord. En toen ik haar gisteren zag...' Was dat nog maar een dag geleden? 'Ze loopt weer, met behulp van een stok, want looprekken zijn voor oude dametjes.'

'Echt iets voor haar,' mompelde Maureen.

'Ze is heel veel afgevallen in het ziekenhuis en nu komt ze weer wat aan. Ze ziet er sterker uit. Ze zou het leuk vinden om je te zien,' zei hij tegen Mike. 'Ze zou het fijn vinden dat je komt nu het weer zo veel beter met haar gaat.'

'Ik zal bij haar langsgaan. Ga je haar over de inbraak vertellen?'

'Voorlopig niet. Zo veel valt er ook niet te vertellen. En ik vraag me af hoe vaak degene die er gisteravond was, er al eerder is geweest. En of hij er ook was in de nacht dat ze is gevallen.'

Toen Eli zijn glas optilde om het leeg te drinken, zag hij de blik die Mike en Maureen wisselden.

'Wat is er?'

'Dat is precies wat ik zei toen we hoorden van dat graafwerk.' Maureen gaf Mike een por met haar elleboog. 'Of niet soms?'

'Jazeker.'

'En hij zei dat ik te veel thrillers las, wat trouwens onmogelijk is. Je kunt nooit te veel boeken lezen, van welk genre dan ook.'

'Daar wil ik op drinken.' Toch draaide Eli alleen rondjes met zijn glas terwijl hij Maureen aankeek. 'Maar waarom dacht je dat?'

'Hester is... Ik heb een hekel aan het woord "kras", omdat dat voor oude mensen wordt gebruikt, en het bijna beledigend is. Maar zij is het wel. En bovendien heb jij haar vast nog nooit bij yogales gezien.'

'Nee, inderdaad.' Hij wist niet zeker of hij dat wel aan zou kunnen.

'Ze heeft een prima balans. Ze kan de boomhouding en de krijger 3-

houding vasthouden en... Wat ik bedoel is dat ze niet wiebelt of bibberig staat. Niet dat ze niet zou kunnen vallen. Kinderen vallen ook wel eens van de trap. Maar het leek me gewoon helemaal niets voor Hester.'

'Ze weet het niet meer,' vertelde Eli. 'Ze kan zich de val niet herinneren, ze weet zelfs niet meer dat ze uit bed is gestapt.'

'Dat is toch niet zo gek als ze haar hoofd heeft gestoten? Maar nu we weten dat er iemand het huis is binnengedrongen die gek genoeg is om in de kelder te gaan graven, kwamen er wel bepaalde vermoedens bij me op. En wie het ook was heeft Abra blauwe plekken bezorgd. Als ze zich niet had verzet, had geweten wat ze moest doen, had hij haar nog erger pijn kunnen doen. Als hij daartoe in staat is, kan hij Hester hebben laten schrikken, of haar zelfs hebben geduwd.'

'Ronde twee!' Abra droeg het blad naar hun tafeltje. 'O-o, ernstige gezichten.'

'We hadden het net over Hester en de inbraak van gisteravond. Ik zou willen dat je een paar nachten bij ons kwam slapen,' zei Maureen.

'Hij heeft ingebroken in Bluff House, niet in Laughing Gull.'

'Maar als hij denkt dat jij hem kunt identificeren...'

'Als je zo doorgaat, moet ik Mike gelijk geven.'

'Ik lees niet te veel thrillers. Ik heb je korte verhalen gelezen,' zei ze tegen Eli. 'Ik vond ze geweldig.'

'Nou moet ik dit rondje wel betalen.'

Lachend gaf Abra hem de rekening. Ze streek achteloos over zijn haar en liet haar hand op zijn schouder rusten.

Onder de tafel gaf Maureen Mike een zachte schop.

'Misschien kan Eli een praatje houden bij onze leesclub, Abra.'

'Nee.' Hij voelde paniek opwellen in zijn keel en nam haastig een slok bier om die weg te spoelen. 'Ik ben het boek nog aan het schrijven.'

'Je bent schrijver. We hebben nog nooit een echte schrijver gehad bij de leesclub.'

'Natalie Gerson, toch,' bracht Abra haar in herinnering.

'Ach, maak het nou. Poëzie uitgebracht in eigen beheer. Vrij vers. Verschrikkelijk slechte in eigen beheer uitgebrachte gedichten in vrij vers. Ik had zin om mezelf in mijn oog te steken, lang voor de avond voorbij was.'

'Ik wilde Natalie in haar oog steken. Ik neem even vijf minuutjes pauze,' besloot Abra, en ze leunde met haar heup tegen de tafel.

'Ga maar zitten.' Eli wilde overeind komen, maar ze duwde hem weer omlaag. 'Nee, dat is niet nodig. Eli praat nooit over zijn boek. Als ik een boek zou schrijven, zou ik er voortdurend over praten, tegen iedereen. Mensen zouden me uit de weg gaan en dan zou ik volslagen onbekenden aanklampen om hun erover te vertellen tot ook zij me zouden ontlopen.'

'Is dat alles wat ervoor nodig is?'

Ze stompte hem tegen zijn arm. 'Vroeger heb ik een keer geprobeerd songteksten te schrijven. Het zou geweldig zijn geweest als ik muziek had kunnen lezen en ideeën had gehad voor liedjes.'

'En daarom ga je maar acupunctuur doen?'

Met een grijns keek ze hem aan. 'Het is een hobby, en aangezien jij erover begon, iets waar ik het toch al met je over wilde hebben. Ik moet oefenen en jij zou een ideale kandidaat zijn.'

'Dat is een heel slecht idee.'

'Ik kan me richten op het verlichten van spanning en het oproepen van creativiteit en concentratie.'

'Kun je dat echt? Nou, laat me er in dat geval even over nadenken. Nee.'

Ze boog zich naar hem toe. 'Jij bent veel te bekrompen.'

'En vrij van acupunctuurnaalden.'

Ze rook heerlijk, merkte hij, en ze had iets donkers en dramatisch met haar ogen gedaan. Als haar lippen omhoog krulden, kon hij er alleen maar aan denken hoe ze tegen de zijne hadden gevoeld.

Ja, een grote, gulzige slok zou voldoende zijn.

'We hebben het er nog wel over.' Abra stond op, pakte haar blad en liep naar een tafeltje vlak bij hen om een bestelling op te nemen.

'Je moet niet gek opkijken als je plotseling bloot op een tafel ligt en er naalden in jouw lichaam steken,' zei Mike waarschuwend.

Het ergste was dat het hem totaal niet zou verbazen.

Hij bleef langer dan een uur, en amuseerde zich vreselijk goed. Hij bedacht dat hij de volgende keer dat hij zin had om naar het café te gaan niet eerst met zichzelf in discussie hoefde te gaan.

Vooruitgang, meende hij, toen hij Maureen en Mike gedag zei en het café uit ging.

'Hé!' gilde Abra hem na. 'Zeg je je vriendelijke serveerster geen gedag?' Ze liep hem achterna.

'Je had het druk. Jezus, ga gauw weer naar binnen. Het is hier ijskoud.'

'Ik kan wel wat warmte kwijt nadat ik de afgelopen drie uur daarbinnen heb rondgerend. Je leek je nogal te vermaken.'

'Het was een leuke onderbreking. Je vrienden zijn heel aardig.'

'Maureen was eerder met jou bevriend dan met mij, maar inderdaad. Ze zijn fantastisch. Ik zie je zondag wel weer, voor je massage. Die blijft therapeutisch,' zei ze toen ze zijn gezicht zag. 'Zelfs als je stopt met aarzelen en me gedag kust.'

'Ik heb al een fooi voor je neergelegd.'

Ze had een onweerstaanbare lach, een uitstraling van vrolijkheid die hij dolgraag wilde opzuigen. Om te bewijzen dat hij dat kon, liep hij naar haar toe, en deze keer nam hij er de tijd voor. Hij legde zijn handen op haar schouders en liet ze langs haar armen omlaag glijden. Daarbij voelde hij de hitte die ze nog altijd vasthield van alle lichaamswarmte die in het café vibreerde.

Toen boog hij zich voorover en nam haar mond.

Langzaam en soepel deze keer, dacht ze, zacht en dromerig. Een heerlijk contrast met de eerdere brute heftigheid. Ze sloeg haar armen om zijn middel en liet zich wegdrijven.

Ze slaakte een zucht toen hij wat achteruit ging. 'Nee maar, Eli. Maureen heeft helemaal gelijk. Je hebt talent.'

'Ik ben een beetje roestig.'

'Ik ook. Dat wordt interessant.'

'Waarom ben jij roestig?'

'Dat is een verhaal waar je een fles wijn en een warme kamer bij nodig hebt. Ik moet weer terug naar binnen.'

'Ik wil het verhaal horen. Jouw verhaal.'

Die woorden deden haar evenveel plezier als het boeket rozen. 'Dan zal ik het je vertellen. Goedenavond, Eli.'

Ze ging weer naar binnen, naar de muziek en de stemmen. En ze liet hem opgewonden en verlangend achter. Hij merkte dat hij meer naar haar verlangde dan naar rust, wat zo lang het enige was geweest wat hij had gewild.

Eli werkte de hele regenachtige zaterdag. Hij ging helemaal op in het verhaal tot, voor het verband goed en wel tot hem doordrong, hij een hele scène had geschreven waarin door wind opgezweepte regen tegen het raam aan kletterde, terwijl de hoofdrolspeler, zowel figuurlijk als letterlijk, de sleutel tot zijn dilemma vond op het moment dat hij door het lege huis van zijn overleden broer dwaalde.

Tevreden met zijn vooruitgang, beval hij zichzelf zijn toetsenbord te laten voor wat het was en naar de fitnesskamer van zijn grootmoeder te gaan. Hij dacht aan alle uren die hij had doorgebracht in zijn sportschool in Boston, met de gestroomlijnde apparaten, alle harde lijven en de dreunende muziek.

Die tijd was voorbij, hield hij zich voor.

Maar dat wilde niet zeggen dat zijn leven voorbij was.

De snoepkleuren van de handhalters van zijn oma mochten hem dan lichtelijk beschamend voorkomen, maar vijf kilo was vijf kilo. Hij was het zat om zich zwak, mager en slap te voelen. Hij had er genoeg van dat hij het zichzelf toestond om doelloos te drijven of om enkel water te trappen, wat nog erger was.

Als hij kon schrijven – en hij bewees elke dag dat hij daartoe in staat was – kon hij ook gewichtheffen, zweten en de man terugvinden die hij vroeger was geweest. Of wat nog beter was, peinsde hij toen hij twee paarse dumbbells optilde, hij zou de man vinden die hij moest zijn.

Hij was er nog niet aan toe om in de spiegel te kijken, dus begon hij zijn eerste set bicepscurls bij het raam, en keek hij naar de door de storm opgezweepte golven die op de kust beukten. Hij zag het water omhoog gestuwd worden tegen de rotsen onder het ronddraaiende licht van de witte vuurtoren. Hij vroeg zich af welke kant zijn held op zou gaan nu hij zo'n belangrijke stap had gezet. Daarna vroeg hij zich af of hij zijn held die stap had laten zetten omdat hij het gevoel had dat hij zelf een grote stap had gezet, of dat in elk geval binnenkort zou doen.

God, hij hoopte maar van wel.

Hij stapte over van gewichten naar cardio, en slaagde erin dat twintig minuten te doen voor zijn longen brandden en zijn benen trilden. Hij deed strekoefeningen, dronk veel water en deed vervolgens nog een ronde met de gewichten, waarna hij zich hijgend op de grond liet vallen.

Beter, dacht hij. Hij had het dan wel geen heel uur volgehouden en hij had het gevoel alsof hij zojuist een triatlon had volbracht, maar hij had het er deze keer beter van afgebracht.

En ditmaal slaagde hij erin de douche te bereiken zonder te hinken.

Althans, niet al te erg.

Hij feliciteerde zichzelf nogmaals toen hij naar beneden ging op zoek naar iets eetbaars. Hij had zowaar trek in eten. Sterker nog, hij was haast uitgehongerd, en dat moest toch zeker een goed teken zijn?

Misschien moest hij deze kleine stapjes vooruit op gaan schrijven. Een soort dagelijkse bezweringen.

Dat kwam hem echter nog beschamender voor dan in de weer zijn met paarse gewichten.

Toen hij de keuken binnenging, rook hij de geur een paar tellen voordat hij het bord koekjes op het eiland zag staan. Het idee om snel een boterham te maken liet hij direct varen.

Hij trok een van de alomtegenwoordige Post-Its van het plastic folie en las het, terwijl hij tegelijk de folie van het bord trok en een koekje greep.

Lekker bakken op een regenachtige dag.
Ik hoorde je toetsenbord tikken,
dus ik wilde je niet storen.
Geniet ervan. Tot morgen rond vijven. Abra.

Moest hij iets terugdoen voor al het eten dat ze voor hem klaarmaakte? Bloemen of iets anders voor haar kopen? Een hap overtuigde hem ervan dat bloemen niet genoeg zouden zijn. Hij pakte nog een koekje en liep naar het koffiezetapparaat. Hij besloot de haard aan te maken en een willekeurig boek uit de bibliotheek te halen en lekker te gaan genieten.

Hij stookte het vuur flink op zodat het uitbundig brandde. Het flakkerende licht, het knapperen en de warmte pasten uitstekend bij een regenachtig zaterdag. In de bibliotheek met de verzonken plafondpanelen en leren bank in chocoladebruin, liet hij zijn ogen langs de planken gaan.

Romans, biografieën, doe-het-zelfboeken, poëzie, boeken over tuinieren, veeteelt, yoga – kennelijk was zijn oma dat echt fanatiek gaan doen – een oud boek over etiquette en een hele afdeling boeken over Whiskey Beach. Hij zag een paar romans die interessant konden zijn, geschiedenisboeken en een handjevol overleveringen over de Landons. En een aantal over piraten en legendes.

Impulsief trok hij een dun, in leer gebonden boek tevoorschijn dat *Calypso: gedoemde schatten* heette.

Met het oog op de sleuf in de kelder leek dat heel toepasselijk.

Met zijn benen languit op de bank en het fel brandende vuur at Eli al lezend koekjes. In het oude boek, dat was uitgegeven aan het begin van de twintigste eeuw, stonden illustraties, kaarten en bibliografische gegevens over iedereen die de schrijver als een belangrijke speler in het geheel beschouwde. Eli vermaakte zich kostelijk en verdiepte zich in de laatste reis van de Calypso, onder leiding van de niet bijzonder beruchte piraat en smokkelaar Nathaniel Broome.

Volgens het boek was hij aantrekkelijk, zwierig en vol lef, wat vermoedelijk onzin was voor iedereen die niet geloofde in piraten zoals Errol Flynn en Johnny Depp die hadden gespeeld.

Hij las over de zeeslag tussen de Calypso en de Santa Catherina die werd beschreven in een avontuurlijke stijl zonder bloedvergieten waardoor hem, wellicht ten onrechte, het vermoeden bekroop dat de schrijver een vrouw was geweest die had geschreven onder het mannelijke pseudoniem Charles G. Haversham.

Het enteren en laten zinken van de Catherina, het plunderen van de voorraad, het vermoorden van de meeste bemanningsleden werd een avontuur op volle zee met een flinke dosis romantiek. Volgens Haversham was Esmeralda's bruidsschat op magische wijze doortrokken van het liefdevolle hart van zijn eigenaresse, waardoor de juwelen alleen het eigendom konden worden van iemand die de ware liefde had gevonden.

'Dat meen je niet.' Eli at nog een koekje. Hij zou het boek wellicht hebben geruild voor een ander, maar de auteur had het duidelijk met bijzonder veel plezier geschreven in een bijzonder pakkende stijl en het verhaal voerde hem mee naar delen van de legende die hij nog nooit had gehoord.

Hij hoefde niet te geloven dat liefde de kracht had om mensen te verheffen – die in dit geval werd overgebracht via magische diamanten en robijnen – om te genieten van het verhaal. En hij waardeerde de romantische consistentie in de bewering van de schrijver dat niet een laaggeplaatste zeeman de noodlottige ondergang van de Calypso, samen met de schat, had overleefd maar de drieste, romantische kapitein Broome.

Hij las het hele boek tot het tragische (maar romantische) einde en bladerde vervolgens terug om de illustraties nogmaals te bestuderen. Verwarmd door het vuur, viel hij in een koekjescoma met het boek op zijn borst. Hij droomde van zeeslagen, piraten, glinsterende edelstenen, het open hart van een jonge vrouw en over verraad, verlossing en de dood.

En van Lindsay die in de sleuf in de kelder van Bluff House lag, de stenen en aarde bevlekt met haar bloed. Van zichzelf die over haar heen gebogen stond met een pikhouweel in zijn hand.

Hij werd bezweet wakker. Het vuur was niet meer dan een rode gloed en zijn lichaam voelde stijf aan. Misselijk en ontdaan sleepte hij zich van de bank af, de bibliotheek uit. De droom, dat laatste beeld, bleef hem zo levendig en helder voor de geest staan, dat hij naar de kelder ging en door de doolhof van kamertjes liep. En hij stond voor de sleuf om zich ervan te vergewissen dat zijn dode vrouw daar niet lag.

Stom, dacht hij. Echt stom om het onmogelijke te willen controleren vanwege een nachtmerrie die was veroorzaakt door een dom boek en te veel koekjes. En het was minstens zo stom om te denken, te hopen, dat hij nooit meer van Lindsay zou dromen omdat hij dat een aantal nachten achtereen niet had gedaan.

Maar hoe dwaas het ook was, zijn eerdere optimisme en energie waren weggespoeld als een krijtstreep in de regen. Hij moest weer naar boven toe en iets vinden wat hij kon doen voor hij de duisternis om zich heen liet sluiten. God, hij wilde zich niet nog een keer een weg moeten terugvechten naar het licht.

Hij kon de sleuf dichtgooien, dacht hij toen hij weer terugliep. Hij zou eerst met Vinnie overleggen en dan zou hij hem dichtgooien. Zorgen dat de gleuf verdwenen was en wie Bluff House was binnengedrongen mocht verdorie naar de hel lopen.

Hij koesterde het sprankje woede, zo veel beter dan gedeprimeerdheid, en wakkerde het aan terwijl hij verder liep. Hij voelde de woede tegen degene die het huis van zijn familie had ontheiligd oplaaien.

Hij had genoeg van die onthullingen, en hij had er genoeg van om te accepteren dat iemand zijn huis, of wat vroeger zijn huis was geweest, had weten binnen te dringen, zijn vrouw had omgebracht en hem ervoor had laten opdraaien. Hij was het zat om zich erbij neer te leggen dat iedereen in Bluff House had kunnen inbreken en iets met de val van zijn oma te maken kon hebben.

Hij was het spuugzat om een slachtoffer te zijn.

Hij liep de trap op naar de keuken en bleef plotseling doodstil staan.

Abra stond voor hem, met in haar ene hand de telefoon en in de andere een enorm keukenmes.

'Ik hoop maar dat je daarmee heel grote wortelen gaat snijden.'

'O, jezus! Eli!' Ze liet het mes kletterend op het aanrecht vallen. 'Ik kwam binnen en de deur naar de kelder stond open. Je antwoordde niet toen ik je riep. Toen hoorde ik iemand en... Ik raakte in paniek.'

'Als je in paniek was geraakt, was je weggerend. Als je verstandig in paniek was geraakt, was je weggerend en had je de politie gebeld. Hier blijven staan met een keukenmes is verstandig noch paniekerig.'

'Het voelde anders als allebei. Ik moet echt... Mag ik... Laat maar zitten.' Ze pakte een glas, haalde een fles wijn uit de koelkast. Nadat ze de met siersteentjes bezette flesstop eruit had getrokken, schonk ze het in als een sapje aan de ontbijttafel.

'Ik heb je bang gemaakt. Het spijt me.' Hij zag dat haar handen beefden. 'Maar het kan af en toe voorkomen dat ik naar beneden moet.'

'Dat weet ik wel. Dat is het niet. Het komt gewoon boven op...' Ze nam een grote slok en haalde een keer diep adem. 'Eli, ze hebben Kirby Duncan gevonden.'

'Mooi.' Op deze manier kon zijn eerdere woede terugkeren, en deze keer had die een doelwit. 'Ik wil die klootzak spreken.'

'Dat gaat niet meer. Ze hebben zijn lichaam gevonden, Eli. Dat zat klem tussen de rotsen onder de vuurtoren. Ik heb de politie gesproken.

Ik zag daar allemaal mensen staan en toen ben ik erheen gegaan. En... Hij is dood.'

'Hoe?'

'Dat weet ik niet. Misschien is hij gevallen.'

'Dat zou een beetje al te makkelijk zijn, denk je niet?' Ze zouden weer bij hem komen, dacht hij. De politie, met allerlei vragen. Dat was onvermijdelijk.

'Niemand zal denken dat jij er iets mee te maken hebt.'

Hij schudde zijn hoofd, in het geheel niet verbaasd dat ze zijn gedachten had geraden. Hij deed een stap naar voren, pakte het glas en nam ook een grote slok. 'Natuurlijk wel. Maar deze keer kan ik me erop voorbereiden. Jij bent het me komen vertellen, zodat ik dat kan doen.'

'Niemand die jou kent, zal geloven dat jij er iets mee te maken hebt.'

'Misschien niet.' Hij gaf haar het glas terug. 'Maar het zal het vuurtje aanwakkeren. Man die van moord wordt beschuldigd, in verband gebracht met nieuw dodelijk slachtoffer. Meer dan genoeg modder om mee te gooien, en jij zult er ook door geraakt worden als je niet bij me uit de buurt blijft.'

'Het zal me een rotzorg zijn.' Haar ogen schoten vuur. De kleur die de schrik uit haar gezicht had verdreven, stroomde opeens terug. 'En waag het niet me nog eens zo te beledigen.'

'Het is geen belediging, maar de waarheid.'

'Dat zal me ook een rotzorg zijn. Ik wil weten wat jij gaat doen als je er nu al van uitgaat dat sommige mensen zullen geloven dat jij hier iets mee te maken hebt, als jij aanneemt dat er met modder naar je zal worden gegooid.'

'Dat weet ik nog niet.' Maar hij zou iets verzinnen. Daar zou hij deze keer voor zorgen. 'Ik laat me door niemand uit Bluff House of Whiskey Beach wegjagen. Ik blijf hier tot ik zelf besluit om te vertrekken.'

'Dat is goed genoeg. Zal ik iets te eten voor ons maken?'

'Nee, dank je. Ik heb de koekjes opgegeten.'

Ze wierp een blik op het bord op het eiland, en haar mond viel open toen ze er nog zes zag liggen. 'Lieve hemel, Eli, er waren er een stuk of vijfentwintig. Je moet misselijk zijn.'

'Een beetje, misschien. Ga naar huis, Abra. Je moet hier niet zijn als de politie komt. Er valt niet te zeggen wanneer dat precies zal zijn, maar het duurt vast niet lang.'

'We kunnen samen met ze praten.'

'Beter van niet. Ik ga mijn advocaat bellen, zodat hij op de hoogte is. Doe je deuren op slot.'

'Goed dan. Ik kom morgen terug. Wil je me alsjeblieft bellen als er iets gebeurt?'

'Ik kan het wel aan.'

'Dat denk ik ook.' Ze hield haar hoofd enigszins schuin. 'Wat is er gebeurd, Eli?'

'Ik had een goede dag, voor het grootste deel. Daarvan heb ik er de laatste tijd meer gehad. Ik kan dit echt wel aan.'

'Tot morgen dan.' Ze zette haar glas neer en nam zijn gezicht in haar handen. 'Eens zul je me vragen om te blijven. Ik vind het prettig om me af te vragen wat mijn antwoord dan zal zijn.' Ze drukte haar lippen zacht op de zijne, trok vervolgens haar hoodie op tegen de regen en ging de deur uit.

Hij vond het ook prettig om zich dat af te vragen, dacht hij. En vroeg of laat moest hun timing wel beter worden.

LICHT

Hoop is het ding met veren
Dat nestelt in de ziel.
Zingt een woordeloos wijsje
En herhaalt zichzelf steeds weer.

EMILY DICKINSON

11

Hij stond met het ochtendgloren op, nadat hij was ontwaakt uit een akelige droom waarin hij had neergekeken op een gebroken, bloederige Lindsay met starende ogen, die op de rotsen onder de Whiskey Beach vuurtoren had gelegen.

Hij had geen psychiater nodig om hem te vertellen hoe zijn onderbewuste daarop was gekomen.

Ook had hij geen personal trainer nodig om hem te vertellen dat elk bot, elke spier, elke klotecel in zijn lichaam pijn deed omdat hij de dag ervoor had overdreven met het gewichtheffen.

Aangezien er niemand in de buurt was die het kon horen, jammerde hij zacht toen hij zich naar de douche sleepte, in de hoop dat het neerkletterende hete water een deel van de pijntjes zou wegmasseren.

Als extraatje slikte hij drie ibuprofens.

Hij ging naar beneden om koffie te zetten en dronk die terwijl hij zijn e-mails bekeek. Het was tijd voor een mailtje aan zijn familie om te laten weten hoe het met hem ging, dacht hij. Hij wenste dat hij alle verwijzingen naar de inbraak en lijken achterwege kon laten, maar op dit punt konden ze het maar beter van hém horen dan van iemand anders.

Nieuws ging altijd als een lopend vuurtje rond en akelig nieuws zelfs nog sneller.

Hij wikte zijn woorden zorgvuldig en verzekerde hen dat het huis veilig was. Aan de dood van de privédetective uit Boston maakte hij niet al te veel woorden vuil, maar hij vond dat hij daar het volste recht toe had. Godsamme, hij had die man zelfs nog nooit gezien. Met opzet wekte hij de indruk dat het een ongeluk was. Het zóú een ongeluk kunnen zijn geweest.

Niet dat hij dat ook maar een seconde geloofde, maar waarom zou hij zijn familie ongerust maken?

Daarna schreef hij over de voortgang met zijn boek en het weer, en hij maakte een paar grapjes over het boek dat hij had gelezen over de Calypso en de bruidsschat.

Hij las de mail twee keer door, besloot dat hij het slechte nieuws het beste in het midden kon plaatsen, met ervoor en erna luchtig en positief nieuws. Hij drukte op versturen.

Opeens dacht hij aan zijn zus en hun afspraak en schreef nog een mail, alleen aan Tricia.

> Kijk, ik laat niks weg... Althans, niet veel. Het huis is veilig en de plaatselijke politie heeft de zaak in onderzoek. Op dit moment lijkt het erop dat een of andere klootzak in de kelder naar een denkbeeldige schat heeft gegraven. Ik weet niet wat er met die vent uit Boston is gebeurd, of hij is gevallen, gesprongen of naar beneden is gegooid door de op wraak beluste geest van kapitein Broome.
> Alles gaat goed met me. Beter dan goed zelfs. En als de politie komt, en ik weet dat dat zal gebeuren, ben ik daar klaar voor.
> Hou op met boos naar het scherm kijken. Ik weet dat je dat doet.
> Zoek maar iemand anders om je zorgen over te maken.

Zo was het goed, besloot hij. Ze zou een tikje geërgerd zijn, een tikje geamuseerd en er hopelijk op vertrouwen dat hij haar de waarheid had verteld.

Met een tweede kop koffie en een bagel achter zijn bureau, opende hij zijn bestand van zijn roman in wording en liet zich weer in het verhaal opgaan terwijl de zon steeds hoger kwam te staan boven de zee.

Hij schakelde over op Mountain Dew en at net de laatste twee koekjes op toen de deurbel, die nooit iemand gebruikte, de eerste noten liet schallen van 'Ode an die Freude', een van zijn oma's lievelingsstukken.

Hij nam de tijd om zijn werk af te sluiten en het halflege flesje frisdrank weer in de kleine koelkast te zetten, waarna hij de trap af liep, precies op het moment dat de noten voor een tweede keer klonken.

Dat de politie op de stoep zou staan had hij wel verwacht. Waar hij geen rekening mee had gehouden was dat er twee agenten zouden zijn, of dat hij het ongelukkigerwijs bekende gezicht van rechercheur Art Wolfe uit Boston voor zich zou zien.

De jongere man – militair kort kapsel, stevig vierkant gezicht, kalme blauwe ogen en het lichaam van een fanatieke fitnesser – hield zijn penning op. 'Eli Landon?'

'Ja.'

'Ik ben rechercheur Corbett van het sheriffskorps van Essex County. Ik geloof dat u rechercheur Wolfe al kent.'

'Ja, wij hebben elkaar al eerder ontmoet.'

'We zouden graag even binnenkomen om met u te praten.'

'Goed.'

Tegen het advies van zijn advocaat in, ging hij iets naar achteren om hen binnen te laten. Hij had het besluit al genomen en jezus nog aan toe, hij was zelf advocaat geweest. Hij begreep het idee achter 'zeg niets, bel me en verwijs alle vragen door naar mij'. Maar op die manier kon hij niet leven. Op die manier kon en wilde hij niet blijven leven.

Dus ging hij ze voor naar de grote salon.

Daar had hij eerder de haard aangemaakt, vooruitlopend op precies deze situatie. Die brandde nu laag en gaf warmte en sfeer aan een kamer die gezellig was ingericht met kunst en antieke meubels. Een verzonken plafond met sierlijsten verwelkomde het licht dat binnenviel door de hoge ramen en het uitzicht op de voortuin, waar stevige groene scheuten van narcissen zwaaiden en een dappere gele bloem trompetterde.

Zo voelde hij zichzelf ook een beetje. Klaar om alles wat er zou gebeuren onder ogen te zien en kleur te bekennen.

'Wat een huis,' zei Corbett. 'Ik heb het natuurlijk vaak van buiten gezien en dan is het al indrukwekkend. Maar de binnenkant doet er niet voor onder.'

'Oost west, thuis best. Neem plaats.'

Terwijl hij dat zelf deed, maakte hij snel een inventaris op van zijn lichaam. Zijn handpalmen waren niet klam, zijn hart bonkte niet en zijn keel was niet droog. Allemaal positieve tekens.

Toch bleef hij alert door de buldog-uitdrukking op Wolfes gezicht en de harde, effen bruine ogen.

'We stellen het op prijs dat u tijd voor ons vrijmaakt, meneer Landon.' Corbett maakte zelf ook een inventaris op, van de kamer en Eli, en ging daarna op een stoel zitten. 'U hebt wellicht gehoord dat er een incident heeft plaatsgevonden.'

'Ik heb gehoord dat er gisteren een lichaam is gevonden bij de vuurtoren.'

'Dat klopt. U kende de overledene toch? Kirby Duncan.'

'Nee, dat deed ik niet. Ik heb hem nog nooit ontmoet.'

'Maar u wist wel wie hij was.'

'Ik weet dat hij beweerde een privédetective uit Boston te zijn en dat hij vragen over mij stelde.'

Corbett pakte een opschrijfboekje, en Eli wist dat het zowel een rekwisiet als een hulpmiddel was.

'Is het niet zo dat u tegen de politie hebt gezegd dat u meende dat Kirby Duncan op donderdagavond in dit huis had ingebroken?'

'Hij was de eerste persoon die bij me opkwam toen ik hoorde van de inbraak, en ik heb zijn naam genoemd tegen de politieagent ter plaatse. Dat was hulpsheriff Vincent Hanson.' Zoals je verdomd goed weet. 'Maar de vrouw die werd aangevallen, en die Duncan daarvoor had ontmoet en met hem had gesproken, beweerde zonder enige aarzeling dat het Duncan niet was. De man die haar vastgreep was langer en slanker. Daar komt nog bij dat Duncan bonnen liet zien waaruit bleek dat hij in Boston was ten tijde van de inbraak toen hulpsheriff Hanson die nacht met hem sprak.'

'Het maakte je vast kwaad dat hij hier kwam en alles begon op te rakelen.'

Eli richtte zijn blik op Wolfe. Met hem zou het geen beleefd gesprek worden, dacht hij. 'Ik was er niet blij mee, maar ik vroeg me met name af wie hem had ingehuurd om hierheen te komen, mij te volgen en vragen te stellen.'

'Het voor de hand liggende antwoord is iemand die wil weten wat jij aan het doen bent.'

'En het voor de hand liggende antwoord op die vraag is dat ik aan het leven hier aan het wennen ben, dat ik werk en op Bluff House pas, terwijl mijn grootmoeder herstellende is. Aangezien Duncan niet meer had om aan zijn cliënt of cliënten te rapporteren, moet ik concluderen dat ze hun geld verspilden. Maar dat moeten ze zelf weten.'

'Het onderzoek naar de moord op je vrouw is nog niet afgesloten, Landon. Jij staat nog altijd op de lijst.'

'O, dat besef ik heel goed. Net zoals ik weet dat het wel heel mooi en gemakkelijk zou zijn als je me in verband kunt brengen met een tweede moordonderzoek.'

'Wie heeft er iets gezegd over een tweede moord?'

Zelfvoldane hufter, dacht Eli, maar hij zorgde dat zijn stem neutraal bleef klinken. 'Jij werkt bij Moordzaken. Als jij gelooft dat Duncan door een ongeluk om het leven is gekomen, zou je niet hier zijn. Dat houdt in dat het moord is of een dood onder verdachte omstandigheden. Ik was vroeger strafpleiter. Ik weet hoe het werkt.'

'Ja. Ja, precies. Jij kent de fijne kneepjes.'

Corbett hief zijn hand op. 'Meneer Landon, kunt u vertellen waar u was op vrijdagochtend tussen middernacht en vijf uur?'

'Op vrijdagochtend? Ik ben op donderdag naar Boston gegaan. Ik was bij mijn ouders toen ik werd gebeld over de inbraak, en toen ben ik direct teruggereden. Ik geloof dat ik hier om half twaalf 's avonds was, in elk geval voor middernacht. Ik weet niet precies hoe laat het was. Ik ben even gaan kijken hoe het met Abra ging... Abra Walsh, de vrouw die is aangevallen in Bluff House.'

'Wat deed ze in het huis terwijl jij er niet was?' wilde Wolfe weten. 'Ga je met haar naar bed?'

'Wat heeft mijn seksleven met dit onderzoek te maken?'

'Mijn excuses, meneer Landon.' Corbetts waarschuwende blik op Wolfe was weliswaar subtiel, maar liet aan duidelijkheid niets te wensen over. 'Kunt u ons vertellen waarom mevrouw Walsh op dat uur in het huis was?'

'Ze maakt hier schoon. Ze is al een paar jaar werkster bij mijn grootmoeder. Ze was hier eerder die dag bezig geweest en wist niet meer of ze alle ramen wel had gesloten. Het stormde. Ik neem aan dat u haar al hebt gesproken, maar ik zal het hele verhaal nog een keer vertellen. Omdat ze wist dat ik in Boston was, is ze hierheen gegaan om de ramen te controleren en wat soep te brengen die ze voor mij had gemaakt. Iemand greep haar van achteren beet, de stroom was uitgevallen en het was donker. Ze slaagde erin te ontkomen en is naar haar vrienden gereden. Haar buren, Mike en Maureen O'Malley. Mike heeft mij en de politie gebeld. Ik ben direct na Mikes telefoontje uit Boston vertrokken en teruggereden naar Whiskey Beach.'

'En daar bent u ergens tussen half twaalf en middernacht aangekomen.'

'Inderdaad. Abra was behoorlijk van streek en omdat ze haar aanvaller had verwond in haar worsteling om weg te komen, zat diens bloed op haar kleren. De agenten ter plaatse hebben haar kleren meegenomen als bewijsmateriaal. Ik ben een poosje bij de O'Malleys gebleven en daarna ben ik hiernaartoe gegaan. Abra ging met me mee. Hier hebben we hulpsheriff Hanson ontmoet.'

'Een vriend van je,' viel Wolfe hem in de rede.

'Vinnie was een bekende van me toen we tieners waren, en ook nog toen we begin twintig waren. Daarna heb ik hem vele jaren niet gezien.' Verder ging Eli niet op de onuitgesproken suggestie in en hij hield zijn stem onbewogen. 'De agenten die op de melding af zijn gekomen, ontdekten dat de stroom was afgesneden en het alarm uitgeschakeld. Ik heb hulpsheriff Hanson over Kirby Duncan verteld en zoals ik eerder al heb verklaard, beschreef mevrouw Walsh haar aanvaller als een man met een andere lichaamsbouw. Omdat hulpsheriff Hanson bijzonder grondig is, deelde hij mee dat hij Duncan zou ondervragen die, naar ik meen, logeerde in bed & breakfast Surfside. Weer weet ik niet precies hoe laat hulpsheriff Hanson is vertrokken. Ik gok rond half één 's nachts of iets eerder.'

Jammer dat hij de tijden niet had opgeschreven, dacht Eli.

'Toen hij weg was, ben ik, vergezeld door mevrouw Walsh, naar de kelder gegaan. Onze generator is onbetrouwbaar en ik hoopte weer wat stroom te kunnen krijgen. Toen we beneden waren en ik op zoek ging naar gereedschap, vond ik in het oudste deel van de kelder een grote sleuf. Er lagen nog stukken gereedschap bij, die de politie daarna in beslag heeft genomen als bewijsmateriaal. Houwelen, spaden, dat soort dingen. Het is duidelijk dat degene die heeft ingebroken dat al eerder had gedaan.'

‘Om een geul in uw kelder te graven?’ vroeg Corbett.

‘Iedereen die een poosje in Whiskey Beach verblijft, krijgt over de legende te horen. De bruidsschat, de juwelen. Tegenover iedere persoon die denkt dat het onzin is, staan er vijf die er heilig in geloven. Ik kan niet met zekerheid zeggen wat het doel van de inbraak en de opgraving was, maar het lijkt me redelijk aannemelijk dat iemand meende hier een kapitaal aan edelstenen te kunnen opgraven.’

‘Je kunt hem zelf hebben gegraven.’

Deze keer keurde Eli Wolfe nauwelijks een blik waardig. ‘Dan zou ik niet hoeven inbreken in een huis waar ik al woon, en het zou nogal stom zijn geweest om de geul aan Abra en de politie te laten zien als ik hier hard aan het graven was geweest. Hoe dan ook, we zijn nogal een tijd beneden geweest. Ik ben erin geslaagd de generator aan de praat te krijgen voor noodstroom. Toen we weer naar boven gingen, heb ik de haard aangemaakt. Het was hier koud en Abra was nog altijd ontdaan. We hebben een glas wijn gedronken. Ze is in slaap gevallen op de bank. Ik weet dat het bijna twee uur ’s nachts was toen ik naar boven ging. De volgende ochtend ben ik om half acht, of misschien was het al wat meer richting acht uur, opgestaan. Ze was al weg en had een omelet in de warmhoudla gelegd. Ze geeft mensen graag te eten, daar lijkt ze niks aan te kunnen doen. Ik weet niet hoe laat ze is vertrokken.’

‘Dus je hebt geen alibi?’

‘Nee,’ zei hij tegen Wolfe. ‘Volgens jou maatstaven waarschijnlijk niet. Wanneer denk je precies dat ik hem heb vermoord?’

‘Niemand beschuldigt u ergens van, meneer Landon,’ begon Corbett.

‘U zit hier en vraagt me waar ik was. De onderzoeksleider van de moord op mijn vrouw is met u meegekomen. U hoeft me niet te beschuldigen om me te laten merken dat ik word verdacht. Ik vraag me alleen af wat mijn motief was.’

‘Duncan was een goede onderzoeker. Hij trok jouw sporen na, en dat wist je. En al zijn aantekeningen en verslagen over dat onderzoek zijn verdwenen.’

‘Jij kende hem.’ Eli knikte naar Wolfe. ‘De kans is groot dat hij ooit bij de politie heeft gezeten. Je kende hem. Heb jij hem in dienst genomen?’

‘Wij stellen hier de vragen, meneer Landon.’

Eli wendde zich weer tot Corbett. ‘Waarom vraagt u niet waarom ik in godsnaam iemand zou ombrengen die ik nog nooit heb gezien?’

‘Hij kan bewijsmateriaal over jou boven tafel hebben gekregen,’ begon Wolfe. ‘Dat heeft je misschien nerveus gemaakt.’

‘Hij heeft in Whiskey Beach bewijsmateriaal over mij boven tafel gekregen over een misdrijf in Boston dat ik niet heb gepleegd? Waar is dat dan? Een goede onderzoeker houdt aantekeningen bij en maakt backups. Waar is dat bewijs?’

‘Een slimme advocaat die de fijne kneepjes kent, zou dat bewijsmateriaal vernietigen. Jij hebt zijn sleutels gepakt, bent naar Boston gereden en daar ben je zijn kantoor binnen gelopen om zijn dossiers en computerbestanden te vernietigen. Alles. En vervolgens heb je hetzelfde gedaan in zijn appartement.’

‘Heeft iemand zijn kantoor en appartement in Boston doorzocht?’ Eli leunde wat naar achteren. ‘Dat is interessant.’

‘Jij had de tijd, de gelegenheid en het motief.’

‘Volgens jou. Omdat jij er zo van overtuigd bent dat ik Lindsay heb vermoord, moet ik dit ook wel hebben gedaan.’ Voor Wolfe iets kon zeggen, ging Eli verder. ‘Nou, zet het dan eens op een rij. Of hij heeft toegestemd in een ontmoeting met mij bij de vuurtoren, midden in de nacht in de stromende regen of ik heb hem daarnaartoe weten te lokken, en dat gebeurde dan nadat hij bewijs boven water had gekregen waaruit blijkt dat ik al een moord heb gepleegd. Dat wil ook zeggen dat ik het huis uit ben geglipt terwijl Abra hier lag te slapen, wat inderdaad niet onmogelijk is. Daarna heb ik Duncan vermoord, ben naar de B&B gegaan om daar stiekem zijn kamer in te gaan, heb al zijn spullen gepakt en heb die meegenomen naar zijn auto. Ik neem aan dat ik in zijn auto naar Boston ben gereden en naar zijn appartement en kantoor ben gegaan en daar alles heb geregeld? En toen ben ik weer teruggereden. Nogal stom om hier weer naartoe te gaan in zijn auto, maar hoe moest ik anders terugkomen? Vervolgens moest ik die wagen ergens dumpen, teruglopen naar Bluff House en binnen zien te komen zonder dat Abra zou merken dat ik weg was geweest.’

Hij wist wel beter dan een beroep te doen op Wolfe en daarom keek hij Corbett aan. 'Jezus nog aan toe. Bekijk de logistiek en de timing eens goed. Ik had ongehoord veel mazzel moeten hebben om dat allemaal voor elkaar te krijgen voor Abra opstond en die klote-omelet ging maken.'

'Misschien heb je het niet in je eentje gedaan.'

Prompt voelde Eli woede opkomen en hij gaf Wolfe de volle laag. 'Ga je Abra hier nou bij betrekken? Een vrouw die ik pas een paar weken ken, besluit plotseling om mij te helpen een moord te plegen? Jezus nog aan toe.'

'Jij zegt een paar weken. Duncan werkt hier aan de zaak en hier heeft hij genoeg gevonden om een bedreiging te vormen. Hoe lang neuk je de huishoudster al, Landon? Je bedroog je vrouw en daar is ze achter gekomen. Dat gaf je nog een reden om haar te vermoorden.'

De woede die hij met moeite had weten te bedwingen tot een gelijkmatig sudderen, kookte in een klap over. 'Als je je vizier weer op mij wilt richten, ga je je gang maar. Maar laat haar erbuiten.'

'Of anders? Word ik dan jouw volgende slachtoffer?'

'Rechercheur Wolfe,' snauwde Corbett.

'Omdat je er één keer mee bent weggekomen, denk je dat je dat nog een keer zal lukken.' Zonder acht te slaan op Corbett, legde Wolfe zijn handen met een klap op zijn dijen en boog zich voorover.

Hij kwam dichterbij, dacht Eli. Precies zoals hij iemand tijdens een verhoor graag op de huid zat.

'En ja, ik kende Duncan. Hij was een vriend van me. Ik zal het tot mijn levenswerk maken om je te pakken voor de moord op hem. Deze keer zul je niet door de mazen glippen. Alles wat jij en die vrouw doen, hebben gedaan of overwegen te doen, zal ik te weten komen. En als ik je arresteer, zul je ook veroordeeld worden.'

'Onder druk zetten en intimideren,' zei Eli, die weer vreemd kalm was geworden. 'Dat zal een uitstekend uitgangspunt vormen voor mijn advocaat. Eerder heb ik het over mijn kant laten gaan en heb ik mijn leven laten verpesten. Dat zal me geen tweede keer gebeuren. Ik heb jullie vragen beantwoord. Als jullie me nog eens willen spreken, moeten jullie dat via mijn advocaten doen.' Hij kwam overeind. 'Ik wil dat jullie mijn huis verlaten.'

‘Het huis van je oma.’

Eli knikte. ‘Je hebt gelijk. Ik wil dat jullie het huis van mijn oma verlaten.’

‘Meneer Landon.’ Corbett stond op. ‘Mijn excuses als u het gevoel hebt dat u onder druk bent gezet of bent geïntimideerd.’

Eli staarde hem alleen maar aan. ‘Meent u dat nou? Als?’

‘Het feit is dat u, vanwege het verband, vanwege het doel waarvoor het slachtoffer hier in Whiskey Beach was, iemand bent met wie we willen spreken. Ik wil u graag vragen of u een wapen bezit.’

‘Een wapen? Nee, dat heb ik niet.’

‘Is er een wapen in dit huis?’

‘Ik zou het niet weten.’ Nu glimlachte hij. ‘Het is het huis van mijn oma.’

‘We zullen een huiszoekingsbevel regelen,’ merkte Wolfe op.

‘Doe dat dan. Je zult er een nodig hebben om hier weer binnen te komen, want ik ben het zat dat jij me voortdurend sart en opjaagt.’ Hij liep de kamer uit naar de voordeur en trok die open. ‘Wij zijn hier klaar.’

‘Blijf dat vooral denken,’ mompelde Wolfe.

‘Ik stel het op prijs dat u tijd voor ons hebt vrijgemaakt,’ zei Corbett.

‘Mooi, want dat zal niet nog eens gebeuren.’ Eli deed de deur stevig dicht. Pas toen stond hij zich toe zijn handen tot vuisten te ballen.

Corbett wachtte tot Wolfe en hij in de auto zaten. ‘Godverdomme! Waar was jij in godsnaam mee bezig?’

‘Hij heeft het gedaan en dat zal hem niet nog eens ongestraft lukken.’

‘Godverdomme.’ Woedend trapte Corbett het gaspedaal in. ‘Zelfs als hij een motief had, wat we helemaal niet weten en niet kunnen bewijzen, dan is zijn gelegenheid minder dan nul. Hij lokt Duncan midden in de nacht naar de vuurtoren, schiet hem neer, duwt hem van de rotsen en doet dan de rest? De manier waarop hij het omschreef, klopt precies.’

‘Niet als die vrouw erbij betrokken is. Zij kan Duncan daar naar boven hebben gelokt en vervolgens is ze achter Landon aan gereden naar Boston, heeft hem teruggereden en vormt vervolgens zijn alibi.’

‘Dat is gelul. Klinkklare onzin. Ik ken haar niet, maar ze heeft geen strafblad en ze leek heel oprecht. Hetzelfde geldt voor haar buren. En toevallig ken ik Vinnie Hanson wel. Hij is een prima agent. Hij staat voor hen allebei in. Het is precies zo gegaan als ze hebben verklaard. De inbraak, die verrekte sleuf en de timing.'

'Landon is rijk. Met geld kun je mensen omkopen om voor je in te staan.'

'Pas op, Wolfe. Je bent hier omdat wij je hebben uitgenodigd. Die uitnodiging kunnen we zo weer intrekken, en dat is precies wat ik ga voorstellen. Je leidt aan tunnelvisie en je hebt verdomme net al mijn kansen verpest om Landon over te halen mee te werken.'

'Die vent heeft zijn vrouw vermoord én hij heeft Duncan vermoord. Zijn medewerking is zinloos.'

'Je hebt een jaar lang de tijd gehad om te bewijzen dat hij zijn vrouw heeft vermoord en dat is je niet gelukt. De moord op Duncan is nog meer giswerk. Als je geen oogkleppen op had, zou je jezelf afvragen voor wie Duncan werkte, en waarom, en waar diegene vrijdagnacht in godsnaam was tussen middernacht en vijf uur? Dan zou je jezelf afvragen wie er in dat huis heeft ingebroken toen Landon in Boston was en hoe die persoon wist dat hij in Boston was.'

'Die twee dingen hebben geen zak met elkaar te maken.'

Corbett schudde alleen maar zijn hoofd. 'Tunnelvisie,' mompelde hij binnensmonds.

In het huis ging Eli meteen naar boven en liep hij de zuidelijke vleugel in. Hij ging de kamer binnen die hij in gedachten altijd de mementokamer noemde. In diverse vitrinekasten lagen spullen van zijn voorouders. Een paar kanten handschoenen, een muziekdoos met een vlinder van edelstenen erop, een paar rijk versierde zilveren sporen. Daartussen lagen, in wat hij als een charmante, ongekunstelde uitstalling beschouwde, drie in leer gebonden dagboeken, militaire medailles, een prachtige koperen sextant, een marmeren vijzel en stamper, een stel satijnen schoentjes met knoopjes en andere interessante Landon-overblijfselen. Daartussen stond ook een kast met antieke wapens. Tot zijn grote opluchting zag hij dat die, zoals altijd, op slot zat. De jachtgeweren, een prachtig bewaard gebleven Henry-geweer, de fascinerende derringer met het paarlemoeren handvat, de duelleerpistolen in Georgian stijl, vuursteengeweren en een stoere Colt .45.

Hij ontspande zich pas toen hij met eigen ogen had gezien dat elk wapen op zijn plek lag in de speciaal vervaardigde glazen kast.

Ze waren er allemaal, dacht hij. In elk geval kon hij er zeker van zijn dat geen van de Landon-wapens was gebruikt om Kirby Duncan te vermoorden. Voor zover hij wist, was geen ervan gebruikt tijdens zijn leven, en waarschijnlijk ook niet tijdens de generatie voor hem. Te waardevol voor schijfschieten of wapensport, peinsde hij. Hij herinnerde zich hoe zijn grootvader een dolblije Eli van acht een van de vuursteengeweren vast had laten houden terwijl hij de geschiedenis ervan vertelde.

Waardevol, dacht Eli opnieuw, terwijl hij door de kamer slenterde. De duelleerpistolen alleen al waren duizenden dollars waard. En ze waren makkelijk te vervoeren en eenvoudig te verkopen aan een verzamelaar. Een afgesloten kast met glazen deurtjes zou een dief nauwelijks tegen kunnen houden, maar wie er dan ook in de kelder had gegraven, diegene had de hapklare brok links laten liggen.

Had hij niet van hun bestaan geweten? Had hij de geschiedenis en indeling van het huis niet goed genoeg gekend? Behalve de wapens, en in die kast moest minstens voor een bedrag aan zes cijfers liggen, waren er talloze kostbaarheden in huis die eenvoudig waren mee te nemen.

Uiteindelijk zou het zijn grootmoeder zijn opgevallen. Maar er was een redelijke periode verstreken tussen haar ongeluk en de dag dat hij hier zijn intrek had genomen. Als de indringer al gebruik had gemaakt van die periode, had hij zich blijkbaar uitsluitend op de kelder geconcentreerd.

Geconcentreerd, dacht Eli opnieuw. Dus het ging niet alleen om geld, want waarom zou hij dan niet hebben genomen wat zo voor het grijpen lag? Het ging om de schat.

Waar sloeg dat op? vroeg hij zich af. Je kon op een avond voor miljoenen dollars aan kunst, memorabilia, verzamelstukken en zilver naar buiten slepen. Jezus, de uitgebreide postzegelverzameling van zijn oudoom stond tentoongesteld in de bibliotheek. Of je kon god weet hoeveel nachten met handgereedschap staan te hakken in de keldervloer vanwege een legende.

Dus het ging om meer dan geld alleen, dacht hij, terwijl hij door het huis dwaalde en probeerde in te schatten welke gemakkelijk verplaatsbare kostbaarheden er waren. Ging het om de opwinding? Het oprechte geloof in een onbetaalbare schat?

Was het een obsessie, zoals Wolfes obsessie voor hem?

Door dat idee ging hij terug naar de kelder om het werk van de indringer nader te bestuderen. Impulsief stapte hij in de sleuf en kwam tot de ontdekking dat die op bepaalde plaatsen bijna tot zijn middel kwam. Voor zover hij kon beoordelen was het werk begonnen in het midden van de uitgraving en van daaruit waren er vier gangen gegraven in een soort roosterpatroon. Noord, zuid, oost, west.

Zoals punten op een kompas? Hoe moest hij dat in godsnaam weten?

Hij klom er weer uit, en haalde zijn telefoon uit zijn zak om van verschillende kanten foto's te nemen. De politie had al foto's, maar nu had hij ze ook zelf.

Waarom wist hij niet, maar dat gaf hem het gevoel dat hij anticiperend optrad. Hij genoot van het idee dat hij iets deed. Wat dat dan ook was.

Om dat te versterken ging hij naar boven en nam de koperen telescoop met zijn mahoniehouten standaard, een cadeau voor zijn grootmoeder, mee naar het terras. Anticiperend betekende goed ingelicht zijn. Het was wellicht niet het beste moment om naar de vuurtoren te wandelen of te rijden, maar dat wilde niet zeggen dat hij niet kon kijken.

Hij richtte, stelde scherp en paste aan tot hij het gele politietape duidelijk kon zien. Ze hadden het hele gebied afgezet, inclusief de vuurtoren. Hij zag een handjevol nieuwsgierigen achter het tape, plus een aantal officieel uitziende voertuigen.

Hij draaide het instrument, richtte het omlaag en keek naar mensen van wie hij aannam dat het forensische rechercheurs waren, die druk bezig waren op de rotsen, en die ondanks hun beschermende kleding doornat werden.

Een flinke smak naar beneden, dacht hij, en met behulp van de telescoop mat hij de afstand tussen de rotspunt tot de stenen eronder. Naar alle waarschijnlijkheid zou Duncan door die val zijn overleden. Maar door hem eerst neer te schieten, stond die uitkomst bij voorbaat vast.

Waarom? Wat had hij geweten, gezien, gedaan?

En wat was het verband met Lindsays dood? Logisch gezien moest er een connectie zijn, hij dacht niet dat Wolfe dat bij het verkeerde einde had. Tenzij het hele gedoe even onlogisch was als graven in de kelder naar een piratenschat, hadden de moorden met elkaar te maken.

Dat opende de mogelijkheid dat de moord op Duncan iets met de indringer te maken had.

Opnieuw rees dan de vraag waarom? Wat had hij geweten, gezien of gedaan?

Een raadsel. In zijn vroegere leven had hij van raadsels gehouden. Misschien was het tijd om eens te kijken of hij er nog steeds goed in was ze te ontrafelen.

Hij liet de telescoop op het terras staan en ging naar boven om een geel blocnote en een pen te halen. Deze keer maakte hij een boterham toen hij weer door de keuken liep en hij pakte ook een biertje. Waarom niet? Hij nam alles mee naar de bibliotheek, stak het vuur aan en ging aan het schitterende oude bureau van zijn overgrootvader zitten.

Eerst had hij met Lindsays dood willen beginnen, maar hij begreep al snel dat dat niet echt het begin was geweest. Hij had het eerste jaar van hun huwelijk als een aanpassingsperiode beschouwd. Er waren ups en downs geweest, schijnbewegingen, maar aan beide kanten ook heel veel aandacht voor het inrichten en stofferen van het nieuwe huis.

Als hij eerlijk was, was de sfeer tussen hen een paar maanden nadat ze in het huis waren getrokken veranderd.

Zij had besloten dat ze nog even wilde wachten met kinderen, en dat was niet meer dan redelijk. Hij had heel veel tijd en energie besteed aan zijn werk. Zij had gewild dat hij volledig vennoot zou worden, en hij had het gevoel dat hij daarvoor op schema lag.

Ze had het leuk gevonden om gasten te ontvangen, om bij anderen op bezoek te gaan en ze had haar eigen carrière en sociale kring. Toch hadden ze steeds vaker ruzie gemaakt. Over zijn werkdruk of de botsing tussen zijn en haar prioriteiten. Werkweken van zestig uur waren heel normaal, en als strafpleiter werkte hij heel wat nachtjes door.

De voordelen die dat opleverde had ze op prijs gesteld, maar ze was aanstoot gaan nemen aan de manier waarop die werden verdiend. Hij had haar succes in haar vakgebied gewaardeerd, maar hij was aanstoot gaan nemen aan hun tegengestelde belangen.

Waar het op neerkwam, zo moest hij toegeven, was dat ze niet genoeg van elkaar hadden gehouden, niet voor de lange duur.

Daarbij kwam haar onverdraagzaamheid – en dat woord dekte de lading precies – jegens zijn oma en zijn liefde voor Bluff House en Whiskey Beach, die de erosie extra had bespoedigd. Achteraf kon hij zien dat er reeds in hun eerste huwelijksjaar een emotionele scheur tussen hen was ontstaan, die langzaam maar zeker breder was geworden tot ze die geen van beiden meer konden of wilden overbruggen.

Ook was hij kwaad geweest op Lindsay vanwege zijn eigen besluit om zijn bezoekjes aan Bluff House eerst te beperken en er vervolgens helemaal mee op te houden. Hij had zijn huwelijk willen redden, meer uit principe dan uit liefde voor zijn vrouw.

Dat was gewoonweg zielig, dacht hij.

Maar toch. Hij was nooit vreemdgegaan, dus dat was een punt voor hem.

Hij had heel wat tijd besteed aan het terug redeneren wanneer haar ontrouw was begonnen. Zijn conclusie? Toen ze nog net geen twee jaar waren getrouwd, op het moment dat ze beweerde dat ze moest overwerken, toen ze in haar eentje weekendjes weg was gegaan om zich 'op te laden', toen er van hun seksleven niets meer over was.

Hij schreef de geschatte datum, haar naam en de namen van haar beste vrienden, familieleden en collega's op. Vervolgens trok hij een streep vanaf een van die namen. Eden Suskind. Zowel een vage vriendin en collega als de vrouw van Justin Suskind, die Lindsays minnaar was geweest in de periode voorafgaand aan haar dood.

Eli omcirkelde Justin Suskinds naam, waarna hij verderging met zijn aantekeningen.

Eden had haar overspelige man op de avond van de moord op Lindsay een alibi gegeven. Bovendien had hij nauwelijks een motief. Al het bewijs wees erop dat hij Lindsay mee had willen nemen voor een romantisch weekendje naar Maine, naar een hotel dat hun lievelingshotel bleek te zijn.

Suskinds vrouw had beslist geen reden om voor hem te liegen. Ze was vernederd en ontdaan geweest toen zijn verhouding met Lindsay aan het licht was gekomen.

Eli's privédetective had de mogelijkheid van een voormalige of een tweede minnaar onderzocht, eentje die de confrontatie met Lindsay was aangegaan en haar had vermoord in een vlaag van woede en hartstocht. Maar die poging was op niets uitgelopen.

Tot dusver, dacht Eli.

Ze had die avond iemand binnengelaten. Er waren geen sporen van braak geweest, geen tekenen van een worsteling. Haar telefoon- en e-mailgegevens, zowel van thuis als van haar werk, hadden geen enkel contact laten zien met iemand die niet was vrijgepleit. Maar ja, Wolfe had zich uitsluitend op hem geconcentreerd en Eli's detective kon iets over het hoofd hebben gezien.

Plichtsgetrouw schreef Eli alle namen op die hij zich kon herinneren, tot en met die van haar kapper.

Na twee uur had hij verscheidene bladzijden van de blocnote volgeschreven, had hij verwijzingen, onbeantwoorde vragen, twee aanvallen, als hij de val van zijn oma meetelde, en een tweede moord.

Hij besloot een wandeling te gaan maken om alles te laten bezinken.

Opeens besefte hij dat hij zich prima voelde. Ondanks, of wellicht door zijn pijnlijke spieren, voelde hij zich verrekte goed. Want toen hij de bibliotheek uit liep, wist hij dat hij zich geen tweede keer van zijn stuk zou laten brengen.

De moordenaar van Kirby Duncan had hem op een afschuwelijke manier een plezier gedaan.

12

Abra belde eerst aan, zowel uit beleefdheid als uit behoefte aan een beetje hulp. Toen er niet open werd gedaan, haalde ze haar huissleutel tevoorschijn en deed de deur van het slot. Daarna worstelde ze zich met haar massagetafel naar binnen. Na een automatische blik te hebben geworpen op het alarmdisplay met het knipperende lichtje, mompelde ze de nieuwe code en toetste deze in.

'Eli! Ben je daar? Ik kan wel even wat hulp gebruiken.'

Toen het stil bleef, slaakte ze een zucht en gebruikte haar tafel om de deur open te zetten, waarna ze terugging naar haar auto om de boodschappentassen te halen.

Die droeg ze naar binnen, zette ze neer en droeg vervolgens haar tafel en haar forse schoudertas de grote salon in. Ze ging weer terug om de boodschappentassen te halen en bracht deze naar de keuken.

Nadat ze de boodschappen had opgeborgen en de bon op het kleine prikbord had geprikt, haalde ze de bak met aardappel-hamsoep die ze 's middags had gemaakt uit een tas, plus het bierbrood dat ze had gebakken en, aangezien hij ze heerlijk scheen te vinden, de rest van haar chocolate chip-koekjes.

In plaats van hem te zoeken, liep ze terug om haar tafel op te zetten en de kaarsen die ze had uitgekozen te rangschikken. Ze pookte het vuur op en legde er nog een houtblok op. Misschien was hij van plan om met een smoes aan te komen dat hij zijn geplande massage niet wilde of niet nodig had, maar dat zou hem niet gemakkelijk afgaan nu zij alles al had voorbereid.

Tevreden drentelde ze naar boven voor het geval hij zo opging in zijn werk dat hij haar niet had gehoord, onder de douche stond of in de fitnesskamer was.

Ze vond hem niet, maar ze ontdekte dat het dekbed omhoogtrekken zijn manier was om het bed op te maken. Ze sloeg het uit en klopte de kussens op – in haar optiek was een keurig bed de beste plek om uit te rusten – vouwde de sweater op die hij op een stoel had gegooid en gooide de sokken die op de grond lagen in de wasmand.

Ze slenterde de kamer weer uit en probeerde de fitnesskamer. Ze beschouwde de yogamat die op de grond lag als een positief teken. Nieuwsgierig neusde ze rond door zijn vleugel op de eerste verdieping en ging toen weer naar beneden om daar rond te kijken. Ze zag het gele blocnote, het lege bord en bierflesje (hij had tenminste een onderzetter gebruikt) op het prachtige oude bureau.

'Waar ben je mee bezig, Eli?' Ze pakte het bord en het flesje op terwijl ze de bovenste pagina las. 'Hé, dit is interessant.'

Ze kende niet alle namen, maar ze volgde de lijnen die hen verbond, de pijlen en de gekrabbelde aantekeningen. Tussen de aantekeningen door stonden een paar goede schetsen. Hij had het talent van zijn oma geërfd, dacht ze. Ze herkende rechercheur Wolfe met duivelshoorntjes, zijn mond vertrokken tot een sneer waarbij scherpe tanden zichtbaar waren.

Verder bladerend – hij had hier duidelijk heel wat tijd aan besteed, peinsde ze – las ze haar eigen naam, en de connecties daarvan met Hester, Vinnie, hem en Duncan Kirby.

Tot haar verrukking was er ook een schets van haar. Hij had haar liggend op het zand, aan de waterkant getekend, met een zeemeerminnenstaart die opgekruld lag vanaf haar taille.

Ze liet haar vingers over de staart gaan, waarna ze verder las.

Hij had een tijdlijn gemaakt van de avond waarop Duncan was gestorven, eentje die behoorlijk overeenkwam met haar eigen herinneringen aan de gebeurtenissen. En hij had het tijdstip van overlijden tussen middernacht en vijf uur 's ochtends geplaatst.

Dus de politie had ook met hem gesproken, net als met haar.

Dat kon niet plezierig zijn geweest. Aangezien zijn auto voor het huis stond, moest hij te voet op pad zijn gegaan. Zij had soep gemaakt, brood gebakken en een korte yogasessie gedaan om te kalmeren na het politiebezoekje. Ze vermoedde dat Eli zijn spanning had uitgeleefd op de aantekeningen. En dat hij nu de rest probeerde kwijt te raken door een wandeling te maken.

Mooi zo.

Ze bracht het bord en het flesje naar de keuken en liep daarna het terras op. Tot haar verbazing stond de telescoop daar en ze ging erheen. Toen ze door het oculair keek, vulde de vuurtoren haar blikveld.

Dat kon ze hem niet kwalijk nemen. Sterker nog, ze wenste dat ze zelf een telescoop had. Wrijvend over haar armen tegen de kou, liep ze naar de rand van het terras om naar het strand te kijken.

Daar had je hem, dacht ze. Handen in de zakken, schouders een beetje opgetrokken tegen de wind. Ze bleef kijken tot ze hem naar de strandtrap zag lopen.

Ze ging weer naar binnen en schonk twee glazen wijn in, die ze vervolgens meenam naar de deur om hem op te wachten.

'Wat een prachtige dag, hè?' Ze gaf hem een van de glazen. 'Als je goed genoeg je best doet, kun je de voorbode van de lente bijna ruiken.'

'Lente? Mijn oren zijn bevroren.'

'Dan had je ook een muts moeten opzetten. Ik heb het vuur in de grote salon weer opgestookt.'

Maar zijn blik was al op het aanrecht gericht. 'En je hebt meer koekjes meegenomen.'

'Die zijn voor straks.' Ze ging zo staan dat hij er niet bij kon. 'Na de wijn, een goed gesprek, een massage, gevolgd door de overheerlijke hamaardappelsoep en het bierbrood dat ik vanmiddag heb gemaakt.'

'Heb je soep én brood gemaakt?'

'Ik beschouwde het als therapie na mijn gesprek met de politie. Jij plukt er de vruchten van. Ze zijn hier ook geweest.'

'Ja, dat klopt.'

'Vertel me er maar over terwijl we deze wijn drinken. Of moet ik mijn verhaal eerst doen?'

'Chronologische volgorde.' Hij trok zijn jack uit en gooide die op een keukenkruk. 'Wat nou?' vroeg hij toen ze hem met opgetrokken wenkbrauwen aankeek.

'Heeft je moeder je niet geleerd om je spullen op te hangen?'

'Jezus nog aan toe,' mompelde hij, maar hij griste het jack van de kruk en liep ermee naar de bijkeuken om het op een haak te hangen. 'Zo. Beter?'

‘Veel beter. Als we het chronologisch doen, moet ik eerst.’ Impulsief pakte ze de fles wijn. ‘Voor het geval dat,’ zei ze, toen ze naar de grote salon liep.

‘Heb jij dit allemaal klaargezet?’ vroeg hij toen hij de massagetafel zag.

‘Jazeker, en haal die vreemde gedachten maar snel uit je hoofd. Een massage is een massage, seks is seks. Misschien zul je ze ooit samen krijgen, maar niet als ik jou geld in rekening breng. En dat doe ik.’

‘Voor de massage of de seks, want ik wil van tevoren wel het tarief weten.’

‘Je bent heel ad rem als je niet loopt te piekeren.’ Ze ging op de bank zitten en krulde haar benen op. ‘Nou, het komt erop neer dat ik twee rechercheurs, eentje van hier en eentje uit Boston, precies moest vertellen wat er donderdagavond is gebeurd toen ik hierheen ging om te kijken of de ramen dicht waren. Daarna moest ik terug naar mijn gesprek met Duncan in de kelder van de kerk. Ook moest ik vertellen hoe laat jij terugkwam uit Boston en mij aantrof bij Mike en Maureen, en wanneer we hier waren om met Vinnie te praten. Wat ik tegen hem heb gezegd, wat jij zei, wat hij zei, maar dat weet jij allemaal al. Dat we naar de kelder zijn gegaan en daar na een poosje het grote gat hebben gevonden, en ik heb bevestigd dat ik ben blijven slapen aangezien ik precies op deze plek in slaap ben gevallen. Hoe laat ik ben opgestaan, wat rond zessen was. Hoe laat ik overwoog om naar boven te gaan en bij jou in bed te kruipen, al vond ik het niet nodig om hun dat te vertellen.’

‘Kennelijk vond je het ook niet nodig om het mij te vertellen, tot nu toe.’

‘Nee, dat is waar. Jij sliep als een blok. Ik ben wel naar boven gegaan,’ voegde ze eraan toe.

Hij kneep zijn ogen tot spleetjes. ‘Ben je die ochtend naar boven gekomen?’

‘Inderdaad. Ik werd een beetje onrustig wakker, nog wat overgebleven stress, denk ik. En ik was heel blij dat ik niet alleen was, maar omdat alles van de avond ervoor nog in mijn hoofd rondspookte, voelde ik me hier beneden wel alleen. Ik ben naar boven gegaan om te kijken of jij toevallig wakker was, maar dat was niet zo. Ik heb overwogen om je wakker te maken, maar heb toch maar besloten dat niet te doen. Door jouw aanblik voelde ik me namelijk niet meer alleen hier beneden.'

'Je had me wel wakker moeten maken. Afhankelijk van de manier waarop je dat deed, had je boven kunnen blijven of zou ik met je mee naar beneden zijn gegaan, zodat je niet langer alleen was.'

'Dat is wijsheid achteraf. Ik heb tegen de politie gezegd dat ik vroeg naar boven ben gegaan, zag dat jij nog sliep en toen weer naar beneden ben gegaan. Ik kreeg de stellige indruk dat jouw rechercheur Wolfe mij een vuile slet en een vieze leugenaar vindt.'

'Hij is niet míjn rechercheur Wolfe.'

'Hij vindt van wel.' Abra nam een slokje wijn. 'Ik heb het helemaal met ze doorgenomen. Ik ging weer naar beneden, heb koffiegezet, wat fruit gegeten, wat meloen, ananas en andere dingen voor jou in stukjes gesneden, een omelet gemaakt en die voor je warm gehouden. Ik heb een briefje voor je geschreven en ben naar huis gegaan, waar ik eerst heb gemediteerd en me daarna heb verkleed voor een vroege les.'

'Toen ze hier kwamen, wisten ze al dat ik Duncan onmogelijk kon hebben vermoord. Ik had niet genoeg tijd om daarna naar Boston te rijden en zijn kantoor en appartement te doorzoeken en er vervolgens weer terug te komen.'

'Zijn kantoor? In Boston? Wat hoor ik nou?'

'Blijkbaar heeft iemand Duncans kantoor en appartement in Boston overhoopgehaald en al zijn dossiers en computers meegenomen. Wat erop wijst dat zijn cliënt hem heeft vermoord, tenzij je ervan overtuigd bent dat ik dat heb gedaan. Maar ze hadden al met jou gesproken, dus ze wisten dat jij me hier om bijna twee uur 's nachts had gezien. Het zou niet alleen lastig zijn geweest voor mij om dat in vier uur voor elkaar te krijgen, het zou zelfs onmogelijk zijn geweest. Ze wisten dat er niet genoeg tijd was.'

'Dat ligt eraan.' Ze nam nog een slok. 'Als je Wolfe bent en ik ben een vuile, leugenachtige slet, dan zou je mij kunnen zien als medemoordenaar.'

'Godsamme.' Eli zette zijn glas neer en drukte de muizen van zijn hand tegen zijn ogen. 'Het spijt me.'

'O, houd je mond toch. Jij insinueert niet dat ik een vuile, leugenachtige sletterige medemoordenaar ben. Wolfe is er heilig van overtuigd dat jij

Lindsay hebt vermoord, wat betekent dat je ook Duncan moet hebben omgebracht, wat weer wil zeggen dat ik een vuile, leugenachtige... enzovoort ben. Dat soort mensen ken ik. Ze geloven heilig in hun eigen gelijk, dus alles wat dat gelijk in twijfel trekt, is een leugen, een ontwijking, een vergissing.'

Ze nam nog een grote slok. 'Van dat soort mensen word ik... ongeduldig.'

'Ongeduldig?'

'Ja, en vlak daarna maken ze me echt kwaad. Die andere rechercheur... Corbett, die geloofde er niks van. Hij was heel voorzichtig, maar hij geloofde niet dat ik met jou heb samengespannen om Duncan te vermoorden, en hij was ook niet bijster geïnteresseerd in Wolfes vragen die niet alleen suggereerden dat wij elkaar al lang kenden voor jij terugkeerde naar Whiskey Beach, maar ook dat we een vurige, geheime verhouding hadden, wat natuurlijk betekent dat we allebei medeplichtig zijn aan Lindsays dood.'

Ze verschoof een stukje en nam onbewust dezelfde houding aan als de zeemeermin. 'Ik heb hem heel eerlijk verteld dat ik nog niet heb besloten of ik wel of niet opwindende seks met je ga hebben, maar dat ik er wel naar neig. Maar als het gebeurt, zal het geen geheim zijn en ook niet per se als verhouding bestempeld worden, zoals hij die definieert, aangezien we geen van beiden getrouwd zijn of een relatie met een ander hebben.'

'Je hebt tegen ze gezegd...' Eli slaakte een zucht en pakte zijn wijn weer.

'Ja, kijk, hij maakte me eerst ongeduldig en toen kwaad. Heel kwaad zelfs, en daar is bij mij flink wat voor nodig. Opeens ben ik een leugenaar, een bedriegster, iemand die andermans relatie verpest, een slet én een moordenaar. Alleen omdat hij het niet kan hebben dat hij het verkeerde spoor heeft gevolgd en jij niemand hebt omgebracht. De klootzak.' Ze schonk haar glas bij en gaf de fles aan Eli, maar hij schudde zijn hoofd. 'Goed. Jouw beurt.'

'Er valt niet veel aan toe te voegen. Ik heb ze verteld hoe het is gegaan, wat overeenkomt met jouw verhaal en dat van Vinnie. Wolfe denkt overigens dat hij een corrupte agent is, wat goed past bij mijn andere vriend, de vuile, leugenachtige slet.'

'En medemoordenaar,' hielp Abra hem herinneren, haar glas opheffend.

'Je vat het nogal goed op.'

'Ja nu, nadat ik aardappels heb geschild en in blokjes gesneden en een glas wijn op heb. Maar ga eens even terug. Er heeft dus iemand ingebroken in Duncans kantoor en appartement in Boston, en nu zijn er geen gegevens meer over zijn cliënten, ook niet van degene die hem heeft ingehuurd om jou na te trekken. En al zijn spullen zijn weggehaald uit de B&B. En daarom is het een bijzonder logische stap naar die cliënt. Tot die conclusie moet de politie ook komen.'

'Wolfe niet. Ik ben zijn verdomde witte walvis.'

'Ik heb een bloedhekel aan dat boek. Maar goed, niemand die Vinnie kent, zal geloven dat hij corrupt is. En wij hebben elkaar pas leren kennen toen jij hier kwam wonen, daar kan niks anders van worden gemaakt. Tel daar mijn seksuele onthouding bij op, en het is echt heel lastig om mij als een vuile slet te beschouwen. Dat alles werkt in jouw voordeel, Eli.'

'Ik maak me ook geen zorgen. Nee, echt niet,' hield hij vol toen zij alleen maar haar wenkbrauwen optrok. 'Dat is niet mijn reactie. Ik ben geïnteresseerd. Het is heel lang geleden dat ik me ergens voor interesseerde, behalve voor het schrijven dan. Maar ik wil dit echt graag uitzoeken.'

'Heel goed. Iedereen heeft een hobby nodig.'

'Hoor ik daar sarcasme?'

'Nee, niet echt. Je bent geen agent of onderzoeker, maar je bent er wel bij betrokken. En dat ben ik nu ook. Dus hebben we een gedeelde hobby. Volledige openheid van zaken. Ik heb jouw aantekeningen in de bibliotheek gezien.'

'Oké.'

'Als je iets hebt wat ik niet mag zien, zoals die prachtige schets van mij als zeemeermin – en ik zou het geweldig vinden als je die opnieuw zou maken op goed papier zodat ik hem kan krijgen – dan moet je het opbergen. Ik heb een sleutel en ik ben van plan om daar gebruik van te blijven maken. Ik zocht je.'

'Oké.' Hij voelde zich een beetje ongemakkelijk vanwege het tekeningetje. 'Soms kan ik beter denken als ik wat zit te krabbelen.'

'Dat was meer dan krabbelen, dat was tekenen. Wat ik doe is krabbelen, en dat lijkt op mislukte ballondieren. Ik vond de duivelse Wolfe ook leuk.'

'Ja, die vond ik zelf ook wel geslaagd.'

'Precies, en het tekenen hielp je denken. De personages, de verbanden tussen de verschillende mensen, de tijdlijnen en factoren. Alles was er en alles was volkomen logisch. Dat lijkt me een goed begin. Ik denk dat ik zelf ook aantekeningen ga maken.'

Hij dacht even na. 'Hij zal je grondig natrekken. Wolfe, bedoel ik. En als hij dat doet, zal hij geen enkel contact tussen ons vinden voor ik hierheen verhuisde. Ook zal hij niks vinden wat aannemelijk maakt dat jij een leugenachtige, moordende, vuile slet bent.'

'Hoe weet jij dat nou?' Met een glimlach keek ze hem aan. 'Ik heb je mijn verhaal nog niet verteld. Misschien ben ik wel een voormalige vuile slet met moordzuchtige neigingen.'

'Vertel me je verhaal, dan zal ik daar zelf over oordelen.'

'Dat zal ik doen. Maar later. Nu is het tijd voor jouw massage.'

Hij wierp een ongemakkelijke blik op de tafel.

'Je eerbaarheid is veilig bij me.' Ze stond op. 'Dit is geen voorspel.'

'Ik vraag me steeds af hoe het is om met jou naar bed te gaan.' Eigenlijk wilde hij haar het liefst de kleren van het lijf scheuren en haar berijden als een hitsige hengst, maar het leek... lomp om dat te zeggen.

'Ik zou teleurgesteld zijn als dat niet zo was, maar dat zal het komende uur niet gebeuren. Kleed je uit en ga op je rug op tafel liggen. Ik ga even mijn handen wassen.'

'Je bent bazig.'

'Dat kan ik zeker zijn, en hoewel dat een onvolkomenheid is, en ik mijn best doe om er iets aan te veranderen, wil ik ook weer niet volmaakt zijn. Dan zou ik mezelf vervelen.' Ze liet een hand langs zijn arm glijden toen ze de kamer uit liep.

Omdat het niet het juiste moment leek om haar de kleren van het lijf te rukken, trok hij die van zichzelf maar uit.

Het was gek om bloot onder het laken te liggen. Het voelde nog vreemder toen ze terugkwam en haar natuurmuziek opzette en kaarsen aanstak.

Toen begonnen haar magische vingers bij zijn hals, de bovenkant van zijn schouders, en moest hij zich de vraag stellen of het gek was wanneer het verlangen naar seks naar de achtergrond verdween.

‘Denk toch niet zo hard na,’ mompelde ze. ‘Laat het los.’

Hij dacht aan niet nadenken. Hij deed zijn best om aan iets anders te denken. Hij probeerde zijn boek te gebruiken, maar de problemen van zijn personages sijpelden weg, tezamen met zijn spierpijntjes.

Terwijl hij zijn best deed om helemaal niet te denken, aan iets anders te denken of om zijn boek als ontsnapping te gebruiken, liet zij knopen verdwijnen, verzachtte ze pijntjes en liet ze de hete plekjes van spanning wegsmelten.

Op haar bevel rolde hij op zijn buik en bedacht dat ze alle problemen van oorlog, economie en verbitterde gevechten kon oplossen door de sleutelfiguren een uurtje op haar tafel onder handen te nemen.

‘Je hebt getraind.’

Haar stem streelde hem even behendig als haar handen.

‘Ja, een beetje.’

‘Ik kan het voelen. Maar je rug is nog steeds één en al spanning, liefje.’

Hij probeerde te bedenken wanneer hij voor het laatst door iemand, inclusief zijn moeder, ‘liefje’ was genoemd.

‘Ik heb een paar interessante dagen achter de rug.’

‘Hmm. Ik zal je wat rekoefeningen voordoen, om de spanning te verlichten. Elke keer dat je opstaat van je toetsenbord moet je een paar minuutjes nemen om die te doen.’

Ze trok, duwde, verdraaide, rukte, verpletterde en wreef daarna elk schokje weg tot hij zo slap als een vaatdoek op de tafel lag.

‘Hoe gaat het?’ vroeg ze, toen ze het laken waar hij onder lag gladstreek.

‘Ik geloof dat ik God heb gezien.’

‘En hoe zag ze eruit?’

Hij liet een gesmoorde lach horen. ‘Nogal sexy, als je het wilt weten.’

‘Dat vermoedde ik altijd al. Neem de tijd om op te staan. Ik kom over een paar minuten terug.’

Hij was erin geslaagd om overeind te gaan zitten en het laken min of meer om de belangrijkste delen te wikkelen toen ze terugkwam met een glas water.

‘Helemaal opdrinken.’ Ze deed zijn handen eromheen en veegde daarna het haar van haar voorhoofd. ‘Je ziet er ontspannen uit.’

'Er is een woord dat tussen ontspannen en bewusteloos in zit. Ik kan er even niet opkomen, maar zo voel ik me.'

'Dat is een aangename plek. Ik ga naar de keuken.'

'Abra.' Hij pakte haar hand. 'Het klinkt als een slap cliché, maar ik ga het toch zeggen. Je hebt een gave.'

Haar glimlach was prachtig. 'Dat vind ik helemaal niet als een slap cliché klinken. Neem de tijd.'

Toen hij de keuken in kwam, stond de soep warm te worden op het fornuis en had ze een glas wijn in haar hand. 'Heb je honger?'

'Daarnet niet, maar dat ruikt verdraaid lekker.'

'Heb je de energie om eerst nog een strandwandeling te maken?'

'Ik denk het wel.'

'Fijn. Het licht op dit uur is zo zacht en mooi. We zullen ervoor zorgen dat we honger krijgen.' Ze ging hem voor naar de bijkeuken zodat ze hun jack konden pakken, en ze ritste haar hoodie dicht.

'Ik heb daarstraks door de telescoop gekeken,' zei ze tegen hem toen ze naar buiten stapten. 'Dat is er een goeie plek voor.'

'Ik heb wat forensisch rechercheurs bezig gezien bij de vuurtoren.'

'Moord komt eigenlijk nooit voor in Whiskey Beach, en dodelijke ongevallen trekken geen toeristen. Het is belangrijk om grondig te zijn. En hoe grondiger ze zijn, hoe beter het voor jou is.'

'Dat kan zijn, maar toch heeft het iets met mij te maken. De plaatselijke agent vroeg of er wapens in het huis waren. Ik heb een slag om de arm gehouden, omdat ik ineens bang werd dat de inbreker iets uit de wapencollectie had gepakt om Duncan neer te schieten.'

'Jezus. Daar heb ik nooit bij stilgestaan.'

'Jij bent ook nog nooit de hoofdverdachte in een moordonderzoek geweest. Maar goed, alle wapens liggen op hun plaats, veilig opgeborgen in hun kast. Wanneer ze hun huiszoekingsbevel krijgen, en dat zal ze lukken, nemen ze die waarschijnlijk allemaal mee voor onderzoek. Maar dan weten ze al dat geen van de wapens in Bluff House is gebruikt om Duncan te vermoorden.'

'Want dan weten ze welk kaliber is gebruikt en eventueel ook welk soort wapen. Ik heb meer dan genoeg tv-programma's à la CSI bekeken,' voegde ze eraan toe. 'In die kast liggen antieke wapens. Ik denk niet dat Duncan is vermoord met een musket of duelleerpistool.'

'De kans is niet erg groot.'

'Hoe dan ook, we doen ons eerdere werk teniet door over agenten en moord te praten.' Ze schudde haar haar naar achteren toen ze bij de onderste tree van de strandtrap kwamen, en ze hief haar gezicht op naar het zachter wordende blauw van de avondhemel. 'Wil je weten waarom ik in Whiskey Beach ben komen wonen? Waarom dit mijn plekje is?'

'Ja, graag.'

'Ik zal het je vertellen. Het is een goed verhaal tijdens een strandwandeling. Ik moet wel een poos terug in de tijd, om de achtergrond te schetsen.'

'Eerst heb ik een vraag, want ik heb geprobeerd ernaar te raden. Wat deed je voor je hier kwam en jouw massage/yoga/sieraden maken/schoonmaakbedrijf begon?'

'Bedoel je beroepsmatig? Ik was de directeur marketing voor een nonprofitorganisatie in Washington D.C.'

Hij keek naar haar; de talloze ringen om haar vingers, krullen die alle kanten opvlogen. 'Nee, dat stond niet in mijn toptien.'

Ze gaf hem een por met haar elleboog. 'Ik heb bedrijfskunde gestudeerd aan Northwestern University.'

'Echt waar?'

'Jazeker, en ik ga te snel. Mijn moeder is een wonderbaarlijke vrouw. Een bijzonder slimme, toegewijde, dappere vrouw die zich voor honderd procent inzet. Ze kreeg mij toen ze nog studeerde en mijn vader besloot dat het gezinsleven te veel voor hem was, en daarom gingen ze uit elkaar toen ik twee was. Hij maakt niet echt deel uit van mijn leven.'

'Dat spijt me.'

'Het speet mij ook een poosje, maar ik ben eroverheen gekomen. Mijn moeder is mensenrechtenadvocaat. We reisden veel, als het even kon nam ze me mee. Als het niet lukte, woonde ik bij mijn tante, haar zus, of bij haar ouders. Maar meestal was ik bij haar. Ik heb een uitzonderlijke opleiding in wereldbeschouwing gekregen.'

'Wacht eens eventjes. Wacht.' Door het plotselinge besef keek hij haar met open mond aan. 'Is Jane Walsh jouw moeder?'

'Ja. Ken je haar?'

‘Ik heb van haar gehoord. Jezus, Jane Walsh? Ze heeft de Nobelprijs voor de vrede gewonnen.’

‘Ik zei toch dat ze een wonderbaarlijke vrouw is? Toen ik klein was, wilde ik later precies zo worden als zij, maar ja, wie zou dat niet willen?’ Abra hief haar armen hoog op en sloot haar ogen om de wind te verwelkomen. ‘Ze is er een uit duizenden. Of een uit miljoenen, als je het mij vraagt. Ze heeft me liefde en mededogen bijgebracht, net als moed en rechtvaardigheid. Aanvankelijk meende ik direct in haar voetsporen te kunnen treden door rechten te gaan studeren, maar god nog aan toe, dat was echt niks voor mij.’

‘Was ze teleurgesteld?’

‘Nee. Een andere essentiële les die ze me heeft geleerd is dat je jouw eigen dromen en verlangens moet volgen.’ Onder het lopen stak ze haar arm door de zijne. ‘Was jouw vader teleurgesteld dat je niet in zijn voetsporen bent getreden?’

‘Nee. Daar mogen wij dus allebei blij mee zijn.’

‘Zeg dat wel. Dus ik ben bedrijfskunde gaan doen, en dan vooral gericht op het werken in de non-profitsector. Ik was er heel goed in.’

‘Dat geloof ik graag.’

‘Ik had het idee dat ik een bijdrage leverde, en hoewel het niet altijd als de volmaakte keuze voelde, kwam het in de buurt. Ik hield van mijn leven en mijn vriendenkring. Ik ontmoette Derrick op een benefietavond die ik had georganiseerd. Hij was ook advocaat. Kennelijk voel ik me tot die beroepsgroep aangetrokken.’

Ze zweeg even en staarde naar de oceaan. ‘God, wat is het hier toch mooi. Elke dag kijk ik naar de zee en bedenk me wat een bofkont ik ben. Mijn moeder zit nu in Afghanistan, waar ze met én voor Afghaanse vrouwen werkt. En ik weet dat we allebei precies op de plek zijn waar we moeten zijn en doen wat we moeten doen. Maar een paar jaar geleden woonde ik in D.C. met een kast vol mantelpakjes, een overvol bureau, een drukke agenda en leek Derrick de juiste keuze op het juiste moment.’

‘Maar dat was hij niet.’

‘Op een vreemde manier wel. Slim, charmant, intens, ambitieus. Hij begreep mijn werk en ik het zijne. De seks was bevredigend, de gesprekken interessant. De eerste keer dat hij me sloeg, maakte ik mezelf wijs dat het een vreselijke vergissing was, een uitzondering, een slecht moment veroorzaakt door stress.'

Omdat ze Eli voelde verstijven, wreef ze met haar vrije hand over de arm die door de hare was gehaakt. 'Ik had zijn driftigheid aangezien voor hartstocht en dacht dat zijn bezitterigheid vleiend was. De tweede keer dat hij me sloeg, ben ik vertrokken. Een keer kan een vreselijke vergissing zijn, maar twee keer is het begin van een patroon.'

Hij legde zijn andere hand over degene die ze op zijn arm had gedrukt. 'Sommige mensen zien het patroon niet als ze er middenin zitten.'

'Dat weet ik. Ik heb met heel veel vrouwen in hulpgroepen gepraat en ik begrijp hoe je je kunt laten overreden om de verontschuldiging te aanvaarden, of om te geloven dat je de mishandeling verdient. Ik ben heel snel vertrokken.'

'Je hebt hem niet aangegeven.'

Nu zuchtte ze. 'Nee, dat heb ik niet gedaan. Ik wilde dat mijn vertrek voldoende zou zijn. Waarom zou ik zijn carrière schade toebrengen of zelf in een schandaal verwikkeld raken? Ik heb kort vrij genomen, zodat ik mijn blauwe oog niet hoefde uit te leggen aan collega's en vrienden. Ik ben een week hiernaartoe gegaan.'

'Naar Whiskey Beach?'

'Ja. Ik was hier jaren geleden een keer met mijn moeder geweest, en daarna nog eens met mijn tante en haar gezin. Ik had gelukkige herinneringen aan dit dorp, dus heb ik een cottage gehuurd en op het strand gewandeld. Ik dacht dat ik mezelf tijd gaf om te genezen.'

'Heb je het aan niemand verteld?'

'Toen niet. Ik had een vergissing begaan en ik hield mezelf voor dat ik die had rechtgezet en dat ik de draad van mijn leven weer op moest pakken. En hoe stom het ook was, ik schaamde me. Na mijn vakantie ging ik weer aan het werk, maar niets leek echt juist. Vrienden namen contact met me op om te vragen wat er aan de hand was. Ze zeiden dat Derrick hen had gebeld en had gezegd dat ik was ingestort, wat mij in de, voor mij, vernederende positie bracht dat ik moest zeggen dat hij me had geslagen en ik bij hem was weggegaan.'

'Maar hij had twijfel gezaaid.'

Ze keek naar hem op. 'Dat is nog een patroon, is het niet? Ja, hij had twijfel gezaaid, en zo overtuigend dat iets van die twijfel wortel schoot. Hij kende veel mensen en hij was slim en kwaad. Hij gaf hier en daar hints dat ik niet stabiel was. En hij stalkte me. Het probleem is dat degene die gestalkt wordt zich daar niet altijd van bewust is. Dat ontdekte ik pas toen ik een nieuwe man leerde kennen, al hielden we het oppervlakkig. Heel oppervlakkig. Kijk.'

Ze wees naar een pelikaan die over het water scheerde en toen snel omlaag dook om zijn avondmaal te vangen.

'Ik probeer medelijden te hebben met de vissen, maar ik kijk zo graag naar de pelikanen hier. Ze hebben zo'n gekke vorm, bijna onbevallig, zoals een eland, maar als ze hun vleugels intrekken worden ze ineens gestroomlijnd en duiken ze als een speer omlaag.'

Eli draaide haar zo dat ze hem aankeek. 'Hij heeft je weer pijn gedaan.'

'O god, ja. In meer dan één opzicht. Ik moet het afmaken. Het heeft geen nut om alle details te vertellen. Mijn baas kreeg anonieme briefjes over mijn gedrag, dat ik me te buiten ging aan drugs, alcohol en seks, dat ik seks gebruikte om donoren te beïnvloeden. Het waren er zo veel dat hij me uiteindelijk bij zich riep en me ondervroeg. En weer moest ik mezelf vernederen, zo voelde het destijds tenminste, door hem over Derrick te vertellen. Mijn chef heeft met zijn chef gesproken en toen brak de hel los.'

Ze haalde diep en zorgvuldig adem. 'Eerst waren het nare kleine dingen. Mijn banden werden lek gestoken, mijn auto met een sleutel bekrast. Mijn telefoon ging herhaaldelijk midden in de nacht, waarna er werd opgehangen. Iemand bleek mijn reserveringen voor lunch of diner te hebben afgezegd. Mijn computers, thuis en op mijn werk, werden gehackt. Bij de man met wie ik af en toe uitging werden de autoruiten ingeslagen, en er werden anonieme klachten, bijzonder ernstige, naar zijn baas gestuurd. We zijn uit elkaar gegaan. Het was geen serieuze relatie, en dat leek het gemakkelijkst.'

'Wat deed de politie?'

'Die heeft met hem gepraat, maar hij ontkende alles. Hij is bijzonder overtuigend. Hij zei dat hij het had uitgemaakt met mij omdat ik te bezitterig was, en gewelddadig was geworden. Hij beweerde dat hij zich zorgen over me maakte en hoopte dat ik hulp zou zoeken.'

'Een beetje goede agent zou daar doorheen hebben geprikt.'

'Ik geloof ook dat ze dat deden, maar ze konden niet bewijzen dat hij iets had gedaan. Het ging maar door, kleine dingen, grotere dingen, ruim drie maanden lang. Ik was voortdurend gespannen en daar leed mijn werk onder. Hij dook op in restaurants waar ik lunchte of dineerde. Of ik keek uit het raam van mijn appartement en dan zag ik zijn auto voorbijrijden, of ik meende die te zien. We bewogen ons in dezelfde kringen, we woonden en werkten ruwweg in hetzelfde gebied. Maar omdat hij me nooit persoonlijk benaderde, kon de politie niets doen.

Op een dag ben ik ontploft toen hij heel kalm het restaurant binnenliep waar ik zat te lunchen met een collega. Ik ben naar hem toe gestapt en heb hem gezegd dat hij me verdomme met rust moest laten. Ik heb hem uitgescholden en een vreselijke scène getrapt tot mijn collegaatje me mee naar buiten trok.'

'Hij had je gek gemaakt,' mompelde Eli.

'Volledig. Hij bleef uiterst kalm tijdens mijn tirade, of dat dacht ik tenminste. En die avond heeft hij ingebroken in mijn appartement. Hij wachtte me op toen ik thuiskwam. Hij was compleet buiten zinnen. Ik vocht terug, maar hij was veel sterker. Hij had een mes, een van mijn keukenmessen, en ik dacht dat hij me zou vermoorden. Ik probeerde te ontsnappen, maar hij kreeg me te pakken en we worstelden en hij sneed me.'

Eli bleef plotseling staan, draaide zich om en nam haar beide handen in de zijne.

'Langs mijn ribben. Ik weet nog altijd niet of het per ongeluk ging, of dat het zijn bedoeling was, maar ik dacht dat ik elk moment dood kon gaan en begon te gillen. In plaats van het mes, gebruikte hij toen zijn vuisten. Hij stompte me, wurgde me en was bezig me te verkrachten toen mijn buren de deur intrapten. Ze hadden me horen gillen en de politie gebeld, maar godzijdank hebben ze niet gewacht tot die kwam. Ik ben ervan overtuigd dat hij me met zijn blote handen zou hebben vermoord als zij hem op dat moment niet hadden tegengehouden.'

Hij sloeg zijn armen om haar heen en ze leunde tegen hem aan. Ze wist dat veel mannen een stap terug zouden doen bij het horen van het woord 'verkrachting', maar dat gold niet voor Eli.

Ze draaide zich weer om en liep door, gesteund door zijn arm die om haar middel lag. 'Deze keer had ik meer dan alleen een blauw oog. Mijn moeder was in Afrika en kwam op stel en sprong terug. Jij weet precies hoe de hele procedure in zijn werk gaat; de tests, de politieondervragingen, de therapeuten, de advocaten. Het is verschrikkelijk om alles opnieuw te moeten beleven, en ik was kwaad omdat iedereen me als slachtoffer beschouwde. Tot ik leerde aanvaarden dat ik een slachtoffer wás, maar dat niet hoefde te blijven. Uiteindelijk was ik blij dat hij schuld bekende in ruil voor strafvermindering, zodat ik niet alles opnieuw hoefde op te rakelen tijdens een rechtszaak. Hij verdween in de gevangenis en mijn moeder nam me mee naar het platteland. Naar het zomerhuis van vrienden in de Laurel Highlands. Ze gaf me de ruimte, maar niet te veel. Ze gaf me tijd, lange, rustige wandelingen, lange huilbuien en nachtelijke baksessies onder het genot van glazen tequila. God, o god, ze is echt een vrouw uit duizenden.'

'Ik wil haar graag een keer ontmoeten.'

'Misschien gebeurt dat wel. Ze heeft me een maand de tijd gegeven, en toen vroeg ze wat ik wilde doen met mijn leven.'

'De sterren verschijnen aan de hemel. We moeten maar eens teruglopen.'

Ze keerden om en gingen terug, ditmaal met het avondbriesje in de rug. 'Wat heb je tegen haar gezegd?'

'Dat ik aan het strand wilde wonen. Dat ik elke dag de oceaan wilde zien. Ik zei dat ik mensen wilde helpen, maar dat ik het niet aankon om weer op een kantoor te werken, om weer gesprekken, vergaderingen en strategiebesprekingen te voeren. Ik huilde tranen met tuiten omdat ik ervan overtuigd was dat ze diep teleurgesteld in me zou zijn. Ik had een goede opleiding en de vaardigheden en ervaring om iets voor mensen te kunnen betekenen. Ik had ook iets voor mensen betekend, en nu wilde ik alleen nog maar elke dag de oceaan zien.'

'Je zat ernaast. Dat ze teleurgesteld zou zijn.'

'Ja, ik had het mis. Ze zei dat ik mijn plek moest gaan zoeken en een leven moest leiden dat mij bevredigde, dat mij gelukkig maakte. Dus ben ik hierheen gegaan en heb ik manieren gezocht om mezelf gelukkig te maken en tevreden te zijn. De kans is groot dat ik niet hier zou zijn en niet zou doen waar ik echt van hou als Derrick me niet had gebroken.'

'Hij heeft je niet gebroken. Ik geloof niet in lotsbestemming, in absolute waarden, maar soms kun je er niet onderuit. Jij bent waar je moet zijn omdat je hier thuishoort. Ik geloof dat je je draai toch wel zou hebben gevonden.'

'Dat is een mooie gedachte.' Ze stond op de onderste tree van de strandtrap, keek hem aan en legde haar handen op zijn schouders. 'Ik ben hier heel gelukkig geweest, en heb me meer opengesteld dan ooit tevoren. Ongeveer een jaar geleden heb ik heel bewust het besluit genomen om aan seksuele onthouding te doen, omdat ik weliswaar een aantal bijzonder aardige mannen had ontmoet, maar geen van hen het deel van me kon bevredigen dat wellicht erger beschadigd was dan ik wilde toegeven. Het is een zware last om op je schouders te leggen, Eli, maar ik zou het ontzettend op prijs stellen als jij me zou helpen om een einde te maken aan die onthouding.'

'Nu meteen?'

'Dat lijkt me een prima moment.' Ze boog zich naar hem toe en kuste hem. 'Als je het niet erg vindt.'

'Ach, jij hebt soep voor me gemaakt.'

'En brood,' bracht ze hem in herinnering.

'Het lijkt me het minste wat ik kan doen. Maar laten we eerst naar binnen gaan.'

Hij schraapte zijn keel toen ze de trap op liepen. 'Eh... Ik moet even snel naar het dorp. Ik heb geen voorbehoedsmiddelen meegenomen. Tot zeer kortgeleden stond mijn hoofd bepaald niet naar seks.'

'Geen probleem, en je hoeft de deur niet uit. Ik heb pas een doos condooms op je kamer gezet. Ik moest de laatste tijd wel aan seks denken.'

Hij slaakte een zucht. 'Je bent de beste huishoudster die ik ooit heb gehad.'

'O, Eli, dit was nog niks.'

13

Hij was uit vorm, dacht hij een tikje zenuwachtig toen ze de trap op klommen, en hij was er niet helemaal van overtuigd dat seks hetzelfde was als fietsen.

Tuurlijk, de basis bleef hetzelfde, maar het proces vroeg om bewegingen, techniek, timing, finesse en toon. Hij mocht graag denken dat hij er vroeger best goed in was geweest. Niemand had zich beklaagd, ook Lindsay niet.

Maar toch.

'We houden op eraan te denken,' verkondigde Abra toen ze bij de deur kwamen. 'Ik raak er helemaal van in de war, en ik durf te wedden dat voor jou hetzelfde geldt.'

'Misschien wel.'

'Nou, hou dan op met denken.'

Ze trok haar hoodie uit, hing hem aan een haak en greep daarna zijn jack beet en rukte het van zijn schouders. Tegelijk kwam ze dichter bij hem staan toen ze haar mond op de zijne drukte.

Zijn hersens explodeerden niet uit zijn schedel, maar bonsden er wel in rond.

'Zo gaat dat,' zei ze toen ze zijn jack uittrok en ophing.

'Ja, ik begin het me langzaam weer te herinneren.' Hij greep haar hand en trok haar achter zich aan. 'Ik wil dit niet in de bijkeuken doen, en ook niet op de keukenvloer. Al lijken ze op dit moment allebei heel aanlokkelijk.'

Lachend draaide ze zich naar hem toe en eiste zijn mond nogmaals op, ondertussen de knoopjes van zijn overhemd losmakend. 'Er is geen enkele reden waarom we onderweg niet al kunnen beginnen.'

'Daar zeg je zoiets.' Ze droeg een zachtblauwe pullover, in elk geval tot hij het ding over haar hoofd trok en achter hen op de grond gooide toen ze naar de trap liepen.

Zij rukte aan zijn riem, hij aan het strakke witte topje dat ze onder de trui droeg. En ze struikelden allebei toen ze onder aan de trap kwamen.

Naar elkaar tastend wankelden ze.

'We kunnen beter naar boven gaan,' wist ze uit te brengen.

'Goed idee.' Weer greep hij haar hand.

Ze renden naar boven. Net een stel kinderen dat naar het grote, glimmende cadeau onder de kerstboom rende, zou hij later denken. Alleen probeerden de meeste kinderen niet al rennend de kleren van de ander uit te trekken.

Buiten adem slaagde hij er eindelijk in haar witte topje uit te krijgen toen ze de slaapkamer binnen stormden.

'O hemel, moet je jou nou zien.'

'Kijk straks maar.' Ze trok zijn riem los en liet hem met een plof op de grond vallen.

Hij wist dat ze niet op bed konden duiken, niet letterlijk, maar volgens hem kwamen ze toch aardig in de buurt. Hij vergat alles over bewegingen, timing en techniek. En al helemaal alles over finesse. Maar dat leek haar niet te deren.

Hij wilde die mooie, zachte borsten in zijn handen houden; de vrouwelijke vormen, de gladde huid. Hij wilde er zijn mond op drukken, haar hart tegen zijn lippen en tong voelen kloppen, haar hand in zijn haar voelen als ze hem tegen zich aan zou drukken.

Terwijl haar lichaam zich naar hem toe zou buigen als een offergift.

Hij ging zich te buiten aan haar geur, die zeegodingeur waardoor hij aan zeemeerminnen en sirenen moest denken. Dat lenige, gespierde lijf vibreerde van energie, waardoor die van hem werd aangewakkerd.

Terwijl ze over het bed rolden, graaiend en kreunend, kreeg hij het gevoel dat hij alles kon, alles kon zijn, alles kon krijgen.

Ze hunkerde. Ze smachtte. Alles voelde gehaast, snel, fantastisch. Zijn handen op haar lichaam, de hare op het zijne. Ze kende zijn contouren, zijn vorm, maar nu kon ze nemen en voelen, en niet om te verlichten of te troosten, maar om in vuur en vlam te zetten.

Ze wilde hem opstoken en hen allebei door het vuur laten verzwelgen.

Alle behoeften, de goede, sterke, gezonde behoeften die ze diep had weggestopt, vochten zich vrij in een razende stormloop die elke gedachte aan zelfbeheersing of voorzichtigheid onder de voet liep.

Ze kon niet genoeg krijgen, plunderde zijn mond in haar zoektocht om zich tegoed te doen en te vullen. Maar de honger werd slechts scherper, als een lemmet dat op een ronddraaiende slijpsteen werd geslepen. Ze klauwde zich praktisch een weg naar boven, tot ze op hem zat om haar tanden in zijn schouder te zetten, en ze raakte buiten adem toen hij haar weer op haar rug draaide en met zijn vingers haar withete middelpunt vond.

Het orgasme raasde door haar heen, een glorieuze schok. Daardoor verblind en bedwelmd, tastte ze naar hem.

'God. God. Alsjeblieft. Nu.'

Godzijdank, dacht hij, want het moest nú. Toen hij in haar stootte, was het niet zozeer dat de aarde bewoog. Nee, die schokte.

De wereld schudde, de lucht donderde. En zijn lichaam leek te gloeien en barstte toen uit in triomf en genot en een wanhopige, duizelingwekkende eis om meer.

Ze klampte zich aan hem vast, armen en benen stevig om hem heen voor een woeste rit vol geluiden en snelheid. Haastig, ritmisch geklap van huid op hete, vochtige huid, het maniakale gepiep van het bed en het moeizame gehijg overstemde het lome ritme van de branding dat fluisterde aan de ramen.

Hij voelde zich vallen, domweg vallen in die maalstroom van geluid, in de vloed, in het verbijsterende genot.

In haar.

Hij had kunnen zweren dat hij vloog, te ver, te hoog, in een tel van heerlijke pijn, vlak voor hij gewoon leegliep.

Ze bewogen niet. Op een zeker moment tijdens de race naar de slaapkamer en de sprint naar de finish was het donker geworden, al bestond er ook een klein kansje dat hij blind was geworden.

Het was beter om voorlopig te blijven waar hij was. Trouwens, het gevoel van haar lichaam onder het zijne, soepel en gespierd en volkomen stil, voelde zo verrekte lekker. Haar lichaam mocht dan zijn verslapt, hij voelde haar hart nog altijd tekeergaan tegen het zijne. Het snelle kloppen gaf hem het gevoel dat hij een god was.

'En ik was nog wel bang dat ik je niet uit de kleren zou krijgen.'

'Nou, dat is je uitstekend gelukt. Ik ben uit mijn kleren én uit mijn dak gegaan.'

Hij knipperde even. 'Zei ik dat hardop?'

Haar lach rommelde in haar keel. 'Ik zal het niet tegen je gebruiken. Ik wist ook niet of we het zouden klaarspelen. Ik heb het gevoel dat ik nu hoor te gloeien. Ik begrijp niet dat ik niet de hele kamer verlicht als een lantaarn.'

'Volgens mij zijn we blind geworden.'

Toen ze hem voelde bewegen, opende Abra haar ogen en zag ze de glinstering in de zijne. 'Nee, ik kan je zien. Het is gewoon donker. De maan is maar een sikkeltje vanavond.'

'Ik heb het gevoel alsof ik erop ben geland.'

'Een reis naar de maan.' Dat deed haar glimlachen terwijl ze over zijn haar streek. 'Dat bevalt me wel. Nu heb ik alleen nog water nodig voor ik omkom van de dorst, en misschien iets te eten voor we aan de terugreis beginnen.'

'Voor het water kan ik wel zorgen. Ik bewaar wat in de...' Hij rolde op zijn zij en stak zijn hand uit naar het nachtkastje, waarbij hij prompt op de vloer belandde. 'Wat is dit, verdomme?'

'Gaat het wel?' Ze krabbelde naar de rand van het bed en keek omlaag naar hem. 'Waarom lig je op de grond?'

'Weet ik veel.'

'Waar is de lamp... waar is het nachtkastje?'

'Geen idee. Zijn we in een ander universum beland?' Hij stond op en wreef over zijn heup. Eenmaal rechtop zittend, tuurde hij ingespannen rond om zijn ogen aan de duisternis te laten wennen. 'Er klopt iets niet. De balkondeuren horen daar te zijn, maar ze zijn daar. En de... Wacht eens eventjes.'

Voorzichtig liep hij door de donkere kamer en vloekte toen hij zijn teen tegen een stoel stootte. Hij liep eromheen en tastte naar het bedlampje.

Het licht ging aan.

'Waarom ben ik hier?' vroeg ze aan hem.

'Omdat het bed daar staat. Eerst stond het hier. Nu is het daar en een kwartslag gedraaid.'

'Hebben we het bed laten bewegen?'

'Eerst stond het hier,' herhaalde hij, en hij liep naar haar terug. 'Nu is het daar.' Hij ging weer op bed zitten en zij ging naast hem overeind zitten. Allebei keken ze aandachtig naar de lege plek tussen de twee nachtkastjes.

'Dat is heel wat opgekropte seksuele energie,' zei ze tenslotte.

'Ik zou zeggen een enorme hoeveelheid. Is jou dat al eens eerder gebeurd?'

'Nee, dit is echt voor het eerst.'

'Voor mij ook.' Met een grijns keek hij haar aan. 'Ik ga er een aantekening van maken op de kalender.'

Lachend sloeg ze haar armen om zijn hals. 'Waarom laten we het voorlopig niet hier staan en gaan we eens kijken of we het later weer terug kunnen laten bewegen.'

'Er zijn nog heel wat andere bedden in dit huis. We kunnen experimenteren. Ik denk... shit. Shit! Opgekropte seksuele energie. Abra, het bed staat hier en de nachtkasjes en de condooms zijn daar. Ik ben het compleet vergeten. Ik kon niet helder nadenken.'

'Het geeft niet. Ik slik de pil. Hoe lang heb jij je seksuele energie al opgespaard?'

'Iets langer dan een jaar.'

'Ik ook. Volgens mij hoeven we ons daarover geen zorgen te maken. Zullen we wat gaan drinken en eten, en dan eens kijken wat we nog meer kunnen laten bewegen?'

'Jouw gedachtegang bevalt me wel.'

Ze had gelijk over de soep. Die was ongelooflijk. Hij dacht dat ze slechts zelden ergens ongelijk over had.

Ze zaten aan het keukeneiland, hij in een flannellen broek en een sweatshirt en Abra in een kamerjas van zijn grootmoeder. Ze aten soep en stukken brood, dronken wijn en spraken over films waarvan zij beweerde dat hij ze móést zien en boeken die ze allebei hadden gelezen.

Hij vertelde haar over zijn vondst in de bibliotheek van het huis. 'Het is heel interessant, overduidelijk geschreven door een vrouw onder een mannelijk pseudoniem.'

'Dat klinkt bevooroordeeld en een tikje gemeen.'

'Zo bedoelde ik het niet,' beweerde hij. 'Schrijver is een woord dat geen geslacht heeft. Maar dit kwam me heel vrouwelijk voor, vooral door de periode waarin het is geschreven. Het is nogal bloemrijk en zeer zeker romantisch. Ik vond het leuk, zelfs al zou je het als fictie kunnen bestempelen.'

'Dat wil ik graag zelf bepalen. Mag ik het lenen?'

'Tuurlijk. Vanwege de sleuf beneden leek het me een goed idee om de bibliotheek hier eens goed te bekijken en alles te lezen wat we hebben over de legende, de Calypso, Nathaniel Broome en mijn voorouder Violeta.'

'Kijk, dat is een project waar ik helemaal achter sta. Ik heb altijd aan Hester willen vragen of ik een paar van die boeken mag lenen, maar ik ben er nooit aan toegekomen. Zelf lees ik meestal fictie of zelfhulpboeken.'

Omdat hij haar een van de meest zelfbewuste en tevreden vrouwen vond die hij kende, moest hij de vraag wel stellen. 'Welke hulp heeft jouw zelf dan nodig?'

'Het ligt eraan welke dag het is. Maar toen ik hier net kwam wonen, was ik nog behoorlijk van slag. Ik heb veel boeken gelezen over je evenwicht hervinden en omgaan met een trauma.'

Hij legde een hand op de hare. 'Ik wil geen nare herinneringen oprakelen, maar ik wil graag weten hoeveel jaar hij heeft gekregen.'

'Twintig. De openbare aanklager wilde hem eerst berechten voor verkrachting, mishandeling en poging tot moord en dan had hij levenslang kunnen krijgen. Dus toen hebben ze een schikking gesloten voor zware seksuele mishandeling, met inachtneming van het mes, en daar hebben ze hem de maximale straf voor gegeven. Ik had niet gedacht dat hij ermee in zou stemmen, maar...'

'Als je er het stalken bij optelt, plus het feit dat het voorbedachten rade was omdat hij bij je had ingebroken en je buren ooggetuigen waren, was het heel slim van hem dat hij het heeft geaccepteerd. Wat vind jij je van die twintig jaar?'

'Het is goed. Ik heb er vrede mee. Als hij in aanmerking komt voor vervroegde invrijheidstelling, wil ik erheen om met de reclasseringscommissie te spreken. Dan neem ik foto's mee van mezelf na de mishandeling. Ik mag graag denken dat ik dat niet uit wraakzucht doe, maar...'

'Dat doe je ook niet.'

'Eigenlijk kan het me niet echt schelen of ik dat nou wel of niet doe. Ik heb me verzoend met zijn eigen behoeften hierover. Ik weet dat ik me lichter voel omdat hij in de gevangenis zit, en dat ik zal doen wat ik kan om hem daar te houden. Weg van mij, weg van anderen die hij eventueel kan belagen. Dus ik heb mijn evenwicht gevonden, maar af en toe wil ik een kleine opkikker of iets waardoor ik me openstel voor een andere manier van denken.'

Met een glimlach lepelde ze nog wat soep naar binnen. 'Hoe staat het met jouw evenwicht, Eli?'

'Op dit moment heb ik het gevoel dat ik radslagen op het slappe koord kan maken.'

Ze nam een slok wijn en zei daarna met een lachje: 'Seks is de beste uitvinding ooit.'

'Dat zal ik niet tegenspreken.'

'Misschien kun je wat seks in je boek verwerken... tenzij je vindt dat het te vrouwelijk en te bloemrijk is.'

'Ik voel een uitdaging aankomen.'

'Wil je dan niet dat je held aan het einde zijn evenwicht vindt?' Ze boog zich voorover en drukte haar lippen zacht tegen de zijne. 'Ik wil je graag helpen bij jouw onderzoek.'

'Ik zou een grote sufferd zijn om dat af te slaan.' Met zijn ogen op de hare gericht liet hij zijn hand over haar dij omhoog glijden. 'De keukenvloer ziet er nog steeds heel aanlokkelijk uit.'

'We moesten maar eens kijken hoe hij aanvoelt.'

Toen ze haar bovenlichaam naar hem draaide, ging de deurbel.

'Verdomme. Onthou waar we waren gebleven.'

Voor de deur stond Vinnie en hij besefte dat hij zijn evenwicht nog bepaald niet had teruggevonden toen de aanblik van een agent, zelfs al was het een oude vriend, zijn hart nog altijd een keer deed overslaan.

'Hoi, Vinnie.'

'Eli. Ik moest hier in de buurt zijn voor een melding en ik ging terug... Mijn dienst zit erop. Ik wilde even langskomen om... O, hoi Abra.'

'Dag, Vinnie.' Ze kwam naast Eli staan. 'Kom even binnen uit de kou.'

'O, nou... slechte timing. Ik kan ook morgen met je praten, Eli.'

'Kom even binnen, Vinnie. We zaten net van Abra's zelfgemaakte soep te eten.'

'Wil je ook een kom?' vroeg ze aan hem.

'Nee, bedankt. Nee. Eh... Ik heb een paar uur geleden geluncht en...'

'Ik geef Eli twee keer in de week een massage,' zei Abra gemoedelijk. 'En ik let erop dat hij eet, want dat is iets waar het nogal aan schortte. En we gaan met elkaar naar bed. Dat is een nieuwe ontwikkeling.'

'Oké. Jezus, Abra. Tjonge jonge.'

'Waarom gaan Eli en jij niet even zitten? Ik haal koffie.'

'Ik wil jullie niet storen.'

'Te laat,' zei Abra, die al wegliep.

Eli keek haar met een grijns na. 'Ze is fantastisch.'

'Ja, nou... Hoor eens, Eli, ik mag je graag. Of, dat wil zeggen, ik vond je vroeger heel aardig, en daar neig ik nu weer na. Maar maak er geen puinhoop van met haar.'

'Ik zal mijn best doen om dat te voorkomen. Laten we inderdaad maar gaan zitten.' Hij liep naar de salon en bleef staan toen Vinnie de massagetafel bekeek. 'Met "nee" neemt ze geen genoegen.'

'Meestal niet.' Vinnie haakte zijn duimen in de riem van zijn uniform. 'Maar goed. Zeg Eli, ik weet dat rechercheur Corbett en rechercheur Wolfe bij je zijn geweest.'

'Ja, we hebben een interessant gesprek gehad.'

'Corbett deugt en hij is slim en bijzonder grondig. Wolfe ken ik niet, maar het is heel duidelijk dat hij zijn tanden in deze zaak heeft gezet en van geen opgeven wil weten.'

'Hij heeft zijn tanden al een jaar lang in mij gezet.' Eli plofte op de bank. 'Ik kan je de littekens laten zien.'

'Nu gaat hij ze in mij en in Abra zetten.'

'Het spijt me, Vinnie.'

Vinnie schudde zijn hoofd en ging op een stoel zitten. 'Ik hoef geen medelijden. Maar ik vond dat je moest weten dat hij alles zal doen wat in zijn vermogen ligt om Abra in diskrediet te brengen als jouw alibi, en dat hij ook zal proberen mij een douw te geven omdat ik erbij betrokken ben.'

'Hij is een bullebak.' Abra kwam binnen met een beker koffie. 'Een gevaarlijke bullebak, als je het mij vraagt.'

Vinnie nam de koffie aan en staarde in de beker. 'Hij is een verbeten, ervaren agent met een behoorlijk goede reputatie. Weet je hoe het volgens mij zit? Hij kreeg met jou te maken, Eli, en zijn gevoel plus het indirecte bewijs zeiden dat jij zo schuldig was als maar kan, maar hij kon het niet hard maken. Dat heeft hem kwaad gemaakt.'

'Ik kan niet schuldig zijn aan moord om ervoor te zorgen dat hij een volmaakte staat van dienst houdt.'

'Hij kende Duncan.'

'Dat heb ik begrepen.'

'Ik heb niet erg diep gegraven, maar ik heb het idee dat ze goed bevriend waren. Dus nu heeft hij een extra motivatie om jou te breken. En deze keer heb je een alibi.'

'Ik ben zijn alibi.'

'Daarom,' zei Vinnie tegen Abra, 'zal hij jou zien als een vrouw die liegt ter bescherming van haar...'

'Het woord dat je zoekt is minnaar,' zei Abra. 'Hij mag proberen me in diskrediet te brengen, maar dat zal hem nooit lukken. En ik zie aan jouw gezicht dat jij denkt dat het eenvoudiger, en duidelijker, was toen ik nog niet naar bed ging met Eli. Ik... nee, Eli en ik hebben de zaak gecompliceerd. Maar de waarheid blijft de waarheid, Vinnie.'

'Ik wil alleen dat jullie weten dat hij de boel komt ophitsen. Hij zal gaan spitten. Bij Eli heeft hij al zo ver gespit als hij maar kon, dus je moet ervan uitgaan dat hij hetzelfde bij jou zal doen, Abs.'

'Daar maak ik me geen zorgen over. Eli weet van Derrick, Vinnie.'

'Goed.' Met een knikje nam Vinnie een slok koffie. 'Ik wil niet dat je je ongerust maakt. Alleen dat je erop voorbereid bent.'

‘Dat stel ik op prijs.’

‘Hebben ze het ballistisch onderzoek al afgerond?’ vroeg Eli aan hem.

‘Ik kan je geen details van het onderzoek vertellen.’ Schouderophalend dronk Vinnie nog wat koffie. ‘Jouw oma heeft boven een leuke verzameling antieke wapens staan. Die heeft ze me een keer laten zien. Ik kan me niet herinneren dat daar een kaliber tweeëndertig bij zat.’

‘Nee,’ zei Eli even luchtig. ‘Zoiets zit niet in de collectie en is ook niet in huis.’

‘Nou... Ik moest maar weer eens gaan. Bedankt voor de koffie, Abra.’

‘Graag gedaan.’

Eli stond op en liet hem uit. ‘Ik stel het op prijs dat je even langs bent gekomen, Vinnie. Dat zal ik niet vergeten.’

‘Pas goed op haar. Ze weet precies hoe kwaadaardig mensen kunnen zijn, maar ze heeft nog altijd de neiging om te denken dat ze het niet zullen zijn. Zorg dat je uit de problemen blijft.’

Ik dacht dat ik dat deed, peinsde Eli. Maar problemen slaagden er vreemd genoeg altijd in om zich door het kleinste gaatje naar binnen te wurmen.

Toen hij de salon weer in liep, zat ze gehurkt voor de haard om er nog een houtblok op te leggen. Ze ging staan en draaide zich om terwijl de vlammen achter haar lekten en omhoog stegen.

‘Hoe dit ook is begonnen,’ begon hij. ‘Wiens schuld het ook is, het feit dat jij hier bent, bij mij, brengt jou in gevaar. Je privéleven, wat jou is overkomen, de keuzes die je hebt gemaakt, je werk, je familie en vrienden, alles zal worden omgekeerd, opgeduikeld, onderzocht en besproken. Je hebt al een keer iets dergelijks meegemaakt, en je hebt het achter je kunnen laten. Maar als je hier blijft, komt het weer voor je te liggen.’

‘Dat is waar. En dus?’

‘Je moet tijd nemen om na te denken, om te bepalen of je je echt wilt blootstellen aan een dergelijk kritisch onderzoek.’

Heel kalm en rustig keek ze hem aan. ‘Dus jij denkt dat ik daar nog niet over na heb gedacht? Daaruit blijkt wel dat je geen hoge dunk hebt van mijn eigenwaarde of mijn vermogen om de gevolgen van mijn daden in te schatten.’

‘Zo bedoelde ik het helemaal niet.’

'Je hoeft me niet tegen mezelf in bescherming te nemen, Eli. In dat opzicht red ik me prima. Ik heb er geen enkele moeite mee dat je een oogje voor me in het zeil houdt, want ik vind dat mensen voor elkaar moeten zorgen, maar Vinnie heeft het mis. Stemmen dragen ver in een leeg huis en ik heb bijzonder scherpe oren,' merkte ze op. 'Ik weet hoe kwaadaardig mensen kunnen zijn, maar ik heb niet de neiging om te geloven dat ze dat niet zullen zijn. Ik ben geneigd te hópen dat ze het niet zullen zijn. Dat is heel iets anders.'

'Ze zijn het meestal wel, als ze de kans krijgen.'

'Het is jammer dat je dat vindt, maar gezien alles wat er is gebeurd, en wat er nu weer aan de hand is, kan ik het je moeilijk verwijten. Nou goed, we kunnen een andere keer wel een interessante discussie over dat onderwerp voeren. Maar wil je weten wat ik op dit moment denk?'

'Jazeker.'

'Ik denk dat de keukenvloer er weliswaar best aanlokkelijk uitziet, maar dat die bank er nog veel beter uitziet. Wil je uitproberen of dat klopt?'

'Ja.' Hij liep naar haar toe. 'Dat wil ik zeker.'

Ze bleef. Toen ze eindelijk naar bed gingen, toen ze er eindelijk in waren geslaagd zich uit te putten, kwam ze tot de ontdekking dat hij geen knuffelaar was. Maar volgens haar puntentelling verdiende hij een halve punt in plaats van een heel door geen bezwaar tegen knuffelen te maken.

Ze werd wakker in parelgrijs licht toen hij bij haar vandaan schoof. 'Mmm. Ga je eruit?'

'Ja. Sorry dat ik je heb wakker gemaakt.'

'Dat geeft niet.' Maar ze krulde zich weer om hem heen. 'Hoe laat is het?'

'Ongeveer zes uur. Ga nog even slapen.'

'Ik moet om acht uur lesgeven.' Ze drukte haar lippen tegen zijn keel. 'Wat staat er bij jou op het programma?'

'Meestal koffie en werk.' Maar dat kon hij aanpassen, dacht hij, en hij liet een hand over haar lange, blote rug gaan.

'Dan heb je de tijd om samen met mij even wat rekoefeningen te doen en daarna zal ik als beloning een ontbijt voor je maken voor ik vertrek.'

‘Die oefeningen kunnen we hier doen.’

Ze maakte geen bezwaar toen hij op haar kwam liggen en in haar gleed. In plaats daarvan slaakte ze een diepe zucht en keek hem glimlachend aan. ‘Een heerlijke manier om de zon te begroeten.’

Langzaam en soepel, zoals drijven op een kalme zee. Het lome tegenwicht voor de vloed en donder van de avond ervoor gleed door haar heen als de zonsopkomst, als die belofte van het frisse en het nieuwe en hoopvolle.

Ze kon hem zien, de contouren van zijn gelaat, de heldere blik in zijn ogen, waarin de duistere problemen nog altijd een schaduw vormden.

Haar aard spoorde haar aan om die schaduwen te verdrijven, om het licht te brengen. Dus gaf ze zich aan hem over voor zijn genot, en voor het hare. Ze aanvaardde de zachte tocht naar de piek, en weer omlaag, en zag dat het licht er een tel, hún tel, doorheen brandde.

Ze bleef liggen, haar armen en benen om hem heen geslagen, en genoot van dat moment.

‘Je moet vandaag maar aan mij denken.’

Hij draaide zijn hoofd, zodat hij zijn lippen tegen haar keel kon drukken. ‘Die kans lijkt me vrij groot.’

‘Bewust aan me denken,’ verbeterde ze zichzelf. ‘Zeg, zo rond twaalf uur. En dan denk ik bewust aan jou. Dan sturen we sterke, positieve en sexy gedachten het universum in.’

Hij hief zijn hoofd op. ‘Sexy gedachten naar het universum.’

‘Baat het niet dan schaadt het niet. Waar halen schrijvers, kunstenaars, uitvinders en alle creatieve mensen hun ideeën vandaan?’ Ze hief haar handen op en draaide rondjes met haar wijsvingers.

‘Komen ze daarvandaan?’

‘Ze zijn daarbuiten.’ Ze liet haar handen zakken en bewoog haar vingers stevig langs zijn ruggengraat, en weer omhoog. ‘Mensen moeten zich openstellen, ernaar reiken. Positieve of negatieve gedachten, het is aan jou. Een van de manieren om de goede te pakken te krijgen, is door de dag te beginnen met je open te stellen.’

‘Volgens mij hebben we dat al gedaan.’

‘Stap twee.’ Ze duwde hem opzij en rende naar de badkamer. ‘Kijk eens of je een joggingbroek of een short voor me kunt vinden. Met een trekkoord is prima. Ik pak even een van de reservetandenborstels die hier in het kastje liggen.'

'Goed.' Ze wist vast beter welke spullen hier waren dan hij. Tenslotte had zij ze er neergelegd.

Hij vond een short, met een trekkoord, en trok zelf een joggingbroek aan.

'Die zal wel te groot zijn,' zei hij toen ze de badkamer uit kwam.

'Het lukt wel.' Ze trok hem aan en trok het koord strak. 'Ik zie je zo in de fitnesskamer.'

'O. Ik moet echt...'

'We hebben een behoorlijke tijd naakt en intiem doorgebracht, Eli.'

Het was lastig redetwisten als ze voor hem stond in zijn short en met een ontbloot bovenlichaam.

'Volgens mij staan ademhalen en rekoefeningen doen helemaal onder aan de lijst met gênante dingen.' Ze pakte haar witte topje en wrong zich erin. 'Ik heb een haarelastiekje nodig. Er zit er een in mijn tas, die in de fitnesskamer staat,' herhaalde ze, en daarna liet ze hem alleen.

Het was mogelijk dat hij een beetje treuzelde. Maar dat was niet uit gêne, hield hij zich voor. Hij begon de dag gewoon liever met koffie, zoals alle normale mensen.

Hij trof haar aan in de fitnesskamer waar ze in kleermakerszit op een van de twee yogamatten zat die ze had neergelegd. Haar handen lagen op haar knieën en haar ogen waren gesloten.

Ze had er bespottelijk uit moeten zien in zijn short. Waarom zag ze er dan opwindend, kalm en precies goed uit?

Nog altijd met haar ogen dicht, boog ze zich voorover en klopte even op de tweede mat. 'Ga lekker zitten. Neem een paar minuten om gewoon te ademen.'

'Over het algemeen haal ik de hele dag adem. 's Nachts ook.'

Haar mondhoeken krulden iets omhoog. 'Nu moet je bewust ademhalen. In door de neus. Zet je buik uit alsof je een ballon opblaast. En weer uit door de neus, waarbij je de ballon laat leeglopen. Lange, diepe, regelmatige ademteugen. De buik gaat op en neer. Ontspan je hoofd.'

Hij dacht niet dat hij goed was in het ontspannen van zijn hoofd, behalve wanneer hij schreef. En dan ontspande hij zijn hersens niet, maar gebruikte ze. Maar als hij braaf ging ademen, zou hij vlugger koffie krijgen.

'Goed, adem in en til je armen op tot je handpalmen elkaar raken en bij het uitademen laat je ze zakken. Inademen omhoog,' ging ze door op die rustige, kalmerende toon. 'Uitademen omlaag.'

Ze liet hem rekken over zijn gekruiste benen heen, en van de ene kant naar de andere. Over een gestrekt been, over het andere, over allebei tegelijk. Al doende ontspande hij zich. Een beetje. Tot ze zei dat hij voor zijn matje moest gaan staan.

Toen glimlachte ze naar hem en de dag brak aan voor het raam achter haar rug. Als ze hem had gevraagd zich tot een krakeling te buigen, zou hij het hebben geprobeerd.

Ze liet hem echter verticaal herhalen wat ze eerst zittend hadden gedaan. Alleen ademhalen, strekken, buigen, met een paar verschillende lunges, allemaal even traag en soepel als hun vrijpartij van die ochtend.

Als laatste liet ze hem op zijn rug liggen, met zijn handpalmen omhoog en zijn ogen dicht. Ze praatte over het laten gaan, over licht inademen en duisternis uitademen, en ondertussen masseerde ze zijn slapen met haar vingertoppen.

Toen ze hem weer terugbracht, en hem opdroeg te gaan zitten en zich voorover te buigen om, zoals zij het noemde, 'zijn oefening te bezegelen', had hij het gevoel dat hij een dutje had gedaan in een warme zee.

'Goed gedaan.' Ze gaf een klapje op zijn knie. 'Klaar om te gaan ontbijten?'

Hij keek haar in de ogen. 'Ze betalen je niet voldoende.

'Wie niet?'

'Alle mensen die jouw lessen volgen.'

'Je weet niet hoeveel mijn lessen kosten.'

'Te weinig.'

'Ik vraag meer voor privélessen.' Met een grijns liet ze haar vingers over zijn arm lopen. 'Lijkt je dat wat?'

'Nou...'

'Denk er maar over na,' zei ze, overeind komend. 'Maar doe voorlopig als je zit te typen om de paar uur die nekoefeningen die ik je heb voorgedaan. Die en het rollen met je schouders zijn voorlopig wel genoeg,' ging ze verder toen ze de trap af liepen. 'Omdat ik de lente ruik, wil ik een omelet maken. Zet jij maar koffie.'

'Je hoeft niet zo veel moeite te doen. Je moet straks weer lesgeven.'

'Ik heb tijd genoeg, vooral als ik mijn massagespullen kan ophalen als ik terugkom om de boodschappen te brengen en het huis een beurt te geven.'

'Het voelt... Ik voel me een beetje ongemakkelijk dat jij het huis schoonmaakt en kookt en alles nu we met elkaar naar bed gaan.'

Ze opende de koelkast en pakte de ingrediënten die ze nodig had. 'Ontsla je me?'

'Nee! Ik heb alleen het gevoel dat ik vreselijk misbruik van je maak.'

Ze pakte een snijplank en een mes. 'Wie heeft het initiatief genomen om seks te hebben?'

'Formeel heb jij dat gedaan, maar alleen omdat je mij voor was.'

'Dat is fijn om te horen.' Nadat ze de asperges en champignons had gewassen, legde ze die op de plank om te snijden. 'Ik werk hier graag. Ik hou van het huis. Ik vind het heerlijk om te koken en het stemt me heel tevreden als ik zie dat jij geniet van mijn kookkunst. Sinds je mijn gerechten eet, ben je wat aangekomen maar dat was ook nodig. De seks met jou is geweldig. Waarom zeggen we niet dat ik je zal laten weten als een van die dingen verandert, en dan zien we wel verder. Als jij besluit dat je niet tevreden bent met hoe ik het huis onderhoud of kook, of dat je niet meer met me naar bed wilt, laat jij het mij weten en zien we wel verder. Afgesproken?'

'Prima.'

'Mooi.' Ze pakte een koekenpan en olijfolie. En ze glimlachte. 'Nou, waar blijft die koffie?'

14

Hij kon de tijd die hij doorbracht met Abra geen routine noemen, maar in de dagen erna ontwikkelden ze wel een bepaald soort patroon.

Zij kookte, in Bluff House of in haar cottage. Ze wandelden op het strand en ook hij begon de lente te ruiken.

Hij raakte eraan gewend dat er eten voor zijn neus werd gezet, dat het huis vol was van bloemen, kaarsen, haar geur en haar stem.

Van haar dus.

Zijn werk vorderde, tot het punt waarop hij begon te geloven dat hij echt iets had wat meer was dan een ontsnapping aan zijn eigen gedachten.

Hij las, hij werkte, hij sleepte zich naar zijn oma's fitnesskamer. En een paar kostbare dagen leek zelfs het idee van de moord tot een andere wereld te behoren.

Toen verscheen rechercheur Corbett voor zijn deur, met een team agenten en een huiszoekingsbevel.

'We hebben een bevel om dit pand en alle bijgebouwen en voertuigen te doorzoeken.'

Met een knoop in zijn maag pakte Eli het bevel aan en las het snel door. 'Dan kunnen jullie maar beter beginnen. Het is een groot huis.'

Hij ging wat naar achteren en zag Wolfe staan. Zonder iets te zeggen liep Eli weg, pakte de telefoon uit de keuken en ging naar het terras om zijn advocaat te bellen. De ervaring had hem geleerd dat hij beter het zekere voor het onzekere kon nemen.

Ja, hij kon de lente ruiken, dacht hij toen het telefoongesprek was afgelopen. Maar de lente bracht evengoed stormen als de winter. Hij moest deze gewoon zien te doorstaan, net als de voorgaande.

Corbett kwam naar buiten. 'Dat is me nogal een verzameling wapens boven.'

'Zeg dat wel. En allemaal ongeladen en, voor zover mij bekend, al minstens een generatie niet afgevuurd.'

'Ik zou graag de sleutels van de kasten hebben.'

'Goed.' Eli ging naar binnen, begaf zich naar de bibliotheek en de lade in zijn grootvaders bureau. 'U weet verrekte goed dat geen van die wapens de kogel heeft afgevuurd die Duncan heeft gedood.'

'Dan zult u ook geen problemen krijgen.'

'Ik heb problemen zolang Wolfe bewijs, tijdlijnen, getuigenverklaringen en alle andere dingen blijft negeren.' Eli overhandigde Corbett de sleutels.

Corbetts gezicht bleef onbewogen. 'Ik stel uw medewerking op prijs.'

'Rechercheur,' zei Eli, toen Corbett zich wilde omdraaien om de bibliotheek uit te gaan. 'Als u hier klaar bent en niks hebt gevonden en u terugkomt zonder echt bewijs, een echt motief en gerede aanleiding, dan sleep ik uw politiekorps en dat van Boston voor de rechter wegens intimidatie.'

Er verscheen iets van vuur in Corbetts ogen. 'Dat klinkt als een dreigement.'

'U weet dat dat niet zo is. Maar wat het ook is, het is genoeg. Het is meer dan genoeg.'

'Ik doe mijn werk, meneer Landon. Hoe grondiger ik dat aanpak hoe eerder u van alle verdenking wordt gezuiverd als u niks te verbergen hebt.'

'Zeg dat maar tegen iemand die niet al meer dan een jaar op zijn huid wordt gezeten.'

Eli liep de kamer uit en pakte een jack. Hij wist dat hij ze niet alleen in het huis zou moeten laten, maar hij kon het vooruitzicht niet verkroppen dat ze heel Bluff House zouden doorzoeken en door zijn spullen en die van zijn familie zouden snuffelen.

Daarom ging hij naar het strand en keek naar het water, de vogels en de kinderen. Die hadden zeker voorjaarsvakantie, dacht hij.

Zijn moeder wilde dat hij naar huis kwam voor de paasmaaltijd. Hij was van plan om te gaan en had Abra mee willen vragen. Hij was er klaar voor geweest, had zich er zelfs op verheugd. De familieavond, met Abra erbij, de grote ham die Alice zou bakken en die zijn moeder per se zelf zou willen glaceren. De manden, het snoepgoed, de gekleurde eieren.

De hele traditie. En de troost die daaruit geput kon worden.

Maar nu... Het leek beter om hier te blijven, uit de buurt van alles en iedereen, tot de politie Duncans moordenaar te pakken had.

Lindsays moordenaar.

Of tot zijn eigen detective iets vond wat in elk geval een sleutel van het slot zou omdraaien.

Niet dat die optie tot nu toe veel succes had gehad.

Hij keek omhoog naar de cottage Laughing Gull. Waar was Abra? vroeg hij zich af. Gaf ze les? Deed ze boodschappen voor een cliënt of maakte ze een huis schoon? Stond ze te kijken in haar eigen keuken of was ze in het kamertje dat ze gebruikte om oorbellen en hangers te maken?

Het was stom van hem geweest om iets met haar te beginnen, om haar bij deze rotzooi te betrekken. Of, liever gezegd, om toe te hebben gestaan dat zij zich erin had gestort.

Er stonden spullen van haar in Bluff House. Kleren, shampoo, een haarborstel, kleine stukjes intimiteit. Zijn maag kromp ineen van woede toen hij zich voorstelde dat de politie door haar bezittingen zou graaien omdat ze die had achtergelaten in zijn huis.

Hij kende de opmerkingen, de meesmuilende lachjes, de speculaties en, wat erger was, het feit dat Wolfe haar schuldig zou achten door haar omgang met hem.

Als ze een rechter konden overhalen een huiszoekingsbevel te ondertekenen zouden ze hierna haar huis doorzoeken.

Die gedachte ergerde hem mateloos, maakte hem razend en liet hem teruggaan naar het huis om de telefoon te pakken die hij had vergeten mee te nemen.

'Ben je van gedachten veranderd?' vroeg Neal toen hij weer aan de lijn kwam. 'Ik kan er over een paar uur zijn.'

'Nee, dat heeft geen zin. Hoor eens, ik heb een persoonlijke vriendschap met Abra Walsh.'

'Dat wist ik al. Of wil je me nu vertellen dat je met haar naar bed gaat?'

'Dat wil ik je vertellen.'

Hij had de zucht verwacht, en werd niet teleurgesteld. 'Goed, Eli. Sinds wanneer?'

'Sinds een paar dagen. Ik weet alles over perceptie, Neal, dus zeg maar niks. De feiten blijven toch hetzelfde. Ik wil je vragen om goed te luisteren voor het geval Wolfe een huiszoekingsbevel voor haar woning probeert te krijgen. Laughing Gull cottage. Ze huurt, en ik kan wel achterhalen wie de eigenaar is als je die informatie nodig hebt. Ik wil niet dat zij wordt lastiggevallen. Ze heeft er niks mee te maken.'

'Eli, ze is je alibi. De politie heeft geen moer over jou met betrekking tot Duncan, maar zij is een groot deel van de reden dat ze geen moer hebben. Het kan geen kwaad als ze zelf een advocaat in de arm neemt. Ze weet hoe het werkt.'

Zijn lichaam verstijfde en zijn stem klonk hard. 'Pardon?'

'Eli, je bent mijn cliënt. Zij is jouw alibi. Wolfe zinspeelde erop dat jullie al minnaars waren toen Lindsay nog leefde. Denk je nou echt dat ik haar achtergrond niet na zou trekken? Ze heeft geen strafblad, ze is intelligent en uit alles blijkt dat ze voor zichzelf kan opkomen. Er is geen enkele wet die verbiedt dat jullie een relatie hebben, dus maak je niet zo druk. Als ze haar aan een nader onderzoek zullen onderwerpen, zal ze dat glansrijk doorstaan. Maar ze moet wel een advocaat raadplegen. Ik zeg niks wat je nog niet weet. Of verzwijg je soms iets voor me?'

'Nee. Verdomme, Neal. Ze kwam me alleen soep brengen, en toen werd ze aangevallen en kwam ze midden in een moordonderzoek terecht. Ik wil iets doen. Godverdomme nog aan toe, ik wil iets anders doen dan een beetje doelloos afwachten.'

'Dat heb je ook gedaan. Je hebt mij gebeld. Ik heb contact gezocht met iemand van het Boston Police Department die ik ken. Wolfe heeft stevig aangedrongen op dit huiszoekingsbevel. Ondertussen is hun geduld met hem bijna op waar het jou betreft. Wacht dit rustig af, Eli. Het leidt toch nergens toe. En de aanklacht van de Piedmonts is afgenomen tot wat gemompel tegen de weinige journalisten die tegenwoordig nog de moeite nemen om naar ze te luisteren.'

'Het huis van mijn oma is vergeven van de agenten. Het is moeilijk om je daar niks van aan te trekken.'

‘Wacht dit rustig af,’ herhaalde Neal. ‘En daarna doe je de deur op slot. Als ze je nog een keer onder druk proberen te zetten, worden ze aangeklaagd. Geloof me, Eli, de hoge heren hebben geen trek in een aanklacht, gedoe of publiciteit. Ze zullen Wolfe terugfluiten. Laat me weten wanneer ze daar weg zijn.’

‘Doe ik.’

Eli hing op. Misschien zou Wolfe officieel door zijn superieuren worden teruggefloten, maar Eli geloofde geen seconde dat die man zich daardoor zou laten tegenhouden.

Vanwege een noodtelefoontje om boodschappen te doen voor een peuter met keelontsteking, kwam Abra wat later dan ze prettig vond in de kelder van de kerk voor haar yogales.

Ze rende naar binnen. ‘Sorry! Natalies peuter heeft keelontsteking en ze had boodschappen nodig. Ze komt natuurlijk niet naar de les.’

Op het moment dat ze haar matje en grote schoudertas neerzette, voelde ze de vibraties. Ze zag de onderzoekende blikken en vooral de kleur van woede op Maureens wangen.

‘Is er iets?’ vroeg ze nonchalant, terwijl ze de rits van haar hoodie opentrok.

‘Er is heel veel politie in Bluff House. Kijk niet zo naar me, Maureen,’ snauwde Heather. ‘Ik heb het niet verzonnen. Ik heb het zelf gezien. Ik denk dat ze Eli Landon komen arresteren omdat hij die arme man heeft vermoord. En misschien ook omdat hij zijn vrouw heeft vermoord.’

‘Heel veel politie?’ herhaalde Abra zo kalm mogelijk.

‘O, minstens twaalf man. Misschien zelfs meer. Ik ben langzamer gaan rijden toen ik er voorbij kwam en ik zag agenten in en uit lopen.’

‘Dus jij denkt dat ze twaalf of meer agenten sturen om één man in hechtenis te nemen. Was er ook een arrestatieteam?’

‘Ik begrijp heel goed dat jij je verdedigend opstelt.’ Heathers stem droop van suikerzoet medeleven. ‘Jullie relatie in ogenschouw genomen.’

‘Neem jij die in ogenschouw?’

‘Nou, lieve hemel, Abra, je hebt het ook bepaald niet geheimgehouden. De mensen hebben jouw auto ’s avonds laat en vroeg in de ochtend voor het huis zien staan.’

'Dus me afvragen waarom er twaalf agenten nodig zijn om één man te arresteren, van wie ik overigens weet dat hij "die arme man" niet heeft vermoord omdat ik bij hem was, staat gelijk aan me verdedigend opstellen omdat Eli en ik met elkaar naar bed gaan?'

'Ik bekritiseer je niet, liefje.'

'Gelul!' barstte Maureen uit. 'Je staat hier al de hele tijd te doen alsof je het zo zielig vindt voor Abra, terwijl jij ondertussen vrolijk haar beoordelingsvermogen in twijfel trekt. En jij hebt Eli al gearresteerd, berecht en veroordeeld zonder dat je ergens ook maar een zak vanaf weet.'

'Ik ben niet degene die verdacht wordt van moord, voor de twéédde keer, of bij wie de politie in huis is. Ik neem het Abra niet kwalijk, maar...'

'Waarom laat je het daar dan niet bij?' stelde Abra voor. 'Ik neem jou ook niks kwalijk, Heather. Niet dat je roddelt of dat je te snel conclusies trekt over iemand die je totaal niet kent. Laten we het voorlopig als een kwalijk-vrije zone beschouwen en aan de les beginnen.'

'Ik zei alleen maar wat ik met mijn eigen ogen heb gezien.' En in die ogen blonken nu tranen. 'Ik heb kinderen. Ik heb het volste recht om bang te zijn als er hier in Whiskey Beach misschien een moordenaar woont.'

'We zijn allemaal bang.' Greta Parrish gaf een klopje op Heathers schouder. 'Vooral omdat we niet weten wie die detective uit de grote stad heeft omgebracht, of waarom. Volgens mij kunnen we elkaar beter steunen dan beschuldigen.'

'Ik beschuldigde niemand. Er is politie in Bluff House. Die detective kwam uit Boston, waar Eli Landon ook vandaan komt, en iemand heeft hem hier neergeschoten, waar Eli Landon nu is. Ik heb het volste recht om erover te praten en me zorgen te maken over mijn gezin.'

Verstikt door haar tranen greep Heather haar spullen en vluchtte weg.

'Nu is zij opeens het slachtoffer,' mompelde Maureen.

'Goed, Maureen. Goed.' Abra haalde diep adem. 'Laten we even de lucht zuiveren. Heather is van streek. Er is iemand vermoord. We zijn allemaal van streek en bezorgd. Ik weet dat Eli er niks mee te maken heeft, want in de nacht dat het is gebeurd, was ik bij hem. Hij kan niet op twee plaatsen tegelijk zijn geweest. Mijn privéleven gaat niemand iets aan, tenzij ik ervoor kies het te delen. Als iemand zijn lessen bij mij wil opzeggen, dan zal ik het geld teruggeven. Geen enkel probleem. En laten we anders een minuutje op onze mat gaan zitten om te ademen.'

Ze rolde haar eigen mat uit en ging zitten. Toen de rest hetzelfde deed, nam de spanning in haar buik wat af.

Na de les bleef Maureen treuzelen. Abra had niet anders verwacht.

'Bij jou of bij mij?' vroeg Maureen.

'Bij mij. Ik moet over een uurtje schoonmaken, dus ik moet me verkleden.'

'Mooi. Dan mag je me een lift geven. Ik ben komen lopen.'

'Heb je gisteren sorbets gegeten?'

'Nee, vanochtend Toaster Strudels. Die zou ik niet in huis moeten hebben, maar de verleiding was te groot.'

'Dan zul je straks nog meer op de proef worden gesteld,' zei Abra waarschuwend toen ze naar buiten gingen. 'Ik heb brownies gebakken.'

'Verdomme.'

Ze stapten in de auto. 'Ik probeer echt rekening te houden met Heather.'

'Heather is een idioot.'

Abra slaakte een zucht. 'Soms wel, maar dat kunnen we allemaal zijn.'

'Heather is altijd een idioot.'

'Niet waar. Heather is altijd een roddelaarster, wat jij en ik slechts van tijd tot tijd zijn. En soms tussen die momenten door. Ik hou me voor dat ze kinderen heeft en volgens mij nogal overbezorgd is. Maar ja, ik heb geen kinderen.'

'Ik wel, en ze is veel te beschermend. Het liefst zou ze gps-zendertjes in haar kinderen laten implanteren. Je moet niet zo tolerant en begrijpend zijn. Ze heeft een grens overschreden. Iedereen, ook haar beste vriendin Winnie, wist dat. Jezus, Abra, ze verkneukelde zich gewoon over de politie in Bluff House.'

'Ja, ja, ik weet het.' Abra kwam met piepende remmen tot stilstand voor de cottage. 'Ze vond het vooral fijn dat zij het nieuws kon vertellen, maar ze had ook flink wat plezier in Eli's ellende. Ik ben niet tolerant en begrijpend.' Ze stapte driftig uit de auto, greep haar tas en smeet het portier dicht. 'Ik ben nijdig.'

‘Goed zo. Ik ook. Laten we heel veel brownies eten.’

‘Ik wil ernaartoe,’ zei Abra toen ze naar de deur liepen. ‘Maar ik ben bang dat ik het dan lastiger voor hem maak. En ik wil Heather opzoeken en haar een harde klap in haar gezicht geven, maar dat zou me na afloop alleen maar een rotgevoel bezorgen.’

‘Ja, maar het zou wel fijn zijn om te doen.’

‘Echt wel.’ Abra zette haar tas bij de deur en liep direct door naar de keuken en trok het plastic folie van een bord met brownies.

‘Zal ik haar een klap verkopen terwijl jij toekijkt?’ Omdat Maureen zich helemaal thuis voelde, pakte zij de servetten, terwijl Abra de fluitketel op het gas zette. ‘Zou je je dan nog steeds naar voelen?’

‘Ik denk het wel.’ Abra pakte een brownie en nam een hap terwijl ze met haar vrije hand gebaarde. ‘Zij denkt dat ik lieg dat ik bij Eli was toen Duncan werd vermoord. Ze had die “arme, misleide meid, ik maak me zorgen over je”-blik in haar ogen.’

‘Dat is zo’n kutblik.’ Uit solidariteit nam Maureen een hap van haar eigen brownie. ‘Die is verwaand, nep en om razend van te worden.’

‘Als zij denkt dat ik lieg, doet de politie dat misschien ook. Dat baart me veel meer zorgen.’

‘Ze hebben geen enkele reden om te denken dat je liegt.’

‘Ik ga met hem naar bed.’

‘Dat deed je nog niet toen dit gebeurde.’

‘Maar nu wel.’ Ze nam nog een hap van de brownie, waarna ze thee ging zetten. ‘Het is fijn om met hem te vrijen.’

‘Ik dacht al dat je het daarom zo vaak doet.’

‘Hij is goed in bed.’

‘Je bent bijna aan het opscheppen, maar ga daar gezien de omstandigheden vooral mee door.’

Half lachend verplaatste Abra haar vaas met baby-irissen van het midden van de keukentafel naar het steenkleurige aanrecht, waarna ze theekopjes pakte. ‘Het is geweldige seks.’

‘Vast wel. Geef eens een voorbeeld.’

‘We hebben het bed verplaatst.’

‘Mensen verplaatsen zo vaak bedden, banken en tafels. Dat noemen ze de meubels anders opstellen.’

'Terwijl we erin lagen te vrijen.'

'Dat kan gebeuren.'

Abra schudde haar hoofd en pakte een pen. 'Hier is het bed,' zei ze, al tekenend. 'Tegen deze muur, de eerste keer toen we met elkaar naar bed gingen. En toen we daarmee klaar waren, stond het bed hier.' Ze trok een kromme lijn en tekende het bed. 'Van hier naar hier en een kwartslag gedraaid.'

Kauwend op haar brownie bestudeerde Maureen het servetje. 'Dat verzin je ter plekke.'

Grijnzend streek Abra met een vinger over haar hart.

'Staat het op wieltjes?'

'Nee, dat doet het niet. De kracht van ontketende onderdrukte seksuele energie is heel indrukwekkend.'

'Nu ben ik jaloers, maar dat kan ik van me afzetten omdat ik voor honderd procent zeker weet dat Heather het bed nog nooit heeft laten bewegen.'

'Weet je wat me echt hels maakte? Dat ze net deed alsof ik even roekeloos ben als die vrouwen die naar seriemoordenaars in de gevangenis schrijven. Zo'n vrouw die verliefd wordt op een kerel die zes andere vrouwen heeft gewurgd met een schoenveter. Ik weet niet hoe Eli het doet. Hoe hij het redt, terwijl er voortdurend zo'n wolk van verdenking boven zijn hoofd hangt, bedoel ik.'

'Het is vast makkelijker voor hem nu hij jou heeft.'

'Ik hoop het.' Abra haalde nogmaals diep adem. 'Ik hoop het echt. Ik heb gevoelens voor hem.'

'Ben je verliefd op hem?' Plotseling bezorgd, likte Maureen chocolade van haar duim. 'Het is nog maar een paar weken, Abra.'

'Ik zeg niet dat ik verliefd op hem ben, maar ook niet dat ik het niet ben. Ik had al gevoelens voor hem tijdens onze eerste ontmoeting, al was dat met name medeleven. Hij zag er zo verslagen, moe en treurig uit, met daaronder een enorme laag woede waarvan het vreselijk moet zijn om die dag in dag uit te onderdrukken. En nu ik hem beter ken, is er nog altijd medeleven, maar ook respect. Er is heel wat moed en wilskracht voor nodig om te doorstaan wat hij heeft meegemaakt. En er is natuurlijk aantrekkingskracht en genegenheid.'

‘Ik had het idee dat hij zich die avond in het café ontspande, en zich amuseerde.’

‘Hij heeft mensen nodig, en ook al heeft hij zijn familie, ik heb de indruk dat hij zich al heel lang eenzaam voelt.’ Naar Abra’s mening moest je af en toe alleen zijn om jezelf op te laden. Maar eenzaamheid was een toestand waar ze medelijden mee had en waar ze verandering in wilde brengen. ‘Ik zie dat hij zich telkens iets meer ontspant en van de dingen geniet. Hij heeft gevoel voor humor en een goede inborst. Ik maak me nu zorgen over hem.’

‘Waarom denk jij dat al die agenten in Bluff House waren?’

‘Als Heather niet overdreef, hebben ze waarschijnlijk een huiszoekingsbevel. Ik heb je al verteld dat rechercheur Wolfe ervan overtuigd is dat Eli Lindsay heeft vermoord. Dat wil hij koste wat kost bewijzen. En nu wil hij hard maken dat Eli nog iemand heeft omgebracht.’

‘Om dat te doen, moeten ze aantonen dat jij liegt.’ Maureen legde haar hand even op die van Abra. ‘Ze zullen je nog een keer gaan ondervragen, denk je niet?’

‘Daar ben ik bijna zeker van. Misschien Mike en jou ook wel.’

‘Dat kunnen we aan. Net als alle roddelaars als Heather. Ik vraag me af of ze naar je volgende les komt, hier in de cottage.’

‘Als ze dat doet, mag je haar geen klap geven, hoor.’

‘Wat ben je toch een spelbreker. Daarvoor pak ik nog een brownie voor onderweg. Bel me als ik iets voor je kan doen. Ik ben de rest van de dag thuis. Ik moet echt wat administratie doen voor de kinderen thuiskomen.’

‘Bedankt.’ Ze stonden op en Abra omhelsde haar even. ‘Jij bent precies het juiste tegengif tegen de idioot.’

Toen Maureen weg was, ging Abra naar haar slaapkamer om zich om te kleden. Door de twee brownies voor twaalf uur voelde ze zich een tikje misselijk, maar dat zou wel weer wegtrekken. En als ze klaar was met haar werk voor die dag, zou ze naar Eli gaan. In voor- en tegenspoed.

Het duurde uren. Toen ze zijn kantoor vrij gaven, trok Eli zich daarin terug terwijl de agenten door de rest van het huis krioelden. Toen hij zijn spullen weer op hun plaats had gezet, hield hij zich bezig met telefoontjes, e-mails en achterstallig papierwerk.

Hij vond het vreselijk om zijn vader te moeten bellen, maar problemen slaagden er nou eenmaal altijd in om uit te lekken. Het was beter dat zijn familie het uit zijn mond hoorde dan uit een andere bron. Hij nam niet de moeite om het te bagatelliseren, want daar was zijn vader veel te slim voor. Hij wist de man in elk geval wel gerust te stellen, en via hem ook de rest van de familie.

De politie zou niks vinden omdat er niks te vinden viel.

Hij kon zich er niet toe zetten om te schrijven, niet nu de politie hem figuurlijk op de vingers keek. Daarom deed hij die dag research, eerst voor zijn boek, en daarna probeerde hij meer over Esmeralda's bruidsschat te vinden.

Hij keek op toen er op de deur werd geklopt. Hij zag Corbett door zijn bureaustoel om te draaien, maar hij stond niet op en zei niks.

'We zijn klaar.'

'Goed.'

'Zeg, over dat graafwerk in de kelder…'

'Wat is daarmee?'

'Dat is nogal een sleuf.' Corbett wachtte even, maar Eli reageerde niet. 'Hebt u geen idee wie daar verantwoordelijk voor is?'

'Als ik dat wel had, zou ik het tegen hulpsheriff Hanson hebben gezegd.'

'Zijn theorie, en naar verluidt ook die van u, is dat degene die hier heeft ingebroken op de avond dat Duncan is vermoord de sleuf heeft gegraven. En aangezien hij dat van zijn leven niet in één avond kan hebben gedaan, was het niet de eerste keer dat hij hier binnen was.'

'Dat is een theorie.'

Op Corbetts gezicht verscheen een geïrriteerde uitdrukking, waarna hij de kamer in liep en de deur achter zich dichtdeed. 'Hoor eens, Wolfe is terug naar Boston. Als hij hier nog een keer komt, staat hij er alleen voor, tenzij hij voldoende bewijs tegen u heeft. Op dit moment is er niks dat u in verband brengt met de moord op Duncan. De enige schakel is dat een onbekende, of diverse onbekenden, hem hebben ingehuurd om verslag te doen van uw doen en laten. Zelf denk ik niet dat u het hebt gedaan, vanwege alle redenen die we tijdens ons laatste gesprek hebben besproken. Daar komt nog bij dat ik geen enkele reden heb om aan het woord van Abra Walsh te twijfelen, zelfs al vertelt mijn speurdersinstinct mij dat ze hier sinds die tijd een paar nachten heeft geslapen, en dan niet beneden op de bank.'

'Voor zover ik weet is seks tussen volwassenen nog altijd legaal in Massachusetts.'

'Godzijdank wel. Ik wil alleen maar zeggen dat ik u hiervoor niet op het oog heb. Het probleem is dat ik er nog niemand voor op het oog heb. Nog niet, althans. Wat ik wel heb is een inbraak, een mishandeling en een moord, allemaal op dezelfde avond. Daardoor ga ik me dingen afvragen. Dus als u wel een vermoeden krijgt wie hier beneden heeft gegraven, is het in uw eigen belang het me te vertellen.'

Hij keerde zich om naar de deur, bleef staan en keek even om naar Eli. 'Ik zou pislink zijn als er de hele dag een stel agenten door mijn huis had gebanjerd. Ik kan u vertellen dat ik ze heel zorgvuldig heb uitgezocht. Als we niks hebben gevonden, is er ook niks te vinden. En daar kan ik nog aan toevoegen dat ze weliswaar voorzichtig zijn geweest, maar dat dit een verdraaid groot huis is met ontzettend veel spullen erin. Sommige dingen kunnen op de verkeerde plek zijn teruggezet.'

Eli aarzelde even toen Corbett de deur opende, maar besloot de gok toch te wagen. 'Ik denk dat degene die de sleuf heeft gegraven mijn oma van de trap heeft geduwd, of haar val heeft veroorzaakt. En haar vervolgens heeft laten liggen.'

Corbett stapte weer naar binnen en deed de deur weer dicht. 'Daar heb ik zelf ook aan gedacht.' Zonder op een uitnodiging te wachten, liep hij naar Eli en ging zitten. 'Kan ze zich iets herinneren?'

'Nee. Ze weet niet eens meer dat ze is opgestaan en naar beneden is gegaan. Als je kijkt naar de verwondingen aan haar hoofd... volgens de artsen is dat niet ongebruikelijk. Misschien zal haar geheugen weer terugkomen, misschien ook niet. Ze had dood kunnen gaan, en dat zou waarschijnlijk ook zijn gebeurd als Abra haar niet had gevonden. Een privédetective neerschieten is niet zo heel anders dan een oud dametje van de trap duwen en haar voor dood laten liggen. Dit is haar thuis, hier ligt haar hart, maar de kans bestaat dat ze hier nooit meer zal kunnen wonen, in elk geval niet in haar eentje. Ik wil weten wie daar verantwoordelijk voor is.'

'Waar was u die avond? De avond dat ze is gevallen.'

'Godverdomme nog aan toe.'

'Laten we grondig zijn, meneer Landon. Weet u het nog?'

'Ja, ik weet het nog, want ik zal nooit de uitdrukking op mijn moeders gezicht vergeten toen ze de volgende ochtend naar mijn slaapkamer kwam om het me te vertellen. Nadat Abra naar hun huis had gebeld. Ik sliep niet goed. Ik had niet goed geslapen sinds... heel lang. Een paar weken na de moord op Lindsay ben ik bij mijn ouders gaan wonen, dus daar was ik op de avond van mijn grootmoeders ongeluk. Mijn vader en ik hadden gin rummy gespeeld en bier gedronken tot ongeveer twee uur 's nachts. Ik had hier natuurlijk hard heen kunnen rijden, mijn grootmoeder van de trap kunnen gooien en me weer terug haasten naar Boston om in bed te liggen voor mijn moeder naar mijn kamer kwam om te zeggen dat oma gewond was en in het ziekenhuis lag.'

Zonder acht te slaan op die opmerking pakte Corbett zijn notitieboekje en schreef wat op. 'Er zijn veel kostbaarheden in dit huis.'

'Ja, dat weet ik, en dat is precies wat ik niet begrijp. Er is hier meer dan genoeg dat je zo'n beetje in je zakken kunt proppen en voor een leuke winst kunt verkopen. Maar hij is uren, of dagen bezig met het hakken in de keldervloer.'

'Esmeralda's bruidsschat.'

'Iets beters kan ik ook niet verzinnen.'

'Nou, dit is verdraaid interessant. Hebt u er bezwaar tegen, als haar artsen het tenminste goed vinden, dat ik met uw oma ga praten?'

'Ik wil niet dat ze van streek raakt en dat mijn familie weer in een enorme puinhoop belandt. Ze hebben al genoeg voor de kiezen gehad.'

'Ik zal voorzichtig zijn.'

'Waarom maakt u zich hier druk om?'

'Omdat ik een dode man heb laten terugbrengen naar Boston die, voor zover ik kan beoordelen, alleen zijn werk deed. Omdat iemand hier heeft ingebroken en een vrouw waarschijnlijk niet alleen maar zou hebben mishandeld als ze zich niet had verdedigd. Omdat u uw vrouw niet hebt vermoord.'

Eli wilde iets zeggen, maar alles wat hij in zijn hoofd had gleed weg. 'Wat zei u daar?'

'Denkt u nou echt dat ik niet elk woord uit uw dossier heb gelezen en beoordeeld? U hebt uw verhaal nooit veranderd. Wel de woordkeus, de manier waarop u het zei, maar nooit de inhoud. U loog niet, en als het een daad uit hartstocht was, zoals wel is gespeculeerd, dan zou een goede strafpleiter, en u had in dat opzicht een uitstekende reputatie, zijn sporen een stuk beter hebben uitgewist.'

'Wolfe denkt wel dat ik het heb gedaan.'

'Wolfes intuïtie vertelt hem dat u het hebt gedaan en ik geloof dat hij een goede intuïtie heeft. Maar deze keer zit hij ernaast. Dat gebeurt soms.'

'Misschien zit uw intuïtie er wel naast.'

Corbett liet een dun glimlachje zien. 'Aan wiens kant staat u eigenlijk?'

'U bent de eerste agent die me recht in de ogen heeft gekeken en heeft gezegd dat ik Lindsay niet heb vermoord. Het kost even tijd om daaraan te wennen.'

'De openbare aanklager geloofde ook niet dat u de dader was. Maar u was alles wat ze hadden en Wolfe was er honderd procent zeker van, dus hebben ze het doorgedrukt tot ze echt niet verder konden.'

Corbett kwam overeind. 'U bent oneerlijk behandeld. Dat zal ik niet doen. U hebt mijn nummer, voor het geval u nog iets belangrijks te binnen schiet.'

'Ja, dat heb ik.'

'Goed, dan zullen we u nu met rust laten.'

Weer alleen, leunde Eli achterover en probeerde zijn gemengde gevoelens te ontcijferen.

De ene agent beschouwde hem als onschuldig en de andere als schuldig. Het was prettig om geloofd te worden en dat die woorden nog in de lucht hingen.

Maar hoe hij het ook wendde of keerde, hij zat nog altijd tussen twee vuren.

15

Ze maakte zich bezorgd over de stemming waarin ze hem zou aantreffen. Gedeprimeerd en piekerend? Boos en laatdunkend?

Wat zijn reactie ook was, ze kon het hem niet kwalijk nemen. Zijn leven was voor de zoveelste keer verstoord, zijn integriteit opnieuw in twijfel getrokken. En zijn privacy was geruïneerd, niet alleen door de politie, maar ook door mensen als Heather. Alweer.

Ze nam zich voor om begripvol te zijn, wat wellicht betekende dat ze zich kordaat en zakelijk of juist bemoedigend en meelevend zou moeten opstellen.

Ze had niet verwacht hem in de keuken te vinden en hem bezig te zien bij het overvolle eiland. Op zijn gezicht lag een geprikkelde uitdrukking en in zijn hand hield hij een bol knoflook.

'Nee, maar. Wat is dit allemaal?'

'Chaos. Kennelijk draait het daarop uit als ik probeer te koken.'

Ze schoof het bord met brownies aan de kant. 'Ben jij aan het koken?'

'Dat próbeer ik.'

Ze vond zijn poging zowel aandoenlijk als positief. 'Wat probeer je te maken?'

'Iets met kip en rijst.' Hij haalde een hand door zijn haar en keek kwaad naar de troep die hij had gemaakt. 'Ik heb het op internet gevonden bij Koken voor Sukkels.'

Ze liep om het eiland heen en las de uitdraai van het recept. 'Ziet er goed uit. Wil je wat hulp?'

Nu keek hij haar kwaad aan. 'Aangezien ik de sukkel ben, moet ik het zelf kunnen.'

'Prima. Vind je het goed dat ik een glas wijn inschenk?'

'Ga je gang. Schenk er ook maar een voor mij in. Een groot glas graag.'

Hoewel koken voor haar ontspanning was, begreep ze de frustraties van mensen die net leerden koken of het slechts zelden deden. 'Wat is de aanleiding voor dit huiselijke plaatje?' vroeg ze terwijl ze, ondanks zijn opmerking, gewone wijnglazen pakte.

Hij kneep zijn ogen tot spleetjes toen ze de pantry in ging om de wijn te pakken. 'Wil je soms een schop onder je kont?'

'Nee, ik wil liever een lekkere pino griggio,' riep ze terug. 'O, daar is-ie. Ik hoop dat ik mag blijven eten.' Met de wijn kwam ze de kast weer uit. 'Het is een poosje geleden dat er iemand voor me heeft gekookt.'

'Dat was wel de bedoeling.' Hij zag dat ze de fles ontkurkte die ze vermoedelijk zelf in de wijnkoeling had gezet. 'Zit het alarmnummer onder een sneltoets?'

'Ja.' Ze reikte hem een glas aan en drukte een liefdevolle zoen op zijn wang. 'En bedankt.'

'Wacht maar met me te bedanken tot we zeker weten dat ik de keuken niet in brand zal steken en we geen voedselvergiftiging oplopen.'

Omdat ze bereid was beide te riskeren, ging ze zitten en genoot van haar eerste slok wijn. 'Wanneer heb je voor het laatst iets gekookt wat niet uit een blik of doos kwam?'

'Sommige zelfvoldane mensen halen hun neus op voor eten uit blikken en dozen.'

'Dat is waar. We horen ons diep te schamen.'

Weer keek hij met gefronste wenkbrauwen naar de bol knoflook. 'Ik moet deze knoflook pellen en snijden.'

'Goed.'

Toen hij haar alleen maar aanstaarde, verschoof ze iets en pakte het mes. 'Ik zal de procedure even voordoen.'

Ze trok er een teentje af, stak het even omhoog en legde het daarna op de snijplank. Ze gaf er een soort klap op met de platte kant van het mes. Het velletje gleed eraf, zo gemakkelijk als de kleding van een stripper. Nadat ze het fijn had gesneden, gaf ze hem de rest van de bol en mes terug. 'Snap je?'

'Ja.' Min of meer. 'We hadden een kokkin. Toen ik klein was, hadden we altijd een kokkin.'

'Je bent nooit te oud om te leren. Misschien ga je koken nog leuk vinden.'

'Dat lijkt me sterk. Maar ik hoor toch zeker wel een recept voor sukkels te kunnen bereiden.'

'Daar heb ik alle vertrouwen in.'

Hij deed haar snijprocedure na en voelde zich enigszins hoopvoller worden toen hij geen vinger afsneed. 'Ik weet heus wel hoe hooghartig vermaak eruitziet.'

'Maar het is wel hooghartig en liefdevol vermaak. Zo liefdevol dat ik je een trucje zal leren.'

'Wat dan.'

'Een snelle en simpele marinade voor de kip.'

In zijn stem klonk duidelijk angst en afkeer voor dat idee door. 'Er staat niks over een marinade.'

'Dat zou wel moeten. Momentje.' Ze stond op en liep de inlooppantry weer in. Het bezorgde haar een schok om alles zo slordig door elkaar te zien staan. Toen herinnerde ze zich de politie.

Zonder iets te zeggen pakte ze een fles vloeibare margarita-mix.

'Ik dacht dat we wijn dronken.'

'Dat doen we ook. Maar de kip gaat dit drinken.'

'Waar is de tequila?'

Lachend zei ze: 'Nee, deze keer niet. De kip in mijn tortillasoep drinkt wel tequila, maar deze krijgt alleen de mix.'

Ze pakte een grote plastic zak, deed de kip erin, en goot er de vloeistof bij. Daarna deed ze de zak dicht en draaide hem een paar keer om.

'Is dat alles?'

'Ja, dat is alles.'

'Dat deel zou voor sukkels moeten zijn. Dat had ik ook gekund.'

'En de volgende keer doe je het zelf. Dit is trouwens ook heel lekker bij vis.'

Toen ze weer ging zitten, richtte hij zijn aandacht weer op het snijden van de knoflook in plaats van zijn vingers. 'De politie was hier vandaag, de hele dag, om een huiszoekingsbevel uit te voeren.' Hij keek op. 'Maar dat wist je al.'

'Dat hier agenten waren, ja. Dat van dat huiszoekingsbevel vermoedde ik.' Ze strekte haar hand uit over het eiland en streelde zacht met haar vingers over zijn pols. 'Het spijt me, Eli.'

'Toen ze weg waren, ben ik naar een paar kamers gegaan om alles weer op zijn plek te zetten. Maar toen werd ik er weer kwaad over, dus besloot ik om iets anders te gaan doen.'

'Maak je daar maar niet druk om. Ik regel het wel.'

Hij schudde zijn hoofd. Hij had zich voorgenomen om een paar kamers per keer te doen tot het huis weer in zijn normale staat was. Bluff House en de hele inhoud ervan waren nu zijn verantwoordelijkheid.

'Het had erger kunnen zijn. Ze hadden dingen kapot kunnen maken. Ze waren heel grondig, maar ik heb eerder huiszoekingen meegemaakt, en deze keer hebben ze geen dingen op de grond gegooid.'

'Aardig van ze, maar het blijft oneerlijk. Het is nog altijd verkeerd.'

'Oneerlijke en verkeerde dingen vinden elk uur van de dag plaats.'

'Dat is een treurig en cynisch standpunt.'

'Nee, realistisch,' verbeterde hij haar.

'Flikker een eind op.' Haar woede vlamde op, en opeens besefte ze dat die al die tijd op de achtergrond had gesmeuld. 'Dat is niets anders dan een smoesje om er niks aan te doen.'

'Heb je toevallig een suggestie over wat er aan een officieel bekrachtigd huiszoekingsbevel kan worden gedaan?'

'Dat je je daarbij moet neerleggen, is iets anders dan aanvaarden dat het er nou eenmaal zo aan toe gaat in het leven. Ik ben geen advocaat, maar ben er wel door een grootgebracht, en het is nogal duidelijk dat ze flink hebben moeten aandringen om een huiszoekingsbevel te krijgen. En het is even duidelijk dat die diender uit Boston degene was die erop aandrong.'

'Dat zal ik niet tegenspreken.'

'Hij hoort gestraft te worden. Je moet hem aanklagen wegens intimidatie. Je zou uitzinnig van woede moeten zijn.'

'Dat was ik ook. En ik heb met mijn advocaat gesproken. Als hij me niet met rust laat, gaan we een aanklacht overwegen.'

'Waarom ben je nu niet meer kwaad?'

'Godsamme, Abra, ik bereid kip volgens een recept van internet omdat ik weer kwaad werd toen ik door het huis liep om de troep van de politie op te ruimen. Ik moest iets doen met die woede. Ik heb geen ruimte meer voor woede.'

'Ik heb er kennelijk meer dan genoeg ruimte voor. Vertel me alleen niet dat oneerlijk en verkeerd heel normaal zijn. Het systeem hoort mensen niet naar alle kanten te trappen. Ik ben heus niet zo naïef om niet te beseffen dat het soms wel gebeurt. Maar ik ben ook menselijk genoeg om te wensen dat het niet zou gebeuren. Ik heb frisse lucht nodig.'

Ze stond woest op en liep met grote stappen naar de terrasdeuren en ging naar buiten.

Bedachtzaam legde Eli het mes neer, veegde zijn handen afwezig af langs de zijkant van zijn spijkerbroek en volgde haar.

'Dit helpt niet.' Ze zwaaide met haar hand naar hem, terwijl ze over het terras ijsbeerde. 'Dat helpt allemaal geen zak. Ik weet het.'

'Ik weet het zonet nog niet.'

'Het zit me al dwars sinds het moment dat ik ervan hoorde, zelfs al heb ik twee gigantische brownies gegeten om te kalmeren.'

Hij was ermee bekend dat vrouwen vaak troost putten uit chocolade, al koos hij zelf liever voor bier. 'Wanneer hoorde je ervan?'

'Tijdens mijn ochtendles yoga, van een van mijn leerlingen. Roddelen is haar grote hobby. O, dat is gemeen. Ik heb er een hekel aan om gemeen te zijn. Negatieve vibraties,' mompelde ze, met haar armen zwaaiend alsof ze die vibraties los kon schudden om weg te laten blazen door de wind. 'Maar ze is altijd zo verrekte zelfingenomen, zo "bezorgd", zo onecht. Toen zij het vertelde, leek het net alsof de politie een arrestatieteam had gestuurd om een doorgedraaide moordenaar op te pakken, met wie ik zo dom ben om naar bed te gaan. En ze doet net alsof ze zich zorgen maakt over de gemeenschap, en natuurlijk ook over mij, omdat jij me in mijn slaap kan smoren of me de hersens in kan slaan of… O, shit, Eli.' Geschrokken hield ze op. 'Het spijt me vreselijk. Dat was dom. Dom, gemeen en ongevoelig, de drie dingen die ik niet graag bij mezelf constateer. Ik hoor jou op te vrolijken of te steunen, of allebei. En nou sta ik hier een beetje te snauwen en te grauwen tegen jou, en zeg ik vreselijke en domme dingen. Ik zal ermee ophouden. Of ik ga naar huis en neem mijn chagrijnige bui mee.'

Hij zag dat haar gezicht rood was van woede en frustratie. In haar ogen las hij een verschrikte verontschuldiging. En de zeebries blies door haar haren waardoor de wilde krullen dansten.

'Weet je, mijn familie en de weinige vrienden die ik nog heb, praten er nooit over. Ik voelde dat ze eromheen slopen alsof het een... een T-rex was die ze niet wilden storen. Soms had ik het idee dat die me in één hap zou verzwelgen. Maar zij slopen eromheen en probeerden er zo min mogelijk over te praten. "Maak Eli niet van streek, zorg dat hij er niet aan gaat denken, maak hem niet verdrietig." Het was verdomd deprimerend om te beseffen dat ze me niet konden of wilden vertellen hoe zij zich voelden, wat zij erover dachten, behalve dan: "Alles komt goed, we staan achter je." Het was fijn om te weten dat ze voor me opkwamen, maar de gillende stilte van die T-rex, en hoe zij zich vanbinnen voelden, zijn me bijna te veel geworden.'

'Ze houden van je,' begon Abra. 'Ze maakten zich zorgen over je.'

'Dat weet ik. Ik ben niet alleen hiernaartoe gegaan omdat oma iemand in het huis nodig had. Ik had al besloten om niet langer bij mijn ouders te blijven wonen, en om zelf een huis te zoeken. Ik had er de energie nog niet voor gevonden, maar ik wist dat ik weg moest van die sluipende stilte, zowel voor mezelf als voor hen.'

Ze begreep precies wat hij bedoelde. Nadat Derrick haar had mishandeld, hadden heel veel mensen ook om haar heen geslopen. Bang om het verkeerde te zeggen, bang om wat dan ook te zeggen.

'Het is een vreselijke lijdensweg voor jullie allemaal geweest.'

'En dat werd het vandaag opnieuw omdat ik ze moest vertellen wat er gebeurde, voor ze het van iemand anders zouden horen.'

Weer voelde ze een vlaag medelijden. Daar had ze niet aan gedacht. 'Dat moet moeilijk zijn geweest.'

'Het moest gebeuren. Ik heb het gebagatelliseerd, dus ik neem aan dat dat de manier is waarop de Landons dingen aanpakken. Jij bent de eerste die eerlijk heeft gezegd wat ze denkt of voelt. De eerste die niet doet alsof die T-rex hier niet is; dat iemand Lindsay de hersens heeft ingeslagen en dat heel wat mensen denken dat ik dat was.'

'Gedachten en gevoelens, en het hartstochtelijk uiten daarvan waren heel belangrijk bij mij thuis.'

'Wie had dat kunnen denken?'

Dat ontlokte haar een glimlachje. 'Ik was niet van plan om iets te zeggen, maar kennelijk heb ik al mijn zelfbeheersing voor vandaag al opgebruikt toen ik Heather niet op haar gat heb geslagen.'

'Stoere meid.'

'Ik ken tai chi, hoor.' Met opzet ging ze op een been staan in de kraanvogelhouding.

'Dat is toch kung fu?'

'Het zijn allebei vechtsporten, dus pas maar op. Ik voel me niet meer zo kwaad.'

'Ik ook niet.'

Ze liep naar hem toe en sloeg haar armen om zijn hals. 'Laten we een afspraak maken.'

'Goed.'

'Gedachten en gevoelens op tafel als het nodig is. En als er een dinosaurus de kamer binnenwandelt, zullen we hem niet negeren.'

'Dat zal jou beter afgaan dan mij, net als het koken, maar ik zal mijn best doen.'

'Meer vraag ik niet van je. We moeten maar weer naar binnen gaan, zodat ik jou kan zien koken.'

'Oké. Nu we... de tafel hebben gedekt, zijn er wat dingen die ik wil zeggen.'

Hij ging voorop de keuken weer in. Bij het eiland pakte hij een paprika en bekeek die aandachtig, terwijl hij probeerde te bedenken hoe hij hem moest snijden.

'Ik zal ook dit voordoen.'

Terwijl zij de bovenkant eraf sneed, de zaadlijsten eruit haalde en het ding in reepjes sneed, pakte hij zijn glas wijn. 'Corbett weet dat ik Lindsay niet heb vermoord.'

'Wat?' Haar hoofd schoot omhoog en de hand waarin ze het mes hield bewoog opeens niet meer. 'Heeft hij dat tegen je gezegd?'

'Ja. Ik heb geen enkele reden om te denken dat hij me voorliegt. Hij zei dat hij het dossier heeft gelezen en alles heeft bekeken en dat hij weet dat ik haar niet heb vermoord.'

'Ik zie hem nu met heel andere ogen.' Ze legde haar hand even op die van Eli. 'Geen wonder dat je niet zo kwaad was als ik.'

'Het heeft iets van de druk weggehaald. Er is nog meer dan genoeg, hoor, maar hij is wel iets verminderd.'

Hij probeerde zelf te snijden en vertelde haar ondertussen wat Corbett precies tegen hem had gezegd.

'Dus hij gelooft ook dat het mogelijk is dat degene die onlangs 's avonds in huis was, hier ook was toen Hester is gevallen. En dat de kans bestaat dat die persoon Duncan heeft neergeschoten.'

'Ik denk dat het een mogelijkheid is die hij gaat onderzoeken. Mijn advocaat zou me, heel terecht, een schop onder mijn kont geven als hij wist dat ik met Corbett heb gesproken, en wat ik hem heb verteld. Maar...'

'Soms moet je iemand vertrouwen.'

'Vertrouwen is een groot woord, maar hij verkeert in de beste positie om Duncans moordenaar te pakken te krijgen. Als hij daarin slaagt, wanneer dat ook is, zullen we eindelijk een aantal antwoorden krijgen.'

Hij schoof de groene paprika aan de kant en pakte de rode. 'Maar ondertussen is er iemand die in dit huis wil komen, die jou al heeft aangevallen en wellicht mijn oma heeft verwond. Er is iemand die een man heeft vermoord. Misschien is dat één en dezelfde persoon. Maar het kan ook een partner of concurrent zijn.'

'Concurrent?'

'Er zijn heel veel mensen die geloven dat Esmeralda's bruidsschat echt bestaat. Ongeveer dertig jaar geleden hebben schatzoekers het wrak van de Calypso gevonden, maar niet de bruidsschat. Die is nog altijd niet gevonden, en er hebben er heel wat naar gezocht. Al is er geen hard, bevestigd bewijs dat de bruidsschat aan boord van het schip was toen dat verging bij Whiskey Beach, of dat die ooit aan boord was geweest. Hij kan heel goed zijn vergaan met de vertrouweling van de familie toen de Calypso de Santa Catherina aanviel. Of de vertrouweling heeft hem verdonkeremaand en is naar een van de West-Indische eilanden gevlucht waar hij als een rijke man heeft geleefd.'

'Verdonkeremaand. Dat klinkt deftig.'

'Ik ben een deftige man,' zei hij, en hij maakte de paprika af. 'Het zijn vooral geruchten, en veel van die geruchten zijn met elkaar in tegenspraak. Maar iemand die zo veel moeite doet als deze vent, die bereid is ervoor te moorden, gelooft er heilig in.'

'Denk je dat hij weer zal proberen binnen te dringen, als jij thuis bent?'

'Ik vermoed dat hij een poosje zal wachten tot alles tot bedaren is gekomen. Maar ja, daarna zal hij weer proberen binnen te komen. Dat is één ding. Het andere is dat er mensen in het dorp zijn, mensen die jij kent, voor wie je werkt of aan wie je lesgeeft, die, net als hoe heet ze, zullen geloven dat ik het heb gedaan. Of die zich in elk geval afvragen of ik het kan hebben gedaan. Daardoor kun je ook gevaar lopen, en zal er zeker over je geroddeld worden. Dat wil ik niet.'

'Jij hebt geen enkele zeggenschap over wat andere mensen doen of zeggen. En volgens mij heb ik al bewezen dat ik mezelf kan verdedigen tegen mogelijk gevaar.'

'Hij had geen wapen, of vond dat niet nodig. Toen niet.'

Ze knikte. Ze kon niet zeggen dat het idee haar bang maakte, maar ze had al lang geleden besloten om niet voortdurend in angst te leven. 'Mij vermoorden, of ons allebei, in onze slaap of als ik de vloer schrob, zal alleen tot gevolg hebben dat de politie hier weer komt. Dat lijkt me het laatste wat hij wil. Hij moet alle aandacht juist vermijden. Niet alleen voor hemzelf, maar ook voor Bluff House.'

'Dat is logica. Ik probeer het grote geheel in ogenschouw te nemen en tot nu toe heeft hij zich niet erg logisch gedragen. Ik wil niet dat jou iets overkomt. En ik wil ook niet dat je nog een keer zoiets meemaakt als vanochtend omdat wij iets met elkaar hebben.'

Hem koeltjes aankijkend nam ze een slok wijn. 'Bereid je een afscheidsmaaltijd voor me, Eli?'

'Het lijkt me in alle opzichten beter als we elkaar een poosje niet zien.'

'Het ligt niet aan jou, maar aan mij... Wordt dat je volgende zin?'

'Hoor eens. Het is omdat... Omdat je belangrijk voor me bent. Er staan hier spullen van jou, en die hebben de agenten vandaag onderzocht. Corbett mag mij dan geloven, Wolfe doet dat niet, en hij laat het er niet bij zitten. Hij zal doen wat hij kan om jou in opspraak te brengen omdat het jouw verklaring is waardoor ik niet verdacht word van de moord op Duncan.'

'Dat zal hij toch wel doen, of we nou wel of geen relatie hebben.'

Ze probeerde te bepalen hoe ze het vond om in bescherming genomen te worden, tegen letsel, tegen nare geruchten. Ze besloot dat ze dat prima vond, al was ze niet van plan het te laten gebeuren.

'Ik begrijp jouw standpunt. Jij denkt dat je me moet beschermen, me moet behoeden voor letsel en roddels, tegen een kritisch onderzoek door de politie, en ik merk dat ik het prettig vind om bij een man te zijn die dat wil proberen. Maar weet je, Eli. Ik heb dit allemaal al een keer meegemaakt, en nog erger zelfs. Ik ga de dingen die ik graag wil niet opgeven omdat er een kansje bestaat dat ik een deel daarvan weer zal meemaken. Jij bent ook belangrijk voor mij.'

Ze hief haar wijn terwijl ze hem onderzoekend aankeek. 'Volgens mij zijn we hierover in een impasse beland, op één ding na dan.'

'Wat dan?'

'Dat ligt eraan hoe je de volgende vraag gaat beantwoorden. En die luidt: Vind jij dat vrouwen hetzelfde betaald moeten krijgen als mannen als ze hetzelfde werk doen?'

'Wat? Ja. Hoezo?'

'Mooi zo, want deze discussie zou een heel andere kant opgaan als je nee had gezegd. Vind je ook dat vrouwen het recht hebben om te kiezen?'

'Jezus.' Hij haalde een hand door zijn haar. 'Ja.' Hij begreep heel goed waar ze naartoe wilde, en hij begon in gedachten een weerwoord te bedenken.

'Prachtig. Dat bespaart ons een lang en verhit debat. Rechten brengen verantwoordelijkheden met zich mee. Het is mijn keus hoe ik mijn leven leid, met wie ik een relatie begin en om wie ik geef. Ik heb het recht die keuzes te maken en daar neem ik de verantwoordelijkheid voor.'

Met samengeknepen ogen keek ze hem aan. 'O, toe dan maar.'

'Wat moet ik doen?'

'Ik ben opgevoed door een advocaat,' bracht ze hem in herinnering. 'Ik zie gewoon dat meneer de Harvard-student een gecompliceerd betoog staat te bedenken om al mijn punten met elkaar in de knoop te laten raken. Dus ga je gang. Je mag zelfs een paar keer "waartoe" gebruiken. Het maakt toch geen verschil. Mijn besluit staat vast.'

Hij veranderde van tactiek. 'Weet je wel hoeveel zorgen ik me zal maken?'

Abra deed haar kin iets omlaag, en er verscheen een staalharde blik in haar samengeknepen ogen.

'Daar had mijn moeder altijd succes mee,' mompelde hij.

'Jij bent mijn moeder niet,' merkte ze op. 'Bovendien heb je geen moeder-macht. Je zit met me opgescheept, Eli. Als je me wegstuurt, moet het zijn omdat je me niet meer wilt of omdat je iemand anders of iets anders wilt. Als ik bij jou wegga, moet het om dezelfde redenen zijn.'

Gevoelens op tafel, dacht hij. 'Ik gaf niet meer om Lindsay, maar het spijt me elke dag dat ik niks heb kunnen doen om haar te redden.'

'Je hebt ooit om haar gegeven, en ze verdiende het niet om op die manier te sterven. Als je had gekund, zou je haar hebben beschermd.' Ze stond op, liep naar hem toe en sloeg haar armen om zijn middel.

'Ik ben Lindsay niet. Jij en ik zullen elkaar beschermen. We zijn allebei slim. Het lukt ons wel.'

Hij trok haar tegen zich aan en drukte zijn wang tegen de hare. Hij zou haar niks laten overkomen. Hij wist niet hoe hij die onuitgesproken belofte aan haar en aan zichzelf moest houden, maar hij was tot alles bereid om daarvoor te zorgen.

'Slim? Ik volg een recept voor sukkels.'

'Het is je eerste keer.'

'Ik moet die kip in dobbelsteentjes snijden. Wat bedoelen ze daar in godsnaam mee?'

Ze leunde iets naar achteren en kwam vervolgens weer dichterbij voor een lange, bevredigende zoen. 'Ook dat zal ik voordoen.'

Ze liep het huis in en uit. Vroege lessen, schoonmaakopdrachten, waaronder de zijne, privélessen, tarotkaarten leggen voor een verjaardagsfeest.

Wanneer hij werkte, besefte hij nauwelijks dat ze er was, maar als ze er niet was, was hij zich daar maar al te zeer van bewust. De energie – hij ging steeds meer denken zoals zij – van het huis leek weg te kwijnen als zij er niet was.

Ze wandelden over het strand en hoewel hij resoluut had besloten dat koken nooit ontspannend voor hem zou zijn, hielp hij haar zo nu en dan wel.

Het kostte hem veel moeite om zich het huis zonder haar voor te stellen. Om zich zijn dagen en nachten zonder haar voor te stellen.

Maar toen ze hem probeerde over te halen om naar het café te gaan op de volgende avond dat zij er moest werken, verzon hij smoesjes.

Hij moest doorgaan met het onderzoek naar de bruidsschat en het schip, bracht hij zichzelf in herinnering. Hij nam boeken mee naar het terras om daar te lezen zolang er voldoende licht was, en hij installeerde zich bij de grote terracotta potten waar Abra paarse en gele viooltjes in had geplant.

Net zoals zijn oma elke lente deed, bedacht hij.

Die konden tegen de koele nachten, en zelfs tegen nachtvorst, mocht dat nog een keer gebeuren. En die kans was vrij groot, ondanks het heerlijke warme weer van de afgelopen dagen.

De mensen waren in drommen naar het strand gekomen om ervan te profiteren. Door zijn telescoop had hij Vinnie zelfs gezien, die even zwierig op de golfen surfte als toen hij nog een tiener was.

Door de warmte, de bloemen, de stemmen die werden voortgedreven op de wind en het vrolijke blauw van de zee, ging hij bijna denken dat alles normaal, geregeld en goed was.

Daardoor ging hij zich afvragen hoe het leven zou zijn als dat allemaal waar was. Als hij hier ging wonen, hier zou gaan werken, zijn oorsprong hier weer zou opeisen zonder het zeurende gewicht dat nog altijd om zijn middel geketend zat.

Abra die het huis in en uit zou fladderen en het zou vullen met bloemen, kaarsen en glimlachjes. Met warmte en licht en een belofte waarvan hij niet wist of hij hem ooit zou kunnen doen, of houden.

Gedachten en gevoelens op tafel, dacht hij. Maar hij wist niet hoe hij moest omschrijven wat hij bij haar, of voor haar, voelde. En hij wist al helemaal niet wat hij met die gevoelens aan moest.

Wel wist hij dat hij met haar gelukkiger was dan hij ooit zonder haar was geweest. Gelukkiger dan hij, ondanks alles, ooit gedacht had te kunnen zijn.

Hij dacht aan haar, hoe ze op haar hoge hakken, gekleed in haar korte zwarte rokje en strakke shirt met haar dienblad door het café liep.

Hij had best zin in een biertje en wat lawaai, en hij wilde graag haar snelle glimlach zien als hij zou binnenkomen.

Toen hield hij zich voor dat hij zijn research de afgelopen dagen had verwaarloosd, en stortte zich daarop.

Niet dat hij begreep wat voor nut het zou kunnen hebben om verhaaltjes te lezen – want anders kon hij het niet omschrijven – over piraten en schatten, over verdoemde minnaars en mensen die met geweld werden omgebracht.

Het ergste was echter dat dit zijn enige duidelijke spoor was naar een echte dood, en dat het hem heel misschien een kansje zou bieden om zijn naam te zuiveren.

Hij las nog een uur voor het te donker werd. Hij stond op en slenterde naar de rand van het terras om te kijken hoe de zee en de hemel samensmolten. Hij keek naar een jong gezin, bestaande uit een man, een vrouw en twee jongetjes, dat langs de waterkant liep. De jongens, gekleed in korte broeken, renden de golven in en uit, zo snel als krabben.

Misschien zou hij dat biertje toch gaan drinken. Een korte pauze houden en zich dan nog een uur bezighouden met de aantekeningen die hij had gemaakt, zowel over de legende als over zijn eigen kronkelige waarheid.

Hij raapte alles bij elkaar en liep naar binnen, om daar alles weer neer te leggen en de telefoon op te nemen. Hij zag het vaste nummer van zijn ouders op het schermpje staan en, zoals tegenwoordig altijd, maakte zijn hart een sprongetje van schrik door de vrees dat zijn oma misschien opnieuw was gevallen. Of erger.

Toch liet hij zijn stem zo opgewekt mogelijk klinken. 'Hoi.'

'Ja, hoi.' Hij ontspande zich bij het horen van zijn moeders opgewekte stem. 'Ik weet dat het een beetje laat is.'

'Het is nog niet eens negen uur, mam. En het is geen schoolavond.'

Hij hoorde de glimlach in haar stem. 'Stel je huiswerk niet uit tot zondagavond. Hoe gaat het met je, Eli?'

'Goed. Ik las net in een boek over Esmeralda's bruidsschat.'

'Jo-ho!'

'Hoe gaat het met oma? En met pap en Tricia?'

'Het gaat goed met iedereen. Je oma knapt zienderogen op. Ze wordt nog altijd sneller moe dan me lief is, en ik weet dat ze soms nog wat last heeft, vooral na haar fysiotherapie, maar we mogen hopen dat we allemaal zo sterk zijn op haar leeftijd.'

'Amen.'

'Ze verheugt zich er vreselijk op om je te zien met Pasen.'

Hij kromp even ineen. 'Mam, ik denk niet dat ik kan komen.'

'O, Eli.'

'Ik wil het huis liever niet zo lang leeg laten staan.'

'Heb je nog meer problemen gehad?'

'Nee. Maar ik ben nu hier. Als de politie een vermoeden heeft wie de inbreker was, zeggen ze daar niets over. Dus het is gewoon niet slim om het huis een paar dagen leeg te laten staan.'

'Misschien kunnen we het huis goed afsluiten en een bewaker in dienst nemen tot ze de persoon te pakken hebben die steeds inbreekt.'

'Mam. Er is altijd een Landon in Bluff House.'

'Verdorie, je klinkt net als je oma.'

'Het spijt me. Echt waar.' Hij wist heel goed hoe belangrijk de tradities met de feestdagen voor zijn moeder waren, en in dat opzicht had hij haar al te vaak teleurgesteld. 'Ik had een plek voor mezelf nodig en die heeft zij me gegeven. Ik moet er goed voor zorgen.'

Ze slaakte een zucht. 'Goed dan. Als jij niet naar Boston kunt komen, komen wij naar Whiskey Beach.'

'Hè?'

'Er is geen enkele reden dat we daar niet naartoe kunnen gaan. Hester zou het heerlijk vinden, en we zullen ervoor zorgen dat haar artsen toestemming geven. Jouw zus en haar man en kinderen zullen het ook fijn vinden. Het is hoog tijd dat de hele familie weer eens bijeenkomt voor een feestdag in Bluff House.'

Zijn eerste reactie was paniek, maar dat veranderde. Ze had gelijk. Het was hoog tijd. 'Je verwacht toch zeker niet dat ik de ham ga braden?'

'Dat regel ik wel, plus alle andere dingen. We zullen Selena eieren laten zoeken. O, weet je nog hoe graag Tricia en jij dat altijd deden? We komen zaterdagmiddag. Dit is leuker. Veel leuker dan dat jij hier komt. Dat had ik meteen moeten bedenken.'

'Ik ben blij dat je er alsnog aan hebt gedacht. Eh... hoor eens, ik wil Abra ook graag uitnodigen.'

'Dat zou geweldig zijn. Vooral Hester zal haar dolgraag willen zien. Je weet toch dat ze jouw oma om de paar dagen belt? We zouden het enig vinden als ze komt.'

'Oké, mooi, want ik heb iets met haar.'

Er viel een lange, doordringende stilte. 'Bedoel je dat je íéts iets met haar hebt?'

'Ja.'

'O, Eli. Wat geweldig. Wat ontzettend fijn om te horen. We zijn gek op Abra en...'

'Mam, het is niet... Het is alleen maar iets. Meer niet.'

'Ik mag toch wel blij zijn. Je hebt niet... Het is lang geleden dat je iemand in je leven had. En we zijn bijzonder op Abra gesteld. Ik hou van je, Eli.'

Iets in haar toon bezorgde hem rillingen in zijn buik. 'Dat weet ik. Ik hou ook van jou.'

'Ik wil dat jij je leven terugkrijgt. Ik wil dat je weer gelukkig bent. Ik mis mijn jongen. Ik mis het om je gelukkig te zien.'

Hij hoorde de tranen en sloot zijn ogen. 'Ik krijg het ook terug. Ik voel me hier meer mezelf dan ik me heel lang heb gevoeld. Hé, wist je dat ik ruim vier kilo ben aangekomen?'

Toen ze in tranen uitbarstte, keerde zijn paniek terug. 'Toe, mam, niet huilen. Alsjeblieft.'

'Van geluk. Het zijn tranen van geluk. Ik kan niet wachten je met eigen ogen te zien. Ik ga het snel tegen je vader en Hester zeggen en dan ga ik Tricia bellen. We zullen een feestmaal meenemen. Je hoeft je nergens druk om te maken. Zorg alleen voor jezelf.'

Toen hij ophing, bleef hij even staan om zijn evenwicht te hervinden. Of hij er nou klaar voor was of niet, zijn familie kwam naar Bluff House. En met zijn moeders 'je hoeft je nergens druk om te maken' kwam hij er niet. Hij wist verdomd goed dat zijn oma zou verwachten dat Bluff House blonk, en dat kon hij niet allemaal aan Abra overlaten.

Het zou hem wel lukken. Hij had ruim een week om te bedenken hoe hij het moest aanpakken. Hij zou een lijst maken.

Later, besloot hij. Hij kwam tot de ontdekking dat hij echt trek had in dat biertje. En dat wilde hij drinken in een lawaaiige bar. Bij Abra.

Daarom zou hij een snelle douche nemen en dan misschien naar het dorp lopen. Dan kon zij hen allebei naar huis rijden als haar dienst erop zat.

Hij liep naar de trap en merkte dat er een grijns op zijn gezicht lag. Ja, dacht hij. Hij voelde zich beter dan hij in lange tijd had gedaan.

16

Abra liep om de tafeltjes heen, ruimde de lege af en nam bestellingen op. Ook controleerde ze legitimatiebewijzen omdat er veel studenten op de band uit Boston af kwamen. Daarnaast voerde ze het beleid van het café uit en zorgde ze ervoor dat de eventuele BOB van elke groep de hele avond gratis non-alcoholische drankjes kreeg.

De overige gasten dronken deze avond voornamelijk bier en wijn. Ze zorgde dat de mensen aan haar tafeltjes tevreden bleven door luchtig te flirten met de mannen, de vrouwen te complimenteren met hun kapsel of schoenen, om andermans grapjes te lachen en hier en daar een kort gesprekje met bekenden aan te knopen. Ze hield van het werk, het lawaai en de drukte. Ze vond het leuk om mensen te observeren en zich voor te stellen hoe hun leven eruitzag.

De echt nuchtere BOB aan het tafeltje van vijf mannen, onderdrukte zijn verlangen naar bier en gebruikte zijn energie in plaats daarvan voor het versieren van de meiden aan een naastgelegen tafeltje. Zijn aandacht was vooral gericht op de roodharige met de roomblanke huid. Afgaand op haar reactie, de manier waarop de twee samen dansten en het drukke gefluister toen de meiden en masse naar het toilet gingen, vermoedde Abra dat de BOB straks wel eens met de roodharige in bed zou kunnen belanden.

Ze serveerde een rondje aan twee stellen – bij één van de echtparen maakte ze ook schoon – en tot haar vreugde bungelde er aan de oren van een van de vrouwen een stel oorbellen die zij had gemaakt.

Opgetogen liep ze naar het tafeltje achterin, waar één man zat. Een onbekend gezicht, en eentje dat volgens haar ook niet bijzonder vrolijk keek. Niemand die in zijn eentje achter in een bar zat en langzaam een tonic met limoen dronk, zou veel vrolijkheid uitstralen.

'Hoe gaat het hier?'

Als reactie staarde hij haar langdurig aan en tikte tegen het glas dat nu leeg was.

'Goed, een tonic met limoen. Ik zal het voor u halen. Wilt u verder nog iets? We staan bekend om onze heerlijke nachochips.'

Toen hij slechts zijn hoofd schudde, pakte ze het lege glas en wierp hem een gemoedelijke glimlach toe. 'Ik ben zo terug.'

Met het vermoeden dat meneer tonic met limoen waarschijnlijk geen grote fooi zou geven, liep ze terug naar de bar.

Het was riskant, dacht hij. Heel riskant om hier te komen, zo dicht bij haar. Maar hij was er vrij zeker van dat ze hem die avond in Bluff House niet had gezien. En nu ze hem zonder enig teken van herkenning in de ogen had gekeken, twijfelde hij daar niet meer aan. En je moest nou eenmaal risico's nemen om succes te boeken.

Hij had haar willen observeren, kijken hoe ze zich gedroeg, en hij had gehoopt dat Landon er ook zou zijn, wat hem een nieuwe kans zou opleveren om het huis binnen te komen.

Maar hij had ook gehoopt dat de politie Landon zou meenemen voor verhoor. Een kort moment om binnen te komen was voor hem voldoende, dan kon hij het wapen neerleggen en een anoniem telefoontje plegen.

Nu hadden ze het huis doorzocht, dus had het geen zin om het wapen in Bluff House neer te leggen. Maar er was altijd een andere mogelijkheid. De vrouw zou wel eens de beste manier kunnen zijn.

Zij kon zijn kans worden om Bluff House weer binnen te komen. Daar moest hij eens goed over nadenken. Hij móést er weer naarbinnen om zijn zoektocht af te maken. De bruidsschat lag daar, dat geloofde hij met elke vezel van zijn lichaam. Hij had al zo veel op het spel gezet, zo veel verloren.

Hij kon niet meer terug, bracht hij zich in herinnering. Hij had iemand vermoord en dat was veel gemakkelijker geweest dan hij had gedacht. Met een vinger de trekker overhalen, het kostte nauwelijks moeite. Logisch gezien zou het de volgende keer nog eenvoudiger zijn, voor het geval een volgende keer nodig was.

Sterker nog, hij zou het best eens fijn kunnen vinden om Landon te vermoorden. Maar het moest op een ongeluk of zelfmoord lijken. Niks om de politie, de media of wie dan ook aan Landons schuld te laten twijfelen.

Want hij wist zonder enige twijfel dat Eli Landon Lindsay had vermoord.

Daar kon hij gebruik van maken, en hij stelde zich al voor hoe hij Landon zou dwingen tot het schrijven van een bekentenis voor hij zou sterven. Om dat blauwe bloed te laten vloeien, terwijl de lafaard hem smeekte om zijn leven te sparen. Ja, hij merkte dat hij daar meer naar verlangde dan hij had beseft.

Oog om oog? Ja, en meer dan dat.

Landon moest boeten en hij verdiende het te sterven. Dat doel bereiken zou een bijna even grote beloning zijn als Esmeralda's bruidsschat.

Toen hij Eli zag binnenkomen, werd hij bijna verstikt door zijn plotseling opkomende woede. Zijn blikveld werd even vertroebeld door een vuurrode nevel en hij voelde de neiging om zijn wapen uit de holster op zijn rug te halen, hetzelfde wapen waarmee hij Kirby Duncan had vermoord. Hij zag de kogels letterlijk in het lichaam van die klootzak van een Landon dringen en het bloed naar buiten gutsen terwijl hij neerviel.

Zijn handen trilden door de behoefte om een einde te maken aan het leven van de man die hij meer haatte dan wie dan ook.

Ongeluk of zelfmoord. Telkens opnieuw herhaalde hij in gedachten de woorden, in de hoop zichzelf zo weer in de hand te krijgen en zijn moorddadige neigingen te onderdrukken. Het kostte hem zo veel moeite dat er zweetdruppeltjes op zijn hoofd parelden, terwijl hij zijn best deed een keus te maken tussen zijn opties.

Bij de bar stond Abra te wachten tot haar bestellingen klaar waren en ondertussen kletste ze met haar favoriete persoon uit het dorp. Klein en gedrongen, met een monnikskring van sprietig grijs haar, zat Stoney Tribbet aan zijn tweede pilsje met een glas whiskey erbij. Stoney kwam bijna elke vrijdagavond naar het café. Hij beweerde dat hij de muziek en de knappe meiden leuk vond.

Deze zomer zou hij tweeëntachtig worden en daarvan had hij elk jaar

– behalve toen hij in het leger diende en in Korea zat – in Whiskey Beach doorgebracht.

'Ik zal een yogastudio voor je bouwen als je met me trouwt,' zei hij tegen haar.

'Met een sapbar?'

'Als ik je daarmee over kan halen.'

'Ik zal erover nadenken, Stoney, want het is een heel verleidelijk aanbod. Vooral omdat jij ook bij de overeenkomst hoort.'

Onder de altijd bruine kleur, werd zijn verweerde gezicht rood. 'Kijk, nou komen we ergens.'

Abra drukte een zoen op zijn wang en begon te stralen toen ze Eli zag. 'Ik had je niet meer verwacht.'

Stoney draaide zich om op zijn kruk en wierp Eli een strakke blik toe, maar die verzachtte algauw. 'Nee maar, een echte Landon, dat zie je zo. Ben jij Hesters kleinzoon?'

'Ja, meneer.'

'Stoney Tribbet, Eli Landon.'

Stoney stak zijn hand uit. 'Ik heb je opa gekend, je hebt dezelfde ogen als hij. We hebben samen heel wat avonturen beleefd, maar dat is een tijd geleden. Echt, een hele tijd geleden.'

'Eli, wil jij Stoney even gezelschap houden terwijl ik drankjes rondbreng?'

'Tuurlijk.' Omdat er op dat moment geen kruk vrij was, leunde Eli op de bar. 'Kan ik je iets te drinken aanbieden?'

'Ik heb nog. Ik zal het even opdrinken en dan zal ik jou op een rondje trakteren. Wist je dat jouw opa en ik ooit allebei een oogje op dezelfde vrouw hebben gehad?'

Eli probeerde zich voor te stellen dat zijn lange, slungelige grootvader en deze corpulente man samen avonturen beleefden en naar de hand van dezelfde vrouw dongen.

Dat kostte hem moeite.

'O, ja?'

'Eerlijk waar. Maar toen ging hij studeren in Boston en heb ik haar veroverd. Hij kreeg Harvard en Hester en ik kreeg Mary. We waren het er beiden over eens dat we het niet beter hadden kunnen treffen. Wat wil je hebben?'

'Doe maar hetzelfde als jij drinkt.'

Blij dat twee mensen die ze bijzonder graag mocht samen iets dronken en een praatje maakten, liep Abra door de menigte om de drankjes te serveren. Toen ze naar achteren liep, zag ze het lege tafeltje en de bankbiljetten die erop waren gegooid.

Vreemd, dacht ze, het geld op haar blad leggend. Zo te zien was de eenling van gedachten veranderd over zijn tweede tonic met limoen.

Bij de bar ging Eli met een bil op een vrijgekomen kruk zitten, luisterend naar verhalen – waarvan sommige ongetwijfeld waren aangedikt om ze smeuïger te maken – over zijn grootvader als jongen en jongeman.

'Hij reed altijd keihard rond op die motorfiets. Daarmee joeg hij de dorpelingen de stuipen op het lijf.'

'Mijn opa op een motorfiets.'

'Meestal met een knap meisje in het zijspan.' Met twinkelende ogen slurpte Stoney de schuimkraag van zijn pilsje. 'Ik dacht echt dat hij Mary voor zich zou winnen door die motor. Ze vond het heerlijk om uit rijden te gaan. Het beste wat ik haar toen kon bieden was het stuur van mijn fiets. Toen waren we een jaar of zestien. We hadden altijd de beste kampvuren op het strand. Dan dronken we de whiskey die Eli uit de kast van zijn vader jatte.'

Nu probeerde Eli zich de man naar wie hij was vernoemd voor te stellen op een motorfiets, met zijspan, die de drankvoorraad van zijn vader plunderde.

Dat beeld was eenvoudiger op te roepen, of de drank hielp al een handje.

'Ze gaven toen soms grote feesten in Bluff House,' zei Stoney. 'Dan kwamen er chique mensen helemaal uit Boston, New York en Philadelphia en weet ik waar helemaal vandaan. Dan baadde het huis in het licht en flaneerden er mensen over de terrassen in hun witte smokings en baljurken. Schitterend om te zien,' zei Stoney, en hij dronk zijn glas leeg.

'Ja, dat geloof ik graag.'

Lampions, zilveren kroonkandelaars, grote vazen met tropische bloemen en alle mensen in hun Gatsby-achtige pracht en praal.

'Eli glipte altijd weg, en dan liet hij eten en Franse champagne naar beneden brengen door een van de bedienden. Ik weet bijna zeker dat zijn ouders dat wel wisten. Dan hielden wij ons eigen feest op het strand, en Eli ging heen en weer tussen de twee feesten. Daar was hij heel goed in, als je begrijpt wat ik bedoel. Hij kon heel goed in beide werelden leven. Het ene rijk en chic en het andere alledaags. De eerste keer dat ik Hester ontmoette, had hij haar meegebracht naar een feest. Ze droeg een lange, witte jurk. Ze had een geweldige lach, die heeft ze altijd gehad. Ik wierp één blik op haar en ik wist dat Mary van mij was. Eli kon zijn ogen niet van Hester Hawkin afhouden.'

'Zelfs als kind zag ik dat ze samen heel gelukkig waren.'

'Inderdaad.' Stoney knikte ernstig en sloeg met zijn vlakke hand op de bar, zijn teken dat hij nog een rondje wilde.

'Weet je, Eli en ik zijn binnen een paar maanden met onze meisjes getrouwd. En we zijn altijd vrienden gebleven. Hij heeft me het geld geleend om mijn timmerbedrijf op te zetten. Hij wilde van geen nee horen toen hem ter ore kwam dat ik naar de bank zou gaan om een lening aan te vragen.'

'Heb jij je hele leven hier gewoond?'

'*Ayah*. Ik ben hier geboren en ik ben van plan om hier over een jaar of twintig, dertig dood te gaan.' Hij grijnsde naar Eli boven het glas met het restje bier. 'Ik heb in de loop der jaren veel werk verricht in Bluff House. Ik ben al een tijdje met pensioen, maar toen Hester het in haar hoofd had gehaald om die kamer op de eerste verdieping in een fitnesskamer te veranderen, heeft ze de bouwtekening naar mij gebracht om hem te bekijken. Ik ben blij dat het beter met haar gaat. Whiskey Beach is niet hetzelfde als zij niet in Bluff House woont.'

'Nee, daar heb je gelijk in. Maar jij kent het huis dus goed?'

'Even goed als de mensen die er hebben gewoond, zou ik zeggen. Ik heb ook wat bijgeklust als loodgieter. Daar heb ik weliswaar geen vergunning voor, maar ik ben heel handig. Dat ben ik altijd geweest.'

'Wat denk jij van Esmeralda's bruidsschat?'

Hij snoof. 'Ik denk dat als die ooit heeft bestaan, hij nu al lang verdwenen is. Zeg nou niet dat jij daar naar op zoek bent. Als je dat wel bent, heb je weliswaar de ogen van je grootvader, maar niet zijn verstand.'

'Nee, dat ben ik niet. Maar iemand anders wel.'

'Vertel.'

Soms kon je informatie verkrijgen door het ook te geven, dacht Eli. Hij vertelde.

Stoney trok nadenkend aan zijn onderlip. 'Wat kun je in godsnaam in die kelder begraven? De grond bestaat niet alleen uit zand, maar ook uit stenen. Als je per se een schat wilt verbergen, zijn daar betere plaatsen voor. Het is niet echt slim zelfs maar te denken dat die ergens in het huis ligt. Daar hebben generaties mensen gewoond, bedienden, werklui zoals ik en mijn mensen. Heel wat personen hebben elke centimeter van dat huis verkend, ook de bediendengangen.'

'Welke bediendengangen?'

'Dat was ver voor jouw tijd. Vroeger zaten er trappen en gangen achter de muren, zodat de bedienden omhoog en omlaag konden gaan zonder de familie of gasten tegen het lijf te lopen. Een van de eerste dingen die Hester heeft gedaan toen Eli en zij er gingen wonen, was die laten afsluiten. Eli was zo dom om haar te vertellen dat er kinderen waren verdwaald en ingesloten waren geraakt achter die muren. Ik vermoed dat hij de helft ervan verzonnen had, want dat deed hij altijd bij een goed verhaal. Maar zij hield voet bij stuk. Ik heb ze zelf afgesloten, samen met drie andere mannen die ik voor die klus in dienst had genomen. En wat ze niet afsloot, opende ze juist. De ontbijtkamer en een extra slaapkamer met badkamer op de eerste verdieping.'

'Dat wist ik helemaal niet.'

'Ze was in verwachting van jouw vader toen ze het werk liet uitvoeren. Iedereen die in Bluff House heeft gewoond, heeft er op de een of andere manier zijn stempel op gedrukt. Wat ben jij van plan?'

'Ik heb er nog niet over nagedacht. Het is mijn grootmoeders huis.'

Stoney knikte glimlachend. 'Zorg dat ze weer thuiskomt.'

'Dat ben ik zeker van plan. Misschien kun jij me een hint geven waar die gangen zijn.'

'Ik weet het beter gemaakt.' Stoney pakte een papieren servetje en diepte een potlood op uit zijn zak. 'Mijn handen zijn niet meer zo bedreven als vroeger, maar er mankeert niks aan mijn hersens of mijn geheugen.'

Ze bleven tot sluitingstijd. Hoewel Stoney twee keer zo veel dronk als hij, was Eli blij dat hij niet naar huis hoefde te rijden. En even blij toen Stoney hem vertelde dat hij was komen lopen.

'We zullen jou een lift geven,' zei Eli tegen hem.

'Dat is echt niet nodig. Ik woon op nog geen stoneyworp afstand.' Hij gniffelde om zijn eigen grapje. 'En zo te zien is er weer een Landon die een oogje heeft op mijn meisje.'

'Ik weet anders niet of deze mijn hordeur kan maken.' Abra stak haar arm door die van Stoney. 'Ik zal Eli's sleutels nemen en ons alle drie naar huis rijden.'

'Ik ben niet met de auto. Ik dacht dat ik wel met jou mee kon rijden.'

'Ik ben lopend.'

Met een frons keek Eli naar haar hooggehakte zwarte schoenen. 'Op die dingen?'

'Nee. Hier op.' Ze haalde een paar groene Crocks uit haar tas. 'En zo te zien moet ik die weer aantrekken, want we moeten allemaal naar huis lopen.'

Ze wisselde van schoenen en trok een jack aan. Toen ze naar buiten liepen, nam ze beide mannen bij de hand. 'Zo te zien heb ik vanavond de jackpot gewonnen. Twee knappe mannen.'

Die allebei een tikje aangeschoten waren, dacht ze onder het lopen.

Ondanks Stoneys tegenwerpingen brachten ze hem eerst tot de deur van zijn keurige huisje. Nog voor ze op twee meter afstand waren, klonk er een schel geblaf.

'Goed volk, Prissy! Goed volk.'

Het geblaf veranderde in een opgewonden gejank. 'Die ouwe meid is halfblind,' zei Stoney. 'Maar ze hoort nog prima. Niemand komt langs ouwe Prissy. Gaan jullie maar gauw verder. Ga maar doen wat gezonde jonge mensen horen te doen op een vrijdagavond.'

'Tot dinsdag.' Abra drukte een zoen op zijn wang.

Ze slenterden weg, maar wachtten tot de lampen aangingen, voor ze afbogen naar de weg langs het strand. 'Dinsdag?' vroeg Eli.

'Ik maak om de dinsdag bij hem schoon.' Ze hing haar tas wat beter over haar schouder. 'Zijn Mary en hij... Ik heb haar nooit gekend, ze is vijf jaar geleden overleden. Ze hebben drie kinderen. Een zoon en twee dochters. De zoon woont in Portland, Maine, en één van de dochters woont in Seattle. De dochter die in Washington D.C. woont is het dichtste bij, maar ze komen allemaal regelmatig bij hem op bezoek. Net als de kleinkinderen. Hij heeft er acht, en tot nu toe vijf achterkleinkinderen. Hij kan heel goed voor zichzelf zorgen, maar het kan geen kwaad dat er iemand is die af en toe even komt kijken.'

'En daarom maak jij om de week bij hem schoon?'

'En ik doe boodschappen voor hem. Hij rijdt niet veel meer. Zijn buren hebben een zoon van tien die gek op Stoney is, dus er gaat bijna geen dag voorbij zonder dat er iemand bij hem langsgaat of hem belt. Ik ben zelf ook nogal gek op hem. Hij heeft beloofd dat hij een yogastudio voor me zal maken als ik met hem trouw.'

'Ik kan...' Eli dacht na over zijn timmervaardigheden. 'Ik kan een yogastudio voor je láten maken.'

Met overdreven knipperende wimpers keek ze naar hem op. 'Is dat een aanzoek?'

'Wat?'

Lachend stak ze haar arm door de zijne. 'Ik had je moeten waarschuwen dat Stoney een indrukwekkende hoeveelheid alcohol kan verstouwen. Hij mag graag zeggen dat hij is grootgebracht met de whiskey van Whiskey Beach.'

'We wisselden elkaar af. Hij had het eerste rondje betaald, dus heb ik het volgende besteld. Toen trakteerde hij op het derde en voelde ik me weer verplicht. Ik weet niet meer precies hoe vaak ik me verplicht voelde. Er is hier wel ontzettend veel frisse lucht.'

'Zeg dat wel.' Ze verstevigde haar greep toen hij even wankelde. 'En zwaartekracht. Frisse lucht en zwaartekracht zijn hier een groot probleem. We kunnen beter naar binnen gaan. Mijn huis is dichterbij.'

'Ja, we kunnen... Alleen laat ik het huis niet graag leeg staan. Dat voelt verkeerd.'

Ze knikte en liet het idee van de kortere wandeling varen. 'Het is toch goed voor je om in de frisse lucht en de zwaartekracht te lopen. Ik ben blij dat je vanavond bent gekomen.'

'Ik was het niet van plan, maar ik bleef maar aan jou denken. En toen kwam dat hele Pasen-gedoe.'

'Is de paashaas nu al langs geweest?'

'Wat? Nee.' Nu moest hij lachen en het geluid rolde door de lege straat. 'Hij is nog niet klaar met eieren leggen.'

'Eli, de paaskip legt de eieren. De haas verstopt ze.'

'Hoe dan ook, dat doen ze dit jaar in Bluff House.'

'Echt waar?' Ze wierp een blik op haar cottage toen ze erlangs liepen, maar het leek haar onverstandig om snel naar binnen te gaan en iets anders aan te trekken. De kans was groot dat hij opgekruld midden op straat zou liggen slapen als ze weer naar buiten kwam.

'Dat zei mijn moeder. Ze komen allemaal op zaterdag.'

'Wat leuk. Is Hester alweer in staat om te reizen?'

'Ze gaat eerst met de dokter praten, maar het ziet er wel naar uit. Zij allemaal. Er zijn dingen die ik eerst moet regelen. Op dit moment weet ik niet precies wat, behalve dan dat ik geen ham hoef te braden. Maar jij moet komen.'

'Tuurlijk, ik kom wel even langs. Ik wil ze dolgraag zien. Vooral Hester.'

'Nee.' Hij voelde zich iets beter door de zeebries en werd overvallen door een onverwachte trek in chips. Of pretzels. Of wat ook maar het overschot aan bier in zijn buik kon opzuigen.

'Jij moet er bij zijn,' vervolgde hij, 'voor het gedoe. Pasen. Ik dacht dat ik tegen mijn moeder moest zeggen dat we iets hadden, zodat het niet ongemakkelijk is. En toen werd het heel ongemakkelijk, alsof ik een of andere onderscheiding had gewonnen, en toen ging ze huilen.'

'O, Eli.'

'Ze zei dat het tranen van geluk waren en daar snap ik niks van. Maar dat doen vrouwen wel.' Ter bevestiging keek hij opzij naar haar.

'Ja, dat doen we zeker.'

'Dus het wordt waarschijnlijk ongemakkelijk, maar je moet toch komen. Ik moet spul kopen. En dingen.'

'Ik zal spul en dingen op de lijst schrijven.'

'Oké.' Hij zwalkte nogmaals. 'Het komt niet door het bier, maar door de whiskey.'

'Dat geloof ik graag.'

'Mijn grootvader had vroeger een motor met zijspan. Dat wist ik niet.

Ik heb het gevoel dat ik het had moeten weten. Ik wist ook niet dat er vroeger bediendengangen in het huis waren. Er is veel te veel wat ik niet weet.'

'Kijk er toch eens naar.'

Het silhouet van Bluff House was duidelijk te zien in het maanlicht en werd van binnenuit verlicht. 'Ik heb het te veel als vanzelfsprekend beschouwd.'

'Volgens mij is dat niet waar.'

'Voor een groot deel wel. Ik heb er geen aandacht aan besteed, vooral de afgelopen jaren niet. Ik ging te veel op in mijn eigen zaken en leek daar niet aan te kunnen ontsnappen. Dat moet ik voortaan beter doen.'

'Als je dat echt wilt, zal het je lukken.'

Hij bleef even staan en keek haar met een glimlach aan. 'Ik ben een beetje aangeschoten. Jij ziet er schitterend uit.'

'Zie ik er schitterend uit omdat jij een beetje aangeschoten bent?'

'Nee. Voor een deel komt het omdat je weet wie je bent en daar tevreden mee bent, en omdat je doet wat je doet en... nou ja, dat je daar blij mee bent. En voor een deel komt het door die zeeheksenogen en je sexy mond met dat moedervlekje daar. Lindsay was beeldschoon. Ze benam je de adem.'

Een beetje aangeschoten, bedacht Abra. Daar moest ze rekening mee houden. 'Dat weet ik.'

'Maar zij wist denk ik niet goed wie ze was, en ze was ook niet tevreden. Ze was niet gelukkig. Ik kon haar niet gelukkig maken.'

'In principe moeten mensen zichzelf gelukkig maken.'

'Ik was vergeten hoe het was om gelukkig te zijn tot ik hier weer kwam. Tot ik jou leerde kennen.'

'En nu weet je het weer?'

'Inderdaad.' Hij boog zich voorover om haar te zoenen, daar in de schaduw van het grote huis, onder een hemel die bezaaid was met sterren. 'Ik moet ontnuchteren, want ik wil de liefde met je bedrijven en ik wil er zeker van zijn dat ik het me ook zal herinneren.'

'Dan moeten we het onvergetelijk maken.'

Zodra ze binnen waren en hij de code van het alarm had ingetoetst, trok hij haar tegen zich aan.

Ze verwelkomde zijn mond en zijn handen, maar stapte toen bij hem vandaan. 'Eerst iets anders,' zei ze, hem meetrekkend door het huis. 'Jij hebt een groot glas water en een paar aspirientjes nodig. Vocht en het voorkomen van een kater. En ik neem een glas wijn, zodat je niet al te ver op me voor loopt.'

'Prima. Ik heb echt zin om je de kleren van het lijf te scheuren.' Hij zette haar klem tegen het aanrecht. 'Ik wil ze gewoon van je af rukken omdat ik weet wat eronder zit, en dat maakt me helemaal gek.'

'Zo te zien zullen we deze keer de keukenvloer halen.' Toen hij zijn tanden zacht in haar keel zette, liet ze haar hoofd achterovervallen. 'Volgens mij wordt het alles wat we ervan verwachten.'

'Laat me... Wacht.'

'Ja, nu moet ik zeker wachten nadat je me eerst...'

'Wacht.' Hij duwde haar opzij en op zijn gezicht lag een ijzige uitdrukking. Ze volgde zijn blik naar het alarmpaneel.

'Hoe heb je dat zo vies gemaakt? Ik maak het morgen wel schoon.' Ze strekte haar armen weer naar hem uit.

'Dat heb ik niet gedaan.' Hij liep erheen en bekeek de deur nauwkeurig. 'Volgens mij is de deur geforceerd. Niks aanraken,' snauwde hij toen ze naar hem toe liep. 'Bel ogenblikkelijk de politie.'

Ze stak haar hand in haar tas, maar haar beweging stokte toen hij een mes uit het messenblok trok. 'O god, Eli.'

'Als er problemen zijn, ga je ervandoor. Heb je me gehoord? Je gaat die deur uit en je zet het op een lopen. Je stopt pas als je veilig bent.'

'Nee, en nu moet jij wachten.' Ze drukte op de cijfers van de telefoon. 'Vinnie? Met Abra. Eli en ik zijn net teruggekomen in Bluff House. We denken dat er iemand heeft ingebroken. We weten niet of hij er nog is. In de keuken. Ja. Ja. Goed.'

'Hij komt eraan,' zei ze tegen Eli. 'Hij meldt het zodra hij onderweg is. Hij wil dat we blijven waar we zijn. Als we iets zien of horen, moeten we naar buiten gaan en maken dat we wegkomen.'

Haar hart ging nog sneller kloppen toen ze Eli's blik naar de kelderdeur zag gaan. 'Als jij naar beneden gaat, ga ik met je mee.'

Zonder acht op haar te slaan, liep hij naar de deur en draaide aan de knop. 'Hij zit aan deze kant op slot. Precies zoals ik hem had achtergelaten.' Nog altijd met het mes in zijn hand liep hij terug naar de achterdeur, deed die van het slot, opende hem en hurkte neer.

'Hier zijn verse sporen. De achterdeur die uitkijkt op het strand, 's avonds. Hij moet hebben geweten dat ik niet thuis was. Maar hoe?'

'Hij moet het huis in de gaten hebben gehouden. Hij moet je hebben zien vertrekken.'

'Te voet,' bedacht Eli. 'Als ik alleen een wandeling was gaan maken, was ik tien minuten of een kwartier later weer teruggekomen. Dan heeft hij wel een enorm groot risico genomen.'

'Misschien is hij je gevolgd en heeft hij je het café zien binnengaan en dacht hij toen dat hij meer tijd zou hebben.'

'Het cijferpaneel van het alarm.' Nog altijd behoedzaam liep Abra er iets dichter naartoe. 'Dat heb ik ergens gezien, op tv of in de film, maar ik dacht dat het een verzinsel was. Je spuit iets op het scherm zodat het vet van de vingerafdrukken zichtbaar wordt. Dan weet je welke cijfers zijn ingetoetst. En dan gaat een computer-iets alle mogelijkheden na tot het de code heeft gekraakt.'

'Ja, zo ongeveer. Zo is hij misschien eerder binnengekomen, toen mijn oma hier nog woonde. Hij kan haar sleutels hebben meegenomen en kopieën hebben gemaakt. En daarna kon hij zo binnenkomen. Maar hij wist niet dat we de code hadden gewijzigd, dus heeft hij de laatste keer de stroom afgesneden, toen de oude code niet meer werkte.'

'Dat betekent dat hij dom is.'

'Eerder wanhopig of in paniek. Of woedend.'

'Jij wilt naar beneden. Ik zie het aan je. Je wilt weten of hij weer is gaan graven. Vinnie kan hier elk moment zijn.'

Als hij naar beneden ging en zij met hem meeging en er iets zou gebeuren, dan was hij daar verantwoordelijk voor. Als hij naar beneden ging, maar zij hier bleef en er iets zou gebeuren, dan was hij daar verantwoordelijk voor.

Eli concludeerde dat hij klem zat.

'Ik ben ongeveer drie uur weg geweest. Godverdomme, ik heb hem flink de tijd gegeven.'

'Wat moet je anders? Doen alsof je mevrouw Haversham bent en nooit het huis verlaten?'

'In elk geval heeft het alarmsysteem geen enkel nut. Dat moeten we verbeteren.'

'Ja, zoiets.' Ze hoorde het geloei van sirenes. 'Daar zul je Vinnie hebben.'

Eli deed het mes terug in het blok. 'Kom, dan laten we hem binnen.'

Weer was er politie in zijn huis. Hij begon eraan gewend te raken. Hij dronk koffie en liep met hem door het huis, te beginnen met de kelder.

'Het is wel een vastberaden hufter,' merkte Vinnie op terwijl ze naar de sleuf keken. 'Hij heeft weer een halve meter uitgehakt. Blijkbaar heeft hij meer gereedschap meegebracht, maar deze keer heeft hij die ook weer mee terug genomen.'

Eli keek rond om zich ervan te vergewissen dat Abra nog boven was. 'Volgens mij is hij gek.'

'Nou, hij is in elk geval niet slim.'

'Nee Vinnie, volgens mij is hij krankjorum. Hij heeft opnieuw het risico genomen om in te breken, om een paar uur in deze grond te staan hakken. Maar er is hier niks. Ik heb vanavond met Stoney Tribbet gepraat.'

'Dat is me er een.'

'Zeg dat wel, maar hij zei ook iets heel zinnigs. Waarom zou iemand hier iets begraven? Het is verdomd harde aarde die ook nog eens vol stenen zit. Als je iets wilt begraven, behalve een lichaam misschien, dan wil je dat meestal toch ook weer opgraven?'

'Waarschijnlijk wel.'

'Waarom zou je het jezelf dan zo verdomd moeilijk maken? Begraaf het in de tuin en plant er een struik op. Aan de voorkant waar de grond zachter is, of ergens waar de grond voornamelijk uit zand bestaat. Of begraaf het helemaal niet, maar verstop het onder vloerplanken of achter een muur. Als ik die stomme schat zou gaan zoeken, deed ik dat niet hier beneden met een pikhouweel en een schop. En als ik gek genoeg was om te geloven dat de schat hier echt is, dan zou ik wachten tot het huis een paar dagen leeg is, bijvoorbeeld als mijn oma op bezoek gaat in Boston, en dan zou ik aan de slag gaan met een drilboor.'

'Ik zal je niet tegenspreken, maar dit is wat er aan de hand is. Ik zal

Corbett hiervan op de hoogte stellen en we zullen vaker in de buurt surveilleren. En we zullen het nieuws verspreiden dat we de patrouilles hier opvoeren,' zei Vinnie. 'Als hij in deze buurt is, zal hij het horen. Dan zal hij zich wel achter de oren krabben voor hij het nog eens doet.'

Eli betwijfelde of iemand die bereid was om zo veel op het spel te zetten voor een legende, zich door extra patrouilles zou laten tegenhouden.

17

De volgende ochtend ging Abra na haar tai chi-les en een bezoekje aan de supermarkt naar Bluff House. Maar eerst maakte ze nog een tweede stop. Ze kon niet met zekerheid zeggen hoe Eli zou reageren op wat ze had opgehaald, maar ze had wel een donkerbruin vermoeden wat zijn commentaar zou zijn, in elk geval in eerste instantie.

Ze zouden er wel een mouw aan passen. Of liever gezegd, gaf ze toe, zij zou hem overhalen. Dat was niet echt eerlijk, en eigenlijk had ze een bloedhekel aan manipulatie, maar in dit geval was ze ervan overtuigd dat het niet anders kon.

Ze maakte een snelle planning toen ze de auto uitlaadde. Niet alleen moest ze haar gewone schoonmaakwerk verrichten, ze moest alles ook weer op de juiste plaats zetten na de huiszoeking door de politie. Maar er was geen enkele reden waarom ze dat niet allemaal voor elkaar kon krijgen, plus wellicht snel een maaltijd bereiden, voor ze weer naar huis ging voor de yogales in haar cottage.

Je moest gewoon de juiste prioriteiten stellen.

Ze ging naar binnen en deelde haar hele schema ogenblikkelijk opnieuw in toen ze Eli bij het aanrecht zag staan in plaats dat hij in zijn kantoor aan het werk was.

'Ik dacht dat je aan het werk zou zijn.'

'Dat was ik ook. Dat ben ik ook. Ik moest even lopen om na te denken over...' Zijn stem stierf weg toen hij naar de grote, bruine hond keek die op dat moment aan zijn broekspijp snuffelde. 'Wat is dit?'

'Dat is Barbie.'

'Barbie? Dat meen je toch niet?' Automatisch kroelde hij de brede kop tussen z'n oren.

'Ja, erg hè? Barbie is blond met grote borsten, maar ja, een hond kan nou eenmaal niet zijn eigen naam kiezen.' Vanuit haar ooghoek hield ze hem in de gaten terwijl ze de boodschappen opborg. Hij was gestopt met zijn bezigheden om het dier te aaien en op zijn gezicht lag de gemoedelijke waardering die een hondenliefhebber kreeg als hij een hond zag.

Tot nu toe verliep alles goed.

'Nou, ze is heel mooi. Ja, jij bent heel mooi,' zei hij al aaiend, terwijl Barbie diep in haar keel mummelde en tegen hem aan leunde. 'Moet je op haar passen?'

'Niet precies. Barbie is een lieverd. Ze is vier jaar. Haar baasje is een paar weken geleden overleden. In eerste instantie heeft zijn dochter haar in huis genomen, maar haar man is allergisch voor honden. Er is ook een kleinzoon, maar die woont in een appartement waar hij geen huisdieren mag houden. Dus die arme Barbie heeft haar beste vriend verloren en kon ook niet bij zijn familie terecht. De afgelopen week zat ze tijdelijk bij mensen, terwijl een plaatselijke organisatie een goed thuis voor haar probeert te vinden.'

'Dat zal geen probleem zijn. Ze is een mooie hond met goede manieren.'

'O, dat is ze zeker. Ze is heel goed afgericht, ze is gezond en gesteriliseerd. Maar de meeste mensen willen een puppy, dus het duurt altijd langer om een oudere hond te plaatsen, vooral omdat ze haar in Whiskey Beach proberen onder te brengen. Dit is haar strand.'

'Strandhond Barbie?' Met een grijns hurkte hij neer, en Barbie rolde op haar rug zodat hij haar buik kon strelen.

Nog een klein zetje, schatte Abra in. 'Strandslet Barbie klinkt beter, en zou ook nog eens heel accuraat zijn. Maar ze is zo lief dat je het s-woord eigenlijk niet mag gebruiken. Ik heb overwogen om haar zelf te nemen. Ik werk af en toe als vrijwilliger bij het asiel. Maar met mijn rooster ben ik te weinig thuis en dat leek me niet eerlijk. Ze is gewend aan gezelschap. Ze is een Chesapeake Bay retriever, vermengd met wat andere rassen. Retrievers vinden het heerlijk om bij mensen te zijn.'

Abra sloot het laatste kastje en glimlachte. 'Ze vindt jou echt heel aardig. Jij houdt van honden.'

'Tuurlijk. Toen ik klein was, hadden we altijd een hond. Sterker nog, ik vermoed dat mijn familie hun...' Opeens vloog hij overeind, alsof hij door een elastiekje omhoog werd geschoten. 'O, nou heb ik je door.'

'Je werkt thuis.'

'Ik ben niet op zoek naar een hond.'

'Soms krijg je de mooiste dingen terwijl je helemaal niet op zoek bent. Bovendien heeft ze een groot voordeel.'

'Wat dan?'

'Barbie? Spreek!'

De hond ging weer zitten, hief haar kop op en liet gehoorzaam twee opgewekte blaffen klinken.

'Ze doet kunstjes.'

'Nee, ze blaft, Eli. Het idee kwam bij me op toen Stoneys hond blafte toen we hem thuis brachten. Iemand breekt hier in, en weet jouw dure alarmsysteem te omzeilen. Nou, dan moet je een lowtech oplossing zoeken. Blaffende honden schrikken inbrekers af. Google het maar.'

'Jij vindt dat ik een hond in huis moet nemen omdat ze op commando blaft?'

'Ze blaft wanneer ze iemand naar de deur hoort komen en ze stopt met blaffen op commando. Dat staat in haar biografie.'

'Haar biografie? Je maakt een geintje?'

'Helemaal niet.'

'De meeste honden blaffen,' wierp hij tegen. 'Met of zonder biografie, portretfoto's of wat ze verder nog maar heeft. Dat is geen goede reden om voor een hond te gaan zorgen.'

'Volgens mij moeten jullie voorlopig voor elkaar zorgen. Want zij blaft en ze heeft een huis in Whiskey Beach nodig en jullie kunnen elkaar gezelschap houden.'

'Honden moeten voer en water hebben en uitgelaten worden. Ze hebben een dierenarts nodig, net als spullen en aandacht.'

'Dat is allemaal waar. Ze heeft al van alles bij zich: bakjes, eten, speeltjes, haar riem en haar medische dossier. Al haar inentingen zijn up-to-date. Een man van in de tachtig heeft haar als pup gekregen en opgevoed. Zoals je kunt zien is ze heel braaf. Waar het om gaat is dat ze gek op mannen is en gelukkiger in gezelschap van mannen omdat ze als pup een hechte band met een man heeft gekregen. Ze is dol op apporteren en touwtrekken, ze is geweldig met kinderen en ze blaft. Als jij een paar uur weg wilt of moet, is er iemand in het huis.'

'Ze is niet iemand. Ze is een hond.'

'Daarom blaft ze. Hoor eens, waarom probeer je het niet een paar dagen om te kijken hoe het gaat? Als je het echt niks vindt, neem ik haar wel... Of ik haal Maureen over om haar te nemen. Die heeft een klein hartje.'

De hond zat als een dame en keek hem aan met haar grote, bruine ogen, haar hoofd een tikje scheef alsof ze wilde vragen: Nou, wat gaat het worden?

Eli's verzet brokkelde af. 'Een man hoort geen hond te hebben die Barbie heet.'

Succes, concludeerde Abra, en ze liep naar hem toe. 'Niemand zal je dat kwalijk nemen.'

Heel beleefd duwde Barbie haar neus tegen zijn hand.

Zijn verzet was gebroken.

'Nou, voor een paar dagen dan.'

'Dat is redelijk. Ik zal haar spullen even uit de auto halen. Ik wilde vandaag boven beginnen en dan langzaam naar beneden werken. Ik zal daar pas zuigen als jij weer pauze neemt.'

'Prima. Je weet best dat je me erin hebt laten lopen. En je weet ook dat ik dat weet.'

'Jazeker.' Ze nam zijn gezicht in haar handen. 'Daar ben ik me van bewust.' Ze drukte haar lippen op de zijne voor een zachte, talmende zoen. 'Ik moet een manier verzinnen om het goed met je te maken.'

'Dat is vleierij.'

'Inderdaad.' Ze lachte en zoende hem nog een keer. 'Nou moet ik het twee keer goed met je maken. Ga maar weer aan het werk,' zei ze, terwijl ze naar buiten ging. 'Ik laat Barbie het huis wel zien.'

Eli bekeek de hond en de hond keek naar Eli. Toen hief ze uitnodigend een poot op. Alleen een harteloze man zou hebben geweigerd de uitgestoken poot te schudden. 'Zo te zien heb ik een hond die Barbie heet. Voor een paar dagen.'

Toen hij de keuken uit liep, liep Barbie vlak achter hem aan. Haar staart kwispelde enthousiast. 'Blijkbaar ga je met mij mee.'

Ze volgde hem naar boven, zijn kantoor in. Toen hij ging zitten, kwam ze bij hem staan en snuffelde aan zijn toetsenbord. Vervolgens slenterde ze weg, waarbij haar nagels op de hardhouten vloer tikten.

Goed, dacht Eli, ze was niet opdringerig. Een punt in haar voordeel.

Hij werkte de rest van de ochtend, waarna hij rechtop ging zitten en inwendig een discussie voerde, waarna hij de stap waagde.

Hij e-mailde zijn agent, een vrouw die hem al sinds zijn studietijd vertegenwoordigde, en vertelde haar dat hij meende dat hij genoeg had om haar te kunnen laten zien. Hij deed zijn best om alle zeurende stemmetjes in zijn hoofd te negeren en voegde de eerste vijf hoofdstukken toe. En drukte op 'versturen'.

'Dat is gebeurd,' mompelde hij.

En omdat hij het echt had gedaan, wilde hij het huis uit, weg van al die zeurende stemmen.

Hij stond op en struikelde bijna over de hond.

Op een bepaald moment tijdens de afgelopen uren was ze binnengekomen, zo stil als een geestverschijning, en was ze opgekruld achter zijn stoel gaan liggen.

Nu keek ze hem aan en sloeg beleefd met haar staart op de grond.

'Je lijkt me best een brave hond.'

De staart ging sneller slaan.

'Heb je zin om een wandeling op het strand te maken?'

Hij wist niet of hij een sleutelwoord had genoemd of dat ze hele zinnen begreep, maar ze kwam overeind met een glinstering van vreugde in haar ogen. Niet alleen haar staart kwispelde, haar hele lichaam bewoog.

'Dat zal ik maar als een ja opvatten.'

Samen met hem liep ze naar beneden en ze bewoog haar lijf opnieuw toen hij de riem pakte die Abra op het aanrecht had gelegd, gevolgd door een opgetogen kef toen ze de bijkeuken in liepen waar Abra net de wasdroger leeghaalde.

'Hoi, hoe gaat het?' Abra legde de schone was in de mand, waarna ze Barbie even aaide. 'Heb je tot nu toe een fijne dag gehad?'

'Ik wilde net een wandeling gaan maken. Ze wil graag mee.' Hij haalde een jack van een haak. 'Heb jij ook zin?'

'Nou en of, maar ik heb vandaag een strak schema.'

'Van je baas mag je wel even pauze nemen.'

Lachend keek ze hem aan. 'Ik ben mijn eigen baas, jij betaalt me alleen. Ga maar een band scheppen met Barbie. Als je terugkomt, kun je lunchen. O, neem deze mee.' Ze haalde een rode bal uit een mand met hondenspeeltjes die op de wasmachine stond. 'Ze houdt van apporteren.'

'Juist.'

Ze had het ook bij het juiste eind gehad toen ze zei dat ze haar eigen baas was. Haar vermogen om werk te vinden dat haar in zo veel opzichten bevredigde, vond hij niet alleen leuk, maar dat bewonderde hij ook in haar. Vroeger dacht hij dat hij dat had gevonden bij de wet, en was zijn schrijverschap een soort creatief extraatje geweest.

Nu had hij zich daar helemaal op gestort, en hing zijn leven – in allerlei verschillende opzichten – af van de reactie van een vrouw in New York met een verzameling kleurrijke brillen, een vet Brooklyns accent en een scherpe, kritische blik.

Niet over nadenken, hield hij zichzelf voor, terwijl hij met Barbie de trap naar het strand af daalde. Maar omdat hij niet kon stoppen eraan te denken tijdens hun wandeling, bleef hij staan en keek hij over het strand terwijl de hond trippelde en kronkelde van blijdschap.

Officieel hoorde ze aangelijnd te blijven, maar ach, er was niemand, of bijna niemand, in de buurt.

Hij maakte de riem los, haalde de bal uit zijn zak en gooide hem een eind weg.

Ze rende erachteraan, waarbij het zand omhoog vloog en haar poten zo snel bewogen dat ze in elkaar overgingen. Ze klemde de bal in haar bek, racete naar hem terug en liet hem aan zijn voeten vallen. Hij smeet hem opnieuw weg, en nog eens. Hij raakte de tel kwijt hoe vaak precies. Als hij het goed uitmikte, was ze snel en accuraat genoeg om omhoog te springen en de bal uit de lucht te plukken.

En elke keer dat ze dat deed, trippelde ze terug en liet ze de bal aan zijn voeten vallen, waarna ze elkaar met een grijns aankeken.

Gelukkig rende ze niet achter vogels aan, al keek ze er wel verlangend naar.

Hij probeerde redenen aan te voeren om het niet te doen, maar zijn nieuwsgierigheid en het kleine jongetje dat in hem huisde wonnen het pleit. Hij wierp de bal over de golven om te kijken hoe ze zou reageren.

Ze blafte een keer vol onmiskenbare, pure vreugde en rende de zee in.

Ze zwom als... tja, een retriever, dacht hij, en zijn lach kwam diep vanuit zijn binnenste. Hij lachte zo hard dat hij met zijn handen op zijn dijen moest steunen. Ze zwom weer naar de kust, de rode bal tussen haar tanden en een blik vol wilde vreugde in haar bruine ogen.

Ze liet de bal weer aan zijn voeten vallen en schudde zich uit. Waarbij ze hem drijfnat maakte.

'Ach, wat kan het ook schelen?' Hij gooide het ding weer het water in.

Hij bleef langer buiten dan hij van plan was geweest en zijn werparm voelde zo slap als te lang gekookte spaghetti. Maar zowel de man als de hond was ontspannen en heel tevreden met zichzelf toen ze terugliepen naar Bluff House.

Op het kookeiland in de keuken stond een bord met huishoudfolie eroverheen, waar een sandwich met vleeswaren, twee augurken en een portie pastasalade op lag. Daarnaast lag een hondenkoekje.

Op de Post-It stond:

Raad eens wat voor wie is.

'Heel grappig. Blijkbaar moeten we eten.'

Hij pakte het hondenkoekje. Zodra Barbie dat in het oog kreeg, liet ze haar kont op de vloer zakken en verscheen er een enigszins waanzinnige blik in haar ogen. Net een crackverslaafde die haar pijp wilde pakken, dacht hij.

'Verdomme Barbie, je bent een brave hond.'

Hij liep het terras op en at zijn lunch in de zon, terwijl de hond tevreden aan zijn voeten lag.

Op dit moment was zijn leven verdomd aangenaam, vond hij. Zolang je moord, inbraken en beschouwd worden als verdachte tenminste niet meetelde.

Toen hij weer naar boven ging, hoorde hij Abra zingen. Hij keek eerst even in zijn slaapkamer, en aangezien de hond direct naar binnen wandelde om op onderzoek uit te gaan, liep hij de kamer verder in om te kijken welke handdoekkunst ze vandaag had gemaakt.

Onmiskenbaar een hond, dacht hij. Vooral omdat ze een hartje had gemaakt van een Post-It. Daarop had ze geschreven:

Barbie houdt van Eli.

Hij keek op en zag dat Abra een groot, bruin kussen naar boven had gebracht en bij de balkondeuren had gelegd. Te oordelen naar de manier waarop de hond er behaaglijk op ging liggen, was dat vroeger ook haar bed geweest.

'Ja, maak het je maar gemakkelijk.'

Hij liet de hond alleen en liep op het gezang af.

In zijn grootmoeders slaapkamer had ze de balkondeuren wijd opengezet, al was het nog een beetje fris. Hij zag het dekbed met wasknijpers aan een soort draagbare paal hangen en wapperen in de wind.

Ook al was Hester er niet, toch stond er een vaasje wilde viooltjes op het nachtkastje.

Een kleinigheid, dacht Eli. Abra was heel goed in kleinigheden en dat waren precies de dingen die het hem deden.

'Hoi. Lekker gewandeld?' Ze pakte een kussen en schudde het uit zijn sloop.

'Ja. De hond houdt van zwemmen.'

Dat had ze gezien toen ze naar hen keek vanaf het terras, en bij die aanblik was haar hart gaan gloeien en daarna gesmolten.

'Het is een voordeel voor haar om aan het strand te wonen.'

'Ja. Ze ligt op haar kussen en doet een dutje.'

'Van zwemmen word je moe.'

'Ja,' zei hij opnieuw, naar haar kant van het bed lopend. 'Wat ben je aan het doen?'

'Omdat jouw familie komt, leek het me een goed idee om het beddengoed te luchten zodat alles lekker fris is.'

'Goed idee. Alles ziet er al lekker fris uit.'

Hij liet haar achteruit deinzen tot ze onder hem op het bed viel.

'Eli. Mijn werkschema.'

'Je bent je eigen baas,' bracht hij haar in herinnering. 'Je kunt je rooster aanpassen.'

Ze legde zich neer bij haar nederlaag toen zijn handen en mond aan de slag gingen, maar eerst liet ze voor de vorm nog een protest horen. 'Dat zou ik kunnen doen. Maar is dat een goed idee?'

Hij hief zijn hoofd even op om haar topje uit te trekken. 'Ik houd de hond. Al blijf ik erbij dat je me erin hebt laten lopen,' zei hij toen haar ogen begonnen te stralen. 'Dus jij hebt nog steeds iets goed te maken.'

'Ja, als je het zo stelt.'

Ze kwam omhoog en rukte zijn overhemd uit. 'Iemand is hard aan het trainen geweest.' Ze liet haar tong over zijn borstkas gaan.

'Een beetje.'

'En hij eet zijn eiwitten.' Ze sloeg haar benen om zijn middel, strekte zich uit en kantelde voorover tot hij op zijn rug lag. 'Ik hoor jouw huis schoon te maken en mijn geld te verdienen, niet naakt met jou in dit schitterende oude bed te liggen.'

'Als het je geweten sust, mag je me wel meneer Landon noemen.'

Haar lach voelde warm op zijn huid. 'Ik denk dat mijn geweten in dit geval wel flexibel kan zijn.'

Dat was zij ook, dacht hij. Flexibel, met haar lange armen, lange benen en lange bovenlijf. Allemaal zo glad en soepel toen ze boven hem bewoog, waarbij haar wilde haren zijdezacht over zijn huid streelden.

Spieren die hij weer een beetje ging herkennen, trokken samen toen ze haar lippen over hem heen liet glijden en haar vaardige handen drukten, kneedden en streelden. Zo prikkelde, kalmeerde en verleidde ze hem die al verleid was.

Naakt in bed. Zo wilde hij haar.

Hij trok de strakke stretchbroek van haar heupen, langs haar benen en onderzocht elke centimeter van haar, helemaal tot haar enkels en weer omhoog, over de strakke ronding van haar kuit, langs haar tere knieholte en stevige dij naar haar hete, vochtige middelpunt.

Ze kromde haar rug, en klauwde met een hand in het laken toen het genot doel trof, en trilde. En het nam almaar toe in intensiteit tot ze brak, tot ze met een radslag in de maalstroom van sensaties belandde.

Ze schoot overeind en trok hem naar zich toe, haar armen stevig om hem heen geslagen toen ze dicht tegen elkaar aangedrukt op het bed knielden.

Er trok een hitte door haar lijf, waardoor zelfs het bloed onder haar huid begon te borrelen terwijl het briesje dat door de open deuren binnenkwam over hen heen stroomde.

Het danste door haar haren, dacht hij, en de zonnestralen vielen op haar als gesmolten goud. Ze hadden net zo goed op een verdwenen eiland kunnen zitten met de aanhoudende stem van de zee, de scherpe geur daarvan in de lucht, de spottende lach van de meeuwen die door de helderblauwe hemel vlogen.

Nu sloeg ze haar armen om hem heen in een eis, een uitnodiging, een smeekbede. Hij nam wat ze aanbood, gaf wat ze vroeg. Zijn lichaam bewoog zich naar het hare terwijl hun lippen elkaar ontmoetten in een onbevredigde honger.

Sneller, krachtiger, met haar hoofd in haar nek geworpen en zijn mond op haar keel, waar haar adertje razendsnel klopte.

Toen riep ze zijn naam, alleen zijn naam, en voelde hij de toch al losse grip op zijn zelfbeheersing los schieten.

Hij lag met zijn gezicht omlaag, zij met haar gezicht omhoog en ze snakten allebei naar adem. Met gesloten ogen stak Abra haar hand naar hem uit, raakte zijn arm en liet haar vingers omlaag dwalen, tot ze die met de zijne kon verstrengelen.

'Dat was me nog eens een middagpauze.'

'Vanaf nu mijn lievelingssoort,' mompelde hij, zijn stem gesmoord in de matras.

'Ik moet echt opstaan en weer aan de slag gaan.'

'Ik zal een briefje voor je baas schrijven.'

'Dat gelooft ze toch niet. Ze is heel streng.'

Hij draaide zich om en keek naar haar profiel. 'Nee, dat is ze niet.'

'Jij werkt niet voor haar.' Ze nestelde zich dichter tegen hem aan. 'Ze kan een echte trut zijn.'

'Ik ga haar vertellen dat je dat hebt gezegd.'

'Doe maar niet, anders ontslaat ze me nog en wie moet dan het huis schoonhouden?'

'Daar zeg je iets.' Hij sloeg een arm om haar heen. 'Ik zal je wel met de rest van het huis helpen.'

Haar eerste neiging was zijn aanbod vriendelijk af te wijzen. Ze had een bepaalde routine en hij zou haar maar in de weg lopen. Maar voorlopig liet ze het erbij. 'Waarom ben je niet met jouw eigen werk bezig?'

'Ik neem de rest van de dag vrij.'

'Hondenliefde?'

'Nee.' Hij ging met zijn vingers door haar haren, waarna hij rechtop ging zitten. 'Ik heb genoeg af en bijgeschaafd om naar mijn agent te sturen. Dat heb ik dus ook gedaan.'

'Wat geweldig.' Ook zij ging snel zitten. 'Dat is het toch?'

'Dat zal ik een dezer dagen wel horen, denk ik.'

'Mag ik het lezen?' Toen hij zijn hoofd schudde, sloeg ze haar ogen ten hemel.

'Goed, dat kan ik nog wel begrijpen, een beetje dan. Maar kun je me dan niet een scène laten lezen? Eentje maar. Of een pagina?'

'Misschien. Later.' Ontwijken, dacht hij, want ze was er heel goed in om hem dingen te laten doen die hij eigenlijk niet wilde. Zoals een hond nemen.

'Dan wil ik je eerst wijn laten drinken zodat je een beetje beneveld bent.'

'Vanavond kan ik niet een beetje beneveld raken, want ik moet thuis een yogales geven.'

'Een andere keer dan. Later. Ik zal je eerst helpen om wat van die dingen op te bergen die de politie verkeerd heeft teruggezet.'

'Goed, haal jij het bed maar af. Dat is heel eenvoudig.'

Net toen hij van het bed af rolde, blafte de hond drie keer.

'Geweldig,' mompelde Eli, zijn broek pakkend. Hij hoorde de hond de trap af stormen, blaffend als een hellehond.

'Wat zei ik je?' vroeg Abra, een paar tellen voor de deurbel ging. 'Het is een prima waakhond.'

'Daar heb je gelijk in.' Hij trok zijn overhemd aan. 'En jij bent bloot.'

'Daar zal ik verandering in brengen.'

'Jammer. Bloot het huishouden doen zou ongetwijfeld leuk zijn.'

Ze grijnsde toen hij zich de deur uit haastte en zijn hond riep.

Eli Landon werd weer helemaal de oude, dacht ze.

Beneden beval hij de hond om op te houden. Tot zijn verbazing luisterde ze direct, waarna ze vlak naast hem ging zitten toen hij de deur opende.

Hij probeerde zijn onmiddellijke, automatische paniekreactie te onderdrukken toen hij agenten voor zich zag. En hij duwde de donkere wolk weg, die daar zoals altijd op volgde.

In elk geval was het Wolfe niet, dacht hij.

'Rechercheur Corbett. Vinnie.'

'Leuke hond,' merkte Corbett op.

'Hé, is dat Barbie?' Toen de hond direct reageerde door vriendelijk te blaffen en te kwispelen, bukte Vinnie zich om haar te aaien. 'Jij heb Barbie, de hond van meneer Bridle. Hij is een paar weken geleden in zijn slaap gestorven. De buurvrouw kwam even bij hem kijken, zoals ze bijna elke dag deed, en ze vond Barbie die naast zijn bed zat te waken. Jij bent een brave hond. Ja, dat ben je.'

Alsof Vinnie ineens besefte waarom hij hier was, ging hij weer rechtop staan. 'Sorry. Ik ben blij dat ze een goed thuis heeft. Ze is een fantastische hond.'

'Mooie meid,' zei Corbett. 'Hebt u even, meneer Landon?'

'Die vraag wordt me vaak gesteld door agenten.' Maar hij stapte opzij om hen binnen te laten.

'Hulpsheriff Hanson heeft me over de jongste inbraak verteld, daarom heb ik gevraagd of hij mee wilde om met u te praten. Hebt u al kans gezien om het huis aandachtig na te lopen, om te kijken of er iets ontbreekt of niet op zijn plaats staat?'

'De dingen stonden al niet op hun plaats vanwege de huiszoeking. We zijn alles weer langzaam terug aan het zetten, en tot nu toe lijkt er niets te ontbreken. Hij is geen dief, niet in de gebruikelijke zin des woords.'

'Ik heb uw verklaring van gisternacht, maar ik vroeg me af of u mij nog een keer precies kon vertellen wat u gisteravond hebt gedaan.'

Corbett keek op toen Abra, helemaal aangekleed, naar beneden kwam met een wasmand. 'Mevrouw Walsh.'

'Rechercheur. Hoi, Vinnie. Schoonmaakdag. Willen jullie soms koffie? Of iets fris?'

'Nee, dank u wel.' Corbett ging even anders staan. 'U was bij meneer Landon toen de inbraak werd ontdekt?'

'Dat klopt. Op vrijdagavond werk ik meestal in de Village Pub. Eli kwam ook, hoe laat was dat ook alweer? Zo rond half tien, schat ik. Stoney Tribbet en hij hebben aan de bar gezeten en sterke verhalen uitgewisseld.'

'Stoney is een markant figuur hier in de buurt,' verklaarde Vinnie.

'We zijn tot sluitingstijd gebleven,' pakte Eli de draad op. 'Abra en ik hebben Stoney lopend naar huis gebracht en daarna zijn we te voet hierheen gegaan.'

'Hulpsheriff Hanson zei dat uw telefoontje om één uur drieënveertig kwam.'

'Inderdaad. We gingen de keuken in en ik zag dat het paneel van het alarm bevlekt was. Vervolgens heb ik de deur gecontroleerd en er waren verse sporen van iemand die hem had opengebroken. En ja, ik heb de code veranderd. Alweer.'

'En voor ondersteuning gezorgd,' zei Abra, terwijl ze Barbie even aaide.

'Hebt u ook auto's gezien die u niet kende? Misschien iemand op het strand of op straat?'

'Nee, maar ik was ook niet op zoek naar iemand. Ik was eerder al buiten geweest; ik had zitten lezen op het terras achter het huis. Ik heb niets of niemand gezien. Ik was helemaal niet van plan om naar het café te gaan. Ik heb tegen niemand gezegd dat ik dat zou doen. Het was een opwelling.'

'Gaat u er vaker heen op vrijdagavond?'

'Ik ben er slechts een keer eerder geweest.'

'Hebt u in het café iemand gezien die om de een of andere reden uw aandacht trok? Iemand die zich vreemd gedroeg?'

'Nee.'

'Ik ga deze was in de machine stoppen,' begon Abra. Ze deed twee passen bij hen vandaan, maar keerde zich opeens weer om. 'Tonic met limoen.'

'Sorry?'

'Ach, het stelt vast niks voor, maar ik heb een man bediend die in zijn eentje aan een tafeltje zat. Ik kende hem niet. Hij zat achterin, alleen, en dronk tonic met limoen. Hij heeft er drie besteld, maar hij is niet gebleven om de derde op te drinken.'

'Waarom vond u hem vreemd?' vroeg Corbett.

'De meeste mensen komen met vrienden of ontmoetten die binnen. En als ze alleen even aanwippen, dan drinken ze meestal een pilsje of een wijntje. Maar goed, misschien drinkt hij niet en kwam hij alleen om naar de band te luisteren. Die is heel goed. Maar toch...'

'Ga door,' zei Corbett aanmoedigend.

'Nou, het is alleen dat... nu ik er nog eens over nadenk... Hij ging weg nadat Eli binnenkwam. Ik had zijn bestelling al opgenomen en bij de andere gevoegd, en was naar de bar gegaan om ze allemaal door te geven. Ik heb daar hoogstens een paar minuutjes staan praten met Stoney. Ik stond met mijn gezicht naar de hoofdingang, dus ik zag Eli binnenkomen. Ik heb hen aan elkaar voorgesteld en daarna heb ik mijn blad met drankjes gepakt. En toen ik achterin kwam, zag ik dat hij weg was en geld op het tafeltje had gelegd.'

'Ik ken het café.' Nadenkend kneep Corbett zijn ogen tot spleetjes. 'Er is nog een uitgang, maar dan moet je door de keuken.'

'Dat klopt. Ik geloof niet dat ik hem zou hebben zien vertrekken, als hij is weggegaan nadat Eli binnen was gekomen, omdat ik andersom was gaan staan, u weet wel, en niet meer met mijn gezicht naar de deur stond. Als hij niet via de keuken is gegaan, moet hij zijn vertrokken tussen het moment dat Eli binnenkwam en het moment dat ik zijn drankje naar hem toe ging brengen. Hoe dan ook, ongeveer vijf minuten nadat hij de tonic had besteld, is hij vertrokken.'

'Weet u nog hoe hij eruitzag?'

'Jeetje. Heel vaag. Blank, eind dertig, denk ik. Bruin haar, of donkerblond. Het licht is daar zwak. Zijn haar was vrij lang, het viel tot over zijn kraag. Ik heb geen idee welke kleur zijn ogen hebben. Ik weet ook niet hoe zijn lichaamsbouw eruitzag, omdat hij zat. Hij had brede handen. Misschien schiet me meer te binnen als ik mijn hoofd kan leegmaken.'

'Bent u bereid samen te werken met een politietekenaar?'

'Nou... ja, maar... Denkt u echt dat hij de man kan zijn die hier heeft ingebroken?'

'Het is de moeite van het onderzoeken waard.'

'Het spijt me.' Ze keek van Eli naar Vinnie. 'Ik heb er vannacht niet aan gedacht.'

'Daarom komen we altijd een keer terug,' zei Vinnie tegen haar.

'Ik weet niet of jullie iets aan me zullen hebben. Je kent de verlichting daar, vooral als er livemuziek is. En hij zat achter in een hoekje, waar het nog donkerder is.'

'Wat heeft hij tegen u gezegd? Waar praatte hij over?' vroeg Corbett.

'Niet veel. Tonic met limoen. Ik vroeg of hij met iemand had afgesproken, want lege stoelen zijn roversgoed in het weekend, en toen herhaalde hij enkel zijn bestelling. Hij was niet echt toeschietelijk.'

'We zullen de tekenaar laten komen als het u uitkomt. U hoort nog van ons.' Omdat Barbie aan zijn schoenen snuffelde, boog Corbett zich voorover en aaide haar over de kop. 'O, en de hond is een heel goed idee. Als er een grote, blaffende hond in huis is, bedenken de meeste inbrekers zich wel twee keer.'

Toen Eli hen uitliet, bleef Abra staan waar ze stond met de volle wasmand op haar heup. 'Het spijt me, Eli.'

'Wat spijt je?'

'Als ik me die vent van gisteravond beter zou herinneren, hadden we misschien al een goede schets. En het spijt me nu al dat ik niet zeker weet of ik hem kan beschrijven. Ik heb niet erg op zijn gezicht gelet toen ik begreep dat hij met rust gelaten wilde worden.'

'We weten niet eens of hij hier iets mee te maken heeft. En als hij dat wel heeft, hebben we meer dan we tot nu toe hadden, hoe vaag jouw omschrijving ook is.'

'Ik zal straks mediteren, kijken of ik de zaken helder kan krijgen, het terug kan halen. En ga nou niet afgeven op meditatie.'

'Ik heb niks gezegd.'

'Maar ik zag je denken. Ik ga deze was draaien.' Ze keek hoe laat het was. 'Ik loop echt achter. Ik kom morgen wel terug om de slaapkamers te doen waar ik vandaag niet aan toe ben gekomen. Vandaag zal ik die van je oma afmaken en kijken wat ik nog meer kan doen voor het vijf uur is. Ik moet thuis ook nog wat dingen doen voor mijn les begint.'

'Kom je nog terug na je les?'

'Ik heb echt heel veel dingen verwaarloosd, en ik wil mediteren in mijn eigen lege huis, zonder jouw twijfelende vibraties. Bovendien moeten Barbie en jij doorgaan met aan elkaar te wennen. Ik moet deze was doen,' herhaalde ze, en ze haastte zich weg.

'Dan blijven jij en ik samen over, Barbie,' mompelde Eli. Dat was waarschijnlijk ook het beste. Hij raakte er een beetje te veel aan gewend dat Abra er was. Het was vast beter voor hen allebei om wat ruimte te hebben, even alleen te zijn.

Al voelde het niet bepaald beter.

18

Geblokkeerd, dacht Abra. Ze was geblokkeerd, dat kon niet anders. Ze had gemediteerd, samengewerkt met de politietekenaar en geprobeerd om actief te dromen, iets waar ze niet erg goed in was. Toch hadden alle tijd, moeite en de vaardigheid van de tekenaar niets meer opgeleverd dan een tekening die van elke willekeurige man tussen de dertig en veertig kon zijn.

Elke willekeurige man, dacht ze terwijl ze opnieuw haar exemplaar van de tekening bestudeerde, met een mager gezicht, lang, ietwat slordig, doorsnee bruin haar en dunne lippen.

Op die lippen durfde ze eigenlijk geen eed te doen. Waren ze echt dun geweest of had zij dat ervan gemaakt omdat hij als een stijve hark op haar was overgekomen?

Nou, daar ging haar observatievermogen, dacht ze vol afkeer. Tot nu toe had ze altijd geloofd dat dat vermogen bij haar bovengemiddeld was.

Er was natuurlijk geen enkel bewijs dat haar stijve, tonic met limoen drinkende klant er ook maar iets mee te maken had. Maar toch.

Er kon niets aan worden gedaan, in elk geval niet voor het paasweekeinde. Ze voegde het laatste zilveren balletje toe aan een paar hangers van zilver met citrien. Terwijl ze het kaartje met de beschrijving invulde, stelde ze zich voor dat Eli's familie al onderweg was.

Dat was iets positiefs. En het was ook heel goed dat het huis naar haar maatstaven perfect was voor de feestdagen. Terwijl ze druk bezig was geweest om dat voor elkaar te krijgen, had ze tenminste niet gedacht aan haar mislukking met de tekenaar.

Ze wilde vooruitgang boeken, dacht ze, haar leesbril afzettend. Ze moest bekennen dat ze had gehoopt een rol te spelen bij het identificeren van de inbreker, en eventuele moordenaar. Ook had ze Eli willen helpen bij het oplossen van zijn problemen, en de opwinding willen voelen dat ze een mysterie had opgelost. Ze had alles keurig netjes willen maken, hoewel ze voor honderd procent zeker wist dat het leven dat nooit was.

Nu kon ze de zeurende ergernis en het onderliggende gevoel van onrust niet van zich afschudden.

In elk geval was haar nieuwe voorraad sieraden mooi geworden, al zei ze het zelf. Maar haar hoop dat de creatieve energie haar blokkade zou opheffen, was op niets uitgelopen.

Ze ruimde de werktafel in haar piepkleine logeerkamer op, borg haar gereedschap en voorraden op in hun keurig gelabelde dozen. Ze zou de nieuwe voorraad naar de cadeauwinkel brengen en van de winst misschien iets leuks voor zichzelf kopen.

Ze besloot te gaan lopen, om zichzelf een kans te geven te genieten van de vrolijk met hun kleuren pronkende narcissen en hyacinten, de kleurrijke paaseieren die aan boomtakken bengelden en de felgekleurde bloesem van de forsythia.

Ze was altijd dol op het begin van een nieuw jaargetijde, of het nou de eerste groene scheut van de lente was of de eerste sneeuwval in de winter. Maar vandaag werd ze geplaagd door een onrustig gevoel en wenste ze dat ze even bij Maureen langs was gegaan, om haar vriendin over te halen samen naar het dorp te gaan.

Het was stom om het gevoel te hebben dat ze in de gaten werd gehouden. Dat was gewoon een gevolg van de gebeurtenissen in Bluff House. En die bij de vuurtoren, dacht ze, zich omdraaiend om naar het gebouw te kijken dat net een stevige, witte speer was. Niemand volgde haar, al kon ze de verleiding niet weerstaan even achterom te kijken, waarbij ze een koude rilling over haar rug voelde gaan.

Ze kende deze huizen en de meeste mensen die er woonden, of die ze bezaten. Ze liep langs Surfside B&B en probeerde de drukkende angst en het verlangen om terug te rennen naar huis van zich af te zetten.

Ze weigerde zich te laten wegjagen door haar eigen domme gedachten. Ze zou zich niet het plezier ontzeggen van haar wandelingetjes in het dorp waar ze haar thuis had gemaakt.

En ze zou er niet aan denken hoe ze plotseling van achteren was beetgepakt in een leeg, donker huis.

De zon scheen, vogels floten en het verkeer voor het paasweekeinde reed langs.

Toch slaakte ze een zucht van verlichting toen ze in de dorpskern kwam, met de winkeltjes, restaurants en vele mensen.

Ze vond het fijn om toeristen in de cadeauwinkel te zien rondlopen toen ze door het raam keek. Mensen die voor de feestdagen met hun familie naar het strand waren gegaan, net zoals die van Eli het weekend hier zou komen. Ze wilde net naar binnen gaan toen ze Heather achter de toonbank zag staan.

Ze deinsde terug en wilde doorlopen. 'Verdomme,' mompelde ze. 'Daar heb ik echt geen zin in.'

Ze had Heather niet meer gezien sinds ze in tranen uit de yogales was gerend. Heather was niet komen opdagen voor de les bij Abra thuis, en ook niet bij de volgende op haar rooster. En Abra had dusdanig veel woede en wrevel gevoeld, dat ze Heather niet had gebeld om te vragen waar ze bleef.

Negatieve energie, hield ze zich voor, en ze bleef staan. Tijd om die te verdrijven en haar chi weer in evenwicht te brengen. En misschien zou die blokkade dan eindelijk worden opgeheven.

Hoe dan ook, Heather was wie ze was. Het had voor beide partijen geen enkel nut om boos te blijven.

Ze dwong zich om terug te lopen en naar binnen te gaan. Heerlijke geuren, mooi licht en een sterk gevoel van plaatselijke kunst en nijverheid. Kom in die stemming, beval ze zichzelf. En hou die vast.

Ze zwaaide achteloos naar de andere verkoopster en zag dat die even haar gezicht vertrok terwijl ze een klant bleef helpen. Ongetwijfeld had Heather haar collega's over al haar denkbeeldige kleineringen verteld.

En wie kon haar dat kwalijk nemen?

Met opzet liep Abra naar Heather en wachtte geduldig terwijl ze opzettelijk werd genegeerd. Toen Heather klaar was met een klant, stapte Abra naar voren.

'Hoi. Druk hier, vandaag. Ik heb niet meer dan vijf minuutjes nodig. Ik kan wel even wachten tot je tijd hebt.'

'Ik heb geen flauw idee wanneer dat zal zijn. We hebben klanten.' Stijf en met opeengeklemde kaken liep Heather om de toonbank heen naar een drietal vrouwen.

Abra's drift werd zo groot dat ze hem letterlijk in haar keel voelde kriebelen. Ze ademde net zo lang tot hij weg was, en pakte toen impulsief een stel handgeblazen wijnglazen die ze al weken had bewonderd, maar die ze zich niet echt kon permitteren.

'Pardon?' Met een glimlachje ging Abra met de glazen naar Heather. 'Ik wil deze graag afrekenen. Ik vind ze echt schitterend. Zijn ze niet prachtig?' vroeg ze aan de andere vrouwen, die het volmondig met haar eens waren. Een van hen pakte zelfs een stel champagneflûtes van dezelfde kunstenaar.

'Die zouden een geweldig huwelijksgeschenk zijn.'

'Nou en of.' Met een brede glimlach hield Abra een van haar glazen tegen het licht. 'Ik vind die gevlochten poten zo mooi. Maar je doet nooit een miskoop in Buried Treasure,' zei Abra. Stralend keek ze naar Heather en stak haar de glazen toe.

'Natuurlijk. Als u iets wilt weten, vraag het dan gerust,' zei Heather tegen de dames, en daarna liep ze naar de toonbank.

'Nu ben ik een klant,' verkondigde Abra. 'Goed. Punt één. We hebben je gemist bij de les.'

Nog altijd met een strakke kaak haalde Heather bubbeltjesplastic onder de toonbank vandaan en rolde er een glas in. 'Ik heb het druk gehad.'

'We hebben je gemist,' herhaalde Abra, en ze legde haar hand op die van Heather. 'Het spijt me dat we ruzie hebben gemaakt en dat ik dingen heb gezegd die jou hebben gekwetst.'

'Je deed net alsof ik een bemoeial ben, en ik...'

'Het spijt me,' zei Abra nogmaals. 'Maar ik heb een relatie met Eli. Ik geef om hem. Jij hebt ook dingen gezegd die mij hebben gekwetst.'

'De politie wás er echt.'

'Dat weet ik, en nu zijn ze weg omdat hij niets heeft gedaan. Iemand heeft ingebroken in Bluff House. We weten zeker dat hij het minstens twee keer heeft gedaan. De eerste keer heeft hij mij aangevallen, wie het dan ook was.'

'Dat weet ik. Dat is nog een reden waarom ik me zorgen maak.'

'Dat waardeer ik van je, maar Eli is niet degene die me kwaad probeerde te doen. Hij was toen in Boston. En hij is ook niet degene...' Ze wierp een snelle blik om zich heen, voor het geval een van de klanten haar zou kunnen horen. '... die de privédetective uit Boston heeft vermoord. Ik was bij Eli toen dat is gebeurd. Dat zijn feiten die de politie heeft geverifieerd, Heather.'

'Ze hebben Bluff House doorzocht.'

'Om grondig te zijn. Misschien gaan ze mijn cottage ook wel doorzoeken.'

'Jouw huis?' Verbazing en oprechte bezorgdheid staken de kop op. 'Hoezo? Dat is belachelijk. Dat deugt niet.'

De barrière was doorbroken, dacht Abra toen ze de beledigde klank in Heathers stem hoorde. 'Omdat er één, echt maar één, agent is in Boston die zich niet bij de feiten en het bewijsmateriaal wil neerleggen. Hij zit Eli al een jaar op de huid en nu moet hij mij ook hebben.'

'Wat afschuwelijk.'

'Zeg dat wel, maar omdat we niets te verbergen hebben, mag hij zijn gang gaan. De plaatselijke politie onderzoekt de zaak. Ik heb er veel vertrouwen in dat zij zullen ontdekken wat er precies aan de hand is en wie ervoor verantwoordelijk is.'

'Hier in het dorp zorgen we goed voor elkaar,' zei Heather met een tikje burgertrots. 'Maar wees voorzichtig.'

'Dat zal ik doen.'

Abra probeerde niet ineen te krimpen toen Heather de glazen aansloeg. Dag leuk nieuw yogapakje. Maar ze haalde haar creditcard uit haar tas, en dacht toen aan de sieraden.

'O, dat was ik bijna vergeten. Ik heb ruim tien dingen gemaakt.' Ze haalde ze tevoorschijn en legde ze op de toonbank, allemaal in doorzichtige plastic zakjes. 'Bekijk ze maar als je tijd hebt, en laat het me dan weten.'

'Doe ik. O, die zijn mooi, zeg!' Ze hield de oorbellen van zilver en citrien op, die Abra als laatste had gemaakt. 'Zilveren maantjes en sterretjes en het citrien is net zonlicht.'

'Wat zijn die leuk!' De vrouw met de wijnglazen liep naar de toonbank.

‘Abra is een van onze kunstenaars. Ze heeft net wat nieuwe stukken gebracht.’

‘Boffen wij even. O! Joanna, moet je deze ketting eens zien. Echt iets voor jou.’

Abra en Heather keken elkaar tevreden aan en Abra overhandigde haar creditcard. Te oordelen naar de manier waarop de drie vrouwen over de sieraden gebogen stonden, zou ze zich wellicht toch een leuk nieuw yogapakje kunnen permitteren.

Een half uur later had Abra zich op een ijshoorntje getrakteerd en liep ze met een veel positiever gevoel terug naar huis. Ze had de helft van haar nieuwe stukken ter plekke verkocht, en nog twee van de voorraad die al in de winkel lag. Hoog tijd om een nieuw pakje te kopen. Ze had er al eentje aangevinkt op haar favoriete website.

Bovendien had ze de prachtige nieuwe wijnglazen verdíénd.

Bij de eerste de beste gelegenheid zou ze Eli uitnodigen in de cottage voor een wijntje en een etentje bij kaarslicht, en zou ze de glazen gebruiken.

Maar eerst zou ze nog keertje proberen te mediteren. Deze keer misschien met een beetje wierook. Meestal had ze liever de frisse zeelucht, maar die had in dit geval niets opgeleverd. Tijd om het anders aan te pakken, besloot ze.

Ze ging haar huis in en deed zichzelf een groot plezier door haar nieuwe glazen uit te pakken en af te wassen, waarna ze ze in het zicht op haar keukenplanken zette. De glazen bewonderen gaf haar positieve visie een extra zetje.

Vooruitlopend op haar succes pakte ze een potlood, opschrijfblok en haar exemplaar van de tekening en legde die allemaal bij haar meditatiekussen in haar slaapkamer. Hoewel ze volgens zichzelf niet meer dan een middelmatige tekenaar was, dacht ze wel dat ze wat veranderingen of toevoegingen kon aanbrengen als die haar zouden invallen. Alvast beginnend met haar ademhaling liep ze naar de kast om de doos te pakken waar ze haar wierook in bewaarde – kegeltjes en stokjes – en de verschillende houders die ze in de loop der jaren had verzameld.

Misschien de lotusgeur om het derde oog te openen, bedacht ze. Dat had ze al veel eerder moeten doen.

Ze pakte de doos van de hoge plank en opende hem.

En liet hem met een gesmoorde kreet vallen alsof er een sissende slang in zat.

Haar wierook regende omlaag en de houders vielen kletterend neer. En het wapen viel met een bons op de grond. Instinctief deinsde ze ervoor terug. Haar eerste reactie was vluchten, maar toen begon haar logica te werken.

Degene die het wapen daar had neergelegd zou niet ergens in het huis staan te wachten tot zij het zou vinden. Het was daar neergelegd zodat de politie het zou vinden, bedacht ze terwijl ze zichzelf dwong om rustig adem te halen.

Dat betekende dat de persoon die het wapen hiervoor had vastgehouden een moord had gepleegd. Dat kon niet anders.

Ze liep linea recta naar de telefoon.

'Vinnie, ik heb een heel groot probleem. Kun je komen?'

Nog geen tien minuten later deed ze de deur voor hem open. 'Ik wist niet wat ik anders moest doen.'

'Je hebt het juiste gedaan. Waar ligt het?'

'In de slaapkamer. Ik heb het niet aangeraakt.' Ze ging hem voor en hield zich op de achtergrond terwijl hij neerhurkte om het wapen te onderzoeken.

'Het is een .32.'

'Is dat hetzelfde type dat...'

'Ja.' Hij ging rechtop staan, haalde zijn telefoon uit zijn zak en nam een paar foto's.

'Je bent niet in uniform,' zag ze ineens. 'Je had geen dienst. Je was gewoon thuis bij je gezin. Ik had niet moeten...'

'Abs.' Hij draaide zich om, sloeg zijn armen stevig om haar heen en gaf vaderlijke klopjes op haar rug. 'Rustig maar. Corbett zal dit ook willen weten.'

'Ik zweer je dat het niet mijn wapen is.'

'Dat weet ik ook wel. Niemand zal denken dat het van jou is. Rustig maar,' herhaalde hij. 'We zoeken dit wel uit. Heb je toevallig iets kouds?'

'Iets kouds?'

'Ja. Frisdrank, ijsthee, zoiets?'

'O, ja. Tuurlijk.'

'Ik lust wel iets kouds. Als jij daarvoor zorgt, kom ik zo bij je.'

Ze wist dat hij haar iets te doen had gegeven zodat ze wat tot zichzelf kon komen. Dan zou ze ook wat kalmeren.

Ze pakte een pan, deed er water en suiker in en zette hem op het vuur zodat de suiker zou oplossen terwijl zij citroenen uitperste.

Toen Vinnie de keuken in kwam, schonk ze de limonade net in een hoge glazen kan.

'Je had niet zo veel moeite hoeven doen.'

'Het gaf mijn handen iets te doen.'

'Verse limonade, helemaal zelfgemaakt.'

'Je verdient het. Zeg maar tegen Carla dat het me spijt dat ik je weekend heb verstoord.'

'Abra, ze is getrouwd met een agent. Ze begrijpt het heus wel. Corbett komt er zo aan. Hij wil het zien liggen.'

Ze wilde het wapen, en de dood die eromheen hing, weg hebben uit haar huis. 'En haal je het daarna weg?'

'Ja, daarna halen we het weg,' beloofde hij. 'Vertel me eens hoe het is gegaan.'

'Ik ben naar het dorp gelopen en ben een poosje in de cadeauwinkel geweest. Daarna heb ik een ijsje gekocht en ben ik weer naar huis gegaan.'

Al pratend schonk ze de limonade op ijsblokjes en zette een bord verse koekjes op tafel. 'Ik kan niet langer dan een uur of hooguit vijf kwartier zijn weg geweest.'

'Heb je de deuren op slot gedaan?'

'Ja. Ik ben heel voorzichtig, of redelijk voorzichtig, sinds de inbraken in Bluff House.'

'Wanneer heb je voor het laatst in die doos gekeken?'

'Ik gebruik niet zo vaak wierook en ik heb al een tijdje niets gekocht. Meestal koop ik het en dan gebruik ik het niet, en geef ik het weg. Ik klets maar wat.' Ze nam een slok. 'Ik weet het niet precies, maar volgens mij is het minstens een paar weken geleden. Misschien wel drie.'

'Je bent vaak weg, en veel van die tijd breng je door in Bluff House.'

'Ja. Lesgeven, mijn schoonmaakklussen, boodschappen doen, zowel voor mezelf als voor cliënten. En ik breng de meeste nachten bij Eli door. De moordenaar van Kirby Duncan heeft het wapen hier neergelegd, Vinnie. Hij wilde mij erbij betrekken.'

'Dat ligt wel voor de hand, ja. Ik ga even de ramen en deuren bekijken, goed? Lekkere limonade,' voegde hij eraan toe. 'En ook lekkere koekjes.'

In plaats van hem achterna te lopen, bleef ze waar ze was. Haar cottage doorzoeken zou niet lang duren. Die was klein, al waren er drie slaapkamers – hoewel een ervan nauwelijks groot genoeg was als opbergkast en dienstdeed als haar hobbykamer. Keuken, woonkamer met de serre, wat een van de belangrijkste redenen was geweest om hier te gaan wonen. Twee kleine badkamers.

Nee, het zou niet lang duren. Ze stond op en liep naar het raam om naar haar achterterras te kijken. Die weidse leefruimte buiten was nog een reden geweest om hier te gaan wonen. Dan had je nog het uitzicht, de kartelige ronding van de kleine kaap met de vuurtoren met daarachter de uitgestrekte zee en hemel.

Dit was waar ze vreselijk veel behoefte aan had gehad, en het was een voortdurende bron van troost en vreugde voor haar.

Nu had iemand daar inbreuk op gemaakt. Er was iemand bij haar binnen geweest en die had door haar kamers gelopen en zijn dodelijke wapen achtergelaten.

Ze draaide zich om toen Vinnie weer binnenkwam, en ze bleef wachten toen hij de terrasdeur en de achterramen bekeek.

'Hierachter zitten je ramen niet op slot, en een paar aan de voorkant ook niet.'

'Wat ben ik toch een sufferd.'

'Nee, dat ben je niet.'

'Ik zet graag alles open om te luchten. Daar ben ik heel fanatiek in.' Ze trok aan haar haar, omdat dat eenvoudiger was dan zichzelf een schop te verkopen. 'Het valt me nog mee dat ik in elk geval een paar ramen op slot heb gedaan.'

'Hier zijn een paar draadjes blijven haken.' Hij nam een foto met zijn telefoon. 'Heb je een pincet?'

‘Ja. Ik zal hem even halen.’

‘Ik heb vergeten een onderzoekskoffertje mee te nemen,’ zei hij toen ze de keuken verliet. ‘Ik heb wel een bewijszak voor het wapen meegebracht, maar verder niks. Daar zul je Corbett hebben,’ ging hij door toen er op de deur werd geklopt. ‘Moet ik opendoen?’

‘Nee, ik doe het wel.’

Met de pincet in haar hand deed ze de voordeur open. ‘Rechercheur Corbett, fijn dat u bent gekomen. Vinnie, hulpsheriff Hanson, is in de keuken. Het wapen... Ik zal het u laten zien.’

‘Wanneer hebt u die doos voor het laatst geopend?’

‘Zoals ik net al tegen Vinnie zei, ongeveer drie weken geleden. Eh... Hij heeft al foto’s gemaakt,’ zei ze toen Corbett zijn camera tevoorschijn haalde.

‘Dan heb ik nu mijn eigen foto’s.’ Hij ging op zijn hurken zitten en pakte een potlood dat hij door de trekkerbeugel stak. ‘Hebt u een wapen, mevrouw Walsh?’

‘Nee. Ik heb nog nooit een wapen gehad. Ik heb er zelfs nog nooit eentje vastgehouden. Zelfs geen speelgoedwapen. Mijn moeder was erg gekant tegen oorlogsspeelgoed en ik hield van puzzels en knutselen en... Ik klets maar wat. Ik ben zenuwachtig. Ik vind het niet prettig om een wapen in huis te hebben.’

‘Wij nemen het wel mee.’ Corbett trok juist beschermende handschoenen aan toen Vinnie binnenkwam.

‘Rechercheur, er zijn wat ramen die niet zijn afgesloten. Abra heeft me verteld dat ze er niet altijd aan denkt om ze op slot te doen. Aan een van de ramen aan de achterkant zitten wat vezels.’

‘Die zullen we zo bekijken. Wie zijn er de afgelopen weken in dit huis geweest?’

‘O, ik geef hier één avond per week yoga, dus mijn leerlingen. En de kinderen van mijn buren zijn op bezoek geweest. O mijn god, de kinderen. Is het geladen? Is dat ding geladen?’

‘Ja, het is geladen.’

‘Stel je voor dat een van hen hier naar binnen was gegaan en... Nee, dat slaat nergens op. Ze zouden niet naar deze kamer zijn gegaan om die doos van de bovenste plank in mijn kast te pakken. Maar stel dat ze het wel hadden gedaan.' Ze deed haar ogen even dicht.

'Is er ook een klusjesman geweest?' vroeg Corbett toen hij een bewijszak uit zijn zak haalde.

'Nee.'

'Huurbaas, kabelbedrijf, zoiets?'

'Nee. Mijn leerlingen en de kinderen.'

'Eli Landon?'

Haar ogen flitsten woedend op, maar Corbett keek haar onbewogen aan. 'U hebt tegen hem gezegd dat u weet dat hij onschuldig is.'

'Toch moet ik deze vraag stellen.'

'Hij is de afgelopen weken niet in de cottage geweest. Hij is sinds de eerste inbraak in de buurt van Bluff House gebleven. Ik heb zelfs moeten bidden en smeken om hem mee te krijgen naar de supermarkt. Zijn familie komt dit weekend op bezoek en we moesten boodschappen doen.'

'Oké.'

Hij ging weer staan. 'Laten we die vezels maar eens bekijken.'

Ze wachtte, terwijl de mannen de draadjes bestudeerden en mompelend overlegden. Ze plukten ze van het raamkozijn met de pincet en stopten ze in een zak.

'Wilt u een glas limonade, rechercheur? Ik heb het net gemaakt.'

'Lekker. En waarom gaat u daarna niet even zitten?'

Iets aan zijn toon zorgde ervoor dat haar handpalmen klam werden. Ze schonk een glas voor hem in en ging aan de tafel zitten.

'Hebt u hier iemand in de buurt zien rondhangen?'

'Nee. En ik heb de man uit het café ook niet meer gezien. Ik denk tenminste van niet. Ik zou hem moeten herkennen, ook al bleek ik bij de beschrijving niet van veel waarde. Daarom ging ik de wierook halen. Ik wilde wat aansteken en nog een keertje mediteren. Ik ben de laatste dagen heel gespannen en ik dacht dat ik daar eindelijk een eind aan had gemaakt.'

'Gespannen?'

'Heel begrijpelijk, gezien alles wat er is gebeurd. En...' O, wat kon haar het ook schelen? 'Iemand houdt me in de gaten.'

'Hebt u iemand gezien?'

'Nee, maar ik voel het. Ik beeld het me niet in. Daar ben ik echt bijna zeker van. Ik weet namelijk hoe het voelt om bespied te worden. U weet wat me een paar jaar terug is overkomen?'

'Ja, dat weet ik.'

'Nou, zo voelt het. Al een paar dagen lang.'

Ze wierp een schuine blik op de ramen die ze niet had afgesloten, naar haar glazen terrasdeur en de potten gemengde bloemen die ze in de zon had gezet.

'Ik ben veel weg en ik heb de meeste nachten bij Eli doorgebracht. En omdat ik zo slordig was om de ramen niet af te sluiten, moet het vreselijk simpel zijn geweest om hier binnen te komen en dat wapen te verstoppen. Maar waarom? Ik snap niet waarom hier, en waarom bij mij? Nou ja, ergens doe ik dat wel, maar het is nogal ingewikkeld. Als iemand mij in diskrediet wil brengen, mij erbij wil betrekken om Eli's alibi in twijfel te trekken, waarom heeft hij het wapen dan niet tijdens de inbraak in Bluff House verstopt?'

'Dat hebben we doorzocht voor hij het kon verbergen, of hij was eerst niet van plan om er afstand van te doen,' zei Vinnie. 'O, sorry rechercheur, ik spreek voor mijn beurt.'

'Dat geeft niks. Wolfe heeft de afgelopen tijd hard zijn best gedaan om een huiszoekingsbevel voor deze cottage te krijgen. Zijn superieuren steunen hem niet, evenmin als die van mij. Maar hij dringt wel aan. Hij beweert dat hij een anoniem telefoontje heeft gehad en dat de beller vertelde dat hij op de avond dat Duncan is vermoord een vrouw met lang, krullend haar heeft zien weglopen van de vuurtoren.'

'Ik begrijp het.' In haar buik leek een kloof te ontstaan. 'En dan vindt u het wapen hier. Dus dan heb ik Duncan vermoord of ik was een medeplichtige. Heb ik een advocaat nodig?'

'Dat kan geen kwaad, maar op dit moment lijkt het precies wat het ook is: doorgestoken kaart. Dat wil niet zeggen dat we niet de normale procedure volgen.'

'Oké.'

Hij nam een slok limonade. 'Hoor eens, mevrouw Walsh. Abra. Ik zal je vertellen hoe dit eruitziet, en hoe mijn baas het zal zien. Als jij iets met Duncan te maken hebt, waarom heb je dat wapen dan in vredesnaam niet van de rots gegooid, vooral nadat we Bluff House hadden doorzocht. Het in je slaapkamerkast leggen bij een hoop wierook is ontzettend stom. En uit niets blijkt dat jij een ongelooflijke sufferd bent.'

Omdat ze haar stem niet vertrouwde, knikte ze.

'Je vindt het wapen en meldt het. Toevallig krijgt de onderzoeksleider naar de moord op Landons vrouw een anoniem telefoontje, vanaf een prepaid mobieltje dat via een mast hier in de buurt belde. De beller beweert, drie weken na het incident, dat hij een vrouw met jouw haar en lichaamsbouw op de avond in kwestie bij de plaats delict vandaan zag lopen.'

'En rechercheur Wolfe gelooft hem.'

'Misschien wel, misschien ook niet, maar hij wil het feit graag gebruiken om een huiszoekingsbevel los te peuteren. Het heeft alle schijn van doorgestoken kaart, en het is ook niet erg handig aangepakt, dus persoonlijk denk ik niet dat Wolfe het gelooft, maar zoals ik al zei, zou hij graag eens bij jou rondneuzen.'

'Er is hier niks. Alleen... dat wapen.'

'We zullen de normale procedure volgen. Ik kan een huiszoekingsbevel regelen, maar het zou gemakkelijker zijn als je er gewoon toestemming voor geeft.'

Ze wilde het niet; het idee maakte haar een beetje misselijk. Maar wat ze echt wilde, was dat het voorbij zou zijn. 'Best, zoek maar, kijk maar, doe wat jullie moeten doen.'

'Goed. Wanneer we klaar zijn, wil ik dat je ervoor zorgt dat alles hier op slot zit, ook de ramen.'

'Ja, dat zal ik doen. En ik denk dat ik in Bluff House of bij mijn buren ga slapen tot... nader order.'

'Dat is nog beter.'

'Moet je dit nu aan Eli vertellen?' Ze liet haar hand zakken toen ze merkte dat ze de hanger van rookkwarts – die ze in haar hobbykamer had gemaakt – telkens rond draaide aan de ketting. 'Kijk, zijn familie komt voor Pasen. Waarschijnlijk zijn ze er al. Dit gedoe zal iedereen van streek maken.'

'Tot ik hem weer moet spreken, hoef ik hem niets te vertellen.'

'Mooi zo.'

'Ik heb iemand gebeld die op vingerafdrukken komt controleren, maar...'

'Die zullen jullie niet vinden. Maar het hoort bij de procedure.'

'Precies.'

Ze overleefde het. Een klein huis, dacht ze. Al met al duurde het niet lang. Ze liep niemand in de weg en bleef buiten zolang ze kon. Zo voelde Eli zich ook, bedacht ze. Zo moest hij zich hebben gevoeld toen de politie kwam om te controleren, te doorzoeken, te speuren naar bewijsstukken. In die korte tijd moest hij het gevoel hebben gehad dat het huis niet van hem was. Dat zijn spullen niet van hem waren.

Vinnie kwam naar buiten. 'Ze zijn bijna klaar. Niks,' zei hij tegen haar. 'Geen afdrukken op het raam, de doos of de inhoud.' Hij wreef even over haar rug. 'De huiszoeking is niet meer dan een formaliteit, Abs. Dat jij er toestemming voor hebt gegeven zonder bevel, maakt het alleen maar waarschijnlijker dat dit doorgestoken kaart was.'

'Dat weet ik.'

'Moet ik nog een poosje bij je blijven?'

'Nee, je moet terug naar je gezin.' Om paaseieren te verven met zijn zoontje, dacht ze. 'Je had niet zo lang hoeven blijven.'

'Als er weer iets is, moet je me bellen, hoor. Maakt niet uit hoe laat of waarvoor.'

'Dat zal ik doen. Daar kun je van op aan. Ik ga mezelf een beetje vermannen en dan ga ik naar Bluff House. Ik wil Hester zien.'

'Doe haar de groeten van me. Ik kan wel even wachten tot je klaar bent om te gaan.'

'Nee, het gaat prima. Of in elk geval gaat het beter. Het is klaarlichte dag. Er zijn mensen op het strand. Hij heeft geen enkele reden om me op dit moment nog lastig te vallen.'

'Zorg dat de deuren en ramen gesloten zijn.'

'Zal ik doen.'

Ze liet hem uit. De buurvrouw die tegenover haar woonde zwaaide naar haar en ging toen verder met graven in haar voortuin. Een stel jochies op fietsen racete voorbij.

Te druk voor iemand om te proberen binnen te komen, dacht ze geruststellend bij zichzelf. En nu was er ook geen reden meer om dat te doen.

Ze pakte een vuilniszak en ging naar de slaapkamer. Ze ging op haar knieën zitten en gooide alles weg wat op de grond lag, met doos en al. Ze had geen idee wat hij had aangeraakt. Als ze dat wel had geweten, zou ze alles uit de kast hebben weggegooid.

In plaats daarvan werkte ze haar make-up bij en deed ze wat spullen in een kleine tas, waaronder ook de politietekening. Nadat ze de keuken aan kant had gemaakt, pakte ze de aardbei-rabarbertaarten die ze had gebakken en stopte ze in dozen.

Ze bracht ze naar haar auto en ging terug om haar tas en haar handtas te halen. En toen ze haar voordeur op slot deed, brak haar hart een beetje.

Ze was dol op haar kleine cottage, en ze wist niet wanneer ze zich er weer veilig zou voelen.

19

Bluff House was vol met mensen, lawaai en drukte. Eli was vergeten hoe het was als er zo veel mensen tegelijk spraken, er allerlei dingen tegelijk gebeurden en hij talloze vragen moest beantwoorden.

Nadat hij van de eerste schrik was bekomen, merkte hij dat hij genoot van het gezelschap en de chaos. Hij sjouwde bagage naar boven, tassen en schalen naar de keuken en keek naar zijn nichtje dat rond waggelde en ernstige gesprekken met de hond leek te voeren. Ook zag hij de verraste goedkeuring van zijn moeder, toen hij een luxe schaal met fruit en kaas tevoorschijn toverde als snack na de lange rit.

Maar de grootste blijdschap kwam toen hij zijn grootmoeder op het terras zag staan en het briesje haar haren liet wapperen terwijl ze naar de zee keek.

Toen hij naast haar ging staan, leunde ze tegen hem aan.

In haar zonnestraal hief de oude hond Sadie haar kop, kwispelde even en ging toen weer slapen.

'Zon verwarmt oude botten,' zei Hester. 'Die van mij en die van Sadie. Ik heb dit gemist.'

'Dat weet ik.' Hij sloeg een arm om haar schouders heen. 'En volgens mij heeft het jou ook gemist.'

'Dat mag ik graag geloven. Je hebt viooltjes geplant.'

'Abra heeft ze geplant, ik geef ze alleen maar water.'

'Samenwerking is iets moois. De wetenschap dat jij hier was, heeft me geholpen, Eli. Niet alleen in praktisch opzicht, dat er iemand in huis was, maar dat jíj hier bent. Want ik geloof dat het huis jou ook heeft gemist.'

Alweer baanden schuldgevoel en spijt zich een weg door hem heen.

'Het spijt me dat ik zo lang ben weggebleven. En het spijt me nog meer dat ik geloofde dat ik niet anders kon.'

'Wist je dat ik een bloedhekel heb aan zeilen?'

Van pure schrik gaapte hij haar met open mond aan. 'Jij? Hester Eerste Stuurman Landon? Ik dacht dat je het heerlijk vond.'

'Je opa vond het heerlijk. Ik moest een pil slikken om mijn maag rustig te houden. Ik ben gek op de zee, maar ik voel me veel beter als ik op het land sta en ernaar kijk. Eli en ik zeilden samen, en ik betreur geen enkele pil, geen enkele minuut op het water met hem. Het huwelijk is een kwestie van geven en nemen en als het in evenwicht is, zorgt het geheel voor een gezamenlijk leven, een partnerschap. Jij hebt compromissen gesloten, Eli, en daar hoef je je niet voor te verontschuldigen.'

'Ik wilde je morgen mee uit zeilen nemen.'

Ze lachte snel en opgelucht. 'Mag ik bedanken?'

'Waarom hou je de boot dan aan?'

Toen ze hem glimlachend aankeek, begreep hij het. Uit liefde, dacht hij, en hij drukte zijn lippen tegen haar wang.

Ze ging iets anders staan zodat ze hem recht in de ogen kon kijken. 'Dus je hebt een hond.'

'Kennelijk wel. Ze had een thuis nodig. Daar weet ik alles van.'

'Een hond is een gezonde stap.' Ze verschoof nog iets om hem beter te kunnen bestuderen, en leunde daarbij op haar stok. 'Je ziet er beter uit.'

'Dat mag ik verdomme hopen. Jij ziet er ook beter uit, oma.'

'Dat mag ik verdomme hopen.' Ze liet nog een lachje horen. 'We waren een stel gewonde krijgers, is het niet, jonge Eli?'

'Maar we zijn aan de beterende hand en hebben onze kracht hervonden. Kom terug naar huis, oma.'

Ze slaakte een zucht en kneep even in zijn arm, waarna ze met behulp van haar stok naar een stoel liep en ging zitten. 'Eerst moet ik nog wat meer aansterken.'

'Dat kun je ook hier doen. Ik zal bij je blijven, voor zo lang het nodig is.'

Er glansde iets in haar ogen. Even vreesde hij dat het tranen waren, maar het was de lichtval. 'Ga zitten,' beval ze. 'Ik ben zeer zeker van plan om terug te komen, maar de tijd is nog niet rijp. Het zou niet alleen onpraktisch maar ook onverstandig zijn om hier te zijn, terwijl ik al die vervloekte dokters en fysiotherapeuten in Boston heb.'

'Ik kan je erheen brengen voor je afspraken.' Tot hij haar op het terras had zien staan, haar blik op de zee gericht, had hij zich niet gerealiseerd hoe graag hij haar hier terug wilde hebben. 'We kunnen het zo regelen dat je hier fysiotherapie krijgt.'

'God, wij denken echt precies op dezelfde manier. Laat dat nou net zijn wat ik heb overwogen vanaf het moment dat ik bijkwam in het ziekenhuis. De wil om hier terug te keren was een van de belangrijkste drijfveren om alles in het ziekenhuis te doorstaan. Ik kom uit een sterk geslacht en door met een Landon te trouwen ben ik nog sterker geworden. Ik heb ervoor gezorgd dat die doktors hun ongelijk moesten erkennen toen ik herstelde, toen ik weer kon lopen.'

'Ah, maar zij kenden Hester Landon nog niet.'

'Dat is nu wel anders.' Ze leunde achterover. 'Maar ik ben er nog niet. Ik heb je moeder nodig. O, ik heb je vader ook nodig. Hij is een goede zoon, dat is hij altijd geweest. Maar ik heb Lissa nog een tijdje nodig, de lieve schat. Ik sta wel weer op mijn eigen benen, maar ik kan nog niet zo lang blijven staan als ik graag wil, en ik binnenkort weer zal kunnen. Dus blijf ik nog even in Boston tot ik ervan overtuigd ben dat ik weer vast op mijn benen sta. En jij blijft hier.'

'Zo lang je wilt.'

'Mooi, want dit is precies waar ik je wil hebben. Dat heb ik altijd gewild. Ik heb me afgevraagd of ik de laatste Landon in Bluff House zou zijn. De laatste die in Whiskey Beach zou wonen. Ik heb mezelf vaak afgevraagd of ik Lindsay nooit heb gemogen omdat ze jou in Boston hield.'

'Oma...'

'Nou, hoe egoïstisch dat ook was, het maakte deel uit van het waarom. Het was niet het hele waarom, maar wel een deel ervan. Ik zou me erbij hebben neergelegd, of dat hebben geprobeerd, als ze jou gelukkig had gemaakt, zoals Tricia's gezin en haar werk voor Landon Whiskey haar gelukkig maken.'

'Ze is er steengoed in, nietwaar?'

'Ze lijkt op je grootvader en je vader. Ze zijn ervoor geboren. Jij lijkt meer op mij. O, we kunnen best zaken regelen als het echt moet en we zijn beslist niet dom. Maar we worden aangetrokken door de kunst.'

Ze gaf een klopje op zijn hand. 'Zelfs toen je je zinnen op de wet had gezet, was je het gelukkigst als je kon schrijven.'

'Het leek te leuk voor een baan. En nu het een baan is, is het veel meer werk. Toen ik advocaat was, had ik het gevoel dat ik iets belangrijks had, iets wat me houvast bood. Meer dan dagdromen op papier.'

'Is dat alles wat het is? Dagdromen?'

'Nee. Zo noemde Lindsay het altijd.' Dat was hij bijna vergeten. 'Niet onvriendelijk, maar... een handje vol korte verhalen was niet bepaald indrukwekkend.'

'Zij ging voor indrukwekkend, en dat bedoel ik ook niet onvriendelijk. Maar in die serie compromissen is het gewoon zo dat Lindsay nooit iets voor haar rekening nam. Voor zover ik dat kon zien, tenminste. Mensen die zeggen dat je van de doden niets dan goeds mag zeggen, hebben gewoon niet het lef om de waarheid te vertellen.'

'Aan lef ontbreekt het jou niet.'

Hij had niet verwacht om hier met zijn grootmoeder over Lindsay te zullen praten. Maar misschien was dit de juiste plek om zijn hart een beetje te luchten. 'Niet alles was haar schuld.'

'Zoiets is zelden de schuld van één iemand.'

'Ik dacht dat we onze eigen stappen zouden zetten, onze sterke en zwakke punten en onze doelstellingen zouden samenvoegen. Maar ik ben met een prinses getrouwd. Zo noemde haar vader haar altijd. Prinses.'

'O ja, nu weet ik het weer.'

'Ze kreeg altijd alles wat ze wilde. Ze was grootgebracht met de overtuiging dat ze alles hoorde te krijgen wat haar hartje begeerde. Ze was van nature heel charmant, ongelooflijk knap en ze geloofde heilig dat haar leven volmaakt zou worden, precies zoals zij het voor ogen had.'

'En het leven is geen reeks sprookjes, zelfs niet voor een prinses.'

'Nee, precies,' mompelde hij. 'Haar leven met mij bleek verre van volmaakt te zijn.'

'Ze was jong en verwend en als ze de kans had gekregen, zou ze wellicht zijn veranderd en minder in zichzelf zijn opgegaan. Ze had inderdaad charme en een goed oog voor kunst, voor inrichting en mode. Na verloop van tijd had ze daar misschien iets van kunnen maken, net als van zichzelf. Maar om het maar recht voor zijn raap te zeggen: ze was niet de juiste vrouw voor jou, niet jouw zielsverwant, of je grote liefde. En dat was jij ook niet voor haar.'

'Nee,' gaf hij toe. 'In relationeel opzicht schoten we allebei tekort.'

'Het beste wat ervan gezegd kan worden is dat jullie allebei een vergissing hebben begaan. Voor die vergissing heeft zij een te hoge prijs betaald, en dat vind ik heel erg. Ze was een jonge, knappe vrouw en haar dood was zinloos en wreed. Maar het is voorbij.'

Nee, dacht Eli. Pas als de dader ervoor heeft geboet.

'Ik heb een vraag voor je,' ging Hester verder. 'Ben je hier gelukkig?'

'Ik zou wel gek zijn als ik dat niet was.'

'En je werkt hier goed?'

'Beter dan ik had verwacht of gehoopt. Het afgelopen jaar was schrijven eerder een ontsnapping, een manier om mijn gedachten te verzetten. Nu is het mijn werk. Ik wil er goed in worden. Ik geloof dat mijn verblijf hier daarbij heeft geholpen.'

'Omdat dit jouw plek is, Eli. Jij hoort in Whiskey Beach. Tricia? We weten allemaal dat haar leven, haar gezin en haar thuis in Boston zijn.' Ze keek even achterom, door de terrasdeuren, waar Selina naast een extatische Barbie op de grond lag. 'Voor haar is dit een plek om een weekend, een zomervakantie of tijdens de feestdagen te komen. Het is niet haar thuis, en dat is het ook nooit geweest.'

'Het is jouw thuis, oma.'

'Reken maar.' Ze hief haar kin op en de blik in haar ogen werd diep en zacht toen ze over de kopjes van de zwaaiende viooltjes naar de golvende zee keek. 'Op dat strand ben ik op een zwoele lenteavond verliefd geworden op je opa. Ik wist dat hij de mijne was en dat we in dit huis zouden gaan wonen, onze kinderen er groot zouden brengen en wij er ons leven zouden leiden. Het is mijn thuis en het staat me vrij om weg te geven wat van mij is.'

Ze wendde zich tot Eli en haar zachte blik werd bikkelhard. 'Tenzij je me vertelt, en erin slaagt het me ook echt te doen geloven, dat je het niet wilt, dat je hier geen leven kunt opbouwen, hier niet gelukkig kunt worden, zal ik de papieren laten opstellen om het aan jou over te dragen.'

Hij was zo verbijsterd dat hij haar slechts aan kon staren. 'Oma, je kunt me Bluff House niet geven.'

'Ik kan doen wat ik wil, knul.' Ze tikte ferm met haar vinger tegen zijn arm. 'Dat heb ik altijd gedaan en ik ben van plan dat te blijven doen.'

'Oma...'

Weer tikte ze met haar vinger, ditmaal als een waarschuwing. 'Bluff House is een echt huis, en een huis moet worden bewoond. Het is jouw erfgoed en jouw verantwoordelijkheid. Ik wil weten of je je hier wilt settelen, of je bereid bent te blijven, zowel wanneer ik hier terugkom als wanneer ik er niet meer ben. Is er een plek waar je liever zou zijn?'

'Nee.'

'Nou, dan is dat geregeld. Dat is een pak van mijn hart.' Met een tevreden zucht, keek ze weer naar de zee.

'Zo eenvoudig?'

Met een glimlach legde ze haar hand op de zijne, heel teder deze keer. 'Door de hond wist ik het zeker.'

Hij moest lachen en op dat moment kwam Tricia naar buiten door de terrasdeuren. 'Als jullie je hier los kunnen maken, is het tijd om de eieren te verven.'

'Aan de slag, dan. Help me eens overeind, Eli. Gaan zitten lukt me tegenwoordig wel, maar overeind komen kost nog moeite.'

Hij hielp haar omhoog en sloeg toen zijn armen om haar heen. 'Ik zal er goed voor zorgen, dat beloof ik. Maar kom alsjeblieft gauw thuis.'

'Dat ben ik wel van plan.'

Ze had hem veel gegeven om over na te denken, maar paaseieren verven met een peuter – om nog maar te zwijgen over haar bijzonder eerzuchtige achtenvijftigjarige opa – maakte nadenken lastig. Dus concentreerde Eli zich op het verven. Tegen de tijd dat de deurbel ging, lag de krant die op het keukeneiland was uitgespreid vol met spetters en plasjes verf.

Met de hond naast zich opende hij de deur voor Abra. Ze stond voor hem met over elke schouder het hengsel van een tas en een afgedekt dienblad in haar handen.

'Het spijt me, ik had geen handen meer over om mezelf binnen te laten.'

Hij keek haar grijnzend aan en boog zich over het blad heen om haar een zoen te geven. 'Ik wilde je net bellen.' Hij nam het blad van haar aan en draaide zich een kwartslag, zodat ze langs hem heen kon lopen. 'Ik had je al eerder verwacht, maar ik ben er door enorme sluwheid en grote moeite in geslaagd een paar eieren voor je te bewaren.'

'Dank je. Ik moest eerst een paar dingen afhandelen.'

'Is er iets mis?'

'Wat zou er mis moeten zijn?' Ze zette de tassen op de grond. 'Dag Barbie. Hallo.' Het was beter om eromheen te draaien dan om de hele familie zulk akelig nieuws te bezorgen, vond ze. 'Taarten bakken kost tijd.'

'Taarten?'

'Jazeker.' Ze pakte het blad weer terug en liep samen met hem naar de achterkant van het huis. 'Zo te horen vermaakt iedereen zich prima.'

'Alsof ze hier al een week zijn.'

'Is dat goed of slecht?'

'Goed. Heel erg goed.'

Dat zag ze met eigen ogen toen ze de keuken in liep. Iedereen zat rond het eiland. Eieren, geverfd in verschillende gradaties van bedrevenheid en creativiteit, zaten in de dozen. Ze verbreedde haar glimlach en probeerde de afschuwelijke dag achter zich te laten toen iedereen naar haar keek.

'Fijne Pasen.' Ze zette de taarten snel neer en wendde zich direct tot Hester. Nadat ze haar armen om de oude vrouw had geslagen, deed ze haar ogen dicht en wiegde heel licht. 'Het is zo fijn om je hier te zien. Het is echt heerlijk om jou te zien.'

'Laat me eens naar je kijken.' Hester duwde haar iets van zich af. 'Ik heb je gemist.'

'Ik moet je vaker opzoeken.'

'Met jouw drukke schema? We gaan lekker zitten met een glas wijn voor jou en een martini voor mij en dan ga je me alle roddels vertellen. Want ik schaam me er niet voor om te zeggen dat ik die ook heb gemist.'

'Je bent bijna helemaal bij, maar voor een glas wijn kan ik nog wel een paar nieuwtjes opdiepen. Dag, Rob.' Abra ging op haar tenen staan om Eli's vader te omhelzen.

Eli keek toe toen ze zijn familie langs ging. Knuffelen ging haar heel natuurlijk af, het lichamelijke contact, de intieme aanrakingen. Maar pas nu hij haar bij zijn familie zag, besefte hij dat ze met hun leven vervlochten was op een manier die hij zich niet had gerealiseerd.

Hij had er... geen deel van uitgemaakt, dacht hij. Hij had veel te lang vanaf de zijlijn toegekeken.

Binnen enkele minuten stond ze naast zijn zus met wasco een patroon op een ongeverfd ei te tekenen, terwijl ze namen voor de nieuwe baby bespraken.

Zijn vader duwde hem een stukje opzij. 'Zij zijn hier nog wel even bezig. Laat mij beneden dat gedoe in de kelder eens zien.'

Niet de meest aangename taak, maar het moest gebeuren. Ze gingen naar beneden en liepen de kelder door. Na de wijnkelder bleef Rob even staan.

De man die zijn lengte, lichaamsbouw en de Landon-ogen aan Eli had doorgegeven, bleef staan met zijn handen in de zakken van zijn kaki broek.

'Toen mijn grootmoeder nog leefde, stond dit hele gedeelte vol met potten jam, gelei, fruit en groenten. Manden met aardappels en appels. Ik vond het hier altijd naar herfst ruiken. Jouw grootmoeder heeft die traditie voortgezet, maar op veel kleinere schaal. En toen kwam er langzaam een eind aan de dagen van de eindeloze en grootse feesten.'

'Ik kan me anders nog wel een paar grootse feesten herinneren.'

'Die stelden niks voor vergeleken met de generatie ervoor,' zei Rob terwijl ze verder liepen. 'Honderden mensen, waarvan er tijdens het seizoen tientallen dagenlang, soms zelfs wekenlang, bleven logeren. Daarvoor heb je heel veel vrije tijd, een pakhuis vol eten en drinken en een huis vol bedienden nodig. Mijn vader was zakenman. Als hij al een geloofsovertuiging had, dan was dat het zakendoen en niet de high society.'

'Ik heb nooit geweten van die bediendengangen. Ik heb er pas onlangs over gehoord.'

'Als kleine jongen was ik diep teleurgesteld dat ze voor mijn geboorte waren dichtgemaakt. Mam heeft gedreigd om hetzelfde te doen met delen van de kelder. Ik ging hier vroeger stiekem heen met mijn vrienden. De hemel mag weten waarom.'

'Dat deed ik ook.'

'Denk je nou echt dat ik dat niet wist?' Rob grinnikte en gaf Eli een klap op zijn schouder. Toen ze bij het oude gedeelte kwamen, bleven ze staan.

'Jezus nog aan toe. Je had me wel verteld hoe uitgebreid het was, maar ik geloofde het niet echt. Wat is dit voor waanzin?'

'Schatkoorts, denk ik. Het is de enige logische verklaring.'

'Je kunt niet opgroeien in Whiskey Beach zonder dat je met schatkoorts te maken krijgt, of er zelfs een milde dosis van oploopt.'

'Jij ook?'

'Als tiener geloofde ik heilig in Esmeralda's bruidsschat. Ik stroopte de winkels af naar boeken en zocht kaarten. Ik heb zelfs leren scubaduiken als voorbereiding op een loopbaan als schatzoeker. Ik ben er overheen gegroeid, al is er nog steeds een deel van me dat zich afvraagt hoe dat zou zijn geweest. Maar dit... Dit is zinloos. En gevaarlijk. Heeft de politie geen enkele aanwijzing?'

'Tot nu toe niet. Of in elk geval hebben ze het niet aan mij verteld. Maar ja, ze moeten ook een moord onderzoeken.'

Eli had erover nagedacht, had de voor- en nadelen om zijn vader alles te vertellen tegen elkaar afgewogen. Tot op dat moment had hij nog geen besluit genomen, maar opeens besloot hij om Rob overal van op de hoogte te brengen. 'Volgens mij houden die zaken verband met elkaar.'

Rob keek zijn zoon onderzoekend aan. 'Laten we een wandeling gaan maken met de honden, dan kun je me vertellen waarom je dat denkt. En wat het verband is.'

Binnen zat Abra met Hester in de ochtendkamer.

'Dit is fijn,' zei Abra. 'Ik heb het gemist.'

'Je hebt prima voor het huis gezorgd. Maar daar heb ik ook geen moment aan getwijfeld.' Ze wees op de potten met bloemen die buiten op het terras stonden. 'Ik heb gehoord dat jij dat hebt gedaan.'

'Ik heb er een beetje hulp bij gehad. Eli heeft niet veel verstand van tuinieren.'

'Wat niet is, kan nog komen. Hij is flink veranderd sinds hij hier is.'

'Hij had tijd en ruimte nodig.'

'Nee, het is meer dan dat. Af en toe vang ik weer een glimp op van de man die hij vroeger was, vermengd met flarden van de man die hij langzaam wordt. Dat maakt me blij, Abra.'

'Hij is veel gelukkiger dan toen hij hier net was. Toen zag hij er zo verdrietig en verloren uit, en daaronder ging een enorme woede schuil.'

'Dat weet ik en dat komt niet alleen door de gebeurtenissen van het afgelopen jaar. Daarvoor had hij te veel van zichzelf verloochend omdat hij een belofte had gedaan, en het is belangrijk om je beloften te houden.'

'Hield hij van haar? Het voelt niet goed om dat aan hem te vragen.'

'Ik denk dat hij op een bepaalde manier van haar hield, en hij verlangde naar het leven dat ze volgens hem samen konden opbouwen. Dat wilde hij zo graag dat hij bereid was die belofte te doen.'

'Een belofte is iets ontzagwekkends.'

'Voor sommigen wel. Voor mensen als Eli. En voor jou. Als hij een gelukkig huwelijk had gehad, zou hij wellicht nog iemand anders zijn geworden, een andere combinatie van zichzelf. Iemand die tevreden was met zijn werk als advocaat en zijn leven in Boston, en dan zou hij zich aan zijn belofte hebben gehouden. Dan zou ik de jongen zijn verloren die vroeger opbloeide in Whiskey Beach, maar dat had niets uitgemaakt. Hetzelfde kan over jou worden gezegd.'

'Ja, daar heb je gelijk in.'

'Heeft hij contact met andere mensen?'

'Hij is graag alleen, maar dat moet ook met het werk dat hij heeft gekozen. Maar ja, toch wel. Mike O'Malley en hij lijken het prima met elkaar te kunnen vinden en hij heeft zijn vriendschap met Vinnie Hanson weer opgepakt.'

'O, die jongen, toch. Wie had kunnen denken dat een halfnaakte, surfende, blowende nietsnut hulpsheriff zou worden?'

'Jij hebt hem altijd gemogen. Dat kun je zien.'

'Hij was zo verrekte innemend. Ik ben blij dat Eli weer met hem omgaat en dat hij bevriend is met Mike.'

'Volgens mij kost het Eli geen enkele moeite om vriendschappen te sluiten en te onderhouden. O, en hij heeft bijna een hele avond staan drinken met Stoney in de pub. Zij konden het echt goed met elkaar vinden.'

'Lieve hemel, ik hoop dat iemand hem naar huis heeft gereden, en dan heb ik het niet over Stoney.'

'We zijn gaan lopen.' Abra besefte de betekenis van het 'wij' zodra Hester haar wenkbrauwen optrok.

'Ik vroeg het me al af.' Met een glimlachje hief Hester haar martiniglas op. 'Lissa was al zo blij dat je het weekend met ons zou doorbrengen.'

'Ik wil niet dat het ongemakkelijk wordt, Hester. Daarvoor ben je veel te belangrijk voor me.'

'Waarom zou het ongemakkelijk zijn? Toen ik Eli vroeg om hier voorlopig te gaan wonen, hoopte ik dat hij die tijd en ruimte zou vinden, en dat hij die delen van zichzelf zou terugkrijgen. En ik hoopte dat jullie twee... samen naar huis zouden gaan lopen.'

'Echt waar?'

'Waarom zou ik dat niet willen? Ik had me voorgenomen om me met jullie te gaan bemoeien zodra ik weer goed zou kunnen lopen. Ben je verliefd op hem?'

Abra nam een grote slok wijn. 'Jij laat er ook geen gras over groeien.'

'Ik ben al oud. Ik kan me niet permitteren om tijd te verspillen.'

'Oud, maak het nou.'

'Maar niet zo oud dat ik niet heb gemerkt dat je mijn vraag niet hebt beantwoord.'

'Ik weet het antwoord niet. Ik vind het heerlijk om bij hem te zijn en hem te zien veranderen, zoals jij net hebt beschreven. Ik weet dat de situatie op dit moment voor ons allebei gecompliceerd is, dus voorlopig ben ik hier tevreden mee.'

'Complicaties horen bij het leven.' Hester nam de tijd om een van de twee olijven in haar glas op te eten. 'Ik weet een deel van wat hier is gebeurd, maar niet alles, vermoed ik. Iedereen is veel te voorzichtig tegen me. Ik mag dan een gat in mijn geheugen hebben, er is nog niks mis met mijn hersens, hoor.'

'Nee, natuurlijk niet.'

'En de rest van me is binnenkort ook weer in orde. Ik weet dat iemand heeft ingebroken in Bluff House en dat is afschuwelijk. Ik weet ook dat er iemand is vermoord en dat de politie het huis heeft doorzocht en dat is nog veel erger.'

'De rechercheur die de leiding heeft, beschouwt Eli niet als verdachte,' zei Abra vlug. 'Sterker nog, hij gelooft ook niet dat hij iets met de moord op Lindsay te maken had.'

Met een uitdrukking van opluchting en ergernis op haar gezicht leunde Hester achterover. 'Waarom heeft niemand me dát verteld?'

'Ik vermoed dat ze je niet van streek wilden maken met alles wat er nog meer aan de hand was. Maar hoe erg het ook was, het heeft Eli van zijn stuk gebracht. Hij is echt pislink, Hester, en hij is er klaar voor om stelling te nemen, om terug te vechten. Dat is heel positief.'

'Zeg dat wel.' Ze keek naar buiten, naar de zee. 'En dit is een prima plek om stelling te nemen.'

'Het spijt me dat ik hier een einde aan moet maken.' Lissa kwam de kamer binnen en tikte op haar horloge.

'O, daar heb je de opzichter,' mompelde Hester.

'Hester, je moet rusten.'

'Ik zit. Ik drink een uitstekende martini. En ik rust uit.'

'We hadden een afspraak.'

Verontwaardigd snuivend dronk Hester haar martini op. 'Goed, goed. Ik moet een dutje doen, net als de kleine Sellie.'

'En als je dat niet doet, word je even chagrijnig als Sellie als zij niet even gaat slapen.'

'Mijn schoondochter ziet er geen been in me te beledigen.'

'Dat is de reden dat je van me houdt,' zei Lissa, die Hester overeind hielp.

'Een van de vele. We praten straks wel verder,' zei ze tegen Abra.

Toen Abra alleen was, gunde ze zich een momentje voor gedeprimeerdheid, voor bezorgdheid. Moest ze zich verontschuldigen en naar huis vluchten? Maar waarom? Om zich ervan te vergewissen dat er niemand had ingebroken om nog meer belastend bewijsmateriaal achter te laten?

Ze schoot er niets mee op door daarover te piekeren, door angst aan haar geest te laten knabbelen. Ze was hier onder de mensen beter af. Ze kon hier beter genieten.

De hemel mocht weten wat er hierna weer zou gebeuren.

Ze stond op en slenterde naar de keuken. Ze had zin om iets te koken, maar ze was hier nu als gast, niet als huishoudster die de vrije hand had.

Ze kon haar spullen naar boven brengen en de kleine geschenkentasjes inpakken die ze voor de familie had gemaakt.

Ze moest bezig blijven.

Ze keerde zich om toen Lissa de keuken in liep.

'Hester klaagt altijd over het dutje, maar ze slaapt altijd een uur lang als een roos.'

'Ze is altijd zo actief en onafhankelijk geweest.'

'Je hoeft mij niks te vertellen. Toch stelt een dutje van een uur niks voor. Toen ze net was gevallen, kon ze nauwelijks een uur achtereen wakker blijven. Ze heeft het tegen alle verwachtingen in gered, en ik had niks minder moeten verwachten. Dat ziet er lekker uit, zeg.'

'Ik zal een glas voor je inschenken. Ik was aan het rondneuzen om te kijken of ik ergens mee kan helpen. Met het avondeten. Of waar dan ook mee.'

'O, ik zal je inlijven als hulp voor het eten. Ik kan me redden in de keuken, wanneer onze Alice het me toestaat. Maar helaas ben ik ben geen keukenprinses. Jij moet geweldig kunnen koken.'

'Hoezo?'

'Dat heeft Hester gezegd en ik heb het bewijs met eigen ogen aanschouwd. Eli komt weer aan in plaats van dat hij afvalt. Daarvoor sta ik bij je in het krijt.'

'Ik kook graag en hij herinnert zich weer dat hij graag eet.'

'En hij herinnert zich weer dat hij van honden, strandwandelingen en gezelschap houdt. Ik ben je heel dankbaar, Abra.'

'Ik vond het leuk om hem daaraan te helpen herinneren.'

'Dit hoort niet ongemakkelijk te zijn. Wij gingen vriendschappelijk met elkaar om voordat Eli en jij iets kregen.'

'Je hebt gelijk.' Ze ademde hoorbaar uit. 'Het is lang geleden dat ik een relatie met iemand heb gehad, en al helemaal met iemand die een hechte familie heeft. Weet je, ik ben gewend om hier te doen wat er gedaan moet worden of om op zoek te gaan naar iets dat gedaan moet worden. Ik weet niet precies wat ik als gast wel of niet moet doen.'

'Waarom laten we het "gast" niet vallen en beschouwen we iedereen als familie. Hester ziet jou als een familielid. Eli heeft iets met je. Laten we daarmee beginnen.'

'Dat zou ik fijn vinden. Dan kan ik ophouden met mezelf voortdurend af te vragen of ik het wel goed doe.'

'Ik heb Max jouw spullen naar Eli's kamer laten brengen,' zei Lissa met een gemoedelijke glimlach en een twinkeling in haar ogen. 'Ik had geen zin om me af te vragen of ik het goed deed.'

Na een verrast lachje knikte Abra. 'Dat maakt alles een stuk eenvoudiger. Waarom vertel je me niet in het kort wat er dit weekend op het menu staat, dan zal ik daarna je opdrachten uitvoeren.'

'Dat kunnen we doen. Maar nu we toch even alleen zijn, wil ik graag dat je me precies vertelt wat er hier is gebeurd. Ik weet dat Eli buiten is, zogenaamd voor die lieve hond en de arme oude Sadie, maar in werkelijkheid om zijn vader alle details te vertellen die hij tot nu toe heeft verzwegen. Je weet wel, de zwakke vrouwtjes beschermen zodat ze zich niet ongerust maken.'

Abra zette haar gebalde vuisten in haar zij. 'Dat meen je niet.'

'Ik overdrijf, maar het scheelt niet veel. Ik heb het afgelopen jaar ook meegemaakt, Abra. Elke dag ervan. Elk uur. Ik wil weten wat er aan de hand is met mijn zoon.'

'Dan zal ik het je vertellen.'

Hopelijk had ze het juiste gedaan, maar Abra had niet anders gekund. Openharige vragen verdienden een openhartig antwoord. En als Lissa gelijk had, wisten Eli's ouders nu allebei hoe de zaken ervoor stonden.

Niet meer om de hete brij heen draaien of akelige details verzwijgen.

Maar wat deed zij? vroeg ze zich af. Draaide zij niet om de hete brei heen en verzweeg ze akelige details? Eli had zeker het recht om van dat verstopte wapen en de huiszoeking door de politie te weten. Hoorde ze hem niet voldoende te vertrouwen om hem alles te vertellen?

'O, daar ben je.' Verwaaid en glimlachend kwam Eli binnen. 'Barbie heeft me in de steek gelaten voor mijn vader en haar nieuwe beste vriendin Sadie. Volgens mij is ze een beetje een allemansvriendje.'

'Gelukkig is ze gesteriliseerd. Elke knappe reu zou haar kunnen versieren.'

'Ik ben echt blij dat je er bent. Ik heb mijn vader alles verteld, alle nare en weerzinwekkende details. Daar leek me de tijd rijp voor.'

'Mooi zo, want ik heb net alles aan je moeder verteld.'

'Mijn...'

'Monniken en kappen, Eli. Ze vroeg me er ronduit naar en ik heb antwoord gegeven. En ze zal zich minder zorgen maken nu ze het weet dan wanneer ze zich van alles in haar hoofd haalt.'

'Ik wilde alleen dat ze zich veilig voelde, dat er hier een paar dagen geen last op haar schouders zou liggen.'

'Dat begrijp ik heel goed. Ik dacht hetzelfde, en daarom heb ik niet... Was dat Hester?'

Bij het horen van de kreet, was Eli de keuken al uit voor Abra de vraag had afgemaakt. Hij rende zo hard hij kon naar zijn grootmoeders slaapkamer.

Abra volgde hem op de voet en toen ze binnenkwam, zag ze Hester rechtop in bed zitten, zo wit als een doek. Haar ademhaling ging te snel en toen ze haar handen uitstak naar Eli, trilden die.

Abra haastte zich naar de badkamer om een glas water te halen.

'Alles is in orde. Ik ben bij je. Rustig aan, oma.'

'Hier, Hester, neem een slokje water. Denk aan je ademhaling.' Abra's stem was als een pleister op een wonde. 'Hou jij het glas even voor haar vast, Eli, dan schud ik de kussens op. Ik wil dat je je ontspant en rustig ademhaalt.'

Met haar ene hand bleef Hester die van Eli omklemmen en ze dronk langzaam wat water, waarna ze zich met hulp van Abra tegen de kussens liet zakken.

'Ik hoorde een geluid.'

'Ik rende de trap op,' zei Eli. 'Ik dacht er niet bij na.'

'Nee.' Met haar blik strak op die van Eli, schudde Hester haar hoofd. 'Die nacht. Die nacht hoorde ik een geluid. Daarom ben ik opgestaan. Ik weet weer... Ik weet weer dat ik opstond.'

'Wat voor geluid?'

'Voetstappen. Ik dacht... Maar toen dacht ik dat ik me iets inbeeldde. Oude huizen maken nou eenmaal geluid. Daar ben ik aan gewend. Ik dacht dat het de wind was, maar het was die nacht bijna windstil. Alleen het huis dat kraakte als een oude vrouw. Ik wilde thee zetten, een beker van die speciale kruidenthee die jij voor me hebt gekocht, Abra. Die werkt kalmerend. Ik wilde thee zetten, zodat ik weer zou kunnen slapen. Ik stond op om naar beneden te gaan. Het is allemaal in stukjes.'

'Het geeft niet, oma. Je hoeft je niet alles precies te kunnen herinneren.'

'In stukjes,' herhaalde ze. 'Heb ik het licht aangedaan? Ik weet het niet zeker. Was er voldoende maanlicht? Ik weet het niet precies. Ik wilde thee en ik maakte aanstalten om naar beneden te gaan.'

Haar greep verstrakte. 'Ik zag iets. Ik zag iemand. Iemand in huis. Ben ik gaan rennen? Ben ik gevallen? Ik kan het me niet herinneren.'

'Wie heb je gezien?'

'Dat weet ik niet. Dat staat me niet helder voor de geest.' Haar stem brak als teer glas. 'Ik kan zijn gezicht niet zien. Ik probeerde beneden te komen, maar hij liep achter me. Ik denk... Ik geloof dat ik niet naar boven kon, dus ben ik naar beneden gerend. Ik kon hem horen, ik hoorde dat hij me achterna zat. En daarna herinner ik me niks meer tot ik bijkwam in het ziekenhuis. Jij was er, Eli. Jij was de eerste die ik zag toen ik bijkwam. Ik wist dat alles weer goed met me zou komen omdat ik jou zag.'

'Alles ís goed met je.' Hij drukte een zoen op haar hand.

'Er was iemand binnen. Dat heb ik niet gedroomd.'

'Nee, dat heb je niet gedroomd. Ik zal zorgen dat hij niet meer terugkomt, oma. Hij zal je niet nog eens kwaad doen.'

'Jij bent degene die hier nu woont, Eli. Je moet jezelf beschermen.'

'Dat zal ik doen. Ik beloof het. Ik ben nu verantwoordelijk voor Bluff House. Vertrouw op me.'

'Meer dan op wie dan ook.' Ze deed haar ogen dicht. 'Achter de kleerkast op de tweede verdieping, de grote, dubbele kleerkast, zit een mechanisme in het lijstwerk waarmee een paneel opengaat.'

'Alle gangen waren toch afgesloten?'

Haar ademhaling werd regelmatig en toen ze haar ogen weer opende, lag er een heldere blik in. 'Ja, de meeste wel, maar niet allemaal. Nieuwsgierige jongetjes zijn niet in staat om die zware kleerkast te verschuiven, evenmin als de planken in de kelder, in het oude gedeelte waar je grootvader kortstondig een werkplaats heeft gehad. Achter de planken zit nog een paneel. De rest heb ik laten afsluiten. Een compromis.'

Ze slaagde erin hem een glimlach toe te werpen. 'Jouw grootvader gaf me mijn zin en ik gaf hem de zijne. Dus die twee hebben we opengelaten, zodat er niet helemaal een einde kwam aan een traditie van Bluff House. Ik heb het nooit tegen je vader gezegd, zelfs niet toen hij oud genoeg was om geen domme dingen meer te doen.'

'Waarom niet?'

'Hij hoort in Boston. Jij hoort hier. Als jij je moet verstoppen of vluchten, maak dan gebruik van de panelen. Verder weet niemand ervan, behalve Stoney Tribbet, als hij het zich na al die jaren tenminste nog herinnert.'

'O, hij weet het nog. Hij heeft een tekening voor me gemaakt waar alle panelen zaten. Maar hij heeft niet gezegd dat er nog twee open waren.'

'Loyaliteit,' zei Hester eenvoudigweg. 'Ik heb hem gevraagd om het tegen niemand te zeggen.'

'Goed. Nu weet ik het en hoef je je geen zorgen meer over me te maken.'

'Ik moet zijn gezicht zien, van de man die hier in huis was. Ik zal het zien. Ik zal de stukjes in elkaar passen.'

'Zal ik die thee nu voor je maken?' vroeg Abra.

'Het is veel te laat voor thee.' Hester rechtte haar schouders. 'Maar je mag me uit bed helpen en zorgen dat ik beneden kom. En dan mag je een flink glas whiskey voor me inschenken.'

20

Die nacht stond Eli twee keer op om door het huis te lopen, waarbij de hond trouw naast hem mee sjokte. Hij controleerde deuren, ramen, het alarm en ging zelfs even het grote terras op om te kijken of hij iets zag bewegen op het strand.

Iedereen om wie hij gaf lag te slapen in Bluff House, dus hij nam geen enkel risico.

Wat zijn oma zich weer had herinnerd, veranderde de zaak aanmerkelijk. Niet dat van de insluiper, hij had al geloofd dat er een was geweest in de nacht dat ze was gevallen. Maar de plaats. Ze had beschreven dat ze iemand bóven had gezien en vervolgens naar beneden was gerend, of dat had geprobeerd. Niet iemand op de begane grond, niet iemand die uit de kelder was gekomen.

Dat betekende dat er drie mogelijkheden waren.

Zijn grootmoeder was in de war. Heel goed mogelijk, natuurlijk, gezien de verwondingen die ze had opgelopen. Maar hij geloofde er niet in.

Het kon ook zijn dat er twee verschillende insluipers waren, die iets met elkaar te maken hadden of die volledig los van elkaar opereerden. Die optie kon en wilde hij niet uitsluiten.

Tot slot: één enkele insluiper, dezelfde die had ingebroken en Abra had aangevallen, dezelfde persoon die in de kelder had gegraven, maar dat riep weer de vraag op wat hij boven had gezocht. Wat was zijn doel geweest?

Als zijn familie weer naar Boston was vertrokken, zou hij het huis nogmaals doorlopen, kamer voor kamer, ruimte voor ruimte, en antwoorden proberen te vinden vanuit dat gezichtspunt.

Tot die tijd hielden Barbie en hij de wacht.

Hij lag wakker naast Abra en probeerde de puzzelstukjes in elkaar te passen. Een onbekende insluiper die de handen ineen had geslagen met Duncan? Vervolgens trad de aloude wijsheid 'dieven kunnen elkaar nooit vertrouwen' in werking, en schoot de onbekende man Duncan dood, waarna hij alle dossiers en gegevens die met hem te maken hadden uit Duncans kantoor had verwijderd.

Het was mogelijk.

Duncans cliënt, de insluiper, had hem ingehuurd. Duncan kwam te weten dat zijn cliënt ook inbreker was en vrouwen aanviel. Hij ging de confrontatie met de cliënt aan en dreigde hem aan te geven bij de politie of probeerde hem te chanteren. En de cliënt had hem vermoord en alle dossiers verwijderd.

Ook dat was mogelijk.

De insluiper of insluipers hadden helemaal niets met Duncan te maken. Tijdens zijn onderzoek ontdekte hij hun bestaan en werd vermoord.

Ook dat kon, maar om vier uur 's nachts leek het niet erg waarschijnlijk.

Hij probeerde zijn gedachten op zijn werk te richten. Zijn plot had tenminste mogelijkheden die hij kon oplossen voor het licht werd.

Hij had zijn hoofdpersoon klemgezet bij de schurk, bij een vrouw en bij de autoriteiten. Nu zijn leven op z'n kop stond, kreeg hij te maken met problemen en de gevolgen van zijn daden, wat hij ook deed. Alles draaide om keuzes. Ging hij naar links of naar rechts? Zou hij blijven stilstaan en wachten?

Eli overwoog alle drie de mogelijkheden toen zijn hoofd eindelijk slaperig werd.

En ergens in de doolhof van zijn onderbewuste vermengden fictie en realiteit zich. Eli opende de voordeur van het huis in Black Bay.

Hij kende elke stap, elk geluid, elke gedachte, maar toch kon hij nergens iets aan veranderen. Draai je gewoon om en loop de regen weer in. Rij weg. Maar in plaats daarvan herhaalde hij dezelfde film die hij had gezien op de avond van Lindsays moord, en die hij sindsdien voortdurend in zijn dromen had herbeleefd.

Hij kon er niets aan veranderen, maar toch was het anders. Hij opende een deur in Black Bay en liep de kelder in Whiskey Beach in.

Met een zaklamp in zijn hand liep hij door het donker. Ergens in zijn achterhoofd dacht hij: de stroom is uitgevallen. De stroom is alweer uitgevallen. Hij moest de generator weer aan de praat zien te krijgen.

Hij liep langs een muur met planken die vol stonden met glanzende potten die allemaal zorgvuldig waren geëtiketteerd. Aardbeienjam, druivenjam, perziken, sperziebonen, gesmoorde tomaten.

Iemand had het heel druk gehad, dacht hij, om een berg aardappels heen lopend. In Bluff House moesten vele monden worden gevoed. Zijn familieleden sliepen in hun bed, Abra sliep in het zijne. Een hoop monden te voeden, een hoop mensen te beschermen.

Hij had beloofd om voor het huis te zorgen en Landons hielden zich altijd aan hun woord.

Hij moest de elektriciteit weer aan zien te krijgen, zorgen dat er licht en warmte was, zorgen voor de veiligheid en beschermen wat van hem was, wat hem dierbaar was, wat kwetsbaar was.

Toen hij naar de generator liep, hoorde hij het geluid van de zee als een gezoem, een noot die aanzwol en wegstierf, aanzwol en wegstierf, aanzwol en wegstierf.

En boven dat gezoem hoorde hij het heldere geklop van metaal op steen. Een metronoom die de maat aangaf.

Er was iemand in het huis, iemand die het huis beschadigde. Die een bedreiging vormde voor alles wat hij moest beschermen. Hij voelde de kolf van een wapen in zijn hand en toen hij omlaag keek, zag hij de glinstering van een van de duelleerpistolen in een licht dat even griezelig blauw was geworden als de zee.

Hij liep erdoorheen, terwijl het gezoem in gebulder veranderde.

Maar toen hij het oude deel in liep, zag hij niets anders dan de sleuf die een litteken in de vloer vormde.

Hij liep erheen, keek erin en zag haar.

Niet Lindsay. Niet hier. Abra lag in dat diepe litteken, met bloed dat haar blouse moordzuchtig rood kleurde en haar prachtige wilde krullen aan elkaar liet klitten.

Scherpe klauwen van angst grepen hem bij zijn keel en probeerden die te verscheuren. Pijn, ijskoude lemmeten in zijn buik, toen hij haar naam probeerde te zeggen. Hij klom omlaag naar haar, maar zijn hoop bestond uit niet meer dan één, gerafeld draadje.

Opeens stapte Wolfe uit de schaduw en kwam in het blauwe licht staan.

'Help me. Help haar.' Na die smeekbede liet Eli zich op zijn knieën vallen en stak zijn handen naar haar uit. Koud. Veel te koud. Hij dacht aan Lindsay terwijl zijn handen onder Abra's bloed kwamen.

Te laat. Nee, hij mocht niet te laat zijn. Niet nog een keer. Niet bij Abra.

'Ze is dood. Net als die andere.' Wolfe hief zijn dienstpistool op. 'Jij bent daar verantwoordelijk voor. Hun bloed kleeft aan jouw handen. Deze keer zul je er niet ongestraft mee wegkomen.'

De knal en de echo van het pistoolschot maakten Eli abrupt wakker uit zijn droom, in de greep van nieuwe paniek. Snakkend naar adem, drukte hij tegen de fantoompijn in zijn borstkas en staarde omlaag, in de overtuiging dat hij zijn eigen bloed tussen zijn vingers door zou zien stromen. Onder zijn handpalm bonsde zijn hart, een wild geklop tegen een primitieve angst.

Hij grabbelde naar Abra, en voelde dat de plek naast hem koud en leeg was.

Het was ochtend, stelde hij zichzelf gerust. Het was maar een droom geweest. Het zonlicht stroomde door de balkondeuren en veroorzaakte witte sterren op het water. Iedereen in Bluff House was veilig. Abra was al opgestaan en was aan haar dag begonnen.

Alles was in orde.

Hij drukte zich omhoog en zag de hond opgekruld op haar kussen, een poot bezitterig over een speelgoedbot gekruld. Om de een of andere reden kalmeerde de slapende hond hem nog wat meer en herinnerde ze hem eraan dat de realiteit echt zo eenvoudig kon zijn als een brave hond en een zonnige zondagochtend.

Hij verkoos die eenvoud, voor zolang die zou duren, boven de complexiteit en de ellende uit zijn dromen.

Zodra Eli's voeten op de grond belandden, kwam Barbies kop overeind, en kwispelde ze met haar staart.

'Alles is in orde,' zei hij hardop.

Hij trok een spijkerbroek en een sweatshirt aan en ging naar de plek waar Abra 's ochtends altijd was.

Het verbaasde hem niets haar in de fitnesskamer aan te treffen, maar wel dat zijn grootmoeder bij haar was. En hij vond het ongelooflijk vreemd om de onverzettelijke Hester Landon in kleermakerszit op een rood matje te zien zitten. Ze droeg een zwarte stretchbroek die tot net boven de knie kwam en een lavendelkleurig topje dat haar armen en, dankzij twee diepe insnijdingen, veel van haar schouders bloot liet.

Bij haar linkerelleboog zag hij het litteken van haar operatie, een diepe gleuf net als in de kelder, dacht hij. Een litteken op iets wat van hem was, waar hij van hield, wat hij moest beschermen.

'Bij het inademen naar links leunen. Niet te ver buigen, Hester.'

'Je laat me ouwe-damesyoga doen.'

Door de ergernis in Hesters stem werd het hele tafereel wat minder vreemd.

'We doen het kalm aan. Hier ademen. Inademen en beide armen omhoog, tot de palmen elkaar raken. Uitademen. Inademen en naar rechts buigen. Beide armen omhoog. Herhaal dat twee keer.' Al pratend stond Abra op, knielde achter Hester neer en wreef over haar schouders.

'Wat kun je dat toch goed, meid.'

'Je hebt hier heel wat spanning zitten. Ontspan je. Schouders omlaag en naar achteren. We maken alleen onze spieren los, meer niet.'

'Nou, dat heb ik nodig ook. Ik word stijf wakker en dat blijft dan zo. Mijn lenigheid verdwijnt. Ik weet niet eens of ik mijn tenen nog wel kan aanraken.'

'Die lenigheid krijg je wel weer terug. Wat hebben de artsen gezegd? Je was niet erger gewond...'

'Ik was niet dood,' verbeterde Hester haar, en vanaf zijn plek zag Eli dat Abra haar ogen even sloot.

'Omdat je sterke botten en een sterk hart hebt.'

'En een hard hoofd.'

'Zonder meer. Je hebt goed voor jezelf gezorgd en je bent je hele leven actief geweest. Je bent nu aan het genezen en je moet geduld hebben. Als het zomer is doe je weer halve manen en staande hoeken.'

'Ik vind het jammer dat ik die houdingen niet kende toen mijn Eli nog leefde.'

Het duurde even voor Eli begreep wat ze bedoelde, en vervolgens voelde hij zich geschokt en beschaamd. Abra liet echter direct een ondeugend lachje horen.

'Goed, ter nagedachtenis aan jouw Eli: adem uit, trek je navel in en buig je voorover. Voorzichtig. Voorzichtig.'

'Ik hoop dat de jonge Eli jouw soepelheid kan waarderen.'

'Dat kan ik bevestigen.'

De jonge Eli besloot zich stilletjes uit de voeten te maken.

Hij ging koffiezetten en dan met een volle beker de honden uitlaten. Wanneer hij weer terugkwam, zou zijn oma weer gekleed zijn zoals het hoorde. En misschien zou hij dan niet langer hoeven denken aan haar zinspeling op seks met zijn opa.

Hij rook koffie toen hij in de buurt van de keuken kwam en trof daar zijn zus aan in een roze pyjama terwijl ze gretig een kop van het spul dronk.

Sadie richtte zich moeizaam op van haar plek op de keukenvloer, zodat Barbie en zij elkaar konden besnuffelen.

'Waar is de baby?'

'Hier zo.' Tricia klopte even op haar nog nauwelijks zichtbare buikje. 'En de grote zus ligt lekker bij papa in bed omdat het zondagochtend is. Ik geniet even van wat rust en de ene luizige kop koffie die ik per dag mag drinken. Neem er ook een en help me daarna eieren te verstoppen.'

'Dat zal ik doen, maar eerst moet ik de honden uitlaten.'

'Afgesproken.' Tricia bukte zich om Barbie even te aaien. 'Ze is echt heel lief en goed gezelschap voor Sadie. Als ze een broertje of zusje had zou ik die meteen nemen. Ze was geweldig met Sellie. Heel geduldig en voorzichtig.'

'Ja.' Mooie waakhond, dacht Eli terwijl hij de koffie inschonk.

'Ik heb nog niet veel gelegenheid gehad om onder vier ogen met je te praten. Ik wilde zeggen dat je er goed uitziet. Je lijkt weer op Eli.'

'Op wie leek ik dan eerst?'

'Op Eli's uitgemergelde, lijkbleke, enigszins slome oom.'

'Nou, je wordt bedankt.'

'Je vroeg het zelf. Je bent nog steeds een beetje te mager, maar je ziet er weer uit als Eli. Alleen al daarom ben ik gek op Abra. Heel erg gek.'

Bij het zien van zijn zijdelings blik, hield ze haar hoofd een beetje schuin. 'Je wilt toch niet beweren dat zij hier niks mee te maken heeft?'

'Nee. Ik ga zeggen dat ik niet snap dat ik deze familie al mijn hele leven ken, zonder te weten dat iedereen wordt geobsedeerd door seks. Ik heb oma net een seksuele toespeling over opa horen maken tegen Abra.'

'Echt?'

'Ja, heus. En die moet ik nu uit mijn geheugen zien te branden. Kom mee, Barbie, dan gaan we wandelen met Sadie.'

Maar Sadie ging weer languit liggen en gaapte langdurig.

'Volgens mij heeft Sadie geen zin,' merkte Tricia op.

'Ook goed. Alleen jij en ik dan, Barbie. We zijn zo terug om voor paashaas te spelen.'

'Prima. En ik had het niet alleen over seks,' riep ze hem na.

Vanuit de bijkeuken keek hij even om terwijl hij de riem pakte. 'Dat weet ik.'

Hij probeerde eens iets anders, nu hij geen rekening hoefde te houden met Sadies trage gang. Zo vroeg op paaszondag had hij het strand voor zichzelf. Nadat hij de koffie op had, draaide hij de beker in het zand bij de trap en ging verder op een sukkeldrafje. Toen hij zijn lichaam vroeg wat dat ervan vond, twijfelde het een beetje.

Maar de hond vond het heerlijk. Zo heerlijk dat ze harder ging rennen tot Eli echt aan het hardlopen was. Ongetwijfeld zou hij daar later voor moeten boeten, dacht hij. Gelukkig had hij een masseuse in de buurt.

Even zag hij haar voor zich zoals ze in zijn droom was verschenen, bleek en bebloed op de koude, rotsige grond van de kelder. Van dat beeld ging zijn hart harder bonzen dan van zijn looptempo.

Na een poosje slaagde hij erin de hond weer gewoon te laten lopen, en zoog hij wat van de vochtige lucht naar binnen om zijn droge keel te verlichten.

Goed, hij maakte zich dus meer zorgen om de inbraken dan hij tot nu toe had toegegeven. En hij was ongeruster over zijn familie en Abra dan hij bij daglicht wilde erkennen.

'We moeten er meer tegen doen dan alleen blaffen,' zei hij tegen de hond, en hij keerde haar om zodat ze weer naar huis konden gaan. 'Maar eerst moeten we vandaag en morgenochtend zien te doorstaan.'

Hij keek naar Bluff House en stond versteld van de afstand die ze hadden afgelegd. 'Nee, maar. Jezus.' Nog geen twee maanden eerder had hij zwetend en hijgend op de grond gelegen als hij zeshonderd meter had gerend. Vandaag had hij heel gemakkelijk twee keer die afstand afgelegd.

Misschien was hij echt weer zichzelf.

'Goed, Barbie. Laten we ook proberen terug te rennen.'

Hij voegde de daad bij het woord en de hond rende vrolijk naast hem. Toen hij naar Bluff House keek, zag hij Abra op het terras staan, met een hoodie over haar yogakleren. Ze zwaaide naar hem.

Dat beeld zou hij bewaren, nam hij zich voor. Abra met Bluff House achter zich, en het briesje dat door haar haren blies.

Hij pakte zijn beker uit het zand. Toen hij boven aan de trap kwam, was hij buiten adem, maar wel op een prettige manier.

'Een man en zijn hond,' zei ze ter begroeting.

'Een man, zijn hond en de titelsong van *Rocky*. "Adrian!"' Hij tilde haar op en ze begon te lachen toen hij even ronddraaide.

'Wat zat er in die koffie en is er nog meer?'

'Het wordt een leuke dag.'

'O, ja?'

'Absoluut. Elke dag die begint met chocoladehaasjes en snoepjes als ontbijt, kan niet meer stuk. We moeten eieren verstoppen.'

'Dat is al gebeurd, Rocky. Je hebt je kans gemist.'

'Nog beter, dan kan ik ze zoeken. Geef me eens wat aanwijzingen,' eiste hij. 'Jij weet het misschien niet, maar Robert Edwin Landon, de algemeen directeur van Landon's Whiskey, voorzitter of vice-voorzitter bij talloze liefdadigheidsinstellingen en het hoofd van de vermaarde familie Landon, is in staat om zijn lichaam in de strijd te werpen en zo te beletten dat zijn kleindochtertje het eierzoeken wint.'

'Dat doet hij niet.'

'Nou, misschien geeft hij dat kind een kans, maar hij zal zeker zijn enige zoon op alle manieren de overwinning proberen te onthouden.'

'Dat kan zijn, maar ik zeg niks. Maar laten we toch maar naar binnen gaan om jouw paasmand te pakken voor haar opa naar beneden komt en ze allemaal neemt.'

Het was een fijne dag, zelfs al at hij zo veel snoep dat het vooruitzicht van wafels voor het ontbijt hem een beetje misselijk maakte. Toch at hij ze op, al zijn zorgen aan de kant duwend om te genieten van de fijne momenten.

Zijn vader met oplichtende haasoren op zijn hoofd, die Selina deden gieren van de lach. De vreugde op het gezicht van zijn grootmoeder toen hij haar een mooie kom gaf met heerlijk geurende lentebloemen.

Een waterpistoolgevecht met zijn zwager, waarbij hij per ongeluk (min of meer) zijn zus recht op het hart schoot toen ze de terrasdeur opende.

Abra verrassen met een felgroene orchidee omdat die hem aan haar deed denken.

Ze gingen zich in de formele eetkamer te buiten aan ham, gebakken aardappels, delicate asperges en Abra's kruidenbrood, aan gevulde eieren in hun kleurrijke schalen, en nog veel meer. Flakkerende kaarsen, flonkerende glazen en de zee die zijn betoverende lied liet horen op de rotsige kust, vormden het volmaakte decor voor de fijne dag die hij had voorspeld.

Hij kon zich de Pasen van het jaar ervoor niet meer herinneren, toen Lindsays moord nog zo vers in het geheugen lag, door de vele uren die hij was verhoord en de voortdurende angst dat de politie weer bij hem aan de deur zou komen, en hem dan geboeid zou afvoeren. Dat was nu allemaal één groot waas – de bleke, gespannen gezichten van zijn familie, de langzame, onontkoombare terugtrekking van de mensen die hij als vrienden had beschouwd, het verlies van zijn baan, de beschuldigingen die hij naar het hoofd geslingerd kreeg als hij zich buiten waagde.

Hij had het weten te doorstaan. Zoals hij ook de nieuwe problemen die hem achtervolgden zou doorstaan.

Dit zou hij nooit meer opgeven, dit gevoel van hoop, het gevoel dat hij ergens thuishoorde.

Op Whiskey Beach, dacht hij, zijn glas heffend. Op dat moment ving hij Abra's blik en hij zag haar glimlach. Hij dronk op het huis en alles wat zich erin bevond.

Toen hij op maandagochtend buiten stond, na te hebben geholpen met het inladen van de auto's, omhelsde hij zijn oma nog een laatste keer.

'Ik zal het niet vergeten,' fluisterde ze in zijn oor. 'Wees voorzichtig tot ik er weer ben.'

'Dat zal ik doen.'

'En zeg tegen Abra dat ze haar ochtendyoga niet zo lang meer hoeft te geven zonder dat ik erbij ben.'

'Dat zal ik ook doen.'

'Ga in de auto zitten, mam.' Rob sloeg een arm om zijn zoon voor een mannelijke omhelzing en gaf hem ook een klap op zijn rug. 'We zien je binnenkort weer.'

'De zomer staat voor de deur,' zei Eli, zijn grootmoeder een handje helpend. 'Maak wat tijd vrij, oké?'

'Doen we.' Zijn vader liep naar de bestuurderskant. 'Het was fijn dat alle Landons weer eens in Bluff House waren. We komen snel weer. Zorg dat je daar klaar voor bent.'

Eli zwaaide ze uit en keek ze na tot de weg een bocht maakte. Naast hem begon Barbie zacht te janken.

'Je hoorde wat hij zei. Ze komen terug.' Eli draaide zich om en bekeek Bluff House eens goed. 'Maar voor die tijd hebben we werk te doen. We moeten uitzoeken waar die klootzak naar op zoek was. We gaan Bluff House van onder tot boven doorzoeken. Vind je ook niet?'

Barbie kwispelde met haar staart.

'Dat beschouw ik als een ja. Hup, aan de slag.'

Hij begon helemaal boven. De tweede verdieping, vroeger het domein van de bedienden, tegenwoordig opslagruimte voor diverse meubelstukken, kisten met oude kleren of souvenirs die eerdere Landons uit sentimentele overwegingen niet hadden willen weggooien, maar uit praktische overwegingen ook niet in hun woonvertrekken wilden.

Na de huiszoeking hadden de agenten niet de moeite genomen om de stoflakens weer op hun plaats te leggen, dus die lagen in witte hopen, als sneeuwbergen, op de grond.

Als ik een schatzoeker was, wat zou ik hierboven dan hopen te vinden?

Niet de schat zelf, besloot Eli. Afgezien van in Edgar Allen Poe's 'De gestolen brief', had iets 'in het zicht verbergen' zijn nadelen. Niemand kon geloven dat een van de vroegere bewoners een kist vol edelstenen in een doorgezakte divan of achter een vlekkerige spiegel had gezet.

Hij liep rond en keek in dozen en hutkoffers en trok de stoflakens weer over de meubels. Het licht stroomde naar binnen, waardoor stofdeeltjes dansten in de stralen en de stilte van het huis accentueerde het bruisen en zuigen van de branding.

Hij kon zich niks voorstellen bij een leven met een legertje bedienden. Al die mensen die ooit in de wirwar van kamertjes hadden geslapen of bijeen waren gekomen in de grotere ruimte voor maaltijden of om te roddelen. Er zou nooit echte eenzaamheid of echte stilte zijn, om nog maar te zwijgen van wezenlijke privacy.

Het was in feite een ruil geweest, dacht hij. Om een dergelijk huis te onderhouden en om te kunnen leven en mensen te ontvangen zoals zijn voorouders hadden gedaan, had je dat leger nodig. Zijn grootouders hadden de voorkeur gegeven aan een soberdere levensstijl.

Hoe dan ook, de dagen van Gatsby waren voorgoed voorbij, in elk geval in Bluff House.

Toch leek het zonde om een hele verdieping alleen te gebruiken voor met lakens bedekte meubels, dozen met boeken en hutkoffers vol jurken die keurig waren opgeborgen tussen vloeipapier en zakjes lavendel.

'Het zou een fantastische studio voor een kunstenaar zijn, denk je niet?' vroeg hij aan Barbie. 'Als ik tenminste kon schilderen. Dat kan oma wel, maar dit is te ver voor haar en bovendien schildert ze het liefst in haar zitkamer of op het terras.'

Hij nam een korte pauze en deed de schouderoefeningen die Abra hem had aanbevolen. Daarna snuffelde hij rond in de voormalige woonkamer van de bedienden.

'Het licht is hier prachtig. Daar een keukentje maken. Een nieuwe gootsteen installeren, een magnetron neerzetten. Deze badkamer moderniseren,' voegde hij eraan toe nadat hij een blik op het ouderwetse toilet met trekkoord had geworpen. 'Of nog beter: dit oude sanitair laten opknappen. En wat van die meubels gebruiken die hier alleen stof staan te verzamelen.'

Fronsend liep hij naar het raam en keek naar het strand. Grote ramen en een schitterend uitzicht, vermoedelijk een architectonisch besluit en niet iets wat voor het welbevinden van het personeel was gedaan.

Hij liep verder, de puntgevel in, en dacht aan de eerste keer dat hij door het huis had gedwaald, op de dag dat hij hier was aangekomen.

Ja, hij zou hier heel goed kunnen werken, dacht hij weer. Het zou niet veel inspanning kosten om de boel een beetje op te knappen. Hij had niet veel nodig. Een bureau en wat dossiers hierheen brengen, planken ophangen en ja, ook deze badkamer zou gemoderniseerd moeten worden.

'Welke schrijver wil er nou geen dakkamer? Ja, misschien wel een goed idee. Misschien doe ik dat als oma weer thuis is. Ik zal er eens over nadenken.'

Maar daarvoor was hij hier niet, en daarom liep Eli een tweede keer over de bovenverdieping. Hij stelde zich voor hoe kamermeisjes zodra het licht werd uit ijzeren bedden waren gestapt, hun blote tenen samengetrokken op de koude vloer. Een butler die zijn gesteven witte overhemd aantrok, de hoofdhuishoudster die haar lijstje taken voor die dag doorliep.

Hier was een hele wereld geweest. Eentje waarvan de familie waarschijnlijk maar weinig had geweten. Maar wat er, voor zo ver hij kon zien, niet was geweest, was iets wat de moeite van een inbraak waard was. Laat staan iets wat het breken van de botten van een oude vrouw waard was.

Hij ging terug naar de brede overloop en bekeek de oude kleerkast die tegen het, naar zijn smaak, lelijke bloemetjesbehang stond. Toen hij hem goed bestudeerde, zag hij geen tekenen dat het ding in de afgelopen tien jaar, of langer geleden, van zijn plaats was geduwd.

Uit nieuwsgierigheid probeerde hij het zelf, en hij duwde er met zijn rug tegenaan. De kast bewoog niet meer dan twee centimeter. Hij probeerde zijn arm in de smalle ruimte erachter te steken en daarna om zijn arm eronder door te steken.

Niet alleen een ondeugend jongetje zou het nooit van zijn plaats hebben gekregen, een volwassen man kreeg het ook niet voor elkaar. In elk geval niet in zijn eentje, dacht Eli.

In een opwelling pakte hij zijn telefoon, scrolde door de lijst met nummers die Abra had ingevoerd. Hij drukte op het nummer van Mike O'Malley.

'Hoi, Mike, met Eli Landon. Ja, prima, dank je.' Hij leunde met zijn rug tegen de kleerkast en vond dat het ding even stevig en intimiderend was als een grote sequoia.

'Hoor eens, heb je vandaag misschien een paar minuutjes tijd? Echt waar? Nou, als je vrij hebt, wil ik je plannen niet doorkruisen... In dat geval, heb ik ergens hulp bij nodig. Wat spierkracht.' Hij lachte om Mikes vraag om welke spier het ging. 'Om allemaal. Fijn dat je wilt helpen.'

Hij hing op en keek naar Barbie. 'Het is vast dom, denk je niet? Maar wie kan de verleiding van een geheim paneel weerstaan?'

Hij liep de trap af en ging eerst naar zijn kantoor en probeerde zich voor te stellen hoe het zou zijn om zijn werkplek naar de zolder te verplaatsen. Dat was geen idioot plan, vond hij. Eerder... excentriek.

Het behang zou moeten verdwijnen en er zouden vast problemen zijn met de verwarming, stroomvoorziening en riolering. Uiteindelijk zou hij moeten bepalen wat hij met de overige ruimte daarboven wilde doen, áls hij er al iets mee wilde doen.

Maar het was fijn om erover na te denken.

Barbies kop kwam omhoog. Een paar tellen voor de deurbel ging, blafte ze drie keer.

'Jij hebt goede oren,' zei Eli tegen haar, waarna hij achter haar aan de trap af liep.

'Hoi. Dat was snel.'

'Dankzij jou hoefde ik niet in de tuin te werken, in elk geval tijdelijk niet. Hallo.' Mike aaide Barbie toen ze aan zijn broek snuffelde. 'Ik heb gehoord dat je een hond hebt genomen. Hoe heet hij?'

'Het is een zij.' Eli deed zijn best om niet ineen te krimpen. 'Barbie.'

'Voor een hond?' Op Mikes gezicht stond afschuw en medelijden te lezen. 'Dat meen je niet.'

'Die naam had ze al.'

'Ja, dat excuus kun je gebruiken tot je een vriendje voor haar koopt en hem Ken noemt. Het is een poos geleden dat ik hier voor het laatst ben geweest,' ging Mike verder terwijl hij door de hal liep. 'Wat een huis.

Maureen zei dat je familie hier met Pasen is geweest. Hoe gaat het met mevrouw Landon?'

'Beter. Veel beter. Ik hoop dat ze aan het eind van de zomer weer in Bluff House woont.'

'Het zou fijn zijn om haar terug te hebben. Niet dat we jou uit Whiskey Beach willen verjagen.'

'Ik blijf hier.'

'Echt waar?' Mikes grijns werd breder en hij gaf Eli een stomp tegen zijn schouder. 'Joh, wat fijn om te horen. We kunnen wel wat nieuw bloed gebruiken voor ons maandelijkse pokeravondje. En het wordt een stuk chiquer als het jouw beurt is en we het hier houden.'

'Wat is de minimum inleg?'

'Vijftig dollar. We spelen niet om grote bedragen.'

'Bel me als je het volgende avondje regelt. Het ding staat boven.' Eli wees naar de trap en ging Mike voor. 'Op de tweede verdieping.'

'Gaaf. Daar ben ik nog nooit geweest.'

'Die is niet meer gebruikt sinds ik klein was. We mochten er spelen als het slecht weer was en we hebben er een paar keer geslapen en elkaar spookverhalen verteld. Nu dient het alleen als berging.'

'Dus we moeten iets naar beneden zeulen?'

'Nee. Alleen een meubelstuk verplaatsen. Een enorme kleerkast. Een dubbele kleerkast,' zei hij, toen ze boven aan de trap kwamen. 'Hier zo.'

'Mooie ruimte, lelijk behang.'

'Vertel mij wat.'

Mike keek de kamer door en zijn blik viel op de kleerkast. 'Jezus, wat een ding.' Hij liep erheen en streek met zijn vingers over de houtsneden op de voorkant. 'Een prachtstuk. Dit is toch mahoniehout?'

'Ik denk het wel.'

'Ik heb een neef die in antiek doet. Hij zou watertanden van zoiets. Waar moet hij naartoe?'

'Ongeveer een meter opzij.' Bij het zien van Mikes niet-begrijpende blik, haalde Eli zijn schouders op. 'Kijk... er zit een paneel achter.'

'Een paneel?'

'Een gang.'

'Jezus, wat tof.' Mike stak een vuist in de lucht en er verscheen een opgetogen uitdrukking op zijn gezicht. 'Bedoel je een geheime gang? Waar leidt die naartoe?'

'Helemaal naar de kelder, naar ik heb begrepen. Het is me alleen maar verteld. Er waren vroeger gangen voor de bedienden,' legde Eli uit. 'Die maakten mijn grootmoeder zenuwachtig, dus heeft ze die laten dichtmaken. Maar van deze, en die in de kelder, heeft ze alleen de ingang geblokkeerd.'

'Echt waanzinnig.' Mike wreef in zijn handen. 'Laten we deze kolos verplaatsen.'

Dat bleek makkelijker gezegd dan gedaan. Omdat ze de kast niet konden optillen en het onmogelijk bleek om hem via een van de zijkanten weg te duwen, namen ze een andere positie in. Eerst met zijn tweeën aan de ene kant en toen aan de andere, zo lieten ze de kast een paar centimeter per keer van de muur af 'wandelen'.

'Volgende keer huren we een hijskraan.' Mike rechtte zijn rug en rolde zijn pijnlijke schouders.

'Hoe hebben ze dit ding in godsnaam ooit boven gekregen?'

'Tien mannen en één vrouw die zei dat hij mooier tegen de andere muur zou staan. En als je tegen Maureen zegt dat ik dat heb gezegd, zal ik zeggen dat je een vuile leugenaar bent.'

'Je hebt me zojuist geholpen om een kleerkast van tien ton te verplaatsen. Mijn loyaliteit ligt bij jou. Zie je dat? Je kunt net de zijkant van een paneel onderscheiden. Het lelijke behang verhult het bijna helemaal, maar als je weet dat het er is...' Hij betastte de wandlijst die halverwege de muur zat, liet zijn vingers eroverheen glijden tot ze op het openingsmechanisme drukten. Bij het horen van de zachte klik, keek hij naar Mike.

'Durf je?'

'Maak je een geintje? Ik durf alles. Maak open.'

Eli drukte op het paneel en voelde het een stukje meegeven, waarna het een paar centimeter in zijn richting kwam. 'Het opent naar buiten,' mompelde hij, en hij trok het helemaal open.

Hij zag een smalle overloop en toen een steile trap die in de duisternis omlaag verdween. Automatisch tastte hij op de muur naar een lichtknop en tot zijn verbazing vond hij er een.

Maar toen hij erop drukte, gebeurde er niets.

'Of er is hier geen elektriciteit of er zijn geen gloeilampen. Ik zal een paar zaklantaarns halen.'

'Neem ook een brood mee. Voor de kruimels,' legde Mike uit. 'En een grote stok, voor het geval er ratten zijn. Goed, alleen de zaklampen dan,' zei hij bij het zien van Eli's ijzige blik.

'Ik ben zo terug.'

Omdat hij toch bezig was, nam hij ook een paar biertjes mee. Dat was wel het minste wat hij kon doen.

'Beter dan een brood.' Mike pakte het biertje en de zaklamp en scheen ermee omhoog in de gang. 'Geen peertje.'

'Ik zal er de volgende keer een paar meenemen.' Gewapend met de zaklantaarn liep Eli de gang in. 'Behoorlijk smal, maar breder dan ik had gedacht. Ze hadden vast ruimte nodig om hier met dienbladen en weet ik wat te lopen. De treden voelen stevig aan, maar doe wel voorzichtig.'

'Slangen, heel gevaarlijk. Ga jij maar eerst.'

Snuivend van de lach begon Eli aan de afdaling. 'We vinden vast geen skelet van een gehate butler of de laatste in de muur gekerfde woorden van een onhandig dienstmeisje.'

'Misschien een spook. Het is er griezelig genoeg voor.'

Het was er ook stoffig en muf. De treden kraakten als ze erop stapten, maar er waren in elk geval geen ratten met glanzende rode ogen.

Eli bleef staan toen zijn licht op een ander paneel viel. 'Even denken.' Hij probeerde zich te oriënteren. 'Dit moet uitkomen op de overloop van de eerste verdieping. Zie je hoe hij zich hier splitst? Die kant moet in de slaapkamer van mijn oma eindigen. Zolang als ik me kan herinneren, is dat de grote slaapkamer geweest. Jezus, we zouden het geweldig hebben gevonden als deze open waren geweest toen we klein waren. Ik had stiekem om kunnen lopen, naar buiten kunnen springen en mijn zusje een doodschrik kunnen bezorgen.'

'En dat is nou precies de reden dat jouw oma al die deuren heeft laten dichtmaken.'

'Ja.'

'Overweeg je om ze weer open te maken?'

'Ja. Er is geen enkele reden voor, maar... ja.'

'Gaaf. Dat is reden genoeg.'

Ze liepen verder door de gang, gingen af en toe omlaag of sloegen een hoek om. Via de plattegrond die hij in zijn hoofd had, gokte Eli erop dat de panelen ooit op strategische plekken in het huis hadden gezeten; in zitkamers, de keuken, een gang, helemaal tot in de kelder.

'Shit. Ik had eerst de planken moeten verwijderen die de andere kant blokkeren.' Maar hij vond de hendel en trok de deur naar zich toe, zodat Mike en hij tussen de oude potten en roestige stukken gereedschap door in de kelder konden kijken.

'Je moet dit echt weer openmaken, kerel. Denk eens aan de Halloween-feesten.'

Maar hij dacht aan iets anders. 'Ik kan hem in de val lokken,' mompelde hij.

'Hè?'

'Die klootzak die hier telkens inbreekt en hier beneden aan het graven is. Ik moet er eens goed over nadenken.'

'Hier op de loer gaan liggen en hem hierheen lokken. Een klassieke valstrik,' beaamde Mike. 'En dan?'

'Dat probeer ik te bedenken.' Hij deed de deur weer dicht en nam zich voor om de planken weg te halen en een plan te smeden.

'Laat het me weten. Ik wil graag meehelpen om die vent te pakken te krijgen. Maureen is nog steeds behoorlijk van slag,' zei Mike toen ze weer omhoog gingen. 'Volgens mij zal ze zich pas weer echt kunnen ontspannen wanneer ze die kerel hebben gepakt. Vooral omdat bijna iedereen hier denkt dat hij dezelfde is die de privédetective om zeep heeft geholpen. Dat ligt nogal voor de hand.'

'Ja, inderdaad.'

'En toen ze ontdekte dat hij stiekem dat wapen in Abra's huis had neergelegd, werd ze pas echt bang.'

'Je kunt haar niet kwalijk nemen dat... Hè? Over welk wapen heb je het?'

'Dat wapen dat Abra heeft gevonden in haar... O.' Na een huivering van afschuw, propte Mike zijn handen in zijn zakken. 'O, shit. Ze heeft het je niet verteld.'

'Nee, dat heeft ze niet gedaan, maar dat ga jij verdomme wel doen.'
'Als je me nog een biertje geeft, vertel ik je alles wat ik weet.'

BELOFTE

Een tedere, plechtige gedachte
Komt telkens opnieuw tot mij;
Vandaag ben ik dichter bij mijn thuis
Dan ik ooit tevoren ben geweest.

PHOEBE CARY

21

Na een lange dag – twee lessen, een grote schoonmaakklus en twee massages – parkeerde Abra haar auto voor haar cottage.

En bleef zitten.

Ze wilde niet naar binnen. Ze vond het vreselijk om te beseffen dat ze haar eigen huis niet in wilde, haar eigen spullen niet wilde verzorgen, niet onder haar eigen douche wilde staan.

Ze was dol op Laughing Gull, vanaf het eerste moment dat ze het had gezien. Dat gevoel wilde ze terug, de trots, de troost, het gevoel dat dit háár plekje was. Maar het enige wat ze voelde was angst.

Hij had het verpest, wie het ook was, door haar huis binnen te dringen en zijn apparaat van geweld en dood achter te laten. Een monster in de kast, in de vorm van een wapen.

Ze kon twee dingen doen, hield ze zich voor. Ze kon het monster laten winnen. Het opgeven en blijven piekeren. Of ze kon terugvechten en de strijd winnen.

Als ze het zo stelde, lag de keuze nogal voor de hand, vond ze.

Ze stapte de auto uit, wist met enige moeite haar tafel en tas eruit te krijgen en droeg ze naar de deur. Binnen zette ze de tafel tegen de muur aan, waarna ze haar tas naar de woonkamer bracht.

De rit van bijna twintig minuten langs de kust om de *smudge stick* van witte salie te kopen, had haar toch al vermoeiende dag nog langer gemaakt, maar toen ze hem uit haar tas haalde, kreeg ze al een positief gevoel.

Ze zou de salie branden en haar huis zuiveren. Als ze het gevoel had dat haar huis gezuiverd was, dan wás dat ook zo. En als ze haar eigen plek weer had opgeëist, zou ze echt werk gaan maken van een kleine broeikas, zodat ze haar eigen kruiden in grotere hoeveelheden kon kweken. Dan zou ze verdorie haar eigen smudge sticks maken en het hele jaar verse kruiden hebben om mee te koken.

Misschien kon ze die ook wel verkopen. Nog een onderneming. Haar eigen potpourri en kruidenzakjes maken.

Daar moest ze eens goed over nadenken.

Maar voorlopig deed ze vooral haar best om haar hoofd leeg te maken, om alleen zuivere, positieve gedachten te hebben toen ze de salie aanstak en het voor de veiligheid boven een schelp van een zeeoor hield. Ze blies tegen de vlammetjes om rook te krijgen. Haar huis, dacht ze. De vloeren, de plafonds en de hoeken, alles was van haar.

Het hele proces, van de ene naar de andere kamer lopen met de geur van witte salie en lavendel, bracht haar tot rust, net als het besef wat ze hier had gecreëerd, voor zichzelf en voor anderen.

Vertrouwen en hoop, dacht ze. En uit de symbolen daarvan ontstond kracht.

Toen ze klaar was met het huis, liep ze haar kleine patio op, voorzichtig zwaaiend met het bundeltje salie om alle hoop en vertrouwen de lucht in te sturen.

En ze zag Eli en de hond de strandtrap op komen.

Ze voelde zich een tikje dom, met de rokende salie in haar hand terwijl de avond neerdaalde over het strand en de man en de hond met de vrolijke snoet naar haar omhoog klommen.

Als compensatie stak ze de smudge stick tussen de rivierkeien rond haar zen-fonteintje waar het veilig en op natuurlijke wijze zou opbranden.

'Wat een knap stel zijn jullie.' Ze zorgde voor een glimlach op haar gezicht en liep naar hen toe om ze te begroeten. 'Dat is een verrassing. Ik ben pas een paar minuten thuis.'

'Wat ben je aan het doen?'

'O.' Net als hij keek ze naar de smudge stick. 'Een klein, huiselijk ritueel, dat is alles. Een soort voorjaarsschoonmaak.'

'Door salie te branden? Dat is iets om boze geesten mee te verdrijven.'

'Ik zie het meer als het uitbannen van negativiteit. Is jouw familie vanochtend zonder problemen vertrokken?'

'Ja.'

'Het was jammer dat ik geen afscheid kon nemen. Maar ik had een drukke dag voor de boeg.'

Er was iets mis, dacht ze. Of in elk geval klopte er iets niet helemaal. Eigenlijk had ze op dat moment alleen behoefte aan rust en vrede. Ook wilde ze alleen zijn, wat heel ongebruikelijk voor haar was. 'Ik moet nog een hoop doen,' zei ze. 'Zal ik morgenochtend voor mijn les even bij je langskomen om je boodschappenlijstje te halen? Dan kan ik alles kopen en meenemen als ik 's avonds naar Bluff House kom.'

'Nee, wat je moet doen, is vertellen waarom ik van Mike moest horen dat er iemand een wapen in jouw huis heeft verstopt, dat de politie hier was met een huiszoekingsbevel. Dat moet je doen.'

'Ik wilde het niet bespreken in het bijzijn van je familie. Ik heb de politie gebeld,' voegde ze eraan toe.

'Maar mij niet. Je hebt mij niet gebeld en het me niet verteld.'

'Eli, je kon toch niks doen, en je had een huis vol mensen.'

'Dat is klinkklare onzin.'

Haar nek begon te tintelen. De troost die ze uit het ritueel had geput botste met zijn woede, en met de hare, als vuursteen tegen staal.

'Dat is het niet en het had geen enkele zin dat ik op zaterdagochtend Bluff House zou binnenlopen en zou verkondigen dat ik net een moordwapen in mijn kistje met wierook had gevonden, en dat er allerlei agenten door mijn huis hadden gebanjerd.'

'Er was alle reden om het tegen mij te zeggen. Of die hadden er in elk geval moeten zijn.'

'Nou, dat ben ik niet met je eens. Het was mijn probleem en mijn beslissing.'

'Jouw probleem, jouw probleem?' De belediging was nog groter dan zijn woede. 'O, zit het zo? Jij mag bij mij binnenkomen met pannen soep, massagetafels en zelfs met honden. Jij kunt er binnenkomen, ook 's avonds laat om een raam dicht te doen en je een aanvaller van het lijf te houden, maar als iemand een wapen in jouw huis legt om te suggereren dat jij bij een moord betrokken bent, dan is het ineens jouw probleem? Een moord die zeer waarschijnlijk met mij te maken heeft. Maar dat gaat me allemaal niet aan?'

'Dat heb je me niet horen zeggen.' Ook in haar eigen oren klonk haar verdediging zwakjes. 'Zo bedoelde ik het niet.'

'Hoe bedoelde je het dan wel?'

'Ik wilde dat gedoe niet over jou en je familie uitstorten.'

'Jij bent hierbij betrokken geraakt omdat je iets met mij hebt. En je hebt net zo lang aangedrongen en gevleid tot je dat had bereikt.'

'Aangedrongen en gevleid?' Op haar beurt was ze zo beledigd dat ze bijna een rood waas voor ogen kreeg. Met een ruk keerde ze zich van hem af, om nog iets van de rook te vangen en te kalmeren, maar ze begreep onmiddellijk dat ze daar een smudge stick met het formaat van de vuurtoren van Whiskey Beach voor nodig zou hebben.

'Gevleid?'

'Nou en of, vanaf het moment dat ik hier kwam wonen. En nu maak je deel uit van mijn leven en wil je het gedoe niet over mij uitstorten? Je geeft niemand de kans om iets uit te storten. Jij staat al klaar met de schop voor de eerste klodder drek op de grond valt. Maar als het op jou valt, dan vertrouw je me niet voldoende om je te helpen.'

'Jezus. Jezus nog aan toe! Het gaat niet om vertrouwen. Het gaat om timing.'

'Als dat zo was, had je wel een moment gevonden om het me te vertellen. Je hebt ook een moment gevonden om het tegen Maureen te zeggen.'

'Zij was...'

'In plaats van een geschikt moment uit te zoeken sta je hier salie te branden en met een rokende stick te zwaaien.'

'Ga nou niet mijn ritueel belachelijk maken.'

'Het kan me niets schelen of je een heel veld salie in brand steekt of een kip gaat offeren. Wat me wel kan schelen is dat je me niet hebt verteld dat je problemen had.'

'Ik heb geen problemen. De politie weet dat het wapen niet van mij was. Ik heb Vinnie gebeld zodra ik het had gevonden.'

'Maar mij niet.'

'Nee.' Ze slaakte een zucht, zich afvragend hoe haar goede bedoelingen zo vreselijk verkeerd waren gelopen.

'Mijn familie is vanochtend vertrokken, maar je hebt het me alsnog niet verteld. Je was ook niet van plan om het me nu te vertellen.'

'Ik moest eerst rondzwaaien met mijn smudge stick en me weer prettig voelen in mijn eigen huis. Het wordt koud. Ik wil naar binnen.'

'Best. Ga naar binnen en pak je tas.'

'Eli, ik wil even rustig alleen zijn.'

'Je kunt ook rustig alleen zijn in Bluff House. Het is een groot huis. Tot deze vervloekte klerezooi voorbij is, blijf je hier niet in je eentje.'

'Dit is mijn huis.' Haar ogen prikten en ze zou willen dat ze dat aan de dunner wordende, traag kringelende rook kon wijten. 'Ik laat me niet door de een of andere hufter uit mijn huis verdrijven.'

'Dan slapen we hier.'

'Ik wil niet dat je hier komt slapen.'

'Als je ons niet binnen wilt hebben, blijven we hier buiten, maar in elk geval blijven we.'

'Godsamme.' Ze draaide zich met een ruk om en beende naar binnen. Ze zei niks toen hij, gevolgd door een licht aarzelende Barbie, ook het huis in ging.

Zij liep meteen naar de keuken en schonk een glas in uit een open fles shiraz.

'Ik kan heel goed op mezelf passen.'

'Zonder meer. Je kunt prima op jezelf en alle andere mensen passen. Maar kennelijk weet je niet hoe je iemand anders op je moet laten passen. Dat is eigendunk.'

Met een klap zette ze het glas op het aanrecht. 'Het is onafhankelijkheid en kundigheid.'

'Tot op zekere hoogte. Maar daarna verandert het in eigendunk en koppigheid. Jij bent dat omslagpunt voorbij. Het was geen lekkende leiding waarbij je zelf met een moersleutel aan de slag bent gegaan. Het is niet dat je een loodgieter hebt gebeld in plaats van de man met wie je naar bed gaat. Daar komt nog bij dat de vent met wie je naar bed gaat betrokken is bij deze rotzooi. En hij is advocaat.'

'Ik heb een advocaat gebeld,' zei ze, al wenste ze onmiddellijk dat ze dat niet had gedaan.

'Geweldig. Fijn.' Eli duwde zijn handen in zijn zakken en liep een paar rondjes. 'Dus je hebt gesproken met de politie, een advocaat en je buren. Met iedereen, behalve met mij dan, natuurlijk.'

Ze schudde haar hoofd. 'Ik wilde het bezoek van je familie niet verpesten. Het leek nutteloos dat jij of iemand anders zich ongerust zou maken.'

'Jij maakte je ongerust.'

'Ik moest... Ja, goed dan. Ja, ik heb me ongerust gemaakt.'

'Vertel me precies wat er is gebeurd. Zo gedetailleerd mogelijk. Ik wil dat je exact vertelt wat je tegen de politie hebt gezegd en wat de agenten tegen jou hebben gezegd. Alles wat jij je kunt herinneren.'

'Omdat je advocaat bent.'

De lange, ernstige blik die hij haar toewierp bewerkstelligde wat zijn woorden niet was gelukt. Die bezorgde haar het gevoel dat ze iets verkeerd had gedaan.

'Omdat we een relatie hebben.' Zijn toon, even ernstig als zijn blik, gaf het laatste duwtje. 'Omdat dit bij mij is begonnen, met Bluff House, of met ons allebei. En omdat ik advocaat ben.'

'Goed dan. Ik ga eerst even pakken.' Toen hij zijn wenkbrauwen optrok, haalde ze haar schouders op. 'Het is te koud voor je om buiten te slapen. En ik weet dat hij geen enkele reden heeft om hier terug te komen. Hij heeft wel redenen om weer in Bluff House in te breken. Zo voelt het tenminste. En daarom zal ik wat spullen pakken en met je meegaan.'

Een compromis? vroeg hij zich af. Was dit niet precies waar zijn grootmoeder het over had gehad? Aan beide kanten geven en nemen en een evenwicht zien te vinden?

'Goed.'

Toen ze wegliep, pakte hij het nog volle wijnglas op. 'Die slag hebben we gewonnen,' mompelde hij tegen Barbie. 'Maar ik geloof niet dat we de oorlog al hebben gewonnen.'

Hij gunde haar de stilte tijdens de autorit en bleef beneden toen zij boven ging uitpakken. Als ze haar spullen in een andere slaapkamer legde, zou hij dat later wel regelen. Voorlopig was het voldoende om te weten dat ze veilig bij hem was.

In de keuken keek hij in de koelkast en de vriezer. Er was ham over en er waren nog meer dan voldoende bijgerechten, dacht hij. Zelfs hij moest daar een behoorlijke maaltijd mee kunnen maken.

Tegen de tijd dat ze naar beneden kwam, had hij een kliekjesmaal voor de maandagavond klaargezet in de ontbijtkamer.

'Vertel alles maar onder het eten.'

'Goed.' Ze nam plaats en voelde zich vreemd getroost toen Barbie aan haar voeten ging liggen in plaats van bij Eli. 'Het spijt me dat ik je het gevoel heb gegeven dat ik je niet vertrouw. Daar ging het niet om.'

'Het heeft er wel mee te maken, maar daar hebben we het straks wel over. Vertel me precies wat er is gebeurd. Stap voor stap.'

Zijn reactie zorgde ervoor dat haar aanvankelijke ergernis nog meer bedaarde. 'Ik wilde gaan mediteren,' begon ze, en ze vertelde hem het hele verhaal zo nauwkeurig mogelijk.

'Dus jij hebt het wapen niet aangeraakt?'

'Nee. Het viel tegelijk met de doos, en ik heb het op de grond laten liggen.'

'En voor zover jij weet hebben ze geen vingerafdrukken gevonden die daar niet thuishoorden?'

'Nee, alleen de vezels.'

'En de politie heeft daarna niets meer van zich laten horen?'

'Vinnie heeft me vandaag gebeld, maar alleen om te vragen hoe het met me ging. Hij zei dat ze morgen of woensdag de uitslag van het ballistisch onderzoek moeten krijgen, maar dat het waarschijnlijk woensdag zal worden.'

'En het wapen zelf? Stond dat geregistreerd?'

'Dat heeft hij niet verteld. Ik denk dat hij voorzichtig moet zijn met wat hij tegen me zegt. Maar ze weten dat het niet van mij was. Ik heb nog nooit een wapen gehad. Ik heb er zelfs nog nooit een vastgehouden. En als Kirby Duncan met dat wapen is vermoord, dan weten ze dat ik hier bij jou was.'

Zodat ze elkaar handig een alibi verschaften, dacht Eli. Wat zou Wolfe daarvan denken? 'Wat zei je advocaat?'

'Dat ik hem moest bellen als ze me nog eens wilden ondervragen en dat hij zelf contact zou opnemen met rechercheur Corbett. Ik ben niet bang dat ze me van moord zullen gaan verdenken. Niemand gelooft dat ik Duncan heb omgebracht.'

'Ik had dat wapen in jouw huis kunnen leggen.'

'Dat zou heel stom zijn geweest, en dat ben jij niet.'

Ze glimlachte, voor haar gevoel de eerste keer in uren. 'Geen seks meer voor jou als je mij ervoor laat opdraaien. En het is onlogisch, omdat het alleen opnieuw de aandacht trekt, waardoor ze jou opnieuw onder de loep zullen nemen. En dat was precies de bedoeling van de persoon die het wapen bij mij heeft verstopt. Daarom heeft die ook plotseling anoniem naar Wolfe gebeld. Het komt erop neer dat dit wel heel erg op doorgestoken kaart lijkt en Corbett is niet achterlijk.'

'Nee, volgens mij ook niet. Maar je kunt het ook vanuit een ander gezichtspunt bekijken. Het is mogelijk dat je nu drie keer contact hebt gehad met de moordenaar. Eerst hier, toen in het café en nu weer omdat hij dat wapen in jouw huis heeft verstopt. Dat is iets om je zorgen over te maken, dat weet je heel goed. Jij bent ook niet achterlijk.'

'Ik kan niet meer doen dan voorzichtig zijn.'

'Je kunt ook weggaan, een poosje bij je moeder op bezoek gaan. Dat ga je niet doen,' zei hij voor ze kon reageren. 'En dat kan ik je niet kwalijk nemen. Maar het is een mogelijkheid. Een andere mogelijkheid is op mij te vertrouwen.'

Hem dat horen zeggen, weten dat zij hem aanleiding had gegeven om het te moeten zeggen, bezorgde haar een ellendig gevoel. 'Ik vertrouw je ook, Eli.'

'Niet als het lastig wordt. En ik weet niet of ik je dat wel kwalijk kan nemen. Mannen hebben jou altijd teleurgesteld. Je vader. De relatie tussen je moeder en hem mag dan zijn stukgelopen, maar hij blijft je vader. En hij heeft ervoor gekozen om dat niet voor je te zijn, om geen deel uit te maken van jouw leven. Hij heeft je in de steek gelaten.'

'Daar sta ik niet te veel bij stil.'

'Dat is heel verstandig van je, maar het verandert niets aan de situatie.'

Toen hij die woorden in de lucht liet hangen, gaf ze toe. 'Inderdaad, daar verandert het niets aan. Ik ben niet belangrijk voor hem, dat ben ik nooit geweest. Ik sta er zo weinig mogelijk bij stil, maar het is wel zo.'

'Je staat er niet bij stil omdat dat onproductief is en jij produceert nou eenmaal graag dingen.'

'Een interessante manier om het te zeggen.' Haar lippen krulden weer omhoog. 'En het is nog waar ook.'

'En je staat er zo min mogelijk bij stil omdat je weet dat hij er zichzelf mee heeft. En dan heb je nog de klootzak die je pijn heeft gedaan. Over jou teleurstellen gesproken. Je gaf om hem, vertrouwde hem, je hebt hem in je leven toegelaten en toen had hij het opeens op jou voorzien. Hij was gewelddadig tegen je.'

'Hoe erg dat ook was, als hij het niet had gedaan, was ik nu niet hier.'

'Een positieve houding. Heel goed van je. Maar het is wel gebeurd. Je hebt iemand jouw vertrouwen geschonken en die heeft het beschaamd. Waarom zou dat niet nog eens gebeuren?'

'Zo denk ik niet. Zo leef ik niet.'

'Je leidt een open, energiek, bevredigend leven, dat me vaak versteld doet staan. Een leven waar je kracht en moed voor nodig hebt. Je steunt niet graag op een ander, en dat siert je ook. Tot je bij het punt aanbelandt waar je op iemand zou moeten steunen, maar je weigert dat te doen.'

'Ik zou het je hebben verteld als je familie niet op bezoek was geweest.' Opeens aanvaardde ze de waarheid en verwoordde die ook: 'Nee, waarschijnlijk zou ik het nog een tijdje hebben uitgesteld. Ik had mezelf vast voorgehouden dat jij het telkens zwaar voor je kiezen krijgt en dat het geen enkele zin had om dat te verergeren tot ik meer wist, of dat het op de een of andere manier was opgelost. Misschien zou ik het hebben gedaan. Maar dan niet uit vertrouwen.'

'Medelijden dan?'

'Bezorgdheid. En vanwege mijn zelfvertrouwen. Ik hou niet van het woord eigendunk. Ik moest voor mezelf zorgen, besluiten nemen, problemen afhandelen en ja, misschien heb ik ook de problemen van anderen op me genomen om het vertrouwen dat Derrick had verbrijzeld weer op te bouwen. Ik moet weten dat ik alles zelf kan regelen in een situatie waarin ik alleen op mezelf kan vertrouwen.'

'En als er iemand anders is op wie je kunt vertrouwen?'

Misschien had hij alweer gelijk, en dan werd het lastig. Misschien was het hoog tijd voor wat zelfbeschouwing.

'Dat weet ik niet, Eli. Ik weet het echt niet, want die keuze heb ik mezelf heel lang niet toegestaan. Maar ik heb wel steun bij jou gezocht, die avond nadat ik was aangevallen. Ik heb gesteund op jou en jij hebt me niet teleurgesteld.'

'Ik kan niet opnieuw iets beginnen met iemand die niet bereid is evenveel te geven als te nemen en evenveel te nemen als te geven. Door schade en schande heb ik geleerd dat je daardoor verbitterd en met lege handen achterblijft. We zullen allebei moeten bepalen hoeveel we kunnen geven en hoeveel we kunnen nemen.'

'Ik heb je gekwetst omdat ik me niet heb opengesteld.'

'Ja, dat klopt. En je hebt me kwaad gemaakt. En aan het denken gezet.' Hij stond op en pakte de vuile borden. Ze hadden de maaltijd geen van beiden eer aan gedaan. 'Ik heb Lindsay teleurgesteld.'

'Nee, Eli.'

'Jawel. Ons huwelijk mag dan een vergissing zijn geweest, maar die vergissing hebben we samen begaan. Het was voor ons allebei niet wat we wilden of wat we ervan hadden verwacht. En op het laatst kon ik haar lot niet voorkomen. Ik weet nog altijd niet of ze dood is vanwege een keus die ik heb gemaakt, keuzes die we samen hebben gemaakt of door pure pech. Ik heb mijn oma teleurgesteld door steeds minder vaak te komen en haar op een gegeven moment helemaal niet meer te bezoeken. Dat had ze niet verdiend. We hebben haar ook nog eens bijna verloren. Zou dat ook zijn gebeurd als ik hier vaker was geweest, als ik na de moord op Lindsay bij haar was gaan wonen?'

'Ben jij opeens het middelpunt van het universum? Over eigendunk gesproken.'

'Nee, maar ik wéét gewoon dat dit gedoe om mij draait en dat alles met elkaar in verband staat.'

Hij draaide zich naar haar om, maar liep niet naar haar toe, raakte haar niet aan. Hij bleef staan met die ruimte tussen hen in.

'Abra, ik zweer je dat ik je niet teleur zal stellen. Ik zal alles doen om te voorkomen dat jou iets overkomt, of je dat nou leuk vindt of niet, of je met me naar bed gaat of niet. En als dit voorbij is, zullen we wel eens kijken hoe wij ervoor staan en hoe we verder gaan.'

Omdat ze zich een beetje benauwd voelde, stond ze op. 'Ik doe de afwas wel.'

'Nee, laat maar.'

'Evenwicht, of zoals jij het noemde: geven en nemen,' bracht ze hem in herinnering. 'Jij hebt gekookt, dus ik ruim af.'

‘Goed. Ik wil een kopie van je werkschema.’

Ze voelde letterlijk waarschuwende prikjes in haar nek. ‘Eli, dat is telkens anders. Dat is nou net het mooie.’

‘Ik wil weten waar je bent als je niet hier bent. Ik ben verdomme geen stalker. Ik vraag het niet omdat ik je in de gaten wil houden of jouw bewegingsruimte wil beperken.’

Ze zette het bord dat ze in haar handen hield op het aanrecht en haalde diep adem. ‘Ik wil even heel duidelijk zeggen dat ik dat ook niet dacht, of bedoelde. En vandaag is me ook iets duidelijk geworden, door dit hele gedoe. Ik heb gemerkt dat ik meer emotionele problemen uit Washington heb meegenomen dan ik had gedacht. Ik denk, of hoop, dat het er tegenwoordig zo weinig zijn dat ze in een kleine boodschappentas passen. Hopelijk bedenk ik nog een manier om die te kunnen weggooien.’

‘Dat kost tijd.’

‘Ik dacht dat die tijd inmiddels wel was verstreken, maar blijkbaar nog niet helemaal. Dus...’ Ze pakte het bord weer en zette het in de vaatwasser. ‘Ik ben hier bijna de hele dag bezig. Ik geef een ochtendles in de kelder van de kerk en om half vijf heb ik een massage. Bij Greta Parrish.’

‘Oké. Dank je.’

Toen ze klaar was met het inruimen van de vaatwasser, veegde ze het aanrecht schoon. ‘Je hebt me niet een keer aangeraakt sinds je de trap naar mijn cottage bent opgekomen. Ben je kwaad?’

‘Gedeeltelijk, maar vooral omdat ik niet weet of jij het wel wilt.’

Ze keek hem strak aan. ‘Hoe moet ik nou weten of ik wil dat je me aanraakt als je het niet doet?’

Eerst streek hij met zijn hand over haar arm en draaide haar naar zich toe. Toen trok hij haar tegen zich aan.

Ze liet de vaatdoek op het aanrecht vallen en sloeg haar armen om hem heen.

‘Het spijt me. Ik hield zaken voor je achter en kropte dingen op. Maar... O god, Eli... Hij is bij me binnen geweest. Hij heeft mijn spullen bekeken, aangeraakt. Derrick had mijn spullen doorzocht. Hij had mijn spullen aangeraakt, kapotgemaakt toen hij wachtte tot ik thuis zou komen.’

‘Hij zal je geen kwaad doen.’ Eli drukte zijn lippen op haar slaap. ‘Ik zal ervoor zorgen dat hij jou geen kwaad doet.’

'Ik moet me eroverheen zetten. Ik heb geen andere keus.'

'Dat lukt je heus wel.' Maar niet alleen. Niet zonder hem.

Toen ze de volgende ochtend vertrok, droeg hij zichzelf op om zich niet ongerust te maken. Niet alleen lag de kerk nog geen drie kilometer afstand verderop, maar hij kon ook geen enkele reden bedenken waarom iemand haar kwaad zou willen doen.

Halverwege de ochtend zou ze terugkomen en zodra hij wist dat ze veilig in het huis was, kon hij aan het werk gaan. Nu zijn gedachten te druk bezig waren om zich op het boek te kunnen concentreren, ging hij naar de kelder waar hij bijna een uur bezig was met het leeghalen van de planken en ze van de muur te halen.

Het kostte meer tijd om het paneel vanuit de kelder te openen, en nadat het hem eindelijk was gelukt, besloot hij om de scharnieren te smeren.

Het gepiep zorgde voor een interessante sfeer, maar als hij iemand wilde verrassen, dan had hij stilte nodig. Gewapend met een zaklamp en een doos gloeilampen, liep hij de hele gang door, controleerde elke lamp en ging door met de volgende tot hij op de tweede verdieping was.

Nadat hij alle scharnieren had gesmeerd, dacht hij even na en zette toen een stoel schuin voor het paneel, keek of hij dat echt kon openen en sluiten, en liep de hele weg weer terug.

Hij plaatste de planken terug en testte alles nogmaals om er zeker van te zijn dat hij eromheen kon lopen om via het paneel te komen of te gaan. Daarna zette hij de spullen er weer op.

Camouflage, dacht hij. Voor het geval hij er behoefte aan zou hebben.

De val was bijna klaar. Nu had hij alleen nog lokaas nodig.

Omdat hij bij het werk in de gang stoffig en vies was geworden, waste hij zich snel en trok andere kleren aan. Daarna keek hij een poosje op internet naar videocamera's en kleine bewakingscamera's.

Hij schonk zich net zijn eerste Mountain Dew van die dag in toen Abra binnenkwam met haar boodschappentassen.

'Hoi!' Ze zette de tassen neer en stak haar hand in één ervan. 'Kijk eens wat ik voor je heb!' Ze hield Barbie een groot bot van runderhuid voor. 'Dit is voor een brave hond. Ben jij een brave hond geweest?'

Barbie liet haar kont op de grond zakken.

'Dat dacht ik al. Ben jij een brave jongen geweest?' vroeg ze aan Eli, terwijl ze het bot uit het plastic haalde.

'Moet ik ook op de grond gaan zitten?'

'Ik heb ingrediënten voor lasagne gekocht. Mijn beroemde lasagne, mag ik wel zeggen, en ook spullen om tiramisu mee te maken.'

'Kun jij tiramisu maken?'

'Dat zullen we straks weten. Ik heb besloten om vandaag een positief gevoel te hebben en dat heeft voor een groot deel met evenwicht te maken. Een andere reden is dat ik heb ontdekt dat jij niet lang wrok koestert.' Ze sloeg haar armen om Eli heen en kneep even.

'Ik kan wrok koesteren als de beste,' kaatste hij terug. 'Maar niet bij iemand om wie ik geef.'

'Wrok is naar binnen gerichte negatieve energie, dus ik vind het prettig om te weten dat je het van je af kunt zetten. En over negatieve energie gesproken, ik ben even naar mijn cottage gegaan en daar voelde het al veel beter.'

'Door de stinkende smudge stick?'

Met een vinger porde ze hard in zijn buik. 'Voor mij heeft het gewerkt.'

'Daar ben ik blij om, maar ik hoop oprecht dat je niet een paar kisten van die stinkende dingen wilt gebruiken om de negatieve energie in Bluff House te zuiveren.'

'Het zou geen kwaad kunnen, maar daar hebben we het later nog wel eens over.'

Veel, veel later, was zijn volgende oprechte wens.

'Ga je nou aan het werk? Ik zal even het bed afhalen en de was halen, en dan blijf ik bij je uit de buurt tot je een pauze neemt.'

'Prima. Maar ik wil je eerst iets laten zien.'

'Oké. Wat dan?'

'Boven.' Met zijn duim gebaarde hij naar het plafond, waarna hij haar hand pakte. 'Je hebt een stukje overgeslagen.'

'Nietes.' Beledigd versnelde ze haar pas en liep de trap op.

'Een heel groot stuk,' zei hij. 'Boven.'

'Op de tweede etage? Daar maak ik maar een keer per maand schoon. Ik zuig en stof er alleen. Als je het weer in gebruik wilt nemen, had je dat moeten...'

'Nee, dat is het niet. Niet precies. Al denk ik er wel over om hier mijn kantoor te maken, in de zuidelijke gevel.'

'O, wat een fantastisch idee, Eli!'

'Ja, ik denk er nog een beetje over na. Er is een geweldige lichtval en een prachtig uitzicht. Het is er heel stil. Jammer dat ik niet schilder of beeldhouw, want de oude bediendenkamer zou een geweldige studio zijn.'

'Ik had hetzelfde bedacht. Een van de slaapkamers die uitkijkt op het strand zou een mooi bibliotheekje kunnen worden, voor jouw handboeken bijvoorbeeld. Een soort bibliotheek annex zitkamer voor als je even wilt pauzeren, maar niet helemaal wilt ophouden met werken.'

Zo ver vooruit had hij nog niet gedacht, maar... 'Misschien.'

'Ik kan je helpen met inrichten als je het wilt doen. O, kijk toch naar die prachtige plafonds. Dit heeft zo veel mogelijkheden. Ik heb het altijd zonde gevonden dat niet het hele huis werd gebruikt. Hester heeft me verteld dat ze er jaren geleden heeft geschilderd, maar dat ze tot de ontdekking was gekomen dat ze in haar eigen zitkamer beter, en buiten het allerbeste werkte. Bovendien zouden twee trappen lastig voor haar zijn.'

'Ik ben inderdaad van plan om het hele huis weer te gaan gebruiken.' Hij liep naar het paneel en opende het.

'O! Jezus, wat geweldig. Moet je zien.' Ze rende erheen om het goed te bekijken. 'Wat ontzettend gaaf.'

'De lampen doen het.' Hij liet het zien. 'Nu wel. En het loopt helemaal door tot in de kelder. Ik heb de planken een stukje verplaatst zodat het paneel daar ook open en dicht kan.'

'Als kind zou ik hier krijgsprinses in hebben gespeeld.'

'O, ja?' Dat kon hij zonder enig probleem voor zich zien.

'Het vijandelijke kasteel bestormen of in hinderlaag gaan liggen. Maar het kan bepaald geen lolletje zijn geweest voor de bedienden om hier met zware dienbladen naar boven en naar beneden te zeulen. Stof en spinnen.'

'Zie je nou, je hebt een heel stuk overgeslagen.'

'Ik zal het schoonmaken, maar dan moet jij eerst alle spinnen groter dan een huisvlieg weghalen. Je zou alle panelen opnieuw moeten openen.'

'Dat overweeg ik.'

'En dan te bedenken hoe vaak ik hier heb schoongemaakt zonder dat ik wist dat dit bestond. Het is... Hij weet hier niets van.' Stralend keek ze Eli aan. 'Hij weet dit niet.'

'Volgens mij niet. In elk geval heeft hij er geen gebruik van gemaakt. Mike en ik hebben ons flink in het zweet moeten werken om die kleerkast te verplaatsen. En het heeft me in mijn eentje ruim een uur gekost om de planken ver genoeg te verplaatsen om erdoorheen te kunnen.'

'Een hinderlaag. Eli...'

'Daar denk ik aan.'

'Het initiatief nemen in plaats van afwachten.' Met gebalde vuisten in haar zij liep ze door de kamer. 'Ik wist dat dit een fijne dag zou worden. We kunnen hem op heterdaad betrappen.'

'Ik probeer te bepalen hoe. Het is iets ingewikkelder dan tevoorschijn springen en "Boe" roepen. Als de meest eenvoudige verklaring inderdaad de juiste is, dan is hij niet zomaar een insluiper, maar een moordenaar. We moeten dit niet lichtvaardig doen.'

'We moeten het goed plannen,' beaamde ze. 'Ik kan heel creatief denken wanneer ik schoonmaak. Dus ik zal beginnen en dan kunnen we allebei nadenken.'

'En we wachten tot we iets van de politie hebben gehoord.'

'O, ja.' Haar enthousiasme werd iets minder. 'Dat is vast beter. Misschien kunnen ze natrekken waar het wapen vandaan komt, en is alles voorbij. Dat zou het beste zijn. Niet zo opwindend, maar wel veel beter.'

'Wat er ook gebeurt, ik zal je niet teleurstellen.'

'Eli.' Ze nam zijn gezicht tussen haar handen. 'Laten we een nieuwe overeenkomst sluiten en beloven dat we elkaar niet zullen teleurstellen.'

'Afgesproken.'

22

Hij moest werken. Hij liet zijn ideeën en plannen voor actieve hinderlagen in zijn achterhoofd doorsudderen, maar hij moest het verhaal afmaken, de woorden op papier krijgen.

Hij had nog niks van zijn agent gehoord over de hoofdstukken die hij haar had gestuurd, maar in het paasweekend had alles stilgelegen. Bovendien, zo bracht hij zich in herinnering, was hij niet haar enige cliënt.

Hij was niet eens een belangrijke cliënt.

Het was het beste om mee te surfen op de golf van het verhaal, zodat hij meer zou hebben om haar te sturen. Als ze niet blij was met wat hij haar al had gestuurd, nou dan zou hij dat... even moeten verwerken.

Hij kon verdergaan met wat hij al had gedaan, nog eens vijf hoofdstukken redigeren en die opsturen, zodat zijn agent een groter deel van het complete boek had. Maar het verhaal liep als een trein en hij wilde niet het risico lopen dat de vaart eruit zou gaan.

Hij nam pas laat in de middag een pauze, toen Barbie hem uit zijn concentratie haalde door naast zijn knie te komen zitten en hem aan te staren.

Zoals hij al had ontdekt, was dat haar teken voor: het spijt me je te storen, maar ik moet echt.

'Goed, goed, een momentje.'

Hij bewaarde alles, maakte een reservekopie en besefte dat hij zich enigszins daas voelde, alsof hij in snel tempo een aantal glazen uitstekende wijn had gedronken. Zodra hij opstond, rende Barbie de kamer uit. Hij hoorde haar de trap af racen.

Hij wist dat ze huiverend in de keuken op hem en de riem zou zitten wachten. Hij riep afwezig iets naar Abra toen hij naar de keuken liep, waar hij de hond precies op de plek aantrof waar hij haar had verwacht.

Ook zag hij op het aanrecht een kunstige clubsandwich, met huishoudfolie eroverheen en daarop een Post-It:

Ga even lunchen na
je wandeling met Barbie.
XXOO Abra

'Ze weet ook elke keer het juiste te schrijven,' mompelde hij.

Hij nam de hond mee naar buiten, en hij genoot bijna evenveel van de pauze als Barbie, zelfs toen er een ijskoude regen begon te vallen. Zijn haar was vochtig en zijn hond drijfnat toen hij de strandtrap weer op liep. Zijn gedachten dwaalden net weer terug naar het boek toen de telefoon in zijn zak overging.

'Meneer Landon, u spreekt met Sherrilyn Burke, van Burke-Massey Investigations.'

'Ja.' In zijn binnenste verstijfde iets, zowel van verwachting als vrees. 'Fijn om iets van u te horen.'

'Ik heb een verslag voor u. Ik kan het naar u mailen, maar ik wil het liever persoonlijk met u bespreken. Als het u schikt, kan ik morgen bij u langskomen.'

'Moet ik me ergens zorgen over maken?'

'Zorgen? Nee, hoor. Ik praat gewoon graag onder vier ogen met mensen, zodat we allebei kunnen vragen en antwoorden. Ik kan er rond elf uur zijn.'

Kordaat en zakelijk, dacht hij. En vastberaden. 'Goed. Waarom stuurt u me het verslag niet alvast, dan ben ik overal van op de hoogte voor we gaan vragen en antwoorden.'

'Prima.'

'Weet u hoe u in Whiskey Beach moet komen?'

'Ik heb er een paar jaar geleden een heerlijk weekendje doorgebracht. En als je ooit in Whiskey Beach bent geweest, ken je Bluff House ook. Ik vind het wel. Elf uur.'

'Ik zal er zijn.'

Niks om zich zorgen over te maken, dacht hij, toen hij met Barbie naar binnen ging. Maar ja, alles rond de moord op Lindsay, het politieonderzoek en zijn eigen positie baarde hem zorgen.

Toch wilde hij die antwoorden. Sterker nog, hij had ze nodig.

Met zijn iPad en zijn lunch ging hij naar de bibliotheek. Abra zou boven stofzuigen of iets dergelijks, vermoedde hij. En vanwege de regen verlangde hij naar een vuur. Hij stak de haard aan en ging zitten met zijn tablet. Onder het eten zou hij het verslag lezen.

Voorlopig negeerde hij alle andere mails en downloadde hij de bijlage van zijn privédetective.

Ze had opnieuw gesproken met zijn vrienden, buren en collega's, zowel die van Lindsay, als die van hem. En ze had Justin en Eden Suskind nogmaals ondervraagd, evenals een aantal van hun buren en collega's. Ook had ze met Wolfe gepraat en een van de assistent-aanklagers te pakken gekregen.

Ze had de plaats delict bekeken, al was die allang vrijgegeven en schoongemaakt en stond het huis momenteel te koop. Ze had in haar eentje zelfs de moord nagespeeld.

Heel grondig, dacht hij.

Hij las haar samenvattingen, waar ook indrukken bij hoorden.

De Suskinds waren onlangs uit elkaar gegaan. Niet echt een verrassing, vond hij. Een overspelige man of vrouw zette een relatie immers altijd onder druk. Toen daar ook nog een moord en een enorme hoeveelheid media-aandacht bij kwamen, had iedereen ineens een oordeel over hun huwelijk.

Het was verrassender dat ze nog bijna een heel jaar bij elkaar waren gebleven, peinsde hij.

Ze hadden twee kinderen, herinnerde hij zich. Jammer.

De detective had gesproken met receptionisten, portiers en schoonmaaksters in hotels en kuuroorden waar Lindsay was geweest. En die bevestigden wat hij al wist. Veel van die bezoekjes, tijdens de laatste tien of elf maanden van haar leven, had ze afgelegd in gezelschap van Justin Suskind.

Wat voelde hij daarbij? vroeg hij zich af. Niet veel, nu niet meer. De woede was voorbij, over. Zelfs het gevoel van verraad was verminderd, als een steen waar voortdurend water overheen stroomde en waarvan de scherpe randjes waren afgesleten.

Hij voelde... spijt. Als ze de tijd hadden gekregen en waren gescheiden, zouden de kwaadheid en verbittering die zij beiden hadden gevoeld vermoedelijk vanzelf zijn verdwenen. Ze zouden ieder hun eigen weg zijn gegaan, de draad van hun leven hebben opgepakt.

Maar die kans had geen van beiden gekregen. Daar had haar moordenaar voor gezorgd.

Hij was het hun allebei verschuldigd om de verslagen te lezen, de detective te ontmoeten en alles te doen wat in zijn macht lag om erachter te komen wie Lindsay had vermoord en waarom. Daarna zou hij het achter zich laten.

Hij las het verslag twee keer en dacht erover na met de smoothie die hij in de koelkast had gevonden met de DRINK MIJ-Post-It erop.

Hij besloot iets anders te gaan doen en pakte zijn opschrijfboek van het bureau en het zoveelste boek over Esmeralda's bruidsschat van een van de planken.

Het daaropvolgende uur volgde hij de gissingen van de betreffende auteur. Die leunde zwaar op de theorie dat de overlevende zeeman en de rijke dochter des huizes, Violeta, verliefd op elkaar waren geworden. Toen haar broer Edward daarachter kwam, had hij de minnaar vermoord. De roekeloze, wilde Violeta was vervolgens naar Boston gevlucht en nooit meer teruggekeerd. En Esmeralda's bruidsschat was voor altijd verloren gegaan.

Uit de familiegeschiedenis wist Eli dat Violeta was weggelopen en vervolgens was verstoten. Dankzij hun rijkdom en invloed was de familie er daarna in geslaagd om haar naam vrijwel van alle officiële documenten te wissen. Zo groot was hun woede en de schande die Violeta had veroorzaakt geweest.

De zakelijke toon waarop de gebeurtenissen waren beschreven was wellicht minder vermakelijk dan andere boeken die hij de afgelopen weken had gelezen, maar kwam wel een stuk redelijker over.

Misschien werd het tijd om een ervaren genealoog in de arm te nemen en die al het mogelijke te laten doen om de roekeloze Violeta Landon op te sporen.

Peinzend pakte Eli zijn telefoon weer toen die ging.

Hij zag de naam van zijn agent op het schermpje staan, en haalde een keer diep adem.

Daar gaat-ie dan, dacht hij, en hij nam op.

Hij zat daar met zijn opschrijfblok, tablet en telefoon toen Abra de kamer binnenkwam.

'Ik ben boven klaar,' begon ze. 'Je kunt weer aan het werk. Ik heb nog een was in de droger zitten. Ik wilde verdergaan met de geheime gang. Dat kost flink wat tijd omdat ik emmers erin en eruit moet sjouwen om de traptreden echt schoon te krijgen. En ik dacht dat het nog leuker zou worden als ik het in mijn blootje zou doen.'

'Hè?'

'Aha, zoals ik al dacht, het blootgedeelte drong tot je door. Zit je hier te werken? Doe je onderzoek?' vroeg ze, en ze hield haar hoofd enigszins schuin om de titel te lezen van het boek dat hij had neergelegd. '*Whiskey Beach: Een erfenis van geheimen en gekte*. Dat meen je toch niet?'

'Het is bijna allemaal onzin, maar er staat een aantal relevante details in. Een deel gaat over de omgeving en de Landons tijdens de drooglegging, en dat is heel interessant. Mijn overovergrootmoeder heeft geholpen om de drank bij plaatselijke kroegen te krijgen door de flessen onder haar rok te verstoppen en de wetsdienaars om de tuin te leiden. Die zouden haar nooit hebben gevraagd om haar rok op te tillen.'

'Slim.'

'Dat verhaal kende ik al, dus het kan best waar zijn. De theorie over de bruidsschat is dat de geredde zeeman die heeft weten te verbergen. Vervolgens heeft hij het hart van de mooie, koppige Violeta veroverd en een aantal van haar sieraden. Dat mondde uit in een wilde achtervolging op een stormachtige avond waarbij hij van de rots waar de vuurtoren op staat is gevallen, met dank aan Edwin Landon, haar laaghartige broer. Vermoedelijk is de bruidsschat met hem meegegaan, terug in de onverzoenlijke zee.'

'Waar hij veilig in de kluis van de zeeduivel ligt?'

'Volgens deze schrijver werd zowel de bandiet als de kist op de rotsen geworpen waarbij de edestenen als fonkelende zeesterren verspreid werden. Of was het nou als kwallen? Maar goed.'

'In dat geval zouden er toch zeker een paar zijn gevonden. In de loop der jaren zou je daarover hebben gehoord.'

'Tenzij de mensen die een glimmende ketting of wat dan ook hadden bemachtigd hun mond erover hadden gehouden. Dat is het vermoeden van de schrijver en het lijkt erg waarschijnlijk. Maar goed,' zei hij nogmaals.

Met een nieuwsgierige glimlach keek Abra hem aan. 'Maar goed?'

'Ze vond het leuk.'

'Wie? De koppige Violeta?'

'Wie? Nee, mijn agent. Mijn boek, de hoofdstukken die ik haar heb gestuurd. Ze vond het leuk. Of ze liegt om mijn gevoelens te sparen.'

'Zou ze dat doen? Erom liegen?'

'Nee. Ze vond het goed.'

Abra ging op de salontafel zitten zodat ze hem recht aankeek. 'Was je bang dat ze het niet goed zou vinden?'

'Ik wist het niet zeker.'

'Maar nu wel.'

'Ze gelooft dat ze het kan verkopen op basis van de vijf hoofdstukken.'

'Dat is fantastisch, Eli.'

'Maar ze denkt dat ze meer opwinding zal wekken als ze het hele boek heeft.'

'Hoe ver ben je ermee?'

'Bijna klaar met de eerste versie. Misschien nog een paar weken.' Minder als het zo lekker bleef gaan als tot nu toe het geval was, dacht hij. 'Dan moet ik het nog aanscherpen. Ik weet het niet precies.'

'Nou, het is een belangrijk en persoonlijk besluit... O, Eli! Je moet voor de grotere opwinding gaan.'

Hij moest glimlachen toen ze van plezier op de tafel bonsde. 'Ja, dat vindt zij ook.'

'En jij?'

'De grote opwinding. Ik zal me een stuk prettiger voelen als het af is voor ze het rondstuurt. Ze kan ernaast zitten en dan haal ik binnenkort het nieuwe wereldrecord aan afwijzingen, maar dan heb ik het in elk geval afgemaakt.'

Ze stootte met haar knie tegen de zijne. 'Of ze heeft het bij het rechte eind en dan heb je binnenkort je eerste roman verkocht. Laat me nou geen smudge stick hoeven halen om negatieve gedachten en energie te moeten verdrijven.'

'Kunnen we niet gewoon met elkaar naar bed gaan?' vroeg hij met een grijns. 'Ik word altijd heel positief van seks.'

'Ik zal erover denken. Wanneer mag ik het lezen?'

Toen hij zijn schouders ophaalde, sloeg ze haar ogen ten hemel. 'Oké, laten we teruggaan naar het vorige verzoek van enige tijd geleden. Een scène. Eentje maar.'

'Ja, misschien. Een scène.'

'Joepie. Weet je, dit moeten we vieren.'

'Ik stelde net toch voor om te gaan vrijen?'

Lachend gaf ze een tik op zijn been. 'Er bestaan ook andere manieren om iets te vieren.'

'In dat geval kunnen we gaan vieren als ik ermee klaar ben.'

'Prima. Ik ga terug naar de kerker.'

'Ik kan je helpen.'

'Ja, of je kunt weer aan het werk gaan.' Ze hief haar samengedrukte handpalmen op en richtte ze als een pijl omlaag, als een duiker naar het water. 'Maak een mooie duik en zorg voor veel opwinding.'

Met een glimlach zei hij: 'Ik kan inderdaad beter een paar uur doorwerken. Morgen zal ik tijd verliezen. De privédetective die ik in dienst heb genomen, komt hier voor een gesprek.'

'Is er nieuws?' Ze ging weer zitten.

'Dat weet ik niet. Ik heb haar verslag gelezen. Daar staat niet veel nieuws in, maar ze heeft wel veel gedaan. De Suskinds zijn uit elkaar.'

'Het is moeilijk om je over ontrouw heen te zetten, vooral als het zo in de openbaarheid komt. Ze hebben toch kinderen?'

'Ja. Twee.'

'Dat maakt het nog lastiger.' Ze aarzelde even, en schudde toen haar hoofd. 'En om ervoor te zorgen dat ik niet in dezelfde fout verval: Vinnie heeft me een paar uur geleden gebeld. De kogels die ze uit Duncans lichaam hebben gehaald komen uit het wapen dat ik in mijn cottage heb gevonden.'

Hij legde een hand op de hare. 'Het zou me hebben verbaasd als dat niet het geval was geweest.'

'Ja, ik weet het. Het feit dat ik Vinnie heb gebeld zodra ik het vond, pleit in mijn voordeel. En de anonieme tip aan Wolfe, van een prepaid mobieltje, lijkt ook eerder verdacht. Maar hij wilde me laten weten dat Wolfe in mijn achtergrond aan het spitten is, mijn hele doen en laten natrekt en zijn best doet om te bewijzen dat jij en ik al iets hadden vóór Lindsay werd vermoord.'

'Maar dat hadden we niet, dus dat zal hem niet lukken.'

'Nee, precies.'

'Vertel dit allemaal aan je advocaat.'

'Heb ik al gedaan. Hij is ermee bezig. Er is niks, Eli, en volgens mij ziet Wolfe mij alleen maar als een manier om bij jou te komen. Als hij ons op de een of andere manier met Duncans dood in verband kan brengen, wordt het waarschijnlijker dat jij iets met die van Lindsay te maken hebt gehad.'

'Maar dat geldt andersom ook,' merkte hij op. 'Omdat we onschuldig zijn aan de moord op Duncan, wordt de kans groter dat ik ook niets met die op Lindsay van doen heb.'

'Dan ben jij het dus eens met zijn aannames. De twee moorden houden op een bepaalde manier verband met elkaar.'

'Ik kan niet echt geloven dat ik zo dicht bij twee moorden, een bijna fataal ongeluk, een reeks inbraken en een geweldpleging ben zonder dat er verbanden tussen die zaken zijn.'

'Dat ben ik met je eens, maar ja, uiteindelijk staat alles met elkaar in verband.' Ze stond weer op. 'Ik ga weer aan de slag, zodat we misschien een manier kunnen bedenken om de held en heldin in onze eigen roman te zijn en te helpen bij het grijpen van een schurk.'

'We moeten vanavond uit eten gaan.'

Ze trok haar wenkbrauwen op. 'O, ja?'

'Ja. Barbie kan het huis bewaken. We moeten uitgaan en ergens lekker gaan eten. Jij kunt iets opwindends aantrekken.'

'Bedoel je een date, Eli?'

'Dat heb ik verwaarloosd. Kies jij maar een restaurant uit,' zei hij. 'We gaan een avondje uit.'

'Goed, dat zal ik doen.' Ze liep naar hem toe en boog zich voorover zodat ze hem een zoen kon geven. 'Dan kun jij een van jouw vele dassen omdoen.'

'Dat kan ik zeker.'

Goed nieuws, ongemakkelijk nieuws, dacht hij toen ze hem alleen had gelaten. Vragen die gesteld en beantwoord moeten worden. Maar vanavond zou hij uitgaan met een fascinerende vrouw die hem liet nadenken en liet voelen.

'Ik ga nog een poosje aan het werk,' zei hij tegen Barbie. 'En daarna kun je me helpen een das uit te kiezen.'

Hij kon het huis niet vierentwintig uur per dag in de gaten houden. Maar hij ging er wel af en toe naartoe. Hij wist dat hij weer binnen kon komen, ook al had Landon de code opnieuw veranderd. Hij zou het liefst verder zoeken wanneer het huis leeg was, maar Landon bleef zo angstvallig thuis dat hij misschien het risico moest nemen om naar binnen te gaan terwijl de ander thuis was.

Hij begon zo langzamerhand te geloven dat hij fout zat in de kelder, in elk geval wat betreft de plek van de gigantische ruimte waar hij aan het zoeken was. Maar hij moest zijn taak afmaken om er zeker van te zijn. Hij had er zo veel tijd, energie en geld in gestoken dat hij er niet mee kon ophouden.

Hij moest nog een keer naar de tweede verdieping. Ergens in een van die kisten, onder een kussen of achter een schilderij, zou hij een aanwijzing vinden. Een dagboek, een kaart of coördinaten.

Hij had de bibliotheek van Bluff House doorzocht toen de oude dame lag te slapen, maar daar had hij niets van belang gevonden. Niets wat overeenkwam met zijn eigen kennis en nauwgezette en gedetailleerde onderzoek naar Esmeralda's bruidsschat.

Hij kende de waarheid. Hij wist wat er schuilging achter de legende, achter de avonturenverhalen die waren geschreven over die stormachtige avond op Whiskey Beach.

De wind, de rotsen, de kolkende zee, en slechts één man die het had overleefd. Een man, dacht hij, die een onbetaalbare schat had gevonden.

Piratenbuit, veroverd door overmacht, moed en bloed. En die kwam hem eerlijk toe, vanwege zijn bloedband. De bloedband die hij had met Nathanial Broome.

Hij stamde af van Broome die de schat had opgeëist, en van Violeta Landon, die de piraat haar hart, haar lichaam en een zoon had geschonken.

Hij had bewijs, geschreven in Violeta's handschrift. Hij dacht vaak dat haar boodschap uit het graf direct aan hem was geschreven, om hem de stukjes en brokjes te geven uit brieven en uit een dagboek, die hij allemaal had ontdekt na het overlijden van zijn oudoom.

Een domme, onoplettende man.

Maar nu was hij de erfgenaam van die schat. Wie had er meer recht op de buit dan hij?

Niet Eli Landon.

Hij zou krijgen wat van hem was. Als het nodig was, zou hij ervoor moorden.

Hij had al iemand vermoord, en hij wist dat hij het nog eens zou kunnen. Terwijl de dagen verstreken en zijn toegang tot Bluff House was versperd, wist hij dat hij Eli Landon zou moeten vermoorden voor dit allemaal ten einde was, anders zou het nooit echt voorbij zijn.

Nadat hij zijn eigendommen had opgeëist, zou hij Landon ombrengen, net zoals Landon Lindsay had omgebracht.

Dat was gerechtigheid, dacht hij. Weliswaar niet via een eerlijk proces, maar het was wel precies wat Landon verdiende. Het soort gerechtigheid waarmee Nathanial Broome zou hebben ingestemd.

Zijn hart maakte een sprongetje toen hij ze naar buiten zag komen. Landon in een pak, de vrouw in een kort, rood jurkje. Hand in hand, elkaar lachend aankijkend.

Zonder zorgen.

Had Landon haar al geneukt toen hij nog met Lindsay getrouwd was? Die zelfingenomen lul. Hij verdiende het om te sterven. Hij zou willen dat hij Landon, hen allebei, ter plekke kon vermoorden.

Maar hij moest geduld hebben. Eerst moest hij zijn erfenis veiligstellen en daarna kon hij gerechtigheid laten geschieden.

Hij zag ze in de auto stappen en de vrouw zich naar Landon voorover buigen voor een zoen, waarna Landon wegreed.

Twee uur, schatte hij. Als hij het zich kon permitteren om hen te laten volgen, zoals eerst, dan zou hij het preciezer weten. Maar hij kon wel het risico nemen om twee uur naar binnen te gaan.

Hij had veel geld betaald voor de alarmkraker, en binnenkort zou geld echt een probleem voor hem worden. Het was een investering, stelde hij zichzelf gerust, terwijl hij zijn auto parkeerde en zijn tas uit de achterbak haalde.

Hij wist dat de politie hier patrouilleerde. Hij had de politiewagens langs Bluff House zien rijden en hij meende het tijdschema zo'n beetje te kennen. Hij geloofde heilig dat hij zelf een goede piraat zou zijn geweest, en hij beschouwde zijn talent als extra bewijs van zijn bloedlijn en zijn rechten.

Hij wist hoe hij moest voorkomen dat hij ontmaskerd werd, hoe hij moest plannen en hoe hij kon nemen waar hij zijn zinnen op had gezet.

De naargeestige regen vormde een prima dekmantel. Hij haastte zich erdoorheen naar de zijdeur. Dat was de gemakkelijkste manier om binnen te komen, want die deur lag het meest uit het zicht. Hij zou de tijd nemen om een afdruk van was te maken van de sleutel van de vrouw. Ze had de zware sleutelbos die ze altijd bij zich had nu niet meegenomen. Niet in die kleren. Hij zou hem zoeken en een kopie maken.

Zodat hij de volgende keer gewoon met een sleutel kon binnenkomen.

Hij haalde zijn koevoet uit de tas en hing de alarmkraker aan het koord om zijn hals, zodat hij er gemakkelijk bij zou kunnen.

Hij was nog op weg naar de deur toen het woeste, waarschuwende geblaf binnen begon.

Zijn hart klopte in zijn keel en hij deinsde struikelend een paar passen achteruit.

Hij had Landon wel met een hond op het strand gezien, maar het leek een vriendelijk, speels dier. Onschadelijk, echt een hond die je met een gerust hart met je kinderen zou laten spelen.

Om het beest om te kopen had hij een paar hondenkoekjes in zijn tas gestopt.

Het wilde geblaf wees echter niet op een hond die zich gemakkelijk liet omkopen. Het duidde eerder op gemene tanden en happende kaken.

Vloekend en bijna in tranen liep hij weg. De volgende keer zou hij vlees meenemen. Vergiftigd.

Niets zou hem kunnen weghouden uit Bluff House, weg van wat hem rechtmatig toekwam.

Hij moest kalmeren en nadenken. Wat hem het kwaadst maakte, was dat hij weer naar zijn werk moest, in elk geval voor een paar dagen. Maar dat zou hem tijd geven om na te denken en plannen te smeden. Misschien kon hij iets nieuws bedenken om Landon of de vrouw als verdachte aan te merken. Om één van hen, of allebei, te laten arresteren zodat ze een tijdje niet thuis zouden zijn. Dat zou hem voldoende tijd geven.

Of misschien zou een van de Landons in Boston een ongeluk krijgen. Dat zou die klootzak wel uit zijn huis krijgen. Dan zou hij vrij spel hebben.

Dat was iets om over na te denken.

Maar eerst moest hij terug naar Boston om alles op een rijtje te zetten. Hij moest her en der zijn opwachting maken, ervoor zorgen dat hij gezien werd waar hij gezien moest worden, dat hij praatte met de mensen met wie hij moest praten.

Iedereen zou een doodnormale man zien die zijn werk deed en zijn gezapige leventje leidde. Niemand zou merken hoe bijzonder hij was.

Hij had het te gehaast gedaan, dacht hij, terwijl hij op de snelheidsmeter keek en ervoor zorgde dat hij de maximumsnelheid niet overschreed. De wetenschap dat hij er bijna was, had hem tot te grote haast aangezet. Hij zou wat gas terugnemen, en alles en iedereen de tijd geven om tot rust te komen.

Toen hij was teruggegaan naar Whiskey Beach was hij klaar geweest om zijn slag te slaan, om te winnen. Hij zou zijn erfenis opeisen en gerechtigheid doen geschieden.

Daarna zou hij leven zoals hij het verdiende. Als een piratenkoning.

Heel langzaam reed hij langs het restaurantje bij het strand waar Eli en Abra elkaars hand vasthielden aan een tafeltje.

'Ik ben gek op daten,' zei Abra. 'Ik was bijna vergeten hoe leuk ik dat vind.'

'Ik ook.'

'Vooral eerste afspraakjes vind ik leuk.' Ze glimlachte naar hem en pakte haar wijnglas. 'Vooral eerste afspraakjes waarbij ik niet hoef te besluiten of ik mezelf nou wel of niet in bed zal laten praten.'

'Dat laatste bevalt me wel.'

'Jij bent hier thuis. Jij hoort in Whiskey Beach. Dat kun je zien en ik weet hoe dat voelt. Vertel eens wat je plannen zijn met Bluff House? Die heb je,' voegde ze eraan toe. Ze haalde een vinger van de steel van haar glas en wees naar hem. 'Jij bent iemand die plannen maakt.'

'Vroeger wel. Een poosje, eigenlijk veel te lang, was de dag zien door te komen al een te groot plan. Maar je hebt gelijk, ik heb plannen voor het huis.'

Ze schoof iets naar voren, het kaarslicht weerspiegeld in haar ogen, de rollende golven van de zee achter het brede raam naast hen. 'Ik wil alles horen.'

'Eerst de praktische dingen. Oma moet hier terugkomen. Ze blijft voorlopig in Boston voor haar fysiotherapie tot ze er klaar voor is en dan komt ze naar huis. Ik dacht aan een lift. Ik ken een architect die wel hiernaartoe wil komen om een kijkje te nemen. Er zal een tijd komen dat ze de trap niet meer aankan, dus misschien is een lift een mogelijkheid. Anders kunnen we over een poosje van de kleinere zitkamer misschien wel een slaapkamersuite voor haar maken.'

'Dat idee van een lift bevalt me wel. Ze is dol op haar slaapkamer en ze vindt het fijn om in het hele huis te kunnen komen. Door die lift kan ze dat blijven doen. Volgens mij duurt het nog jaren voor het echt nodig is, maar het kan geen kwaad om het nu al te plannen. Wat nog meer?'

'De oude generator vervangen en iets met de kelder doen. Ik weet nog niet precies wat, maar dat heeft ook geen haast. De tweede verdieping is veel intrigerender.'

'Een nieuwe werkkamer voor de romanschrijver?'

Met een grijns schudde hij zijn hoofd. 'Naast de lift staat er nog iets boven aan mijn verlanglijst. Ik wil weer feesten gaan geven in Bluff House.'

'Feesten?'

'Vroeger hield ik wel van een leuk feest. Vrienden, familie, lekker eten, muziek. Ik wil kijken of ik er nog steeds van hou.'

Het vooruitzicht maakte haar bijna duizelig van vreugde. 'Laten we er eentje plannen, een groot feest, als je je boek hebt verkocht.'

'Het is nog maar de vraag of dat gaat lukken.'

'Ik ben een optimist, dus ik zeg "zodra" het gebeurt.'

Hij verschoof iets toen de kelner hun salades bracht en wachtte tot ze weer alleen waren. Bijgelovig of niet, hij wilde geen feest plannen voor een boek dat hij nog niet eens af had, laat staan dat het al verkocht was.

Een compromis, dacht hij.

'Waarom geven we geen "welkom thuis"-feest als oma terugkomt.'

'Volmaakt.' Ze kneep even in zijn hand en pakte daarna haar vork. 'Dat zal ze enig vinden. Ik ken een geweldige Swingband.'

'Swing?'

'Dat wordt leuk. Een beetje retro. De vrouwen in mooie jurken, de mannen in zomerkostuums, want ik weet gewoon dat ze terugkomt voor de zomer voorbij is. Lampions op de terrassen, champagne, martini's, overal bloemen. Zilveren schalen vol mooie hapjes op wit gedekte tafels.'

'Je bent aangenomen.'

Ze lachte. 'Af en toe plan ik een feestje.'

'Waarom verbaast me dat nou niks?'

Ze tikte in de lucht met haar vork. 'Ik ken mensen die weer mensen kennen.'

'Dat zal best. Hoe zit het met jou en je plannen? Jouw yogastudio?'

'Daar wordt over nagedacht.'

'Ik zou het kunnen financieren.'

Ze deinsde terug, een heel klein stukje. 'Ik vind het prettiger om mezelf te financieren.'

'Wil je geen investeerders?'

'In elk geval nu nog niet. Ik wil een mooie ruimte, gemakkelijk, rustig. Goed licht. Een spiegelmuur en misschien een mooi fonteintje. Een goed geluidssysteem, dus niet zo'n installatie als in de kerk. Bij elkaar passende yogamatten, dekens, blokken, dat soort dingen. Wanneer het echt een succes wordt, kan ik nog een paar instructeurs aannemen, maar het moet niet te groot worden. En een kleine behandelkamer voor massages. Maar voorlopig vind ik het heerlijk om te doen wat ik doe.'

'Alles, dus.'

'Zolang ik het leuk vind. Boffen wij even.'

'Op dit moment voel ik me een echte bofkont.'

'Ik bedoel dat we allebei doen wat we leuk vinden. We zitten hier tijdens onze eerste date, wat ik leuk vind, en we bespreken plannen om andere dingen te doen die ik leuk vind. Daardoor lijken de dingen die je moet doen maar die je niet leuk vindt, ineens onbelangrijk.'

'Waar heb jij dan een hekel aan?'

Met een glimlach keek ze hem aan. 'Op dit moment kan ik even niets bedenken.'

Later, toen ze warm en ontspannen tegen hem aan gekruld lag en dromerig in slaap dommelde, besefte ze dat ze alles aan bij hem zijn leuk vond. En als ze aan de volgende dag dacht, moest ze aan hem denken.

Toen ze meedreef met de zee die buiten zuchtte, wist ze dat ze van hem zou houden als ze zich nog iets meer liet meeslepen.

Ze kon alleen maar hopen dat hij daar klaar voor was.

23

Door de naam, Sherrilyn Burke, en de stem aan de telefoon, kordaat Yankee-Engels, had Eli zich een slungelige blondine in een keurig pakje voorgesteld. Toen hij de deur opende zag hij een brunette van een jaar of veertig in een spijkerbroek, een zwarte trui en een afgedragen leren jack. Ze had een aktetas bij zich en droeg zwarte Chucks.

'Meneer Landon.'

'Mevrouw Burke.'

Ze zette een Wayfarers-zonnebril op haar korte haar en stak hem haar hand toe. 'Leuke hond,' zei ze, en ze stak ook Barbie een hand toe.

Barbie gaf beleefd een poot.

'Ze blaft als een bezetene, maar lijkt niet erg te bijten.'

'Blaffen alleen is voldoende.'

'Dat geloof ik graag. Wat een pracht van een huis hebt u.'

'Zeg dat wel. Kom binnen. Wilt u koffie?'

'Dat sla ik nooit af. Zwart graag.'

'Neemt u alvast plaats, dan haal ik het even.'

'We besparen tijd als ik even meeloop naar de keuken. U deed zelf open en u haalt de koffie. Daaruit leid ik af dat het personeel vandaag vrij heeft.'

'Ik heb geen personeel, en dat wist u al.'

'Dat hoort bij mijn werk. En als ik heel eerlijk ben...' Ze glimlachte waarbij een scheefstaande hoektand te zien was. '... zou ik hier graag eens rondkijken. Ik heb wel een paar fotoreportages in tijdschriften gezien,' voegde ze eraan toe. 'Maar dat is niet hetzelfde als hier echt binnen zijn.'

'Goed.'

Ze bekeek de hal toen ze verder liepen, toen de grote zitkamer, de muziekkamer met de dubbele schuifdeuren, die uitkwamen in de zitkamer als er een feest was.

'Er komt geen eind aan, is het wel? Maar op een leefbare manier, niet als in een museum. Dat vroeg ik me af. U hebt het karakter behouden, en dat wil iets zeggen. De binnenkant past bij de buitenkant.'

'Bluff House is heel belangrijk voor mijn grootmoeder.'

'En voor u?'

'Ja, ook voor mij.'

'Het is een groot huis voor één persoon. Heeft uw grootmoeder hier de laatste jaren alleen gewoond?'

'Dat klopt. Als haar artsen er toestemming voor geven, komt ze weer terug. Dan blijf ik bij haar wonen.'

'Familie komt op de eerste plaats. Ik weet hoe dat gaat. Ik heb twee kinderen, een moeder die me tot wanhoop drijft en een vader die haar gek maakt sinds hij met pensioen is. Hij heeft zijn dertig dienstjaren volbracht.'

'Uw vader was politieagent?'

'Ja, hij was een van The Boys. Maar dat wist u al.'

'Dat hoort bij mijn werk.'

Ze glimlachte. Daarna draaide ze zich om en liep de keuken in. 'Dit hoort niet bij het oorspronkelijke huis, maar toch weerspiegelt het wel het karakter van de rest. Kookt u?'

'Niet echt.'

'Ik ook niet. Deze keuken ziet eruit alsof er serieus gekookt kan worden.'

'Mijn grootmoeder bakt graag.' Hij liep naar het koffiezetapparaat, terwijl zij zich op een kruk aan het eiland nestelde. 'En de vrouw die hier schoonmaakt, neemt koken volgens mij heel serieus.'

'U bedoelt Abra Walsh. Ze... maakt nu het huis schoon voor u.'

'Dat klopt. Is mijn privéleven relevant, mevrouw Burke?'

'Zeg toch Sherrilyn. En ja, alles is relevant. Zo werk ik nou eenmaal. Dus ik vind het prettig om een indruk te krijgen van het huis. Bovendien ben ik een bewonderaar van de moeder van mevrouw Walsh. En naar aanleiding van alles wat ik heb ontdekt, koester ik ook enige bewondering voor haar dochter. Ze heeft hier een interessant leven voor zichzelf opgebouwd, na een aantal flinke tegenslagen. Hoe zit dat met u?'

'Ik doe mijn best.'

'U was een behoorlijke advocaat, van uw soort welteverstaan.' Weer liet ze haar snelle glimlach zien. 'En nu probeert u een boek te schrijven.'

'Inderdaad.'

'Uw naam zou voor opwinding zorgen. Oud geld, schandalen, mysterie.'

In zijn binnenste stremde de wrok als zure melk. 'Ik ben er niet op uit om voor opwinding te zorgen via het geld van mijn familie of vanwege de moord op mijn vrouw.'

Ze haalde haar schouders op. 'Zo liggen de zaken nou eenmaal, meneer Landon.'

'Als je me gaat beledigen, kun je beter Eli zeggen.'

'Ik probeer je in te schatten. Je bent de politie meer ter wille geweest dan ik na de moord op je vrouw zou hebben verwacht.'

'Achteraf gezien was dat ook niet verstandig.' Hij zette de koffie voor haar neer. 'Ik dacht niet als advocaat. Tegen de tijd dat ik weer begon te denken, was het een beetje te laat.'

'Hield je van haar?'

Hij had zelf om een vrouw gevraagd, dacht hij. Iemand die nauwgezet was en een frisse blik had. Zo'n vrouw had hij gekregen. Als detective leek ze in niets op degene die hij na Lindsays dood in de arm had genomen.

Daar moest hij dus ook de consequenties van dragen.

'Toen ze stierf niet meer. Het is pijnlijk om niet zeker te weten of ik ooit van haar heb gehouden. Maar ze was wel belangrijk voor me. Ze was mijn vrouw en ze was belangrijk. Ik wil weten wie haar heeft vermoord. Ik wil weten waarom. Het afgelopen jaar heb ik te veel tijd verdaan met het verdedigen van mezelf, en te weinig met het echt proberen te vinden van de antwoorden.'

'Als je de hoofdverdachte bent in een moordonderzoek bevind je je voortdurend in het middelpunt van de aandacht. Ze had jou bedrogen. Jij probeerde een beschaafde, eerlijke echtscheiding te regelen, waarbij veel geld en de reputatie van je familie op het spel stonden. Zelfs met het huwelijkscontract ging het om veel geld en goederen, en toen ontdekte je dat ze je voor gek had gezet. Je ging het huis binnen, dat was gekocht met jouw geld, omdat dat van haar nog in het trustfonds zat toen jullie het kochten. Je riep haar ter verantwoording, je werd driftig, pakte de kachelpook en gaf haar ervan langs. Toen was het van: godverdomme, wat heb ik nou gedaan? Je belde de politie en dekte je in met de oude smoes van: "Ik kwam hier binnen en zo heb ik haar gevonden."'

'Zo zagen zij het.'

'De agenten.'

'De politie, Lindsays ouders, de media.'

'De ouders doen er niet toe en aan de media kun je ook niets veranderen. En uiteindelijk kreeg de politie de zaak tegen jou niet rond.'

'Daar mag de politie dan niet in geslaagd zijn, maar dat wil niet zeggen dat zij, of wie dan ook, me nu als onschuldig beschouwen. Lindsays ouders hebben hun dochter verloren en daarom doen ze er wel degelijk toe, en zij geloven dat ik ongestraft een moord heb gepleegd. De pers mag dan gewoon zijn werk doen, journalisten leggen wel gewicht in de schaal. Voor het grote publiek hebben ze redelijk overtuigend weten aan te tonen dat ik het moet hebben gedaan, en daar heeft mijn familie onder geleden.'

Ze nam hem rustig op terwijl hij sprak, en pas nu begreep hij dat ze net zo goed een indruk van hem had gekregen als van Bluff House.

'Probeer je me soms kwaad te krijgen?'

'Misschien wel. Beleefde mensen vertellen je haast niets. Op het eerste gezicht leek de zaak-Lindsay Landon waterdicht. Echtgenoot die van haar was vervreemd, verraad, geld, crime passionnel. Iedereen zou als eerste de man onder de loep nemen, plus degene die het lichaam heeft gevonden. In beide gevallen was jij dat. Geen spoor van braak of een worsteling. Geen teken dat het een uit de hand gelopen beroving betrof, en daar bovenop het feit dat het slachtoffer en jij eerder die dag en plein public hadden staan ruziën. Dat is heel wat gewicht in de schaal.'

'Daar ben ik me van bewust.'

'Het probleem is dat dat ook alles is. Oppervlakkig. Als je dieper graaft, is het onhoudbaar. De timing is kielekiele, het tijdstip van overlijden, het tijdstip dat een aantal getuigen jou het kantoor heeft zien verlaten, de tijd waarop je het alarm hebt uitgezet om naar binnen te gaan. Dus je kunt niet naar binnen, weer naar buiten en weer naar binnen zijn gegaan, want je bent gezien op je kantoor, je had afspraken en gesprekken tot na zes uur 's avonds. En er zijn getuigen die bevestigen hoe laat het slachtoffer de galerie waar ze werkte heeft verlaten. Ongeveer twee uur voor jij het huis binnen ging, is zij er die middag naar binnen gegaan. Ook dat staat vast.'

'De politie meende dat het qua tijd krap was, maar dat het toch wel mogelijk was dat ik naar binnen was gegaan, ruzie had gemaakt, haar had vermoord en had geprobeerd de sporen uit te wissen, waarna ik het alarmnummer heb gebeld.'

'Bij een reconstructie bleef daar niet veel van over, zelfs niet toen de openbaar aanklager het liet naspelen. Lekkere koffie,' zei ze terloops. Daarna vervolgde ze: 'Dan heb je het forensisch bewijs nog. Er zijn geen spetters op jou gevonden en je kunt zulke klappen niet uitdelen zonder dat het spettert. Geen spatten op je kleding, en getuigen hebben bevestigd welk kostuum en welke das je droeg toen je het kantoor verliet. Wanneer heb je de tijd gehad, in een totaal tijdsbestek van ongeveer twintig minuten, om je te verkleden, en later je eerdere kleren weer aan te trekken? En waar zijn de met bloed bevlekte kledingstukken dan gebleven? Of wat je anders ook maar hebt gebruikt om je pak te beschermen?'

'Je klinkt precies als mijn advocaat.'

'Dat is een slimme kerel. En je bent nooit eerder gewelddadig geweest, je had niets op je kerfstok. En hoe vaak ze jou ook ondervroegen, jij bleef bij je verhaal, daar week je niet vanaf.'

'Omdat het de waarheid was.'

'Daar kwam nog bij dat het gedrag van het slachtoffer in jouw voordeel was. Zij had immers gelogen en jou bedrogen. Zij ging uit van een royaal bedrag bij de echtscheiding terwijl zij een stiekeme verhouding had. Daar is in de pers ook op gewezen.'

'Het is eenvoudig om een dode vrouw te bezoedelen en dat was niet wat ik wilde.'

'Maar het hielp, net als de tijden van de telefoongesprekken tussen Justin Suskind en haar, nadat je haar die middag had opgezocht. Daardoor is hij nog een poosje als verdachte beschouwd.'

Hij merkte dat het idee van koffie hem tegenstond en hij opende de koelkast om water te pakken. 'Ik zou willen dat hij het was.'

'Dat ligt niet erg voor de hand. Eén: het motief. Tenzij je gelooft dat zij had besloten om hun relatie te verbreken of op een lager pitje te zetten na haar ruzie met jou. Het probleem van het motief wordt nog groter omdat ze er heel goed in was om hem geheim te houden. Vriendinnen, collega's, buren, niemand wist van zijn bestaan. Sommige mensen vermoedden dat ze iemand had, maar ze sprak nooit over hem. Er stond te veel op het spel. Ze had geen dagboek, en de e-mails tussen hen waren heel voorzichtig. Ze hadden allebei veel te verliezen. Ze ontmoetten elkaar bijna uitsluitend in hotels of restaurants buiten de stad. In bed & breakfasts. De politie heeft niks kunnen achterhalen wat op enige spanning tussen hen duidde.'

'Nee.' Hij zou willen dat de herinnering niet nog altijd stak, zelfs al was het ondertussen een doffe pijn geworden. 'Volgens mij gaf ze heel veel om hem.'

'Dat kan zijn, maar het kan ook zijn dat ze op zoek was naar avontuur. Dat zul je waarschijnlijk nooit zeker weten. Maar het grootste probleem met Suskind als moordenaar is dat zijn vrouw hem een alibi geeft. Zijn bedrogen vrouw. Ze komt over als diep beschaamd, ze was zelfs helemaal kapot door zijn verhouding, maar ze zegt tegen de politie dat hij die avond thuis was. Ze hebben daar gegeten, met zijn tweeën, want de kinderen hadden iets op school. Die komen rond kwart over acht thuis en bevestigen dat mama en papa samen thuis waren.'

Ze opende haar aktetas en haalde er een map uit. 'Zoals je weet, zijn de Suskinds onlangs uit elkaar gegaan. Ik hoopte dat ze haar verhaal zou veranderen nu haar huwelijk op de klippen is gelopen. Ik heb gisteren met haar gesproken. Ze is verbitterd, vermoeid en ze heeft haar buik vol van haar man en hun huwelijk, maar ze blijft bij haar verhaal.'

'En wat schieten wij daarmee op?'

'Nou, als je één verhouding hebt, heb je er misschien meer. Misschien is er een andere minnaar die niet blij was met haar of met Suskind, of misschien is een andere echtgenote de confrontatie met Lindsay aangegaan. Ik heb nog niemand gevonden, maar dat wil niet zeggen dat het me niet zal lukken. Zou ik er nog een mogen?' vroeg Sherrilyn, en ze wees op het koffiezetapparaat.

'Ja, tuurlijk.'

'Anders zou ik het zelf zetten, maar dat apparaat ziet eruit alsof het zonder gebruiksaanwijzing niet te bedienen is.'

'Geen probleem.'

'Dank je. Kijk, je zult zien, en ik meen dat je vorige detective hetzelfde heeft gemeld, dat ze niet altijd een creditcard gebruikte om kamers te boeken. Soms betaalde ze contant, en dat is moeilijk na te trekken. Op dit moment hebben we getuigen op verscheidene plaatsen die Justin Suskind hebben aangewezen als haar metgezel. Nu moeten we op zoek gaan naar iemand die een ander kan aanwijzen.'

Hij bracht haar de verse koffie, nam zelf ook weer plaats en bladerde door de dossiers terwijl Sherrilyn doorpraatte.

'Zij heeft de moordenaar binnengelaten. Heeft hem haar rug toegekeerd. Ze kende haar moordenaar, dus we moeten onderzoeken wie ze allemaal kende. Het politiekorps van Boston is heel grondig geweest, maar ze dachten dat jij het had gedaan en de onderzoeksleider was niet van dat standpunt af te brengen.'

'Wolfe.'

'Hij is een buldog. In zijn optiek voldeed jij aan alle eigenschappen, ik kan zijn redenatie volgen. Bovendien ben je strafpleiter. Dat is de vijand. Hij werkt zich het schompes om de slechteriken van de straat te halen en jij verdient bakken met geld door ze weer uit de bajes te krijgen.'

'Zwart-wit.'

'Voor ik privédetective werd, heb ik vijf jaar bij de politie gezeten.' Ze pakte de beker met twee handen beet en leunde achterover om ervan te genieten. 'Ik zie genoeg grijstinten, maar het is flink balen wanneer een snelle jongen in een strak pak een klootzak vrij weet te krijgen wegens een vormfout of omdat hij een gehaaide truc weet te bedenken. Wolfe kijkt naar jou en ziet een rijke, bevoorrechte, verwende, konkelende en schuldige man. Hij had een verdomd goede zaak opgebouwd met indirect bewijs, maar hij kon het net niet waterdicht krijgen. En nu ben jij in Whiskey Beach en voor je het weet, is er weer een moord gepleegd vlak bij jou om de hoek.'

'Nu klink je niet als mijn advocaat, maar als een politieagent.'
'Ik heb vele kanten,' zei ze gemoedelijk.
Ze pakte nog een dossier en legde dat op het eiland. 'Kirby Duncan. Hij was in feite een eenmansbedrijf en hield zijn zaakje klein en lowtech. Hij was niet de allergoedkoopste, maar wel een aanbiedinkje. De agenten mochten hem, hij was zelf ook bij de politie geweest en hij was redelijk eerlijk. Wolfe kende hem, was min of meer bevriend met hem, en hij is kwaad dat hij jou dit niet in de schoenen kan schuiven en het vervolgens kan gebruiken om te bewijzen dat jij je vrouw hebt vermoord.'
'Dat heb ik luid en duidelijk begrepen,' mompelde Eli.
'Maar in deze zaak klopt er niets van. Duncan was niet dom en hij zou de man die hij schaduwde nooit in zijn eentje op een afgelegen plaats hebben ontmoet. Tenzij hij in een opwelling besloot om 's avonds tijdens een storm naar de vuurtoren te gaan, is hij ernaartoe gegaan om iemand te ontmoeten, vermoedelijk iemand die hij kende. En diegene heeft hem vermoord. Jij hebt een alibi en er is helemaal niets wat erop wijst dat Duncan en jij elkaar ooit hebben ontmoet of hebben gesproken. Er is ook niks wat erop wijst dat jij als een haas naar Boston bent gereden, en het staat vast dat je daar was toen Abra Walsh in Bluff House is aangevallen. En het is al helemaal onmogelijk hard te maken dat je een ontmoeting met Duncan hebt geregeld, hem vervolgens hebt vermoord en naar Boston bent gegaan om daar zijn kantoor en huis overhoop te halen en daarna weer bent teruggereden naar Whiskey Beach. Dat gelooft geen mens.'
'Wolfe...'
Sherrilyn schudde haar hoofd. 'Volgens mij gaat dat Wolfe zelfs te ver, hoe hard hij wellicht ook zijn best doet om het te geloven. Als hij Walsh er nou bij kan betrekken, zodat jij hulp had, of erachter komt dat je contact hebt opgenomen met een kennis in Boston om de zaken daar te regelen, dan zou hij het wel geloven.'
'Iemand heeft het moordwapen in Abra's huis verstopt.'
'Wat?' Ze ging rechtop zitten en haar blik was even scherp en geërgerd als haar toon. 'Waarom wist ik daar verdomme niets van?'
'Het spijt me. Ik heb het zelf pas maandag gehoord.'
Met een grimmige trek om haar mond haalde ze een schrijfblok en

een pen uit haar aktetas. 'Vertel me precies wat er is gebeurd.'

Hij vertelde alles wat hij wist en keek toe hoe ze aantekeningen maakte in wat hij als politiesteno beschouwde.

'Slordige valstrik,' concludeerde ze. 'Degene die dit heeft gedaan is impulsief, ongeorganiseerd en misschien een beetje dom.'

'Hij heeft een ervaren privédetective omgebracht en tot nu toe is hij daar ongestraft mee weggekomen.'

'Zelfs domme mensen kunnen geluk hebben. Ik wil die cottage graag een keer zien voor ik terugga naar Boston.'

'Ik zal het aan Abra vragen.'

'En die sleuf in de kelder. Ik zal proberen mijn licht op te steken bij het plaatselijke korps. Eens kijken hoeveel ze bereid zijn me te vertellen.' Ze tikte met haar pen op de bladzijde terwijl ze Eli aankeek. 'In onze telefoongesprekken en e-mails heb je laten doorschemeren dat je vermoedt dat dit allemaal met elkaar te maken heeft.'

'Anders zou het wel verrekte veel toeval zijn.'

'Misschien wel. Ik heb nog een toevalligheid achterhaald die ik heel interessant vind.'

Ze pakte nog een map. 'Ongeveer vijf maanden geleden heeft Justin Suskind een huis gekocht dat Sandcastle heet, aan de noordelijke punt van Whiskey Beach.'

'Hij... Heeft hij hier een huis gekocht?'

'Ja, inderdaad. Het staat op naam van Legacy Corp, een verder lege vennootschap die hij heeft opgericht. Zijn vrouw staat niet vermeld op de koopakte of de hypotheekovereenkomst. Als ze inderdaad officieel gaan scheiden zal die aankoop bekend worden. Het kan heel goed zijn dat ze er op dit moment geen flauw idee van heeft.'

'Waarom heeft hij in godsnaam hier een huis gekocht?'

'Nou, het is een mooi strand, en de onroerend-goedmarkt is nog altijd in het voordeel van de kopers.' Weer keek ze hem glimlachend aan. 'Maar ik ben cynisch genoeg om te denken dat hij andere motieven heeft. Het kan zijn dat hij jou op een vergissing hoopt te betrappen om zijn overleden minnares te kunnen wreken, maar jij woonde hier vijf maanden geleden nog niet en je was ook niet van plan om dat te gaan doen.'

'Bluff House was hier wel. Mijn oma...'

'Ik zie niet in hoe dit hem ook maar enigszins in verband brengt met de dood van je vrouw, en je hebt mij in dienst genomen om dat na te trekken. Maar ik ben dol op raadsels, anders zou ik dit vak niet uitoefenen. En ik ben nieuwsgierig. Hij koopt hier een pand, betrekkelijk dicht bij jouw zeer herkenbare familiehuis, en uit mijn informatie is gebleken dat jij hier zelden kwam toen je getrouwd was.'

'Lindsay vond het hier niet leuk. Mijn oma en zij konden niet met elkaar overweg.'

'Ik kan me zo voorstellen dat ze wel eens iets heeft gezegd over het huis, bijvoorbeeld tijdens een intiem gesprekje in bed. Dus een paar maanden na haar overlijden, koopt haar minnaar een huis. En jij hebt een sleuf in je kelder, een oma in het ziekenhuis, een privédetective die jou schaduwt en die vervolgens wordt vermoord. En nu is het moordwapen verstopt in het huis van de vrouw met wie je een relatie hebt. Wat zit er achter dat alles, Eli? Het gaat niet om jou. Jij was hier niet toen hij de eerste stap zette. Waar draait het wel om?'

'Esmeralda's bruidsschat, iets wat vermoedelijk niet eens bestaat en als het wel bestaat ligt het in elk geval niet in de kelder begraven. Hij heeft mijn oma voor dood achtergelaten.'

'Misschien wel. Het valt niet te bewijzen, maar het kan. Ik zou je niet al deze informatie hebben gegeven als ik je aanzag voor iemand die snel over de rooie gaat en dan domme dingen gaat doen. Mijn mensenkennis is bovengemiddeld. Zorg ervoor dat ik jou goed heb ingeschat.'

Omdat hij wel degelijk zin had om over de rooie te gaan en iets doms te doen, kwam hij abrupt overeind en begon te ijsberen. 'Hij had haar kunnen doden. Ze lag daar maar, god mag weten voor hoelang. Een weerloze oude vrouw en hij heeft haar voor dood achtergelaten. Hij kan Lindsay ook hebben omgebracht.'

Met een ruk wendde hij zich weer tot haar. 'Stel je voor dat zijn vrouw liegt, dat ze hem dekt uit trouw of angst. Hij is in staat iemand te vermoorden. De kans is groot dat hij Duncan ook op zijn geweten heeft. Wie anders? Wie zou het anders iets kunnen schelen wat ik deed? Ik dacht dat het Lindsays familie was, maar dit is veel logischer.'

'Daar heb ik ook wat onderzoek naar gedaan. Ik ben immers nieuwsgierig,' herhaalde ze. 'De Piedmonts hadden een uitstekende firma in de arm genomen en die hadden twee van hun beste mensen in Boston op de zaak gezet. Ongeveer drie weken geleden hebben ze het contract beëindigd.'

'Wat? Waarom?'

'Ik heb begrepen dat de onderzoekers hebben gerapporteerd dat er niets meer te ontdekken valt. Ik zeg niet dat ze het niet nog eens met een andere firma zullen gaan proberen, maar ik kan wel melden dat zij Kirby Duncan niet hebben ingehuurd.'

'Als Suskind dat heeft gedaan, moet hij hebben geweten hoe laat ik het huis verliet, waar ik was en hoeveel tijd hij had om te graven. Hij was hier binnen op de avond dat ik in Boston was, want Duncan had hem verteld dat ik in Boston was. Toen kwam Abra binnen. Als zij zich niet had verdedigd, had hij haar kunnen...'

Sherrilyn bleef zitten, terwijl hij naar de terrasdeuren liep en weer terugkwam. 'Je zei toch dat Duncan rechtdoorzee was?' vroeg hij.

'Zo stond hij wel bekend.'

'Vinnie, hulpsherrif Hanson, is met hem gaan praten op de avond dat hier is ingebroken. Hij heeft hem ondervraagd. Hij heeft Duncan verteld over de inbraak en over Abra. Iemand die rechtdoorzee is, zou het niet leuk hebben gevonden dat een cliënt hem gebruikte om de wet te overtreden. Om een vrouw aan te vallen. Dus heeft Suskind hem vermoord zodat hij niet ontmaskerd zou worden.'

'Als dat ooit bewezen kan worden, is het een keurig afgerond geheel. Maar voorlopig?' Ze tikte nog een keer op de dossiermappen. 'Het enige wat we kunnen aantonen is dat hij een huis heeft gekocht. En zijn vrouw leek me niet echt trouw of bang toen ik met haar sprak, maar eerder vernederd en verbitterd. Ik zou niet weten waarom ze voor hem zou liegen.'

'Hij is wel de vader van haar kinderen.'

'Dat is waar. Ik zal het verder onderzoeken. Maar nu ga ik hier wat rondkijken in de hoop dat ik erachter kan komen wat Suskind van plan is. Ik zal mijn vizier op hem richten.'

'Ik wil dat je de politie alle informatie geeft die je hebt.'

Ze kromp even ineen. 'Pijnlijk. Hoor eens, de politie zal hem willen spreken, vragen stellen, hun eigen beeld vormen. Dat maakt hem misschien zo bang dat hij vertrok en dan zijn we onze beste kans kwijt. Gun me wat tijd. Zeg een week. Laat me kijken wat ik kan ontdekken.'

'Een week dan,' stemde Eli in.

'En laat me nu maar dat beroemde gat in je kelder zien.'

Beneden nam ze een paar foto's met een kleine digitale camera. 'Dit wijst op grote vastberadenheid,' merkte ze op. 'Ik heb wat onderzoek gedaan naar die bruidsschat, het schip en dat soort dingen. Ik wilde een globale indruk hebben. Ik wil graag dat een van mijn mensen het wat nader gaat onderzoeken, als jij dat goed vindt.'

'Prima. Ik heb er zelf ook veel over gelezen. Als er iets verborgen was, zouden we dat al lang geleden hebben gevonden. Hij verdoet zijn tijd.'

'Waarschijnlijk wel. Maar het is een groot huis. Met veel plekjes om iets te verstoppen, lijkt me.'

'Het grootste deel is pas jaren na het zinken van de Calypso gebouwd. Het is te danken aan de whiskey, generatie op generatie, plus de stokerijen, de pakhuizen en de kantoorgebouwen.'

'Jij bent niet voor het familiebedrijf gaan werken,' zei ze toen ze de kelder weer uit liepen.

'Het is echt iets voor mijn zus. Zij is er goed in. Ik word de Landon in Bluff House. Er heeft er hier altijd een gewoond,' legde hij uit. 'Al sinds het huis niet meer dan een stenen cottage op de rots was.'

'Tradities.'

'Die zijn belangrijk.'

'Daarom ben je naar het huis in Black Bay gegaan om de ring van je oma te halen.'

'Hij hoorde niet bij de spullen die tijdens het huwelijk waren gekocht. Dat stond ook heel duidelijk in het huwelijkscontract. Maar op dat moment vertrouwde ik Lindsay niet.'

'Waarom zou je ook?' merkte Sherrilyn op.

'De ring was van de Landons. Mijn oma had hem aan mij gegeven, zodat ik hem aan mijn vrouw kon schenken als een symbool dat ze bij de familie hoorde. Dat heeft Lindsay niet gewaardeerd. En ik was kwaad,' voegde hij eraan toe, de deur van de kelder achter zich dicht trekkend. 'Ik wilde iets terugnemen wat van mij was. De ring, het zilveren servies dat al tweehonderd jaar in de familie was. Het schilderij... dat was dom,' erkende hij. 'Ik wilde niet dat ze iets had wat ik had gekocht om sentimentele redenen, met een vertrouwen dat zij vervolgens had beschaamd. Dom, want na alles wat... Ik kan de aanblik ervan niet eens meer verdragen.'

'Dat legde nog meer gewicht aan jouw kant van de schaal. Je bent naar boven gegaan om de ring te halen en dat was ook het enige wat je hebt meegenomen. Alle sieraden die jij voor je vrouw hebt gekocht heb je met geen vinger aangeraakt. Je hebt het niet meegenomen en je hebt het niet door de kamer of uit het raam gesmeten. Je vertoonde geen spoor van gewelddadig gedrag of de neiging daartoe. Jij bent geen agressieve man, Eli.'

Hij dacht aan Suskind. Aan Lindsay, zijn oma en Abra. 'Dat zou ik wel kunnen zijn.'

Ze gaf een moederlijk klopje op zijn arm. 'Verander nou maar niet. Ik heb voor vanavond een kamer geboekt in de B&B. Ik wil met de eigenaresse een babbeltje maken over Duncan en vragen met wie ze hem allemaal heeft gezien. Soms herinneren mensen zich tijdens het eten van een bosbessenmuffin dingen waar ze niet aan denken als ze met de politie praten. Ik wil Abra's cottage zien en stiekem een kijkje nemen bij het huis van Suskind. Kijken of ik een gesprekje kan aanknopen met zijn buren en wat winkeliers. Hij moet toch etenswaren en misschien af en toe een sixpack bier hebben gekocht.'

'Goed. Ik zal Abra even bellen over de cottage.'

Hij wierp een blik op de lijst op het prikbord in de keuken en pakte zijn telefoon.

'Is dat haar rooster?'

'Dat van vandaag.'

'Ze leidt een druk leven.'

Sherrilyn bestudeerde het rooster terwijl Eli met Abra praatte. Een vrouw die een vinger in zo veel potten pap had, wist over heel veel mensen een beetje. Dat zou handig kunnen zijn.

'Ze zei dat je de sleutel bij de buurvrouw kunt halen, het huis rechts van de cottage. Maureen O'Malley.'

'Geweldig. Die dossiers zijn voor jou. Ik heb er kopieën van.' Ze sloot haar aktetas en tilde hem op. 'Ik zal je op de hoogte houden.'

'Dank je. Je hebt me veel stof tot nadenken gegeven.' Toen hij met haar naar de deur liep, schoot hem ineens iets binnen.

'Sixpack. Bier. Café.'

'Doe mij er maar een van de tap.'

'Abra, de tweede inbraak. We waren in het café, daar werkt ze op vrijdagavond. Ze zag daar een man, onbekend, onvriendelijk. Hij had een derde drankje besteld, maar is vertrokken voor ze het hem bracht, zodra ik binnen was gekomen.'

'Kan ze een beschrijving van hem geven?'

'Het is daar nogal donker. Ze heeft een politietekenaar geholpen, maar de tekening stelt niet veel voor. Maar...'

'Stel dat je haar een foto van Suskind laat zien. Het is het proberen waard. Er zit er een in het dossier. Dat bewijst hooguit dat hij in het café was, wat niet veel voorstelt aangezien hij hier een huis heeft. Maar het is in elk geval iets meer dan we hadden.'

Hij wilde nog meer, dacht Eli. Het idee dat de man met wie zijn vrouw hem had bedrogen haar ook had kunnen vermoorden, knaagde aan zijn binnenste. Die kerel kon zijn oma van de trap hebben geduwd en haar daarna voor dood hebben laten liggen. Hij kon Abra hebben aangevallen.

Hij was Bluff House binnengedrongen. Iedereen in Whiskey Beach kende de Landons, dus hier een huis kopen deed je niet zomaar. Hij had het gedaan om dicht bij Bluff House te zijn, daar was Eli zeker van.

Hij bracht de mappen naar de bibliotheek, ging ermee aan het oude bureau zitten en pakte zijn gele opschrijfblok om aantekeningen te maken.

Daarna ging hij aan de slag.

Toen Abra kort na vijf uur binnenkwam, was hij nog altijd druk bezig en de hond die haar bij de deur begroette, keek haar aan met een smekende blik.

'Eli.'

'Hè?' Knipperend met zijn ogen keek hij op en hij fronste. 'Je bent er weer.'

'Ja, ik ben er weer, en eigenlijk ben ik een beetje aan de late kant.' Ze liep naar het bureau en bekeek de bedrukte vellen, de dikke berg aantekeningen, en ze pakte twee lege flesjes op. 'Nee maar, een sessie waar twee Mountain Dews aan te pas kwamen.'

'Die ruim ik wel op.'

'Hoeft niet. Heb je geluncht?'

'Eh...'

'Heb je de hond uitgelaten?'

'O.' Hij wierp een snelle blik op de treurig kijkende Barbie. 'Ik ben er helemaal in opgegaan.'

'Twee dingen. Eén: ik sta niet toe dat je jezelf weer gaat verwaarlozen door maaltijden over te slaan en alleen op gele frisdrankjes en koffie te leven. En twee: je mag geen hond verwaarlozen die afhankelijk van jou is.'

'Je hebt gelijk. Ik had het druk. Ik zal haar zo uitlaten.'

Als reactie draaide Abra zich eenvoudigweg om en liep de kamer uit, met de hond vlak achter zich.

'Shit.' Hij keek naar zijn papieren, de vooruitgang die hij had geboekt, en haalde zijn handen door zijn haar.

Hij had toch zeker niet om die hond gevraagd? Maar hij had haar wel in huis genomen, dus hij moest ook voor het dier zorgen. Hij stond op en liep naar de keuken, die leeg was. Wel stond Abra's gigantische tas op het aanrecht. Aan een blik door het raam had hij genoeg om te zien dat ze zelf met de hond naar buiten was gegaan. Ze waren halverwege de trap naar het strand.

'Het heeft geen zin om er pissig over te doen,' mompelde hij, en hij pakte snel een jack en Barbies lievelingsbal en ging naar buiten.

Toen hij hen bereikte wandelden de vrouw en de hond in gezwinde pas langs de waterkant.

'Ik ging er helemaal in op.'

'Dat was duidelijk.'

'Hoor eens, de privédetective heeft me veel nieuwe informatie gegeven. Dat is belangrijk.'

'Dat geldt ook voor de gezondheid en het welzijn van jouw hond, om nog maar te zwijgen over die van jezelf.'

'Ik ben haar gewoon vergeten. Ze is ook zo verdomd beleefd.' Omdat het beschuldigend klonk, stuurde hij de hond in stilte een verontschuldiging. 'Ik zal het weer goed met haar maken. Ze gaat graag achter de bal aan. Kijk maar.' Hij knipte de riem los. 'Pak hem, Barbie.' Hij smeet de bal het water in.

Vreugde gaf de hond vleugels en ze racete erachteraan.

'Zie je? Ze heeft me vergeven.'

'Ze is een hond. Ze zal iedereen bijna alles vergeven.' Abra stapte soepel aan de kant toen een drijfnatte Barbie terugkwam en de bal op het zand liet vallen.

Eli raapte hem op en gooide hem opnieuw.

'Zou je eraan gedacht hebben haar eten te geven? Haar waterbak was leeg.'

'Verdomme.' Juist. Op dat moment wat hij dus een lul. 'Het zal niet nog eens gebeuren. Ik was er...'

'... helemaal in opgegaan,' maakte ze zijn zin af. 'Dus je hebt vergeten je hond water te geven en uit te laten en je hebt zelf niet gegeten. Je hebt zeker ook niet geschreven? In plaats daarvan heb je al je tijd en energie besteed aan moorden en schatten.'

Hij mocht doodvallen voor hij zich daarvoor zou verontschuldigen. 'Ik moet antwoorden hebben, Abra. Ik dacht dat jij die ook wilde krijgen.'

'Dat is ook zo.' Ze deed haar best om haar kalmte te bewaren toen hij de hond dolgelukkig maakte door de bal nog een keer weg te gooien. 'Dat wil ik echt, maar niet ten koste van jou, niet als je daardoor alles wat je opnieuw hebt opgebouwd weer teniet doet.'

'Nee, zo ligt het niet. Jezus, het was maar een middag. Een middag waarin allerlei gebieden ontsloten werden die ik moet onderzoeken. Want als je niets weet, is opnieuw opbouwen alleen niet voldoende.'

'Dat begrijp ik. Heus waar. En het kan zijn dat ik overdreven reageer, behalve wat betreft de hond, want daar bestaat geen excuus voor.'

'Hoe lullig wil je dat ik me ga voelen?'

Daar dacht ze even over na, zijn situatie en die van Barbie afwegend. 'Behoorlijk lullig over de hond.'

'Nou, daar ben je in geslaagd.'

Met een zucht trok ze haar schoenen uit en rolde haar broekspijpen op tot haar knieën zodat ze de branding in kon waden.

'Ik geef om je. Heel veel. Ik zit ermee dat ik zo veel om je geef, Eli.'

'Waarom dan?'

'Het is gemakkelijker om gewoon mijn eigen leven te leiden. Daar heb jij zelf ook ervaring mee,' zei ze, terwijl ze de haren uit haar gezicht veegde toen de wind ze naar voren blies. 'Het is gemakkelijker om gewoon mijn leven te leiden dan om opnieuw die stap te zetten. Maar ik lijk mezelf niet te kunnen tegenhouden.'

De wending die het gesprek had genomen bezorgde hem een verbaasd en een beetje ongemakkelijk gevoel. 'Jij bent belangrijker voor me dan ik had gedacht dat iemand weer kon, of zou, worden. Dat is best eng.'

'Ik vraag me af of we ons zo zouden voelen als we elkaar een paar jaar geleden hadden ontmoet. Als we de mensen van toen waren geweest. Jij hebt jezelf uit een diep dal getrokken, Eli.'

'Daar heb ik hulp bij gehad.'

'Volgens mij accepteren mensen pas hulp als ze eraan toe zijn, of ze dat nou beseffen of niet. Jij was eraan toe. Als ik eraan denk hoe verdrietig, vermoeid en somber jij was toen je net in Whiskey Beach was, krijg ik opnieuw medelijden met je. Ik zou het echt vreselijk vinden als je weer in die gemoedstoestand zou belanden.'

'Dat gaat niet gebeuren.'

'Ik wil dat je je antwoorden krijgt. Die wil ik ook. Maar ik wil niet dat het iets is waardoor je opnieuw in die hel belandt, of nog erger, iets waardoor je verandert in iemand die ik niet ken. Heel egoïstisch, maar ik wil dat je blijft wie je nu bent.'

'Goed. Goed.' Hij nam even de tijd om zijn gedachten op een rijtje te zetten. 'Dit is wie ik ben, en mijn echte ik vergeet dingen, kan ergens helemaal in opgaan en leert te waarderen dat er iemand is die hem zegt dat hij dat niet moet doen. Ik ben niet zo anders als vóór al dit gedoe. Maar wat er is gebeurd, heeft me wel scherper gemaakt. Ik wil niet dat jij daar een probleem mee hebt, maar ik ga nergens heen. Ik ben waar ik wil zijn. Daar ben ik heel zeker van.'

Ze veegde haar haren nogmaals naar achteren en hield haar hoofd een beetje schuin. 'Doe één das weg.'

'Wat?'

'Doe één das weg. Eén das, en je mag zelf kiezen welke. En laat me één scène uit jouw boek lezen. Ook eentje die jij kiest. Symbolisch. Iets weggooien van voor die tijd en me iets aanbieden van nu.'

'En daarmee is het probleem opgelost?'

Ze bewoog haar hand heen en weer. 'We zullen zien. Goed, ik moest maar eens bedenken wat we gaan eten en ervoor zorgen dat je het ook echt verorbert.' Ze porde in zijn buik. 'Je bent nog steeds aan de magere kant.'

'Jij hebt ook niet veel vlees op je botten.' Om dat te bewijzen tilde hij haar op, waarop ze begon te lachen en haar benen om zijn middel sloeg.

Ze drukte haar nog altijd glimlachende lippen op de zijne toen hij haar ronddraaide. En toen ze iets naar achteren boog, zag ze precies waar hij naartoe liep.

'Nee, niet doen! Eli!'

Rollend en tuimelend verdween ze samen met hem in de branding. Naar adem snakkend slaagde ze erin overeind te komen, net toen de volgende golf eraan kwam en haar weer omver smeet.

Brullend van de lach trok Eli haar omhoog. 'Ik wilde weten hoe het was.'

'Nat. En koud.' Ze veegde haar druipnatte haar weg terwijl de opgewonden hond rondjes om hen heen zwom. Wat zei het over haar dat zijn impulsieve, domme daad al haar eerdere ergernis en nervositeit had uitgewist, vroeg ze zich af. 'Rotzak.'

'Zeemeermin.' Hij trok haar weer tegen zich aan. 'Daar lijk je op, precies zoals ik dacht.'

'Deze zeemeermin heeft anders benen en die zijn op dit ogenblik ijskoud. En ze heeft zand op heel intieme plekjes.'

'Zo te horen is het tijd voor een lange, warme douche.' Hij pakte haar hand en trok haar naar de kant. 'Ik zal je wel helpen met dat zand.' Hij lachte weer toen de wind opstak. 'Verdraaid, wat is het koud! Kom mee, Barbie.'

Ze was voor de bijl gegaan, dat was wat het over haar zei, dacht ze. Compleet voor de bijl. Ze slaagde er nog net in haar schoenen mee te grissen, waarna ze het strand over renden.

24

Zodra ze de bijkeuken in kwamen, trok Abra haar druipende hoodie uit en werkte met haar tenen haar doorweekte schoenen van haar voeten.

'Koud, koud, koud,' zei ze klappertandend. Ze deed haar natte topje uit en wurmde zich uit de broek die aan haar huid kleefde.

De aanblik van Abra die nat, bloot en huiverend voor hem stond, vertraagde Eli's voortgang. Hij worstelde nog met zijn kletsnatte spijkerbroek toen zij al wegrende.

'Wacht even!' Met moeite kreeg hij zijn broek en boxershort uit, en hij gooide alles op een hoop in een steeds groter wordende plas zeewater en bergjes nat zand, waarna hij achter haar aan stormde.

Hij hoorde haar nog steeds hetzelfde zeggen.

'Koud, koud, koud.'

Hij haalde haar in op het moment dat de douche hard aanging en zij een gesmoorde kreet van opluchting slaakte.

'Warm, warm, warm.'

Ze slaakte een gilletje toen hij haar van achteren beetpakte.

'Nee! Jij bent nog koud.'

'Niet lang meer.'

Hij draaide haar om, trok haar tegen zich aan en pakte een handvol haar beet. En toen hij zijn mond op de hare drukte, voelde hij de hitte toenemen.

Hij wilde haar overal aanraken, al haar natte huid, lange ledematen en subtiele rondingen. Hij wilde haar schorre lach horen, haar horen zuchten. Als ze nu huiverde, kwam het door opwinding en verwachting, terwijl het warme water op hen neerkletterde.

Haar handen gleden over hem heen, een licht geschraap van nagels, de erotische druk van haar vingers. Ze draaide zich samen met hem om onder het water, rond en rond in de waterval, haar mond nat en eisend op de zijne gedrukt.

Hij wilde dat ze vrolijk was, hij wilde de problemen die hij op het strand in haar ogen had gezien uitwissen. Hij wilde haar beschermen tegen de problemen die nog zouden komen, iets wat ongetwijfeld zou gebeuren.

Problemen leken hem te achtervolgen, dacht hij.

Maar op dit moment was er alleen hitte en genot en verlangen. Op dit moment kon hij haar alles geven wat hij bezat.

Ze klampte zich aan hem vast, en toen hij haar opnieuw omdraaide en zijn handen over haar lichaam liet gaan, haakte ze een van haar armen naar achteren, om zijn hals, om hem dicht tegen zich aan te houden. Ze hief haar gezicht op, zoals ze ook zou doen in een frisse regenbui, en opende voor hem.

Zijn lippen deden zich tegoed aan de ronding van haar keel, haar schouder en veroorzaakten pulserende schokjes op haar huid. En toen zijn handen over haar natte lijf omlaag gingen, bracht hij haar tot een snel hoogtepunt waarbij ze een diepe kreun slaakte.

Haar lichaam wilde meer. Een aanraking hier, even proeven daar. Heel geduldig en meedogenloos wakkerde hij haar verlangen aan tot een intense, heerlijke hunkering.

Toen ze zich omkeerde en haar mond weer op de zijne drukte, zette hij haar klem tegen de natte tegels en vulde haar.

Heel langzaam nu, opstijgend als de stoom, vallend als het water, zwevend op dikke, natte wolken van genot. Door de nevel heen, keek ze diep in zijn ogen. Daarin lagen de antwoorden, dacht ze. Ze hoefde alleen te aanvaarden wat ze al wist, alleen vast te houden wat haar hart al wilde.

Jou, dacht ze toen ze zich liet gaan. Jij bent degene op wie ik heb gewacht.

Toen ze haar gezicht tegen zijn schouder drukte, huiverend met hem in die laatste val, droeg ze liefde mee in haar hart.

Zichzelf in haar verliezend, hield hij haar nog even vast. Daarna duwde hij haar hoofd naar achteren en kuste haar zacht. 'Nog even over dat zand.'

Haar lach maakte het moment volmaakt.

In de keuken, weer warm en droog, probeerde ze te besluiten wat ze gingen eten terwijl hij de wijn inschonk.

'We kunnen ook gewoon een paar boterhammen eten,' begon hij.

'Nee, dat doen we niet.'

'Probeer je me weer een schuldgevoel aan te praten omdat ik de lunch heb overgeslagen?'

'Nee, volgens mij was een keer duidelijk genoeg.' Ze legde knoflook, een paar dikke tomaten en een stuk Parmezaanse kaas op het aanrecht. 'Ik heb honger, en dat hoor jij ook te hebben. Dank je.' Ze pakte het glas wijn aan en tikte ermee tegen het zijne. 'Maar nu je er toch over begint: vertel eens waar je zo in verdiept was geraakt?'

'Ik heb vandaag een gesprek gehad met de privédetective.'

'Ja, je zei dat ze zou komen.' Geïntrigeerd keerde Abra zich om van de koelkast, waar ze in had staan zoeken. 'Je vertelde dat ze nieuws had.'

'Dat kun je wel zeggen.' Opeens bedacht hij iets, en hij stak een vinger op. 'Wacht eventjes. Ik wil iets proberen. Het kost maar een paar minuutjes.'

Hij ging naar de bibliotheek voor de mappen en haalde er de foto van Justin Suskind uit. Daar liep hij mee naar boven, naar zijn kantoor, en hij maakte een kopie. Hij sloot zijn ogen en probeerde in gedachten de tekening van de politietekenaar te zien.

Met potlood probeerde hij langer haar toe te voegen, en hij gaf wat meer schaduw rond de ogen. Hij was bepaald geen Rembrandt, zelfs geen Hester H. Landon, maar het was het proberen waard.

Met de foto en de kopie ging hij weer naar beneden, en liep eerst nog even de bibliotheek in om de mappen en zijn aantekeningen te halen.

Toen hij de keuken weer in liep, had ze twee pannen op het fornuis staan. Een smalle schaal met olijven, gemarineerde artisjokken en cherry paprikaatjes stond op het eiland, terwijl zij knoflook fijnhakte.

'Hoe doe je dat toch?' vroeg hij, een olijf in zijn mond stoppend.

'Keukenmagie. Wat is dat allemaal?'

‘Dossiers die de detective me heeft gegeven en aantekeningen die ik heb gemaakt. Ze is helemaal teruggegaan naar het begin.’

Tegen de tijd dat hij het hele verhaal had doorgenomen, en even een pauze inlaste voor hij haar over Suskinds aanwezigheid in Whiskey Beach zou vertellen, had zij een schaal pastasalade met tomaten, basilicum en knoflook gemaakt. Hij keek toe hoe ze er Parmezaanse kaas overheen raspte.

‘Dat heb je in nog geen half uur voor elkaar gekregen. Ja, ja, keukenmagie,’ zei hij, voor ze kon reageren. Hij schepte eerst een kom voor haar vol en daarna een voor hem.

Abra ging op de kruk naast hem zitten en proefde. ‘Lekker. Dat is dus geslaagd. Dus zij gelooft ook dat alles met elkaar verband houdt?’

‘Ja, ze... Lekker?’ vroeg hij, nadat hij zelf een hap had genomen. ‘Het is zalig. Dit recept moet je opschrijven.’

‘Dan gaat de spontaniteit eraf. Zij gaat toch ook met Vinnie praten? En met rechercheur Corbett?’

‘Dat is wel de bedoeling. En ze heeft ook wat nieuwe informatie voor hen.’

‘Wat dan?’

‘Kijk eerst hier eens naar.’ Hij draaide de aangepaste kopie om en legde die tussen hen in. ‘Komt deze vent je bekend voor?’

‘Ik... Hij heeft veel weg van de man die op die avond in het café was. Heel veel zelfs.’ Ze pakte de foto en bestudeerde hem zorgvuldig. ‘Deze persoon lijkt meer op hem dan ik duidelijk wist te maken aan de politietekenaar. Hoe kom je hieraan?’

Als antwoord draaide Eli de originele foto om.

‘Wie is dat?’ mompelde ze. ‘Korter haar en een verzorgder uiterlijk. Hoe heeft zij de man weten te vinden die ik in het café heb gezien?’

‘Ze wist niet dat ze hem had gevonden. Dit is Justin Suskind.’

‘Suskind, de man met wie Lindsay een relatie had? O, natuurlijk!’ Met een geërgerde blik tikte ze met haar vingers tegen haar slaap. ‘Verdorie! Vorig jaar heb ik zijn foto in de krant gezien, maar dat was ik vergeten of ik heb het verband niet gelegd. Ik heb er waarschijnlijk niet zo veel aandacht aan besteed. Wat deed hij in de Village Pub?’

‘De boel in de gaten houden. Een paar maanden geleden heeft hij

Sandcastle gekocht, een cottage op de noordelijke kaap.'

'Heeft hij een huis gekocht in Whiskey Beach? Maar dat huis ken ik.' Ze wees met een vinger naar Eli. 'Ik ken het. In het hoogseizoen maak ik het huis ertegenover schoon. Eli, er is maar één reden waarom hij hier een huis zou willen kopen.'

'Om toegang te krijgen tot dit huis.'

'Maar dat is belachelijk. Als je er goed over nadenkt, is het volslagen idioot. Hij had een verhouding met jouw vrouw en nu is hij... Had hij die verhouding om informatie over het huis in te winnen, of wellicht in de hoop om meer over de schat te weten te komen? Of heeft hij daarover gehoord tijdens hun verhouding?'

'Lindsay heeft nooit veel belangstelling voor Bluff House gehad.'

'Maar ze was een schakel,' hield Abra vol. 'Ze wist toch wel van de Calypso en de bruidsschat?'

'Ja. Daar heb ik haar over verteld toen ik haar voor het eerst hier mee naartoe nam. Ik heb haar de inham laten zien waar de piraten voor anker gingen. En ik heb haar ook verteld over de whiskeysmokkel gedurende de drooglegging. Je weet wel, indruk maken op het meisje met couleur locale en legendes over de Landons.'

'En was ze onder de indruk?'

'Het is een mooi verhaal. Ik weet nog dat ze me tijdens een paar etentjes vroeg om het verhaal aan de anderen te vertellen, maar dat was meer voor de lol. Ze had er geen hoge dunk van, evenmin als van Whiskey Beach.'

'Suskind duidelijk wel, en nog steeds. Eli, dit is groot nieuws. Hij kan overal achter zitten. De inbraken, Hesters val, de moord op Duncan, die op Linds...'

'Hij heeft een alibi voor Lindsay.'

'Dat was zijn vrouw, toch? Als die heeft gelogen...'

'Ze zijn uit elkaar en zij blijft bij haar oorspronkelijke verklaring. Volgens Sherrilyn met enige tegenzin, aangezien ze tegenwoordig weinig genegenheid voor Suskind meer koestert.'

'Daarom kan ze nog steeds wel liegen.' Ruw prikte Abra wat pasta aan haar vork. 'Hij is schuldig aan andere misdrijven.'

'Men is onschuldig tot...' bracht Eli haar in herinnering.

'O, ga nou niet de advocaat uithangen. Geef me één goede reden waarom hij dat huis zou kopen.'

'Ik kan er wel een paar verzinnen. Hij houdt van het strand, hij zocht een goede investering, zijn huwelijk is of was op de klippen gelopen, en hij wilde een rustige plek waar hij alles op een rijtje kon zetten. Lindsay en hij waren hier een keer in een opwelling naartoe gereden zodat ze hem Bluff House kon laten zien, en hij heeft de cottage gekocht als herinnering aan die volmaakte dag.'

'O, dat is allemaal flauwekul.'

Hij haalde zijn schouders op bij het horen van haar plotselinge irritatie. 'Gerede twijfel. Als ik zijn advocaat was, zou ik veel ophef maken over het feit dat mijn cliënt wordt ondervraagd alleen maar omdat hij een strandhuis heeft gekocht.'

'En als ik openbaar aanklager was, zou ik veel bombarie maken over de reeks van toevalligheden en alle schakels. Een huis aan dit specifieke strand, waar jouw familie een oud huis bezit en waar sinds de aankoop van Suskind een aantal keer is ingebroken?'

Ze snoof en trok daarna een heel ernstig gezicht. 'Edelachtbare, ik voer aan dat de verdachte het betreffende pand heeft gekocht en er is gaan wonen met als enige bedoeling om Bluff House onrechtmatig te betreden en naar een piratenschat te zoeken.'

Met een glimlach boog hij zich naar haar toe om haar een zoen te geven. 'Bezwaar. Dat zijn louter gissingen.'

'Ik geloof niet dat ik advocaat Landon erg aardig zou vinden.'

'Dat kan wel zijn, maar met het bewijs dat er ligt, zou ik Suskind zonder enig probleem vrij hebben gekregen.'

'Draai het dan om. Hoe zou advocaat Landon de zaak tégen hem hebben opgebouwd?'

'Door uit te zoeken of hij bekend was met óf belangstelling had voor Esmeralda's bruidsschat. En bewijzen dat de vezels die in jouw huis zijn gevonden afkomstig zijn van hem, dat zou het belangrijkste zijn. Bewijzen dat het wapen van hem was. Of een of meerdere van de stukken gereedschap in de kelder met hem in verband brengen. Kijken of mijn oma hem aan kan wijzen als de insluiper. En ik zou helemaal teruggaan om te bewijzen dat de verklaring van zijn vrouw niet klopt. Of nog beter, ik zou een manier proberen te bedenken waarop ik hem in het huis kan plaatsen op het moment dat Lindsay werd vermoord, maar dat zal niet lukken. Een of meer getuigen vinden die kunnen vertellen dat Lindsay en hij problemen hadden. Dat zou een goed begin zijn.'

Nadenkend nam Abra een slokje wijn. 'Wedden dat we boeken, aantekeningen en allerlei informatie over Bluff House bij hem zullen vinden.'

'Niet zonder huiszoekingsbevel, en dat krijg je niet zonder dat er een gerede verdenking bestaat.'

'Val me niet lastig met wettelijke vereisten.' Met een zwaai van haar hand wuifde Abra die weg. 'Ze kunnen een *CSI* doen op de vezels en zijn kleren. En op het DNA-materiaal op mijn pyjama.'

'Ook daar heb je een bevelschrift voor nodig, en voor je dat krijgt, moet je weer aantonen dat er een aannemelijke verdenking bestaat.'

'En het wapen...'

'Staat nergens geregistreerd. Daaruit leid ik af dat het vermoedelijk op straat is gekocht en contant is betaald. Of gekocht van een dubieuze handelaar en contant is afgerekend. Zo moeilijk is dat niet in Boston.'

'Hoe ga je zoiets na?'

'Zijn foto aan bekende wapenhandelaren laten zien. De betreffende handelaar vinden, ervoor zorgen dat hij Suskind identificeert en hem dan overhalen te getuigen.' Eli liep de procedure en mogelijkheden na. 'Daarvoor heb je hetzelfde soort geluk nodig als voor het winnen van een miljoenenprijs in een loterij.'

'Uiteindelijk moet er iemand winnen. Jouw detective moet dat allemaal gaan doen. Volgens mij moeten we Hester het in haar eigen tempo laten herinneren, als het haar ooit weer te binnenschiet. Maar weet je, het was donker en ik heb het idee dat ze hem niet echt heeft gezien. Niet meer dan een schim, een vorm.'

'Dat ben ik met je eens.'

'Het gereedschap zal niet eenvoudig worden. Die dingen heeft hij vast al maanden geleden gekocht. Wie zou zich een man herinneren die een pikhouweel of een moker heeft gekocht? Maar... Ik vind dat je naar Boston moet gaan om met zijn vrouw te praten.'

'Hè? Met Eden Suskind? Waarom zou die met mij willen praten?'

‘Kijk, Eli, dat bewijst maar dat je niet veel snapt van vrouwen. Vooral niet van boze, bedrogen en verdrietige vrouwen. Jullie zijn allebei bedrogen door haar man en jouw vrouw. Dat schept een soort band. Jullie hebben een moeilijke ervaring gemeen.’

‘Niet een erg stevige band als zij denkt dat ik Lindsay heb vermoord.’

‘Er is maar één manier om daar achter te komen. En als we er toch zijn, kunnen we meteen even bij het kantoor van Kirby Duncan gaan kijken.’

‘We?’

‘Ik ga natuurlijk met je mee. Als meelevende vrouw.’ Abra legde een hand op haar hart en toverde een uitdrukking van kalm medeleven op haar gezicht.

‘Heel overtuigend. Dat kun je goed, zeg.’

‘Nou, ik heb ook medelijden met haar. Misschien voelt ze zich veiliger als er een andere vrouw bij is. Eentje die duidelijk kan laten zien dat ze met haar meeleeft en begrip heeft voor haar situatie. En we moeten de foto van Suskind echt laten zien aan mensen in de omgeving van Duncans kantoor.’

‘Dat is een taak voor privédetectives.’

‘Ja uiteraard, maar ben je dan niet nieuwsgierig? Deze week kan ik niet want ik zit hartstikke vol, en bovendien moeten we de plannen wat beter uitwerken. De kans bestaat dat jouw detective in de tussentijd de loterij wint, en wij kunnen kijken of we Suskind ook zien. En een oogje op Sandcastle houden.’

‘We kunnen daar niet in de buurt gaan rondhangen. Als hij ons ziet, schrikken we hem misschien af. En jij gaat niet naar zijn huis. Geen denken aan,’ zei hij voor ze iets kon zeggen. ‘Dat is een bevel. We weten niet of hij nog een wapen heeft, en als hij er wel een heeft, kunnen we ervan uitgaan dat hij het zal gebruiken. Duncan had een geregistreerd wapen en dat is niet bij hem gevonden en voor zover ik heb kunnen nagaan ook nergens anders.’

‘Een pure gok, maar ik ben het bijna helemaal met je eens. We hoeven trouwens ook niet rond te hangen. Kom, ik zal het je laten zien.’

Ze ging hem voor naar het terras en de telescoop. ‘Mike heeft verteld dat de vorige eigenaars het huis ongeveer vijf jaar geleden als investering hadden gekocht, vlak voor de huizenbubbel barstte. De economie stortte in, mensen gaven minder geld uit aan vakanties, enzovoort,' ging ze verder terwijl ze de telescoop naar het zuiden draaide. 'Het heeft ruim een jaar te koop gestaan en ze moesten de prijs telkens laten zakken. Toen...'

Opeens ging ze rechtop staan. 'Jezus nog aan toe, wat ben ik een sukkel! Je moet met Mike gaan praten. Hij heeft het huis verkocht.'

'Dat meen je toch niet?'

'Jawel. Het was me ontschoten. Hij was de makelaar voor dat huis. Misschien weet hij ergens iets meer over.'

'Ik zal met hem gaan praten.'

'Voorlopig kun je kijken.' Ze tikte tegen de telescoop. 'Sandcastle.'

Eli boog zich voorover en keek door het oculair. Het huis stond bijna aan de punt van de noordkaap, een huis van overnaadse planken met een bovenverdieping en een grote veranda aan de kant van het strand. Hij zag dat de jaloezieën bij alle ramen en schuifdeuren dicht zaten. Een korte oprit, en geen auto.

'Zo te zien is er niemand.'

'Een uitgelezen moment om er een kijkje te nemen.'

'Nee,' zei hij, nog altijd naar het huis kijkend.

'Toe, je weet dat je niets liever zou doen.'

Zonder meer waar, maar hij wilde niet dat zij mee zou gaan.

'Het enige wat er te zien is, is een huis waarvan de jaloezieën naar beneden zijn.'

'We kunnen het slot vast wel open krijgen.'

Hij ging rechtop staan. 'Meen je dat nou?'

Ze haalde haar schouders op, maar had het fatsoen om hem schaapachtig aan te kijken. 'Ja, ergens wel. Stel je voor dat we bewijs vinden, dan...'

'... zou dat volkomen ontoelaatbaar zijn.'

'Advocaatje.'

'Nee, dat is gezond verstand,' beweerde hij. 'We gaan niet bij hem, of bij wie dan ook, inbreken. Vooral niet bij de man die best een moordenaar kan zijn.'

'Als ik er niet was, zou je het wel doen.'

'Niet waar.' Dat hoopte hij tenminste vurig.

Met samengeknepen ogen keek ze hem aan en slaakte toen een zucht. 'Nee, dat zou jij niet doen. Zeg dan op zijn minst dat je het wel zou wíllen doen.'

'Wat ik wil, is dat hij daar is. Ik wil ernaartoe gaan, zijn deur intrappen en hem vervolgens helemaal lens slaan.'

Bij het horen van de kille razernij in zijn stem zette ze grote ogen op. 'O. Heb je al eens iemand helemaal lens geslagen?'

'Nee. Hij zou de eerste zijn. Maar ik zou ervan genieten. Of het nou een gok is of niet.' Woest stak hij zijn handen in zijn broekzakken en ijsbeerde over het terras. 'Het zal me een zorg zijn. Ik weet niet of hij Lindsay heeft vermoord, maar de kans is groot. En ik weet heel zeker dat hij verantwoordelijk is voor wat oma is overkomen. Ik weet dat hij jou heeft aangeraakt. Hij heeft Duncan doodgeschoten. Dat zal hij allemaal zo opnieuw doen, en nog erger, om te krijgen waar hij zijn zinnen op heeft gezet en ik kan er verdomme niks tegen doen.'

'Nog niet.'

Hij bleef staan en probeerde een deel van zijn frustratie af te schudden. 'Nog niet.'

'Wat kun je op dit moment doen?'

'Ik kan met Mike gaan praten. Ik kan overwegen om Eden Suskind op te zoeken, en bedenken hoe ik haar het beste kan benaderen. We kunnen de politie jouw identificatie van Justin Suskind geven, wat de agenten een reden geeft met hem te gaan praten. Maar dat wil ik pas over een paar dagen doen om Sherrilyn eerst wat meer tijd te gunnen. Daar komt vast niet veel uit, maar als ze wel informatie boven tafel haalt, zal het hem ongerust maken. Ik kan onderzoek blijven doen naar de bruidsschat en proberen te bedenken waarom hij gelooft dat hij die hier zal vinden.'

Door dit alles te overdenken kalmeerde hij. 'Ik kan erop rekenen dat de detective haar werk zal doen. En als extra zekerheid kan ik een plan bedenken om Suskind dit huis binnen te lokken, zodat ik die hufter te pakken kan nemen.'

'Wij,' verbeterde ze.

'Als wij zijn huis kunnen zien, kan hij Bluff House zeker zien. Dus hij houdt het in de gaten, al kan dat sporadisch zijn. We moeten zeker weten dat hij thuis is. Dan kunnen we duidelijk zichtbaar weggaan. Een paar weekendtassen meenemen of zo.'

'Alsof we er een paar dagen tussenuit gaan.'

'Dat zou hem de perfecte gelegenheid bieden. We parkeren ergens uit het zicht, gaan te voet terug en gaan via de zuidingang naar binnen. En vervolgens gaan we de geheime gang in met een videocamera. Ik heb online een aantal video- en bewakingcamera's bekeken.'

'Heel goed. Je neemt initiatief. En het kan succes hebben. Maar wat doen we met Barbie?'

'Shit. Ja, als zij blaft, gaat hij misschien niet naar binnen. We nemen haar mee en brengen haar naar Mike en Maureen. Zouden zij een paar uur op haar willen passen?'

'Natuurlijk.'

'We moeten het plan nog wel wat beter uitwerken.' En hij wilde het stuk van tevoren een keer lopen, kijken hoe het met de timing zat. 'Het is een goed reserveplan. Hopelijk slagen Sherrilyn en de politie erin voldoende bewijs te verzamelen om hem te ondervragen en onder druk te zetten.'

'Het idee om met mijn minnaar in een geheime gang te zitten bevalt me wel.' Ze sloeg haar armen om hem heen. 'Klaar om een koelbloedige moordenaar in de val te lokken. Het is net een scène uit een romantische thriller.'

'Als je dan maar niet gaat niezen.'

'Echt niet. En nu we het toch over scènes uit een boek hebben...'

'Ja, afspraak is afspraak. Ik zal er eentje uitkiezen. Laat me er nog even over denken.'

'Mij best. En wat betreft die das...'

'Meende je dat echt?'

'Absoluut. Zoek jij er maar een uit, dan stop ik de natte kleren, die we helemaal hebben vergeten, in de wasmachine. En daarna kun jij afwassen en neem ik die dossiers door. Daarna moet Barbie voor de laatste keer worden uitgelaten.'

'Je hebt het allemaal al geregeld.'

'Ik doe mijn best.' Ze zoende hem, eerst op de ene wang en toen op de andere. 'Een das,' herhaalde ze, en ze trok hem weer mee naar binnen.

Met meer tegenzin dan hij had verwacht liep hij de trap op en trok zijn dassenrek uit de kast.

Hij was dol op zijn dassen. Niet dat hij er een emotionele band mee had, maar hij mocht graag wat variatie hebben. Iets te kiezen.

Wat nog altijd niet verklaarde waarom hij ze allemaal had meegenomen naar het strand, vooral niet omdat hij het afgelopen half jaar slechts een paar keer een das had gedragen.

Goed, misschien had hij er een kleine emotionele band mee. Hij had rechtszaken gewonnen terwijl hij deze dassen droeg, en er ook een paar verloren. Tijdens zijn loopbaan had hij er elke dag eentje uitgekozen. Als hij 's avonds laat nog op kantoor was geweest, had hij ze losser getrokken. Hij had ze talloze malen dichtgeknoopt en afgedaan.

Al was dat in een ander leven geweest.

Hij wilde er een pakken met blauwe en grijze streepjes, maar veranderde van gedachten en tilde een bordeauxrode met een vaag ruitjespatroon op. Koos weer een andere.

'Wel verdraaid.'

Hij deed zijn ogen dicht en greep er blindelings een.

Natuurlijk was het er eentje van Hermes.

'Geregeld.'

Het deed zowaar pijn om ermee bij de andere weg te lopen. Om het gedeprimeerde gevoel te laten verdwijnen liep hij zijn kantoor in.

Ze zou tegen hem zeggen dat het goed was, dacht hij, terwijl hij probeerde te bepalen welke scène hij haar moest geven. Ze zou erom liegen.

Hij wilde niet dat ze zou liegen. Hij wilde dat ze het goed zou vinden.

Vreemd genoeg besefte hij dat hij precies wist welke scène ze moest lezen. Eentje waarbij hij haar commentaar kon gebruiken.

Hij scrolde door zijn manuscript en vond de juiste pagina's. Hij printte ze snel, voor hij van gedachten zou veranderen.

'Wees nou geen mietje,' zei hij tegen zichzelf. Met de bladzijden en de das ging hij naar beneden.

Ze zat aan het eiland en wreef met een blote voet over de hond die uitgestrekt op de grond lag. En ze droeg een bril met een feloranje montuur.

'Je hebt een bril.'

Ze rukte hem af alsof het een vies geheimpje was. 'Af en toe, als ik iets moet lezen. Vooral als de letters klein zijn. Dit is af en toe heel klein.'

'Zet hem weer op.'

'Ik ben ijdel. Ik kan het niet helpen.'

Hij legde de pagina's neer, pakte de bril en zette hem op haar neus. 'Je ziet er schattig uit.'

'Ik dacht dat een opvallend montuur verschil zou maken, maar ik ben nog altijd ijdel en ik vind het nog steeds vervelend om hem te dragen. Alleen soms bij het lezen of als ik sieraden maak.'

'Wat je zo al niet ontdekt. Je bent echt schattig.'

Achter de brillenglazen sloeg ze haar ogen ten hemel en ze zette de bril weer af toen ze de das zag. 'Goed zo,' zei ze, hem uit Eli's hand pakkend. Ze liet haar wenkbrauwen op en neer gaan toen ze het label zag. 'Hermes. Heel mooi. Daar zullen de dames van de tweedehandswinkel heel blij mee zijn.'

'Tweedehandswinkel?'

'Ik ga hem niet zomaar weggooien. Iemand kan hem nog gebruiken.'

Hij keek ernaar toen zij van de kruk sprong om hem in haar tas te stoppen. 'Mag ik hem terugkopen?'

Lachend schudde ze haar hoofd. 'Je zult hem niet missen. Is dat voor mij?' Ze gebaarde naar de geprinte pagina's.

'Ja. Een scène, een paar bladzijden maar. Ik dacht dat ik beter alles in een keer kon doen. Een beetje als een pleister er in een keer af trekken.'

'Het zal geen pijn doen.'

'Dat doet het nu al. Ik wil niet dat je tegen me liegt.'

'Waarom zou ik dat doen?'

Hij griste de bladzijden weg toen zij ze wilde pakken. 'Je bent van nature beschermend en je gaat met me naar bed. Het druist tegen je inborst in om iemands gevoelens te kwetsen. Maar je zult de mijne niet kwetsen. Nee, dat is een leugen. Maar ik moet weten of dit goed is of niet, zelfs als de waarheid pijn doet.'

'Ik zal niet tegen je liegen.' Ze reikte naar de pagina's. 'Ga de vaatwasser maar laden, dan denk je er even niet aan.'

Ze legde haar voeten op de tweede kruk en zette haar bril weer op omdat die toch voor het grijpen lag. Nadat ze hem over de bladzijden had aangekeken, gebaarde ze dat hij weg moest gaan, en pakte ze haar halfvolle glas wijn waar ze heel zuinig mee had gedaan. En begon te lezen.

Ze las het twee keer en zei niets toen het servies rinkelde en er water in de gootsteen liep.

Toen legde ze de bladzijden neer en zette haar bril af zodat hij haar ogen goed kon zien.

Ze glimlachte.

'Ik zou een beetje hebben gelogen. Zelf zie ik dat als een zachte leugen, omdat het net een kussen is, het geeft beide partijen een zachte landing.'

'Een zachte leugen.'

'Ja. Meestal voel ik me daar niet schuldig over. Maar ik ben heel blij dat ik geen leugen hoef te vertellen, zelfs geen zachte. Je hebt me een liefdesscène gegeven.'

'Nou... Ja. Daar had ik een reden voor. Ik heb er niet veel geschreven. Het zou een zwakke plek kunnen zijn.'

'Nou, dat is het niet. Het is opwindend en romantisch en wat belangrijker is, je hebt me laten zien wat ze voelen.' Ze legde een hand op haar hart. 'Ik weet dat hij hier gekwetst is.' Ze tikte met haar hand. 'Zij wil hem emotioneel raken en ze wil zo graag dat hij haar ook raakt. De redenen daarvoor weet ik niet, maar ik weet dat dit voor hen allebei heel belangrijk is. Het is geen zwakke plek.'

'Hij had niet verwacht haar te zullen vinden. Ik had niet gedacht haar te zullen vinden. Zij maakt verschil. Bij hem én in het boek.'

'Zal hij ook wat teweegbrengen bij haar?'

'Dat hoop ik wel.'

'Hij is jou niet.'

'Dat wil ik ook niet, maar er zitten wel dingen in van mij. Zij is jou niet, maar... Ik weet bijna zeker dat ze een leesbril met een oranje montuur zal dragen.'

Ze lachte. 'Mijn bijdrage aan jouw literaire oeuvre. Ik kan haast niet wachten om het van begin tot eind te lezen, Eli.'

'Dat zal nog wel even duren. Drie maanden geleden had ik die scène niet kunnen schrijven. Dan zou ik er niet in hebben geloofd, en het vanbinnen niet hebben gevoeld.' Hij liep naar haar toe. 'Jij hebt me meer dan alleen een leesbril gegeven.'

Ze sloeg haar armen om hem heen en drukte haar wang tegen zijn borstkas. Het was ook niet verwonderlijk dat ze zo snel voor hem was gevallen, nadat ze die eerste riskante stap had gezet, dacht ze.

En ze zou er geen spijt van krijgen.

'Kom, we gaan Barbie uitlaten,' zei ze.

Bij de woorden uitlaten en Barbie, krabbelde de hond overeind en begon met haar hele lijf te schudden.

'Dan kan ik je meteen vertellen welke ideeën ik voor jouw nieuwe kantoor op de tweede verdieping heb.'

'Voor mijn kantoor.'

Haar lippen krulden omhoog toen ze hem losliet. 'Het zijn maar ideeën.' Ze stond op om de riem te pakken en een van zijn jacks, aangezien het hare op dat moment werd gecentrifugeerd. 'Onder meer een schitterend schilderij dat in een winkeltje in het dorp hangt. Het is er eentje van Hester.'

'Hangen er nog niet genoeg schilderijen in dit huis?'

'Niet in je nieuwe kantoor.' Ze rolde de mouwen van zijn jack op en ritste het dicht. 'En de kunst daar moet inspirerend, stimulerend en persoonlijk zijn.'

'Ik weet precies wat me zal inspireren, stimuleren, en dat is ook nog heel persoonlijk.' Hij pakte een ander jack. 'Een grote foto van jou, ten voeten uit, waarop je alleen die bril draagt.'

'Echt waar?'

'Levensgroot,' zei hij, Barbies riem vastmakend.

'Dat is een reële mogelijkheid.'

'Wat?' Hij hief zijn hoofd heel snel, maar ze liep al naar de deur. 'Wacht eens even. Meen je dat?'

Haar lach hing nog in de lucht toen hij en de hond haar achterna renden.

25

Eli wisselde een aantal e-mails met zijn privédetective, deed een uur per dag onderzoek naar Esmeralda's bruidsschat en begroef zich in zijn boek. Hij stelde het reisje naar Boston met Abra uit, want het schrijven aan zijn boek liep als een trein. Hij hunkerde naar de uren die hij in het verhaal doorbracht, en de verlokkelijk reële mogelijkheid om zijn leven een echt andere wending te geven.

Ook wilde hij tijd om zich voor te bereiden. Als hij echt met Eden Suskind ging praten, een poging wilde wagen om bijzonder gevoelige onderwerpen uit hun privéleven aan te snijden, dan moest hij dat goed doen.

Voor zijn gevoel leek dat op het ondervragen van een getuige bij een rechtszaak.

En hij zou het niet erg vinden om de videocamera en bewakingscamera die hij had gekocht nog een dag of twee uit te kunnen proberen.

Hoe dan ook, hij merkte dat hij aarzelde om Whiskey Beach te verlaten, al was het maar voor een dag. Regelmatig liep hij het terras op om door de telescoop te kijken.

Uit Sherrilyns korte, dagelijkse verslagen wist hij dat Justin Suskind nog altijd in Boston was, daar werkte en in een appartement vlak bij zijn kantoor woonde. Hij was een keer naar huis gegaan, net lang genoeg om zijn twee kinderen op te halen en vervolgens was hij ergens met ze gaan eten.

Toch kon hij elk moment terugkeren naar Whiskey Beach en Eli wilde hem niet missen.

'S Middags liep hij meestal met de hond in noordelijke richting en hij rende twee keer met Barbie langs Sandcastle, waarna hij de trap op het noordelijke strand beklom en via de weg weer terugging.

Daardoor kon hij zo onopvallend mogelijk de deuren en ramen beter bekijken.

Hij zei tegen zichzelf dat hij nog een paar dagen nodig had om alles te laten bezinken en er nog wat over na te denken.

En als hij door dat langer laten bezinken eventueel de kans kreeg om Suskind tegen het lijf te lopen op een van zijn wandelingen, en het genoegen zou smaken om direct de confrontatie met hem aan te gaan?

Nou, Eli had het gevoel dat hij dat had verdiend.

Toen hij die middag stopte, mocht hij van zichzelf aan Abra denken. Hij ging naar beneden en liet Barbie het terras op gaan. Ze waren tot de ontdekking gekomen dat ze het prettig vond om even in de zon te liggen voor ze gingen wandelen.

Daarna keek hij op Abra's dagschema. Om vijf uur gaf ze een les, zag hij. Hij zou iets kunnen koken.

Bij nader inzien, een veel smakelijker inzicht, besloot hij om pizza te laten bezorgen. Ze konden buiten eten, in de schemerige lenteavond met de viooltjes en narcissen. Hij zou een paar kaarsen op tafel zetten. Ze hield van kaarsen. Hij zou de streng glazen balletjes met lichtjes aandoen die hij aan de dakrand van het grote terras had gehangen. Hij had de lampjes gevonden toen hij de opbergruimtes had doorzocht en het was hem gelukt ze te repareren, al had hij geen flauw idee hoe hij dat had geflikt.

Hij kon hier en daar rond het huis wat bloemen stelen en die op tafel zetten. Dat zou ze leuk vinden.

Hij had tijd genoeg om de hond uit te laten, een uurtje in de bibliotheek te werken en de tafel buiten mooi te dekken voor ze thuiskwam.

Thuiskwam, dacht hij. Officieel woonde ze nog in Laughing Gull, maar in feite woonde ze in Bluff House, bij hem.

Wat vond hij daar eigenlijk van?

Hij vond het prima, dacht hij. Het gaf hem een fijn gevoel. Als iemand hem een paar maanden eerder had gevraagd hoe hij het zou vinden om zo'n relatie te hebben, zou hij daar geen antwoord op hebben kunnen geven.

De vraag zou niet goed tot hem zijn doorgedrongen. Er was simpelweg niet genoeg van hém geweest om een relatie te hebben.

Hij opende de koelkast voor een Mountain Dew of een Gatorade, maar zag toen de fles water met de Post-It. Die had hij die ochtend genegeerd.

Wees lief voor jezelf.
Drink mij eerst.

'Goed, goed.' Hij pakte het water en trok het briefje eraf. Daar moest hij om glimlachen.

Had hij het een fijn gevoel genoemd? Dat was waar, maar behalve dat het fijn was, voelde hij zich voor het eerst in lange tijd gelukkig.

Nee, aan het begin was hij nog niet helemaal compleet geweest, maar was zij levensgroot aanwezig geweest. Door haar wilde hij nu hetzelfde, zelfs al was het alleen door onhandig een streng lampjes te repareren en op te hangen omdat die hem aan haar deed denken.

'Het gaat steeds beter,' mompelde hij.

Hij zou met de hond gaan lopen, het water drinken en daarna verdergaan met zijn onderzoek.

Toen er werd aangeklopt, liep hij naar de voordeur.

'Hoi, Mike.' Hij stapte naar achteren om Mike binnen te laten. Nog meer vooruitgang, dacht hij. Hij vond het leuk als er een vriend langskwam.

'Eli. Het spijt me dat ik niet eerder ben gekomen. We hebben het stikdruk. Eindelijk zit de huizenverkoop weer wat in de lift, net als de verhuur. Het lenteseizoen doet het goed.'

'Dat is goed om te horen.' Toch fronste hij.

'Wat is er?'

'De das.'

'O, ja. Best gaaf, vind je niet? Ik heb hem bij de tweedehandswinkel gekocht. Een Hermes,' zei hij met een bekakt accent. 'Vijfenveertig dollar, maar je kunt de cliënten er mooi mee imponeren.'

'Ja.' Dat had Eli ook ooit gedacht. 'Dat geloof ik graag.'

'Goed, ik heb mijn dossiers over Sandcastle nagekeken, om mijn geheugen op te frissen, snap je? Ik kan je alles vertellen wat er in het kadaster staat en wat voor indruk ik van hem heb gekregen. Maar sommige dingen zijn vertrouwelijk, begrijp je?'

'Ik snap het. Wil je iets drinken?'

'Iets kouds graag. Het is een lange dag geweest.'

'Laten we eens kijken wat ik heb.' Eli ging hem voor naar de keuken. 'Kreeg jij de indruk dat Suskind er zelf wilde gaan wonen of dat hij het als investering kocht?'

'Investering. De aankoop liep via zijn bedrijf en er is vaag op gezinspeeld dat zijn firma er misschien gebruik van zou maken. Maar in feite werd er niet veel gezegd,' voegde Mike eraan toe toen ze in de keuken waren. 'De overeenkomst is bijna helemaal op afstand geregeld. Via e-mail en telefoon.'

'Hm-m. We hebben pils, sap, Gatorade, water, Mountain Dew en Pepsi light.'

'Mountain Dew? Dat heb ik sinds mijn studietijd niet meer gehad.'

'Supersap. Wil je er een?'

'Waarom ook niet?'

'Kom, dan gaan we buiten zitten om Barbie gezelschap te houden.'

Mike aaide de opgetogen hond even en ging toen zitten waarbij hij zijn benen voor zich uitstrekte. 'Kijk, dit is het goede leven. Die bloemen staan er mooi bij, joh.'

'Dankzij Abra. Maar ik geef ze water, dus dat telt ook.'

Hij vond het leuk om te doen, om de kleuren en vormen waar ze de potten vol mee had gestopt te zien groeien, net als de struiken die langs het stenen terras stonden. Af en toe overwoog hij om hier te gaan sporten, maar dan zou hij nooit iets voor elkaar krijgen. Dan zou hij alleen gaan zitten, zoals hij nu deed, om te luisteren naar de melodie van de windorgels en het geruis van de zee terwijl hij naar het water keek, met zijn hond naast zich.

'Heb je al schaars geklede mensen door dat ding gezien?'

Eli wierp een blik op de telescoop. 'O, één of twee.'

'Ik moet er ook maar eens een kopen.'

'Ik vrees dat ik vaker naar het noorden kijk. Vanaf hier heb ik een mooi uitzicht op Sandcastle.'

'Daar moest ik vandaag in de buurt zijn. Het ziet er verlaten uit.'

'Ja. Hij is er al een tijdje niet geweest.'

'Verdomd jammer om het leeg te zien staan. Ik zou het in een oogwenk kunnen verhuren. Per week of voor een lang weekend.'

Vol belangstelling verschoof Eli iets. 'Dat geloof ik graag. Misschien moet je hem eens bellen. Vragen of hij daar interesse voor heeft.'

Na nog een slok Mountain Dew knikte Mike. 'Dat kan ik inderdaad wel doen. Denk je echt dat die kerel hier heeft ingebroken en dat hij die detective heeft vermoord?'

'Ik heb het uit elke hoek bekeken, steeds opnieuw. En ik kom telkens op die conclusie uit.'

'Dan is hij ook degene die jouw oma heeft verwond.'

'Ik kan het niet bewijzen, maar inderdaad. Als de rest past, past dat ook.'

'Vuile klootzak,' mompelde Mike, en hij opende zijn attachékoffertje. 'Zijn mobiele nummer staat in het dossier. Laten we maar eens kijken wat hij te zeggen heeft.'

Nadat Mike de dossiermap had opengeslagen toetste hij het nummer in op zijn telefoon. 'Hé, hallo, Justin. Je spreekt met Mike O'Malley van O'Malley and Dodd Properties in Whiskey Beach. Hoe gaat het ermee?'

Eli leunde achterover en luisterde naar Mike die zijn verkopersbabbeltje hield. En hij geloofde dat de man die dood, pijn en angst had veroorzaakt aan de andere kant van de lijn praatte. De man die doden op zijn geweten had, en Eli's leven in gruzelementen uiteen had geslagen.

En hij kon hem niets maken, nog niet. Kon hem niet aanraken of tegenhouden. Maar dat kwam nog wel.

'Je hebt mijn nummer voor het geval je van gedachten mocht veranderen. En als ik hier iets voor je kan betekenen, bel dan gerust. Het is een prachtige lente en het belooft een fantastische zomer te worden. Je zou moeten komen om ervan te profiteren. O. Ja, ik weet hoe dat gaat. Goed dan. Dag.'

Mike beëindigde het gesprek. 'Even stijf en onvriendelijk als in mijn herinnering. Ze hebben op dit moment geen plannen om het huis te verhuren. Iets vaags dat iemand van het bedrijf of een familielid binnenkort een keertje komt. Hij is een drukbezet man.'

'Hoe had hij het huis gevonden?'

'Via internet. Mooie uitvinding. Hij heeft op onze website gekeken. Aanvankelijk had hij drie huizen uitgezocht. Eentje ligt een straat verder van het strand af, dus je kijkt niet uit op de oceaan, maar het is een leuke, rustige straat en slechts een korte wandeling naar het strand. Het andere huis ligt iets verder naar het zuiden, vlak bij ons huis, maar de eigenaren besloten om het toch maar niet te verkopen en het nog een jaar te verhuren. Dat was heel verstandig, want het is voor de hele zomer al verhuurd.'

Mike nam een grote teug Mountain Dew. 'Jeetje, dit doet me denken aan vroeger. Maar goed, we hebben een afspraak gemaakt. Hij wilde dat ik of Tony, Tony Dodd, mijn partner, hem de huizen zou laten zien. Hij stond erop dat een van ons het zou doen. Ik heb hier een briefje in het dossier omdat hij me vanaf het begin zo hooghartig tegemoet trad. Maar dat is geen probleem, een verkoop is een verkoop.'

'Hij heeft geen tijd om te verspillen aan ondergeschikten. Daar is hij veel te belangrijk voor. Ik ken zijn type.'

'Ja, dat heeft hij heel duidelijk gemaakt,' beaamde Mike. 'Hij kwam later die week. Duur kostuum, kapsel van tweehonderd dollar. Hij straalt echt uit dat hij een rijke kostschooljongen is. Daar bedoel ik verder niks mee. Jij hebt er zeker ook op een gezeten?'

'Inderdaad, en ik voel me niet beledigd. Zoals ik al zei, ik ken het type.'

'Goed dan. Hij wilde geen koffie, maakte niet eerst even een praatje. Hij had een strak schema. Maar toen ik hem naar de huizen reed, informeerde hij naar Bluff House. Dat doet iedereen, dus ik besteedde er verder geen aandacht aan. Ik weet nog dat de hemel die dag heel nevelig was, koud, somber, en het huis leek zo uit een film te komen. Een oude horrorfilm, je weet wel, doordat het zo hoog op de rotsen staat. Ik heb hem het standaardverhaal verteld, de geschiedenis, de piratenlegende, want die vinden cliënten altijd interessant. Maar jezus, Eli, ik hoop niet dat ik iets heb gezegd wat dit op gang heeft gebracht.'

'Hij wist het al. Hij was hier omdat hij het wist.'

'Ik mocht hem niet, maar ik had ook niet het idee dat ik met een moordlustige gek te maken had. Gewoon een stijve, rijke hufter. Ik heb hem eerst het huis in de straat hierachter laten zien. Sandcastle is nieuwer en groter, en daar krijg ik een hogere commissie voor. Bovendien schatte ik hem in als iemand die altijd het grootste wil. Maar ik heb hem eerst het andere huis laten zien. Hij stelde dezelfde vragen als bijna iedereen, heeft het binnen bekeken, is op de veranda gaan staan. Vanaf de veranda kun je de oceaan zien.'

'En Bluff House.'

'Ja. Hij was niet erg gelukkig met de nabijheid van de andere huizen, wilde weten welke permanent bewoond waren en welke huurhuizen waren. Maar dat is ook geen ongebruikelijke vraag. Daarna heb ik hem Sandcastle laten zien. Dat heeft een aantal mooie details en het ligt verder van de andere huizen. Ook daar heeft hij veel tijd buiten doorgebracht, en ja, vanaf daar kun je Bluff House zien. Hij stemde meteen in met de vraagprijs, wat bepaald niet gebruikelijk is, en verrekte stom gezien de huidige markt. De verkopers waren bereid hun prijs te laten zakken. Maar ik kreeg het idee dat afdingen voor hem te min was. Ik zei dat ik hem mee uit lunchen zou nemen, zodat we de papieren in orde konden maken en ik contact kon opnemen met de eigenaars. Daar had hij geen zin in.'

Met een zure blik tikte Mike op de wijzerplaat van zijn eigen horloge. 'Tik, tak, begrijp je wel? Ik moest het contract zo snel mogelijk opstellen. Hij schreef een cheque uit voor het handgeld en gaf me zijn adresgegevens. En toen vertrok hij weer. Je kunt moeilijk klagen over een gemakkelijke verkoop, maar ik ergerde me aan hem.'

'En de rest? Ging dat even vlot en soepel?'

'In dertig dagen was de zaak beklonken. Hij kwam naar ons kantoor, ondertekende de papieren en nam de sleutels in ontvangst. Hij zei nauwelijks meer dan ja of nee. We geven alle nieuwe eigenaren een mooi welkomstgeschenk. Een mand met een fles wijn, wat dure kaasjes en brood, een potplant en een aantal waardebonnen voor lokale winkels en restaurantjes. Die heeft hij op tafel laten staan. Te veel moeite voor hem om mee te nemen.'

'Hij had al waar het hem om te doen was.'

'Sindsdien heb ik hem niet meer gezien. Ik wou dat ik meer wist, maar als jij een manier bedenkt om die klootzak te pakken, laat het me dan even weten. Ik wil er dolgraag bij helpen.'

'Dat zou ik fijn vinden.'

'Ik moet ervandoor. Zeg, zal ik morgen wat burgers barbecuen? Dan kunnen Abra en jij komen eten.'

'Dat klinkt goed.'

'Tot dan. En bedankt voor de Dew.'

Nadat Mike weg was, legde Eli een hand op Barbies kop en kriebelde zacht achter haar oren. Hij dacht aan de man die Mike had omschreven.

'Wat zag ze in hem?' vroeg hij zich af, waarna hij een zucht slaakte. 'Ach, je zult wel nooit precies weten tot wie je je aangetrokken zult voelen of waarom.' Hij stond abrupt op. 'Kom, dan gaan we een wandeling maken.'

Hij zou het nog een paar dagen uitstellen. De routine kalmeerde hem. 's Ochtends hardlopen op het strand met de hond, of yoga als Abra hem daartoe wist over te halen. Urenlang ongestoord schrijven met de ramen open voor de zachte zeebries, nu mei volop voor mooi weer zorgde.

Lezen op het terras met de hond aan zijn voeten, waarbij hij meer te weten kwam dan ooit zijn bedoeling was geweest over de geschiedenis van het huis, en het dorp dat was ontstaan dankzij de whiskey.

Hij wist dat de oorspronkelijke stokerij aan het einde van de achttiende eeuw, na de onafhankelijkheidsoorlog, was uitgebreid. Wat hij niet had beseft, of wat hem weer was ontschoten, was dat kort daarna ook was begonnen met de grote uitbouw van het eerst zo bescheiden woonhuis. Volgens zijn bron hadden ze tegen flinke kosten een badhuis bijgebouwd, het eerste in Whiskey Beach.

Nog geen twintig jaar later waren Landon Whiskey en Bluff House opnieuw uitgebreid. Landon Whiskey had een school laten bouwen en een van zijn voorouders had een schandaal veroorzaakt door ervandoor te gaan met de schooljuffrouw.

Nog voor de burgeroorlog was het een huis van drie elegante verdiepingen geweest, en werd het onderhouden door een legertje bedienden.

De Landons liepen voorop in de vaart der volkeren. Zo hadden ze het eerste huis met riolering, het eerste met gaslicht en vervolgens met elektriciteit.

Ze hadden de drooglegging doorstaan en whiskey naar de illegale kroegen en privéklanten gesmokkeld.

De Robert Landon naar wie zijn vader was vernoemd, had een hotel gekocht en weer verkocht – en dat herhaald in Engeland – en was getrouwd met de dochter van een graaf.

Maar niemand zei iets, behalve dan spottend, over een piratenschat.

'Eindelijk!' Abra deed haar handtas over haar arm toen ze het huis uit liepen. Ze had zich, naar haar mening, ingetogen gekleed voor hun reisje naar Boston, in een zwarte broek, sandalen met sleehakken en bandjes, een klaproosrode bloemetjesblouse met wat ruches. In haar oren hingen lange oorbellen met kleurige siersteentjes. Ongeduldig trok ze aan Eli's hand.

Eli vond dat ze eruitzag als een modern en sexy bloemenkind. En dat was ook niet ver bezijden de waarheid, peinsde hij.

Bij de auto keek hij even om en zag Barbie door het raam aan de voorkant naar hen kijken.

'Het is niet fijn om haar alleen te laten.'

'Barbie redt zich prima, Eli.'

Waarom keek ze hem dan met van die verdrietige hondenogen aan?

'Ze is gewend aan gezelschap.'

'Maureen heeft beloofd om vanmiddag langs te gaan en haar uit te laten, en later komen de jongens om op het strand met haar te spelen.'

'Ja.' Hij rammelde met zijn sleutels.

'Je hebt last van verlatingsangst.'

'Dat heb ik... Misschien.'

'Dat is vreselijk lief.' Ze drukte een zoen op zijn wang. 'Maar het is goed om dit te doen. Het is een stap vooruit, en die stappen moeten genomen worden.' Ze ging in de auto zitten en wachtte tot hij naast haar plaatsnam. 'Bovendien is het ruim drie maanden geleden dat ik naar de stad ben geweest. En ik ben er nog nooit met jou geweest.'

Hij wierp een laatste blik op het raam en de hond erachter.

'We gaan ons opdringen aan de echtgenote van de man die wij verdenken van moord en een aantal inbraken. O, en van overspel. Laten we dat vooral niet vergeten. Het is niet echt een plezierreisje.'

'Dat wil niet zeggen dat het niet leuk kan worden. Jij loopt al dagen te piekeren hoe je Eden Suskind moet benaderen. Je hebt verschillende mogelijkheden uitgedacht, afhankelijk van of ze op haar werk of thuis is. Jij bent haar vijand niet, Eli. Ze kan jou echt niet als haar vijand beschouwen.'

Hij reed over de kustweg en daarna door het dorp. 'Als je eenmaal bent beschuldigd van een misdrijf, van moord, treden mensen je anders tegemoet. Zelfs mensen die je kennen. Ze zijn zenuwachtig als je bij ze bent. Ze ontlopen je en als ze je niet kunnen ontlopen, zie je aan hun gezicht dat ze wensten dat hun dat wel was gelukt.'

'Dat is voorbij.'

'Nee, niet waar. Het is pas voorbij als degene die Lindsay heeft vermoord is gevonden, gearresteerd en berecht.'

'Dan is dit een stap in die richting. Hij zal terugkomen naar Whiskey Beach. Als hij dat doet, gaat Corbett met hem praten. Ik zou willen dat we daar niet op hoefden te wachten.'

'Het is lastig voor Corbett om hiervoor naar Boston te gaan. En hij wil het niet aan Wolfe overlaten. Daar ben ik hem dankbaar voor.'

'We hebben Suskinds adres, zowel van zijn kantoor als zijn appartement. We kunnen erlangs rijden om voor de verandering hem in de gaten te houden.'

'Waarom?'

'Uit nieuwsgierigheid. Dat is iets om in overweging te nemen.' Tijd om van onderwerp te veranderen, vond Abra. Ze kon de spieren in zijn nek bijna in de knoop zien raken van spanning. 'Je was gisteravond tot laat op met al je boeken. Heb je nog iets interessants ontdekt?'

'Ja, eigenlijk wel. Ik heb een paar boeken gelezen die behoorlijk diep ingaan op de geschiedenis van het huis, de familie, het dorp en het bedrijf. Hoe die allemaal met elkaar in verband staan. Symbiotisch.'

'Dat vind ik zo'n mooi woord.'

'Ik ook. Landon Whiskey kreeg een zetje tijdens de onafhankelijkheidsoorlog. Door de blokkade konden de kolonisten geen suiker, stroop en rum krijgen. Daarom ging het koloniale leger over op whiskey en de Landons hadden een stokerij.'

'Dus George Washington dronk jullie whiskey?'

'Reken maar. En na de oorlog hebben de Landons het bedrijf én het huis uitgebreid. Dat van dat huis is nogal bijzonder, want Roger Landon, de vader van de koppige Violeta en de eventueel moordzuchtige Edwin, die toen de baas was, had de naam een krent te zijn.'

'Een heuse, spaarzame Yankee.'

'Eerder een beruchte vrek, maar hij heeft een flink bedrag in het huis en de inrichting gestoken, en ook in de zaak. Na zijn dood heeft zijn zoon de boel overgenomen, en aangezien de goeie ouwe Rog de pijp pas uitging toen hij bijna tachtig was, heeft Edwin Landon een hele poos moeten wachten voor hij de baas werd. Hij heeft alles weer uitgebreid. Hij en zijn vrouw, de Franse emigree...'

'O, la, la.'

'Zeg dat wel. Zij waren de eerste die grootse feesten gaven. En een van hun zonen, Eli...'

'Die mag ik wel.'

'En terecht. Hij bouwde de eerste dorpsschool. Of liever gezegd, die heeft hij laten bouwen. Zijn jongste broer werd verliefd op de schooljuffrouw en is er met haar vandoor gegaan.'

'Romantisch.'

'Valt wel mee. Ze zijn omgekomen toen ze naar het westen trokken om daar hun eigen fortuin te zoeken.'

'Wat ongelooflijk triest.'

'Hoe dan ook, Eli zette de traditie voort van het uitbreiden van het huis en het bedrijf, en zo ging het hele circus door tot aan de drooglegging, met zo af en toe een schandaal of tragedie. Als ze soms al magere tijden ondervonden, was dat niet af te zien aan hun levensstijl. De jaren twintig maakten plaats voor de jaren dertig en de regering besefte dat ze een grote fout had gemaakt en dat ze door het verbieden van whiskey vreselijk veel geld misliep. De mensen kwamen weer terug in de kroeg, openlijk, en we openden nog een stokerij.'

'Het whiskey-imperium.'

'Daardoor hebben we kunstkenners gehad, en mensen over wie het gerucht ging dat ze een verhouding hadden met een kunstenaar, zelfmoorden, twee spionnen voor de geallieerden, heel veel mannen die zijn gesneuveld in diverse oorlogen, een danseres die heel beroemd is geworden in Parijs en iemand die met het circus is meegegaan.'

'Vooral die vind ik leuk.'

'Een aangetrouwde hertogin, een professioneel kaartspeler, een cavalerieofficier die samen met Custer is gesneuveld, helden, schurken, een non, twee senatoren, artsen en advocaten. Noem iets, en waarschijnlijk zit het ertussen.'

'Het is een lange lijn. De meeste mensen voeren hun stamboom niet zo ver terug, of kunnen dat niet. En ze hebben meestal ook geen huis dat al zo veel generaties in de familie is.'

'Dat is waar. Maar weet je wat er ontbreekt?'

'Een suffragette, een playboy bunny en een rockster?'

Hij lachte. 'Van die eerste hebben we er een paar gehad, maar van de andere twee ben ik er geen tegengekomen. Nee, wat ontbreekt is Esmeralda's bruidsschat. Die wordt wel vermeld in combinatie met de Calypso, het wrak en wat speculaties over Broome. Heeft hij het overleefd of was de overlevende een eenvoudige zeeman? Ook wordt er over de bruidsschat gespeculeerd. Heeft die het overleefd? Maar deze twee boeken, de meest diepgravende en zinnige geschiedverhalen die ik ben tegengekomen, denken van niet.'

'Dat wil niet zeggen dat ze gelijk hebben. Ik ga er liever van uit dat de schat niet verloren is gegaan, net zoals de jongere broer en de schooljuffrouw in mijn versie het westen hebben gehaald, akkers hebben geploegd en kinderen hebben gekregen.'

'Ze zijn verdronken omdat hun huifkar omsloeg toen ze een rivier wilden oversteken.'

'Ze hebben graan geplant en acht kinderen gekregen. Dat weet ik zeker.'

'Goed.' Ze waren hoe dan ook al heel lang dood, dacht hij. 'Maar wat die bruidsschat betreft vraag ik me af welke informatie Suskind heeft die ik niet heb. Waarom is hij zo zeker van zijn zaak dat hij bereid is zo veel op het spel te zetten, ervoor te moorden? Of is het allemaal lulkoek?'

'Hoe bedoel je?'

'Stel je voor dat het niks met de lang verdwenen schat te maken heeft? Dat heb ik maar automatisch aangenomen. Er graaft iemand in de kelder. Wat zou het anders kunnen zijn?'

'Precies, Eli.' Een beetje in de war draaide ze haar hoofd en bekeek zijn profiel. 'Wat kan het anders zijn?'

'Ik weet het niet. Ik heb niks gevonden wat me tot een andere conclusie brengt. Maar realistisch gezien heb ik ook niks gevonden wat me bij de bruidsschat brengt.' Hij wierp haar een korte blik toe. 'Volgens mij is hij knettergek.'

'Dat maakt jou ongerust.'

'Ja, natuurlijk. Met gekken valt niet te praten. Ze zijn onvoorspelbaar. Je kunt niet inschatten wat ze gaan doen.'

'Daar ben ik het niet mee eens.'

'Oké. Want?'

'Ik zeg niet dat hij niet getikt is. Volgens mij is iedereen die iemand om het leven brengt getikt, tenzij hij zichzelf of iemand anders verdedigt. Maar het staat vast dat Lindsay en hij een verhouding hadden, dat weet je.'

'Ja. Ja,' herhaalde hij. 'En zij zou nooit op een gek vallen. In elk geval niet als die persoon overduidelijk gek is. Maar mensen kunnen hun ware aard verbergen.'

'Denk je dat echt? Dat wil er bij mij niet in. In elk geval lukt zoiets niet lang. Volgens mij is onze ware aard altijd te zien. Niet alleen in onze daden, maar ook op ons gezicht, in onze ogen. Voor zover wij weten is hij hier al ruim anderhalf jaar mee bezig. Hij heeft moeten aanpappen met Lindsay, haar overgehaald om naar Whiskey Beach te rijden, waar ze een hekel aan had, dus hij moet enige charme hebben. Bovendien leidt hij ook een leven met een vrouw, kinderen en een baan. Hij is ongetwijfeld getikt, maar niet knettergek. Als je knettergek bent, ben je de regie volledig kwijt. Maar die heeft hij nog.'

'Getikt is al erg genoeg.'

Terwijl ze zich moeizaam een weg baanden door het drukke verkeer in Boston, wierp hij haar nog een blik toe. 'Weet je dit echt zeker?'

'Ik blijf niet in de auto zitten, Eli. Vergeet het maar. Het lijkt me beter om eerst een keer langs het huis te rijden. Als er geen auto staat, kunnen we bij haar werk langs gaan. Ze werkt parttime, dus ze kan hier of daar zijn. Wat is er toch veel energie in de stad! Een paar dagen kan ik daar echt van genieten, maar daarna verlang ik er hevig naar om er weg te gaan.'

'Ik dacht vroeger dat ik het nodig had. Maar nu niet meer.'

'Whiskey Beach is goed voor een schrijver.'

'Het is goed voor mij.' Hij legde zijn hand op de hare. 'Net als jij.'

Ze bracht zijn hand naar haar wang. 'Je had niets beters kunnen zeggen.'

Hij volgde de route die zijn navigatiesysteem aangaf, al meende hij dat hij het huis zelf ook wel zou hebben gevonden. Hij kende de wijk. Er woonden vrienden van hem, of voormalige vrienden.

Hij vond het mooie victoriaanse huis. Het was lichtgeel geschilderd, met aan de zijkant een erker met een veranda ervoor. Naar die veranda liep een trap.

Op de oprit stond een BMW sedan en op de veranda aan de zijkant begoot een vrouw, met een breedgerande hoed op, potten vol bloemen.

'Zo te zien is ze thuis.'

'Ja. Aan de slag dan.'

De vrouw zette de gieter neer toen ze achter de BMW parkeerden en naar de veranda liepen.

'Hallo. Kan ik iets voor jullie doen?'

'Mevrouw Suskind?'

'Dat klopt.'

Eli liep naar de onderkant van de trap. 'Ik wilde vragen of u een paar minuten tijd hebt om met me te praten. Ik ben Eli Landon.'

Haar lippen weken vaneen, maar ze deinsde niet terug. 'Ik dacht al dat ik u herkende.' Haar kalme bruine ogen gingen naar Abra.

'Dit is Abra Walsh. Ik realiseer me dat dit een inbreuk is, mevrouw Suskind.'

Ze slaakte een diepe zucht en in haar ogen verscheen even een verdrietige blik. 'Uw vrouw, mijn man. We moeten elkaar tutoyeren. Zeg maar Eden. Kom boven.'

'Dank je.'

'Vorige week was hier een privédetective. En nu jij.' Ze zette haar hoed af en streek over haar goudgele bobkapsel. 'Wil jij het niet afsluiten?'

'Ja. Heel graag, zelfs, maar ik kan het niet. Ik heb Lindsay niet vermoord.'

'Het kan me niet schelen. Dat klinkt vreselijk. Het is ook vreselijk, maar het maakt me gewoon niet uit. Ga zitten. Ik heb ijsthee.'

'Kan ik je misschien helpen?' vroeg Abra aan haar.

'Nee, dat hoeft niet.'

'Zou ik dan misschien even van je toilet gebruik mogen maken? We zijn helemaal uit Whiskey Beach komen rijden.'

'O ja, daar heb jij een huis, is het niet?' vroeg ze aan Eli, waarna ze Abra wenkte. 'Ik zal je laten zien waar het is.'

Dat gaf Eli de gelegenheid om de situatie in te schatten. Een aantrekkelijke vrouw, dacht hij. Een mooi huis in een dure buurt met goed onderhouden tuinen en weelderig groene gazons.

Ze waren ongeveer vijftien jaar getrouwd en hadden twee kinderen, herinnerde hij zich.

Maar dat had Suskind allemaal opgegeven. Voor Lindsay? vroeg Eli zich af. Of voor een obsessieve speurtocht naar een schat?

Een paar tellen later kwamen Eden en Abra weer binnen met een dienblad met een karaf erop en drie hoge, vierkante glazen.

'Dank je,' begon Eli. 'Ik weet dat het heel moeilijk voor je is geweest.'

'Ja, jij kunt het weten. Het is vreselijk als je merkt dat de persoon met wie je je leven deelt, met wie je een gezin hebt gesticht, je heeft bedrogen en tegen je heeft gelogen. Dat de persoon van je houdt, die liefde heeft verraden en je voor gek heeft gezet.'

Ze ging aan de ronde teakhouten tafel zitten, in de schaduw van een donkerblauwe parasol. Ze gebaarde dat ze haar voorbeeld moesten volgen.

'En Lindsay,' ging Eden door, 'ik dacht dat ze mijn vriendin was. Ik zag haar bijna elke dag, werkte vaak met haar samen en ging regelmatig iets met haar drinken. We vertelden elkaar over onze mannen. En ondertussen ging ze met de mijne naar bed. Het voelde als een dolkstoot in mijn hart. Dat was bij jou waarschijnlijk net zo?'

'We waren niet meer bij elkaar toen ik het ontdekte. Het was meer een stomp in mijn maag.'

'Er kwam zo veel naar buiten na... Het was al bijna een jaar aan de gang. Maandenlang heeft hij tegen me gelogen, kwam hij 's avonds weer bij mij nadat hij bij haar was geweest. Ik voelde me er zo dom door.'

Dat laatste zei ze tegen Abra, en Eli zag dat Abra gelijk had gehad. Een andere vrouw, eentje die meeleefde, maakte het veel gemakkelijker.

'Maar dat was je niet,' zei Abra. 'Je vertrouwde je echtgenoot en je vriendin. Dat is niet dom.'

'Dat hou ik mezelf ook voor, maar je gaat toch aan jezelf twijfelen. Wat mankeert eraan mij, wat heb ik niet, wat heb ik niet gedaan? Waarom was ik niet goed genoeg?'

Abra legde haar hand op die van Eden. 'Zo zou het niet moeten gaan, maar ik weet dat het zo is.'

'We hebben twee kinderen. Het zijn fantastische kinderen, en dit was verschrikkelijk voor ze. De mensen praten nou eenmaal, daar konden we ze niet voor behoeden. Dat was het ergste.' Ze nam een slokje ijsthee en deed zichtbaar haar best haar tranen te bedwingen. 'We hebben ons best gedaan. Justin en ik hebben geprobeerd bij elkaar te blijven, er nog iets van te maken. We zijn in huwelijkstherapie gegaan en samen op vakantie geweest.' Ze schudde haar hoofd. 'Maar het lukte gewoon niet meer. Ik heb geprobeerd hem te vergeven, en misschien zou me dat uiteindelijk zijn gelukt, maar ik kon hem niet langer vertrouwen. En toen begon alles opnieuw.'

'Het spijt me.' Abra gaf een kneepje in haar hand.

'Ik laat me niet twee keer voor de gek houden,' mompelde Eden, en ze knipperde tot haar ogen weer helder stonden. 'Tot laat overwerken op kantoor, zakenreisjes. Alleen deze keer had hij niet te maken met iemand die zich dom opstelde, of hem vertrouwde. Ik ging zijn gangen na en ik wist dat hij niet was waar hij hoorde te zijn. Ik weet niet wie die vrouw is, of dat het er meer dan één is. Dat maakt me ook niet uit. Het zal me een zorg zijn. Ik heb mijn leven, mijn kinderen en eindelijk ook een beetje trots. En ik schaam me er niet voor om te zeggen dat ik hem helemaal kaal zal plukken bij de scheiding.'

Ze liet haar adem ontsnappen, in een soort half lachje. 'Ik ben duidelijk nog behoorlijk kwaad. Na alles wat hij me had aangedaan, heb ik hem teruggenomen en toen flikte hij het opnieuw. Maar goed.'

'Ik had geen tijd om die keuze te maken.' Eli wachtte tot Eden hem weer aankeek. 'Ik heb niet veel tijd gehad om kwaad te zijn. Iemand heeft Lindsay vermoord op de dag dat ik ontdekte wat ze had gedaan, wat ze al deed toen ik nog dacht dat we iets van onze relatie probeerden te maken.'

Op Edens gezicht verscheen een meelevende blik en ze knikte. 'Ik kan me niet indenken hoe dat moet zijn geweest. Toen ik me op mijn slechtst voelde, leek er vierentwintig uur per dag nieuws over haar dood en het politieonderzoek te zijn. Ik heb geprobeerd me voor te stellen hoe het zou zijn als Justin was vermoord.'

Ze drukte haar vingers tegen haar lippen. 'O, wat afschuwelijk om dat te zeggen.'

'Dat vind ik niet,' zei Abra zacht.

'Maar zelfs op mijn dieptepunt kon ik me er niks bij voorstellen. Ik kon me gewoon niet indenken hoe ik me in jouw plaats zou voelen, Eli.' Ze zweeg even en nam een slokje thee. 'Jij wilt dat ik zeg dat ik heb gelogen om hem te beschermen. Dat hij die avond niet bij mij was. Kon ik dat maar. Jezus, dat zou ik echt willen.' Ze sloot haar ogen. 'Zo hoor ik niet over hem te denken. We hebben samen twee prachtige kinderen. Maar op dit moment zou ik willen dat ik kon zeggen wat je wilt horen. De waarheid is echter dat Justin die middag om ongeveer half zes thuiskwam. Hoogstens een paar minuten later. Het leek allemaal zo normaal. Hij legde zijn telefoon zelfs op tafel, zoals hij sinds een paar maanden deed. Hij zei dat hij een belangrijk mailtje van zijn werk verwachtte en dat de kans bestond dat hij snel zijn weekendtas moest pakken en de deur uit moest. Maar dat zou op zijn vroegst pas een paar uur later zijn.'

Eden schudde haar hoofd. 'Later begreep ik natuurlijk dat hij wachtte op een bericht van Lindsay, dat ze plannen hadden gemaakt om er een paar dagen tussenuit te gaan. Maar die avond dacht ik dat alles normaal was. De kinderen waren allebei op school voor de repetitie van een toneelstuk waar ze beiden een rol in hadden. Na afloop zouden ze pizza gaan eten. Het was gezellig, met zijn tweetjes, terwijl de regen op het huis tikte. Ik had gekookt, kipfajita's, en hij had margarita's gemaakt. We hadden een leuke avond, niets bijzonders. Gewoon een paar knusse uurtjes voordat de kinderen weer thuis zouden komen en de drukte weer zou beginnen. We zaten bij elkaar toen de telefoon ging. Het was Charlie van de galerie. Ze had op tv gezien dat Lindsay dood was en dat er werd gezegd dat er kwade opzet in het spel was.'

Een lapjeskat liep de trap op en sprong bij haar op schoot. Eden aaide het beest terwijl ze haar verhaal afmaakte. 'Ik had het toen meteen moeten begrijpen. Hij was helemaal ontdaan. Hij werd spierwit. Maar ik was zelf ook ondersteboven van het nieuws. En ik moest aan Lindsay denken, dus het kwam niet bij me op dat... Ik zou nooit hebben geloofd dat ze een verhouding hadden. Toen de politie kwam en het me vertelde, geloofde ik het niet. En toen... toen moest ik het wél geloven. Het spijt me, Eli. Ik vind het heel erg dat ik je niet kan helpen.'

'Ik stel het op prijs dat je met me wilde praten. Dat zal niet gemakkelijk voor je zijn geweest.'

'Ik probeer alles achter me te laten, maar dat valt niet mee. Jij zou het zelfde moeten doen.'

Toen ze weer in de auto zaten, wreef Abra even over zijn hand. 'Het spijt me.'

'Nu weten we hoe het zit.' Toch zat iets hem nog altijd dwars.

26

Kirby Duncans kantoor was een vierkant hokje in een gehavend gebouw van baksteen waar alle pogingen tot stadsvernieuwing aan voorbij waren gegaan. Het stond aan een stoep vol scheuren en barsten en de etalage aan de ene kant op de begane grond pochte over een paranormale sessie met een helderziende, en aan de andere kant zat een winkel met seksspeeltjes.

'Als je hier komt, ben je praktisch in één keer klaar,' peinsde Abra. 'Je kunt eerst naar madame Carlotta gaan om te horen of je binnenkort iemand aan de haak zult slaan, en als dat zo is, kun je wat geld uitgeven bij The Red Room.'

'Als je een medium om hulp moet vragen, sla je vast niemand aan de haak.'

'Ik lees tarot,' hielp ze hem herinneren. 'Dat is een oud en interessant middel om kennis en zelfbewustzijn te vergaren.'

'Het zijn kaarten.' Hij liep de middelste deur binnen en ze kwamen in een kleine hal waar een trap naar boven ging.

'Ik ga beslist een kaartlegging voor jou doen. Als schrijver sta jij veel te afwijzend tegenover mogelijkheden.'

'Als advocaat heb ik een paar jaar terug een zogenaamd medium verdedigd. Ze werd ervan beschuldigd dat ze haar cliënten voor grote sommen geld had opgelicht.'

'Mensen die anderen oplichten hebben geen echte gave of roeping. Heb je gewonnen?'

'Ja, maar alleen omdat haar cliënten volkomen open stonden voor mogelijkheden, en ook nog eens oerstom waren.'

Ze gaf hem een zachte stomp met haar elleboog, maar moest toch lachen.

Op de eerste verdieping zagen ze vier kantoren met matglazen deuren. Een was van een advocaat waar BAXTER TREMAINE, ATTORNEY AT LAW op stond, een was van iets wat Quikee Loans heette, de derde was van de Allied Answering Service en op de laatste deur stond KIRBY DUNCAN, PRIVATE INVESTIGATIONS.

Voor Duncans matglas was kruislings politietape gespannen.

'Ik had gehoopt dat we naar binnen konden om even rond te kijken.

'Een onopgeloste moordzaak,' zei Eli schouderophalend. 'Ze willen de plaats delict van de inbraak veiligstellen. Hier zit Wolfe achter. Die laat niet gemakkelijk iets los.'

'We kunnen beneden met het medium gaan praten. Misschien heeft madame Carlotta iets gezien.'

Na haar een snelle blik te hebben toegeworpen, liep hij naar de deur van de advocaat.

In de receptie, die niet groter was dan een bezemkast, zat een vrouw van tegen de vijftig ijverig op een toetsenbord te hameren.

Ze hield op en trok de leesbril met gouden montuur van haar neus zodat die aan een gevlochten koord om haar hals bleef hangen.

'Goedemorgen. Kan ik iets voor u doen?'

'We zijn op zoek naar informatie over Kirby Duncan.'

Hoewel haar professionele glimlachje intact bleef, bekeek ze hen met een cynische blik. 'Jullie zijn niet van de politie.'

'Nee, mevrouw. We zijn gekomen om meneer Duncan te spreken over een... persoonlijke kwestie, nu we toch in Boston zijn. We zijn op de bonnefooi gekomen, in de hoop dat hij een gaatje voor ons zou hebben, maar toen zagen we het politietape voor zijn deur. Is er bij hem ingebroken?'

Haar blik bleef cynisch, maar ze draaide iets op haar bureaustoel zodat ze hen beter aan kon kijken. 'Ja. De politie heeft het kantoor nog niet vrijgegeven.'

'Wat jammer.'

'Nog een reden om niet in de grote stad te gaan wonen,' zei Abra met een heel vaag zuidelijk accent. Eli gaf een geruststellend klopje op haar arm.

'Werkt meneer Duncan zolang ergens anders? Ik had hem moeten bellen, maar ik kon zijn kaartje niet meer vinden. Toevallig wist ik nog waar zijn kantoor was. Weet u misschien waar hij nu werkt? Of hebt u zijn nummer zodat we hem kunnen bellen?'

'Daar schiet u niets mee op. Meneer Duncan is een paar weken geleden doodgeschoten.'

'O, mijn god!' Abra greep Eli bij z'n arm. 'Ik wil hier weg. Ik wil naar huis.'

'Niet hier,' verduidelijkte de receptioniste met een dun glimlachje. 'Zelfs niet in de stad. Hij was ergens in het noorden aan het werk. In een dorp dat Whiskey Beach heet.'

'Wat vreselijk. Echt afschuwelijk. Meneer Duncan heeft me geholpen met een...'

'Persoonlijke kwestie,' maakte de receptioniste zijn zin af.

'Ja. Een paar jaar geleden. Hij was heel vriendelijk. Ik vind het echt heel erg. U kende hem zeker?'

'Jazeker. Kirby deed af en toe een klusje voor mijn baas en voor de kredietverstrekker aan de andere kant van de gang.'

'Ik vind het echt heel erg,' zei Eli nogmaals. 'Bedankt voor de informatie.' Hij deed een stap naar de deur, maar bleef toen staan. 'Maar... U zei dat hij in het noorden was, maar dat er hier is ingebroken. Dat begrijp ik niet.'

'De politie is ermee bezig. Het ziet ernaar uit dat degene die hem heeft vermoord, hier is gekomen om iets te zoeken. Het enige wat ik weet is dat hij tegen mijn baas had gezegd dat hij een paar dagen op reis moest. Kort daarna hing er politietape voor de deur en kwamen er agenten vragen of ik iets verdachts had gezien of gehoord. Dat had ik niet, al heb je dat hier wel eens als er mensen komen voor hulp met persoonlijke kwesties.'

'Ja, dat zal wel.'

'Voor zover ik heb begrepen, is het in dezelfde nacht gebeurd dat hij is vermoord. Die kans is althans heel groot. Dus op dat tijdstip was hier niemand die iets gezien kan hebben. Dus... Ik kan u wel de naam van een andere privédetective geven.'

'Ik wil alleen maar weg.' Abra trok aan Eli's hand. 'Kunnen we niet naar huis gaan, en het daar regelen?'

'Ja. Goed. Bedankt, hoor. Het is echt heel jammer.'

Toen ze het kantoor uit gingen, overwoog Eli even om naar een van de andere twee kantoren te gaan, maar het leek hem nutteloos. Abra bleef zwijgen toen ze naar de trap liepen.

'Dat kun je echt heel goed.'

'Wat?'

'Liegen.'

'Ergens omheen draaien.'

'Noemen advocaten het zo?'

'Nee, wij noemen het liegen.'

Lachend stootte ze met haar schouder tegen de zijne. 'Ik weet niet wat ik had verwacht hier aan te treffen. De inbraak heeft 's avonds heel laat of 's morgens heel vroeg plaatsgevonden. Niemand zal iets hebben gezien.'

'Ik heb er wel iets uit afgeleid.'

'Vertel op,' drong ze aan toen ze weer in de auto stapten.

'Als we bij de theorie blijven dat Suskind Duncan heeft ingehuurd, dan hebben we een man uit de gegoede burgerklasse. Iemand in een net pak, een gezin in een groot huis in een mooie voorstad, je kent het wel. Status is belangrijk voor hem. Maar als hij een privédetective inschakelt, zoekt hij iemand die duidelijk tweederangs is.'

'Misschien had iemand Duncan aanbevolen.'

'Dat betwijfel ik. Volgens mij wilde hij geen topfirma die hoge prijzen rekent, en wel om twee redenen. Eén: hij wilde niemand die eventueel ooit een opdracht had gedaan voor iemand in zijn eigen omgeving. Twee, en volgens mij is dat veelzeggender: het zou hem een hoop geld hebben gekost.'

'Hij heeft een strandhuis gekocht,' zei Abra.

'Een investering om uiteindelijk de jackpot te winnen. En hij heeft in elk geval een poging gedaan om te verbloemen dat het huis van hem is.'

'Omdat hij weet dat zijn vrouw van hem wil scheiden. Die man is een worm,' mompelde Abra. 'Op het rad van het karma zal hij in een volgend leven terugkeren als naaktslak.'

'Voor die mogelijkheid sta ik wel open,' merkte Eli op. 'Op zijn huidige plek op het rad van het karma zal hij te maken krijgen met hoge advocaatkosten, want hij zal wel een dure advocaat inhuren. Dan zijn er nog de alimentatie voor zijn kinderen en het bedrag dat hij zijn vrouw zal moeten betalen. Ik vermoed dat hij Duncan contant heeft betaald, om het uit de boeken te houden. Dan staan die onkosten nergens vermeld als hij zijn administratie aan de advocaten zal moeten laten zien.'

'Maar toch moest hij hier inbreken en de boel doorzoeken, want een privédetective zal een lijst met cliënten hebben en het zelfs noteren wanneer er contant wordt betaald.'

'Dossiers, elektronisch of op papier, een kopie van kwitanties voor contante betalingen, een logboek, een lijst met cliënten,' beaamde Eli. 'Hij wilde natuurlijk niet te boek staan als cliënt van een detective die is ingehuurd om mijn gangen na te gaan en die uiteindelijk is vermoord. Dan zou het penibel voor hem worden.'

'Zeg dat wel.' Ze dacht er even over na. 'Hij is hier waarschijnlijk nooit op kantoor geweest, of denk je van wel?'

'Vermoedelijk niet. Hij zal per se ergens anders hebben willen afspreken, in een koffiehuis of een café. Niet in de buurt waar Duncan of hij woont.' Eli parkeerde de auto voor een ander gebouw van staal en baksteen.

'Woonde hij hier?'

'Op de eerste verdieping. Onveilige buurt.'

'Wat leid je daar uit af?'

'Dat Duncan het idee had dat hij zijn mannetje stond, dat hij niet bang was dat zijn auto gestript zou worden of zijn buren hem een loer zouden draaien. Misschien was hij een stoere vent, of meende hij te weten hoe het hier zat en hoe hij het spel moest meespelen. Zo iemand zou niet aarzelen om een cliënt ergens alleen te ontmoeten.'

'Wil je naar binnen om met een aantal buren te praten?'

'Dat heeft geen zin. Dat heeft de politie al gedaan. Suskind zal hier alleen zijn geweest om het appartement te doorzoeken. Niet alleen omdat hij geen enkele reden had om Duncan hier te ontmoeten, maar ook omdat hij bang zou zijn in deze buurt. In Zuid-Boston voelt hij zich niet thuis.'

'Jij toch zeker ook niet, meneer de whiskeybaron?'

'Nee, de whiskeybaron is mijn vader. En mijn zus is de whiskeybarones. Maar ik heb wel pro-Deozaken gedaan in Southie. Ik mag me er dan niet echt thuis voelen, het is ook geen onbekend terrein voor me. Goed, volgens mij hebben we de hoogtepunten of liever gezegd de dieptepunten wel gezien.'

'Hij deed gewoon zijn werk,' zei Abra. 'Ik mocht hem niet, en ik had ook weinig waardering voor de manier waarop hij zijn werk deed toen hij met mij sprak, maar hij verdiende het niet om te sterven omdat hij zijn brood verdiende.'

'Nee, zeker niet. Maar vergeet niet dat hij een nieuwe beurt krijgt op het rad van het karma.'

'Ik weet heus wel wanneer iemand me stroop om de mond probeert te smeren, maar je deed het prima. En dat zal ik zeker in gedachten houden.'

'Heel mooi. Laten we even gaan kijken hoe het met oma gaat voor we teruggaan.'

'Wil je eerst langs het huis rijden waar je met Lindsay hebt gewoond?'

'Waarom?'

'Zodat ik een idee kan krijgen van hoe jij was.'

Na een korte aarzeling dacht hij: waarom ook niet? Waarom zou hij de cirkel niet helemaal rondmaken? 'Goed.'

Het voelde vreemd om door die straten te rijden, die kant op te gaan. Nadat hij toestemming had gekregen om zijn spullen uit het huis in Back Bay te halen, was hij er niet meer geweest. Toen hij dat had gedaan, had hij een bedrijf in de arm genomen om de rest van zijn spullen eruit te halen en het huis in de verkoop te doen.

Hij had gedacht dat het doorsnijden van die banden zou helpen, maar dat bleek niet echt het geval. Hij reed langs winkels en restaurants waar hij vroeger vaak was gekomen. Het café waar hij regelmatig met vrienden iets had gedronken, de schoonheidssalon waar Lindsay graag naartoe ging, het Chinese restaurant met de heerlijke kip in gon baosaus en de bezorger met zijn brede grijns. De mooie bomen en nette tuinen van de wijk waar hij vroeger had gewoond.

Toen hij stopte voor het huis, zei hij niets.

De nieuwe eigenaren hadden een sierboom in de voortuin geplant, eentje met hangende takken waar net de zachtroze bloesem zich ontplooide. Op de oprit zag hij een driewielertje staan, in vrolijk knalrood.

De rest zag er nog hetzelfde uit, toch? Dezelfde punten en hoeken, dezelfde glinsterende ruiten en brede voordeur?

Waarom leek het dan onbekend?

'Het lijkt niet op jou,' zei Abra naast hem.

'O, nee?'

'Nee, het is te gewoontjes. Het is groot, en op zich is het mooi. Mooi als een modieuze jas, maar de jas past jou niet, althans nu niet meer. Misschien paste hij wel bij de persoon die je toen was, met de Hermesdas en het Italiaanse kostuum en de advocaatachtige attachékoffer. De man die hier ergens naar een koffiezaak ging om een veel te dure speciale koffie te kopen terwijl hij sms'jes op zijn telefoon beantwoordde. Maar dat ben jij niet.'

Ze keerde zich naar hem toe. 'Of wel?'

'Ik denk het wel. Dat was in elk geval de richting die ik had gekozen in mijn leven, of de jas nou paste of niet.'

'En nu?'

'Ik wil die jas niet meer terug.' Hij nam haar aandachtig op. 'Toen het huis een paar maanden geleden eindelijk werd verkocht, was dat een enorme opluchting. Alsof ik een laag huid had afgeschud die te krap was geworden. Wilde je daarom hier komen kijken? Zodat ik dat zou toegeven, of het zou inzien?'

'Dat is een leuke bijkomstigheid, maar de belangrijkste reden is dat ik nieuwsgierig was. Ik had ooit zelf een jas die hier veel op leek. Het voelde heel prettig om die aan iemand te geven bij wie hij beter paste. Kom, dan gaan we naar Hester.'

Nog een bekende route, van het ene naar het andere huis. Toen de afstand met Back Bay groter werd, verminderde de spanning in zijn schouders. Zonder erbij na te denken stopte hij eerst bij de bloemist vlak bij het huis waar zijn familie woonde.

'Ik wil graag iets voor haar kopen.'

'De attente kleinzoon.' Blij stapte zij ook uit. 'Als ik eraan had gedacht, hadden we iets kunnen meenemen uit Whiskey Beach. Dat zou ze leuk hebben gevonden.'

'Volgende keer.'

Abra glimlachte toen ze de winkel in gingen. 'Volgende keer.'

Abra slenterde door de zaak en liet de keuze aan hem over. Ze was benieuwd wat hij zou nemen, en hoe hij het zou aanpakken. Ze hoopte dat hij geen rozen zou kopen. Hoe mooi die ook waren, ze waren ook te voorspelbaar.

Tot haar vreugde koos hij blauwe irissen die hij combineerde met een paar roze Aziatische lelies.

'O, dat is perfect. Echt een fel lenteboeket. Dat past bij Hester.'

'Ik wil dat ze voor het einde van de zomer weer thuis is.'

Abra legde haar hoofd even tegen zijn schouder terwijl de bloemist het boeket in folie wikkelde en het bedrag aansloeg op de kassa. 'Ik ook.'

'Fijn om u weer te zien, meneer Landon.' De bloemist gaf Eli een pen om de bon te tekenen. 'Doet u uw familie de hartelijke groeten.'

'Dank u. Dat zal ik doen.'

'Waarom kijk je nou zo verbaasd?' mompelde Abra toen ze weer naar buiten liepen.

'Ik ben eraan gewend geraakt dat bekenden, in mijn andere leven, bedoel ik, deden alsof ze me niet kenden of dat ze wegliepen zonder iets te zeggen.'

Ze ging op haar tenen staan en gaf hem een zoen op zijn wang. 'Niet iedereen is een klootzak,' zei ze.

Toen kwamen ze buiten en zagen ze Wolfe bij Eli's auto staan. Even leken het heden en het verleden elkaar te overlappen.

'Mooie bloemen.'

'En legaal,' zei Abra vrolijk. 'Binnen hebben ze nog meer mooie bloemen, als u ook een bos wilt kopen.'

'Hebben jullie iets te doen in Boston?' vroeg hij, met zijn blik strak op Eli gericht.

'Ja, eigenlijk wel.' Hij wilde om Wolfe heen lopen zodat hij het portier kon opendoen voor Abra.

'Waarom leg je niet even uit wat je te zoeken had in het gebouw waar Duncan zijn kantoor had, en waarom je daar vragen stelde.'

'Dat is ook volkomen legaal.' Eli gaf het boeket aan Abra zodat hij zijn handen vrij had.

‘Sommige mensen kunnen de verleiding niet weerstaan om terug te gaan naar de plaats van het misdrijf.’

‘En sommigen blijven morrelen aan een zaak die allang op een dood spoor zit. Is er verder nog iets wat u wilde vertellen, rechercheur?’

‘Alleen dat ik zal blijven spitten. Er zit nog leven genoeg in die zaak.’

‘O, nou is het welletjes!’ Razend duwde Abra Eli de bloemen weer in zijn handen en zocht vervolgens in haar tas. ‘Hier, kijk maar eens goed. Dít is de man die heeft ingebroken in Bluff House.’

‘Abra…’

‘Nee.’ Met een ruk keerde ze zich naar Eli. ‘Genoeg. Dit is de man die ik die avond in het café heb gezien en de man die me waarschijnlijk heeft beetgegrepen toen ik in Bluff House was. Dit is de man die naar alle waarschijnlijkheid Kirby Duncan heeft vermoord, iemand die jij kende, en die het wapen in mijn huis heeft verstopt, waarna hij jou anoniem heeft gebeld. En als je nou eindelijk eens ophoudt met je zo belachelijk te gedragen, dan zou je jezelf de vraag stellen waarom Justin Suskind een huis in Whiskey Beach heeft gekocht, waarom hij Duncan heeft ingehuurd en die vervolgens heeft omgebracht. Misschien heeft hij Lindsay niet vermoord, maar misschien ook wel. Misschien wéét hij er wel iets over omdat hij een misdadiger is. Dus gedraag je als een agent en doe er iets aan.’

Ze griste de bloemen terug en rukte zelf het portier open. ‘Genoeg,’ zei ze nogmaals, en smeet het weer dicht.

‘Je vriendin is nogal een driftkop.’

‘U drijft mensen tot het uiterste, rechercheur. Ik ga even langs bij mijn grootmoeder en dan ga ik terug naar Whiskey Beach, om mijn leven te leiden. U moet doen wat u niet laten kunt.’

Hij stapte in, deed ruw zijn gordel om en reed weg.

‘Het spijt me.’ Abra legde haar hoofd tegen de steun en sloot even haar ogen, in een poging haar balans te hervinden. ‘Het spijt me. Ik heb de zaak vast nog erger gemaakt.’

‘Nee, dat is niet zo. Je hebt hem verrast. En de tekening van Suskind had hij niet verwacht. Ik weet niet wat hij ermee gaat doen, maar je overrompelde hem ermee.’

‘Een schrale troost. Ik mag hem niet, en wat hij ook doet of niet doet, daar zal geen verandering in komen. Maar goed...' Ze ademde een paar keer diep in en uit. 'De lucht opklaren en de geest tot rust brengen. Ik wil niet dat Hester ziet dat ik van streek ben.'

'Ik dacht dat je kwaad was?'

'Dat verschilt niet zo veel.'

'Bij jou wel.'

Daar dacht ze over na, terwijl hij de laatste hoek omsloeg naar het huis in Beacon Hill.

Dit leek meer op Eli, vond ze. Misschien omdat zij vond dat het huis uitstraalde dat het een lange geschiedenis had en er meerdere generaties woonden. Het beviel haar, de lijnen, de tuin die al heel lang hetzelfde was ingericht en waar nu vroege lentebloemen bloeiden.

Ze gaf hem de bloemen terug toen ze naar de voordeur liepen. 'De attente kleinzoon.'

En ze gingen naar binnen, op bezoek bij Hester.

Zij zat in haar zitkamer met haar schetsboek, een glas ijsthee en een schoteltje koekjes. Ze legde het schetsboek en het potlood neer en stak hen haar handen toe.

'Precies wat ik nodig had om mijn dag op te fleuren.'

'Je ziet er moe uit,' zei Eli onmiddellijk.

'Daar heb ik een goede reden voor. Ik ben net klaar met mijn dagelijkse fysiotherapie. Je bent markies De Sade net misgelopen.'

'Als het te zwaar voor je is, dan moeten we...'

'O, hou toch op.' Met een ongeduldige polsbeweging wuifde ze dat weg. 'Jim is geweldig en hij heeft een scherp gevoel voor humor en zit me achter mijn broek. Hij weet wat ik aankan en hoe hard hij me moet aansporen. Al ben ik wel erg moe na een sessie. Maar nu ik jullie zie, en die prachtige bloemen, kom ik weer helemaal op krachten.'

'Ik dacht dat ik Eli een duwtje in de goede richting zou moeten geven, maar hij blijkt een uitstekende smaak te hebben. Zal ik ze even naar Carmel brengen, zodat we ze in een vaas voor je kunnen zetten?'

'Dank je wel. Hebben jullie al geluncht? We kunnen met z'n drieën naar de eetkamer gaan. Eli, geef me eens een hand.'

'Blijf toch eerst nog een poosje zitten.' Om dat te bewerkstelligen, ging hij zelf zitten. 'We gaan lunchen als je bent bijgekomen van De

Sade.' Hij knikte tegen Abra, die de kamer uit liep met de bloemen, en wendde zich tot Hester. 'Je hoeft niet zo fanatiek te doen.'

'Je vergeet tegen wie je het hebt. Door fanatiek je best te doen, bereik je dingen. Ik ben heel blij dat je bent gekomen, en dat je Abra hebt meegenomen.'

'Het is niet meer zo moeilijk om naar Boston te gaan.'

'We zijn allebei bezig om te herstellen.'

'In het begin heb ik niet erg fanatiek mijn best gedaan.'

'Ik ook niet. We moesten eerst wat houvast krijgen.'

Hij glimlachte. 'Ik hou van je, oma.'

'Dat is je geraden ook. Je moeder moet over ongeveer twee uur thuiskomen, maar je vader wordt pas na zessen verwacht. Blijven jullie in elk geval lang genoeg om je moeder te zien?'

'Dat is wel de bedoeling. Daarna gaan we terug. Ik heb een huis en een hond om te verzorgen.'

'Dingen verzorgen is goed voor je. We hebben allebei een hele ontwikkeling doorgemaakt de afgelopen maanden.'

'Ik dacht dat ik je kwijt was. Dat dachten we allemaal. En jij dacht vast dat ik mezelf was kwijtgeraakt.'

'Maar hier zitten we dan. Vertel eens hoe het met je boek gaat.'

'Volgens mij gaat het prima. Sommige dagen zijn beter dan andere en soms denk ik dat het prut is. Maar hoe dan ook, nu het me lukt om te schrijven, vraag ik me af waarom ik dat niet de hele tijd heb gedaan.'

'Je had aanleg voor het recht, Eli. Het is jammer dat je daar niet je hobby, of laten we het een nevenactiviteit noemen, van kon maken en van schrijven je roeping. Dat zou je nu kunnen doen.'

'Misschien wel. Volgens mij weet iedereen dat ik het er in het familiebedrijf slecht vanaf zou brengen. Tricia is altijd degene geweest die in die voetsporen zou volgen.'

'En ze is er verdomd goed in.'

'Zeker, maar zelfs al was dat niks voor mij, ik ben er meer over te weten gekomen, of liever gezegd, over de geschiedenis ervan. Ik heb meer aandacht besteed aan de wortels en het begin.'

In haar ogen verscheen een goedkeurende blik. 'Je hebt een tijdje in de bibliotheek van Bluff House zitten lezen.'

'Ja, dat klopt. De oma van je man smokkelde whiskey.'

'Dat is waar. Ik wou dat ik haar beter had gekend. Ik weet nog wel dat ze een opvliegende, koppige Ierse vrouw was. Ik vond haar behoorlijk intimiderend.'

'Dan moet ze nogal geducht zijn geweest.'

'Dat was ze ook. Je opa was dol op haar.'

'Ik heb foto's van haar gezien, en ze mocht er zijn, en ik heb er nog meer gevonden toen ik op onderzoek was in Bluff House. Maar de geschiedenis van Landon Whiskey gaat veel verder terug, helemaal tot aan de Amerikaanse Revolutie.'

'Innovatie, de inborst van een echte gokker, het verstand van een zakenman, risico's en beloningen. En de wetenschap dat mensen van een straffe borrel houden. De oorlog heeft natuurlijk ook geholpen, hoe harteloos dat ook klinkt. Mannen die vechten hebben whiskey nodig, net als gewonde mannen. Feitelijk is Landon Whiskey voortgekomen uit een strijd tegen tirannie en een zoektocht naar vrijheid.'

'Gesproken als een echte Yankee.'

Abra kwam binnen met een vaas sierlijk geschikte bloemen.

'Ze zijn echt prachtig.'

'Dat zijn ze zeker. Zal ik ze hier zetten of in je slaapkamer?'

'Hier, alsjeblieft. Tegenwoordig zit ik gelukkig vaker dan dat ik lig. Zeg, zullen we praten over wat jullie echt willen weten, nu Abra er weer is.'

'Jij vindt jezelf altijd zo slim,' zei Eli.

'Nee, ik wéét dat ik slim ben.'

Hij grijnsde en knikte. 'We draaien in een kringetje om wat ik echt wil weten. Naar mijn mening kan de geschiedenis van het huis, van het bedrijf, iets te maken hebben met de zaak. Alleen weet ik nog niet precies hoe dat zit. Maar we kunnen wel een paar eeuwen overslaan.'

'Ik kan zijn gezicht niet zien.' Hester balde een vuist op haar schoot. De smaragd die ze vaak aan haar rechterhand droeg fonkelde door dat gebaar. 'Ik heb alles geprobeerd wat ik kon bedenken, zelfs mediteren, en je weet dat ik daar niet erg goed in ben, Abra. Het enige wat ik zie of me herinner, zijn schaduwen en bewegingen. De indruk dat er een man is, die vorm. Ik weet dat ik wakker werd omdat ik geluiden dacht te horen. Maar daarna dacht ik dat ik het me had verbeeld. Nu weet ik dat ik het bij het verkeerde eind had. Ik herinner me dat ik ben opgestaan en naar de trap ben gelopen, en dan komen de beweging, de gestalte en de indruk. Ik wist instinctief dat ik naar beneden moest gaan om te vluchten. Dat is alles. Het spijt me.'

'Het hoeft je niet te spijten,' zei Eli tegen haar. 'Het was donker. Waarschijnlijk kun je je geen gezicht herinneren omdat je er geen hebt gezien, of in elk geval niet duidelijk genoeg. Vertel eens welke geluiden je hebt gehoord.'

'Die kan ik me beter herinneren. Dat denk ik althans. Ik dacht dat ik had gedroomd, en misschien was dat ook zo. Ik dacht: eekhoorns in de schoorsteen. Dat hebben we lang geleden een keer gehad, maar daarna hebben we roosters geplaatst. Er klonk gekraak en in mijn halfslaap dacht ik: wie is er boven? Toen werd ik echt wakker en dacht ik dat ik het me had verbeeld. Ik voelde me rusteloos en besloot om naar beneden te gaan en thee te zetten.'

'Waren er ook bepaalde geuren?' vroeg Abra.

'Stof. Zweet. Ja.' Hester deed haar ogen dicht en concentreerde zich. 'Gek, dat besef ik pas nu je ernaar vraagt.'

'Hij kwam dus van de tweede verdieping. Is daar voor zover jij weet iets waar hij naar op zoek kan zijn geweest?'

Hester schudde haar hoofd tegen Eli. 'De meest dingen die daar liggen worden bewaard om sentimentele of geschiedkundige redenen. En er staan dingen die niet meer passen in de woonvertrekken. Er zijn prachtige oude spullen bij: kleren, aandenkens, dagboeken, oude grootboeken van het huishouden en foto's.'

'Een hoop daarvan heb ik doorgenomen.'

'Ik ben van plan ooit een paar experts in te schakelen en hun te vragen een inventaris te maken zodat er in de toekomst een Whiskey Beach Museum kan komen.'

'O, wat een fantastisch idee.' Abra begon te stralen. 'Dat heb je me nooit verteld.'

'Ik ben nog aan het plannen hoe ik alles voor elkaar moet krijgen.'

'Grootboeken van het huishouden,' mompelde Eli.

'Ja, en handelsboeken, gastenlijsten, kopieën van uitnodigingen. Het is lang geleden dat ik die spullen heb doorgenomen, en om je waarheid te zeggen heb ik nooit echt alles bekeken. De omstandigheden en de tijden veranderen. Nadat de kinderen het huis uit waren, hadden je grootvader en ik niet veel personeel meer nodig, en daarom zijn we de tweede verdieping als opslagplaats gaan gebruiken, al heb ik er ook een jaar of twee geschilderd. Toen Eli overleed, waren alleen Bertie en Edna er nog. Die moet jij je nog herinneren, jonge Eli.'

'Jazeker.'

'Toen zij met pensioen gingen, had ik het hart niet om nieuwe inwonende bedienden te zoeken. Ik hoefde alleen voor het huis en mezelf te zorgen. Die man die daar boven was, moet er uit nieuwsgierigheid zijn geweest. Misschien hoopte hij er iets van waarde te vinden.'

'Ligt daar toevallig iets van de Landons uit de tijd van de schipbreuk van de Calypso?'

'Dat moet haast wel. De Landons zijn altijd mensen geweest die dingen bewaarden. De meer waardevolle spullen uit die tijd, en ook uit andere perioden, zijn tentoongesteld in de rest van het huis, maar er ligt ongetwijfeld rommel op de tweede verdieping.'

Haar wenkbrauwen vormden een rechte streep toen ze probeerde na te denken. 'Ik heb die verdieping een beetje verwaarloosd. Ik dacht er niet meer aan, of ik hield mezelf voor dat ik op een zekere dag die experts zou inhuren. Misschien dacht hij dat er kaarten te vinden waren, maar dat is dom. Als we hadden geweten dat de schat bij het kruisje op de kaart lag, zouden we hem allang zelf hebben opgegraven. Of hij ging ervan uit dat er een dagboek zou zijn, wellicht een van Violeta Landon. Maar het verhaal gaat dat ze haar dagboeken, hun liefdesbrieven en alle andere dingen heeft vernietigd nadat haar broer haar minnaar had vermoord. Als die ooit al hebben bestaan. Als dat wel zo was, en ze het hebben overleefd, dan had ik dat zeker gehoord, of was ik ze op een goed moment tegengekomen.'

'Oké. Kun je je ook herinneren of je bent gebeld door mensen die je vragen stelden, of dat er iemand is langsgekomen die vroeg of hij de aandenkens of antiquiteiten mocht verkopen? Iemand die vroeg of hij ze mocht bekijken omdat hij een verhaal of een boek aan het schrijven was?'

'Jeetje, Eli, te vaak om op te noemen. De enige reden die ik heb om naast Abra nog iemand in dienst te nemen, is dat een ander al die verzoeken dan kan afhandelen.'

'Maar niks wat eruit sprong?'

'Nee, er schiet me niks te binnen.'

'Als je je wel iets herinnert, zeg het dan.' Zo te zien was het voor nu wel weer genoeg geweest, dacht Eli. Ze was weer een beetje bleek geworden. 'Wat is er voor de lunch?'

'Laten we naar beneden gaan, dan zullen we het zien.'

Hij hielp haar overeind, maar toen hij haar wilde optillen, duwde ze hem terug. 'Ik hoef niet gedragen te worden. Ik red me prima met mijn stok.'

'Dat zal best, maar ik speel graag voor Rhett Butler.'

'Die droeg zijn grootmoeder niet de trap af voor de lunch,' zei ze, toen Eli haar in zijn armen nam.

'Maar dat zou hij wel hebben gedaan.'

Abra pakte de stok en terwijl ze naar Eli keek die Hester de trap af droeg, begreep ze volkomen waarom ze verliefd op hem was geworden.

27

Een fijne dag, dacht Abra toen ze afscheid namen van Hester. Ze pakte Eli's hand om dat tegen hem te zeggen terwijl ze naar de auto liepen. Opeens zag ze Wolfe aan de overkant van de straat staan, leunend tegen zijn eigen auto.

'Wat is hij aan het doen?' wilde ze weten. 'Waarom is hij hier? Denkt hij soms dat je opeens naar hem toe marcheert en alles bekent?'

'Hij laat me weten dat hij er is.' Eli ging achter het stuur zitten en startte kalmpjes de motor. 'Een beetje psychologische oorlogvoering, die verdomd effectief is. Afgelopen winter werd het op een gegeven moment zo erg dat ik nauwelijks het huis meer uit kwam. Als ik naar de kapper ging, wist ik niet of hij binnen zou komen en in de stoel naast me ging zitten.'

'Dat is intimidatie.'

'Formeel wel, en ja, we hadden een klacht kunnen indienen, maar op dat moment zou hij enkel een berisping hebben gekregen. Dat zou niks wezenlijks hebben veranderd, en om je de waarheid te zeggen, was ik te moe om die moeite te nemen. Het was gemakkelijker om binnen te blijven.'

'Je hebt jezelf onder huisarrest geplaatst.'

Zo had hij het niet bekeken, zeker destijds niet. Maar ergens had ze gelijk. Net zoals hij zijn verhuizing naar Whiskey Beach ergens zag als een zelfopgelegde verbanning.

Maar die tijd was voorbij.

'Ik kon nergens naartoe,' zei hij. 'Mijn vrienden zochten geen contact of verdwenen helemaal uit het zicht. Het advocatenkantoor waar ik werkte, had me ontslagen.'

'Hoe zit het dan met onschuldig zijn tot het tegendeel is bewezen?'

'Dat is de wet, maar dat legt niet veel gewicht in de schaal bij belangrijke cliënten, reputaties en uren die je in rekening kunt brengen.'

'Ze hadden je moeten steunen, Eli. Al was het maar uit principe.'

'Ze hadden andere vennoten, partners, cliënten en personeel om rekening mee te houden. Aanvankelijk noemden ze het verlof, maar ik lag eruit en dat wist iedereen. Maar goed, dat gaf me de tijd en de reden om te schrijven, om te proberen me daarop te richten.'

'Doe nou niet net alsof ze jou een plezier hebben gedaan.' Haar stem klonk vlijmscherp. 'Je hebt jezelf dat plezier gedaan. Jij hebt er iets positiefs van gemaakt.'

'Schrijven was een reddingsboei en ik heb me daaraan vastgeklampt. Het was ook een stuk positiever dan het opgeven. Toen ze me niet kwamen arresteren, en geloof me, dat was iets waar ik elke dag rekening mee hield, bood dat me de kans om naar Bluff House te gaan.'

Een soort loutering, dacht Abra. Het verwijderen van de bovenste laag die hem moe en gespannen had gemaakt, en waardoor hij naar haar mening ook veel te bereidwillig was geweest om zich bij zijn lot neer te leggen.

'En nu?' vroeg ze.

'Nu is de reddingsboei niet meer voldoende. Ik kan niet op één plek blijven, wachtend tot ik zal vallen. Ik ga terugvechten. Ik zal de antwoorden vinden. Als ik die heb, ga ik ze Wolfe door zijn strot proppen.'

'Ik hou van je.'

Met een glimlach keek hij naar haar, maar die glimlach maakte plaats voor een blik vol behoedzame verbazing toen hij haar ogen zag. 'Abra...'

'Ja, ja, kijk nou maar op de weg.' Bij het zien van haar gebaar trapte hij net op tijd op de rem. Hij was bijna achter op een hatchback gereden.

'Slechte timing,' zei ze. 'Niet romantisch, verkeerd moment, maar ik geloof nou eenmaal dat je je gevoelens moet uiten, vooral de positieve. Liefde is het positiefste gevoel dat er bestaat. Ik mag het graag voelen, en daar was ik eerst helemaal niet zo zeker van. Wij hebben zo veel stront achter de rug, Eli, dat we er niks aan kunnen doen dat er nog wat aan onze schoenzolen kleeft. Misschien zijn we daardoor geworden wie we zijn. Maar het vervelende is dat we daardoor aarzelen om mensen te vertrouwen, om ons weer op anderen te verlaten en die risico's weer te durven nemen.'

Verbazingwekkend, dacht ze. Echt heel gek dat ze zich sterker en vrijer voelde door die woorden hardop uit te spreken. 'Ik verwacht niet dat je hetzelfde risico zult nemen, alleen omdat ik het als eerste deed, maar je zou jezelf wel een bofkont moeten vinden dat er een slimme, zelfbewuste, interessante vrouw van jou houdt.'

Hij manoeuvreerde door het lastige verkeer en reed de 95 op, in noordelijke richting. 'Ik vind mezelf ook een bofkont,' zei hij tegen haar. Maar hij voelde zich ook paniekerig.

'Dan is dat genoeg. We hebben betere muziek nodig,' vond ze, en ze begon te zoeken op zijn satellietradio.

Dat is het dan? dacht hij. Ik hou van je, laten we een andere zender opzetten? Hoe moest een man zo'n vrouw in godsnaam bijhouden? Ze was gecompliceerder dan het verkeer in Boston, en veel onvoorspelbaarder.

Terwijl de kilometers voorbij gleden, probeerde hij aan iets anders te denken, maar zijn gedachten keerden er telkens naar terug, als vingers naar een irritant jeukend plekje. Uiteindelijk zou hij moeten reageren... op welke manier dan ook. Ze zouden de... kwestie moeten bespreken. En hoe moest hij in vredesnaam helder en rationeel denken over liefde en alles wat daarbij kwam kijken nu hij zo veel andere dingen aan zijn hoofd had die hij moest oplossen?

'We hebben een plan nodig,' zei Abra, waarop hij onmiddellijk weer in paniek raakte. 'Jezus, je gezicht.' Ze kon haar lachen niet bedwingen. 'Het schoolvoorbeeld van nauwelijks bedwongen mannelijke angst. Ik bedoel niet een "Abra houdt van Eli"-plan. Rustig maar. Ik bedoel een "waarom heeft Justin Suskind het risico genomen om naar de tweede verdieping van Bluff House te sluipen"-plan. We moeten systematisch uitzoeken wat daar allemaal ligt.'

'Daar ben ik al mee begonnen, elke dag een paar uur, en ik heb nauwelijks vooruitgang geboekt. Heb je wel eens gezien hoeveel daar ligt?'

'Daarom zei ik ook systematisch. We houden het voorlopig op het standpunt dat hij achter de bruidsschat aanzit. Dat breiden we uit met de redelijke aanname dat hij informatie heeft, of die nou klopt of niet, waardoor hij in dat deel van de kelder is gaan graven. En dat kunnen we nogmaals uitbreiden door logisch te raden. Hij was op zoek naar meer informatie, een nieuwe aanwijzing, iets wat de locatie bevestigt, althans voor hem.'

Eli vermoedde dat er heel wat onzichtbare of ontbrekende stipjes waren, maar al met al was het geen slechte manier om alles wat ze wisten met elkaar te verbinden.

'Voor hetzelfde geld heeft hij al gevonden wat hij zocht.'

'Dat zou kunnen, maar toch is hij na die tijd nog naar het huis gekomen. Hij denkt nog altijd dat het huis de sleutel is.'

'De spullen lagen niet door elkaar.' Eli dacht erover na. 'Ik weet niet hoe alles in de kisten, hutkoffer en dozen lag, of in de laden van al die meubels die daar staan, dus misschien was alles al doorzocht voor dat de politie kwam. Maar als hij dat heeft gedaan, is hij heel voorzichtig geweest. En toen hebben de agenten alles doorgespit en nu is het een behoorlijke rotzooi.'

'Hoe kon hij weten dat er iemand naar zolder zou gaan voor hij had gevonden wat hij wilde hebben? Hij wilde niet dat iemand wist dat hij het huis kon binnenkomen. Dat zouden we ook niet hebben geweten als we niet in het donker door de kelder hadden gedwaald.'

'We dwaalden door de kelder omdat hij de stroomtoevoer had afgesneden. Dat was een belangrijke aanwijzing dat er is ingebroken.'

'Ja, daar zeg je zoiets. Maar zou je daar beneden op onderzoek uit zijn gegaan? Als je thuis was gekomen en de politie had gebeld, was de kans bijzonder klein geweest dat je naar beneden zou zijn gegaan, op zoek naar aanwijzingen dat de inbreker daar was geweest. En als je het wel had gedaan, zou je vast niet veel verder dan de wijnkelder zijn gegaan.'

'Goed. Hij nam een weloverwogen risico.'

'Omdat hij toegang wil of nodig heeft, en als we die systematische doorzoeking doen, komen we misschien meer te weten over de reden waarom hij dat wil. We moeten wachten tot hij terug is voor we een val voor hem kunnen opzetten,' merkte ze op. 'Tot die tijd kunnen we beter iets actiefs doen. Of liever gezegd, iets actievers,' verbeterde ze zich. 'Ik weet dat je onderzoek hebt gedaan en verwijzingen hebt aangebracht en theorieën en verbanden hebt uitgestippeld, en het reisje van vandaag heeft nieuwe informatie opgeleverd die we moeten verwerken. Maar het idee om mijn handen echt vuil te maken, staat me wel aan.'

'We kunnen er eens beter rondkijken.'

'En misschien krijg je meer ideeën over wat je met die ruimte wilt doen als we daar langer bezig zijn. Ik ga een verfwaaier halen.'

'Echt waar?'

'Kleuren inspireren.'

'Nee,' zei hij na een tel. 'Ik kan het niet bijhouden.'

'Wat niet?'

'Jou.' De opluchting omdat hij eindelijk door het dorp reed, werd getemperd door frustratie. 'Van liefde naar radiostations, van systematische doorzoekingen via vallen naar verfwaaiers. Hoeveel kanten kun je in één keer op gaan?'

'Ik kan aan heel veel dingen tegelijk denken, vooral als ik ze belangrijk, relevant en interessant vind. Liefde is belangrijk en, in een heel ander opzicht, is muziek tijdens een autorit ook heel belangrijk. De tweede verdieping doorzoeken en mijn plan verfijnen waarmee we Suskind hopelijk in het huis zullen pakken zijn zonder meer relevant, en verfkleuren zijn interessant en uiteindelijk zowel belangrijk als relevant.'

'Ik geef het op,' zei hij toen hij voor Bluff House parkeerde.

'Heel verstandig.' Abra stapte uit en draaide met gespreide armen een rondje. 'Wat ruikt het hier toch lekker en wat voelt de lucht toch heerlijk. Ik wil rennen op het strand en mezelf er helemaal mee vullen.'

Hij kon zijn ogen niet van haar afhouden, haar verlokking niet weerstaan. 'Jij bent belangrijk voor me, Abra.'

'Dat weet ik.'

'Jij bent belangrijker dan wie dan ook.'

Ze liet haar armen zakken. 'Dat mag ik hopen.'

'Maar...'

'Stop.' Ze trok haar tas uit de auto en gooide haar haren naar achteren. 'Je hoeft het niet nader te omschrijven. Ik verwacht niet dat je de weegschaal in balans brengt. Neem het geschenk aan, Eli. Als ik het te vroeg heb gegeven of verkeerd heb verpakt, dan is daar niets meer aan te doen. Het blijft een geschenk.' Ze liep naar de deur en binnen begon Barbie hard te blaffen.

'Jouw alarm gaat af. Ik ga me verkleden en dan neem ik haar mee om hard te lopen.'

Hij pakte zijn sleutels. 'Ik ben ook wel aan hardlopen toe.'

'Perfect.'

Verder zei ze er niets over. In plaats daarvan ging ze direct aan de slag met de nieuwe plannen. Ze pakte hutkoffers uit, waarvan Abra de inhoud vlijtig op een laptop administreerde.

Ze waren dan wel geen experts, maar een georganiseerde beschrijving zou Hester kunnen helpen met haar plan voor een museum, verkondigde ze. Dus waren ze druk bezig met verdelen, onderzoeken, catalogiseren en vervangen, waarbij Eli de grootboeken van het huishouden, de handelsboeken en de dagboeken apart hield.

Hij bladerde erdoorheen, maakte aantekeningen en werkte aan zijn eigen theorie.

Zij moest werken, net als hij, maar hij paste zijn rooster aan om tijd vrij te maken voor wat hij beschouwde als het ontginnen van het verleden. Aan zijn stapel grootboeken voegde hij er een toe met een minutieuze optekening van de aankoop van gevogelte, rundvlees, eieren, boter en diverse groenten van een plaatselijke boer die Henry Tribbet heette.

Eli besloot dat boer Tribbet een voorouder was van zijn drinkmaat Stoney. Voor de grap stelde hij zich Stoney voor met een strooien hoed op en een overall aan zoals boeren droegen, toen Barbie een waarschuwende 'woef' liet horen en vervolgens blaffend de kamer uit rende.

Hij stond op uit de klapstoel die samen met de kaarttafel als tijdelijke werkplek fungeerde, en liep naar de trap. Vlak nadat het geblaf ophield, riep Abra naar boven.

'Ik ben het maar. Kom maar niet naar beneden als je het druk hebt.'

'Ik ben op zolder,' riep hij terug.

'O. Ik moet nog een paar dingen opbergen, en dan kom ik boven.'

Dat klonk goed, vond hij. Haar stem te horen in het stille huis, te weten dat ze boven bij hem zou komen en nieuwtjes over haar dag en de mensen die ze had ontmoet zou vertellen.

Als hij zich zijn dagen zonder haar probeerde voor te stellen, dacht hij aan de donkere periode, zijn zelfopgelegde huisarrest waarin alles saai, kleurloos en moeilijk was geweest.

Naar die tijd wilde hij nooit meer terug, hij had zich te ver een weg in het licht gebaand om op zijn schreden terug te keren. Maar hij dacht vaak dat Abra het felste licht was.

Even later hoorde hij haar de trap op rennen. Hij keek naar haar uit.

Ze droeg een spijkerbroek die tot de knieën kwam, en een rood T-shirt waarop stond: YOGAVROUWEN ZIJN VERDRAAID.

'Hoi. Iemand had zijn massage afgezegd, dus...' Ze stopte op weg naar het tafeltje waar hij aan zat, in afwachting van haar zoen. 'O, mijn god!'

'Wat?' Hij sprong op, klaar om haar tegen alles – van een spin tot een moordlustig spook – te verdedigen.

'Die jurk!' Ze besprong het kledingstuk dat hij boven op de hutkoffer had gelegd die hij net was gaan inventariseren.

Ze pakte hem op terwijl zijn hart dankbaar weer langzamer ging kloppen, en haastte zich naar de spiegel waar ze het laken al vanaf had gehaald. Net zoals hij haar had zien doen met baljurken, cocktailjurkjes, mantelpakjes en wat verder ook maar haar aandacht had getrokken, hield ze de felrode jaren-twintig-jurk met een lage taille en knielange rok met ruches tegen zich aan.

Ze draaide van de ene naar de andere kant, waardoor de ruches opwaaiden en zwierden.

'Lange parelkettingen, een heleboel, een bijpassende clochehoed en een zilveren sigarettenpijpje van een kilometer lengte.' Nog altijd met de jurk voor zich draaide ze zich om. 'Stel je toch eens voor waar deze jurk allemaal is geweest! Hij heeft de Charleston gedanst op een geweldig feest of in een wilde clandestiene kroeg. Hij heeft in een T-Ford gereden en illegaal gestookte drank gedronken.'

Ze keerde zich weer om. 'De vrouw die deze jurk heeft gedragen, was brutaal en zelfs een tikje roekeloos, en volkomen zeker van zichzelf.'

'Hij staat je goed.'

'Dank je, want hij is schitterend. Weet je, met alles wat we al hebben gevonden en gecatalogiseerd, kun je hier zo een modemuseum openen.'

'Ik krijg nog liever een stomp op mijn oog.'

Ach, mannen bleven altijd mannen, dacht ze. En ze had geen enkele behoefte om daar iets aan te veranderen.

'Goed, misschien niet hier, maar je hebt in elk geval genoeg voor een geweldige uitstalling in Hesters museum. Op een goede dag.'

In tegenstelling tot Eli vouwde zij de jurk voorzichtig op in vloeipapier. 'Voor ik naar boven ging heb ik door de telescoop gekeken. Hij is er nog altijd niet.'

'Hij komt wel terug.'

'Dat weet ik, maar ik heb een hekel aan wachten.' Wat laat liep ze naar hem toe om hem een zoen te geven. 'Waarom ben je niet aan het schrijven? Het is nog te vroeg voor jou om te zijn gestopt.'

'Ik heb de eerste versie af, dus ik neem even pauze om alles wat te laten bezinken.'

'Je hebt het af.' Ze sloeg haar armen om zijn hals en schudde met haar heupen. 'Wat geweldig! Waarom zijn we dat niet aan het vieren?'

'Een eerste versie is nog geen boek.'

'Natuurlijk wel, het is een boek dat op verfijning wacht. Wat vind jij ervan?'

'Ik denk dat het verfijnd moet worden, maar ik ben er heel positief over. Het einde ging sneller dan ik had verwacht. Toen ik dat eenmaal duidelijk voor ogen had, was het zo gebeurd.'

'We moeten het absoluut vieren. Ik ga iets heerlijks koken en een fles champagne uit de butlerkeuken koud zetten.'

Dolblij voor hem, liet ze zich op zijn schoot zakken. 'Ik ben zo trots op je.'

'Je hebt het nog niet gelezen. Eén scène maar.'

'Dat doet er niet toe. Je hebt het af. Hoeveel pagina's?'

'Op dit moment? Vijfhonderddrieënveertig.'

'Je hebt vijfhonderddrieënveertig pagina's geschreven gedurende een persoonlijke nachtmerrie en een grote ommezwaai in je leven, onder voortdurende conflicten, stress en problemen. Als je niet trots op jezelf bent, ben je ofwel irritant bescheiden of gewoon dom. Welke van de twee is het?'

Ze vrolijkte hem op, dacht hij. Ze vrolijkte hem altijd op.

'Dan kan ik maar beter zeggen dat ik trots op mezelf ben.'

'Dat klinkt al veel beter.' Ze gaf hem een klapzoen en sloeg vervolgens haar armen weer om zijn hals. 'Volgend jaar rond deze tijd is je boek uit of komt het bijna uit. Je naam zal zijn gezuiverd en je zult de antwoorden op al je vragen over jou en Bluff House hebben.'

'Ik hou van je optimisme.'

'Het is niet alleen optimisme. Ik heb de tarot gelegd.'

'O, nou. Laten we mijn onthutsende voorschot dan uitgeven aan een reisje naar Belize.'

'Mij best.' Ze leunde iets naar achteren. 'Optimisme en een tarotsessie vormen samen een grote kracht, meneertje dat klem zit in de realiteit, vooral als je er moeite en zweet aan toevoegt. Waarom naar Belize?'

'Geen flauw idee. Het was het eerste wat me te binnen schoot.'

'De eerste dingen zijn vaak het beste. Is er verder nog iets interessants gebeurd?'

'Niks wat te maken heeft met de bruidsschat.'

'Nou, we hebben nog heel wat om te doorzoeken. Ik zal aan de volgende kist beginnen.'

Ze werkte naast hem en besloot toen om van tactiek te veranderen en begon aan een oude ladekast.

Je stond versteld van wat de mensen bewaarden, dacht ze. Oude tafellopers, verbleekte borduurwerkjes, kindertekeningen op papier dat zo droog was geworden dat ze vreesde dat het in haar handen zou verkruimelen. Ze vond een platenverzameling die wel eens uit dezelfde periode kon stammen als de prachtige koraalrode jurk. Geamuseerd haalde ze een grammofoon onder een laken vandaan, wond hem op en legde er een plaat op.

Ze wierp Eli een grijns toe toen de krassende, metalige muziek door de kamer klonk. Ze deed wat jazzhanden en een snelle heupbeweging, waarna hij teruggrijnsde.

'Je moet die jurk aantrekken.'

Ze knipoogde naar hem. 'Straks misschien.'

Ze danste terug naar de ladekast en trok de volgende lade open.

Ze had stapeltjes gemaakt. Heel veel ongebruikte of slechts gedeeltelijk gebruikte lappen stof, zag ze. Ze legde ze op keurige stapels. Iemand had de ladekast gebruikt voor naaiwerk en er zijde en brokaat, fijne wol en satijn in opgeborgen. Hier waren ongetwijfeld mooie jurken uit voortgekomen en andere die wel gepland waren, maar nooit gemaakt.

Toen ze bij de onderste lade was, bleef die halverwege steken. Na een paar keer trekken, haalde ze er stukjes stof, een envelop vol spelden, een oud speldenkussen dat op een rijpe, rode tomaat leek en een tinnen doosje met verscheidene garens uit.

'O, patronen! Uit de jaren dertig en veertig.' Heel voorzichtig haalde ze die eruit. 'Overhemdjurken en avondjurken. O god, moet je dit zomerjurkje toch zien!'

'Kijk jij er maar naar.'

Ze besteedde nauwelijks enige aandacht aan hem. 'Ze zijn schitterend. Door dit project ben ik me gaan afvragen waarom ik nooit iets met oude kleding heb gedaan. Zou ik dit zomerjurkje kunnen maken?'

'Een jurk maken?' Even keek hij haar aan. 'Daar zijn kledingwinkels toch voor?'

'Misschien van die gele zijde met viooltjes. Ik heb nog nooit een jurk genaaid, maar het lijkt me geweldig om het eens te proberen.'

'Ga je gang.'

'Ik kan zelfs die oude naaimachine proberen die we hier hebben gevonden. Om het echt antiek te houden.' In gedachten zag ze het voor zich. Ze stapelde de patronen op en keerde zich toen weer naar de lege lade.

'Die zit klem,' mompelde ze. 'Misschien zit er iets tussen...'

Ze boog zich voorover en stak haar handen naar binnen, over de bodem van de lade voelend naar een blokkade. Daarna betastte ze de zijkanten en als laatste de achterkant. 'Waarschijnlijk zit-ie gewoon vast of is er iets verbogen, of...'

Toen gleden haar vingers over iets wat als een metalen ronding voelde.

'Er zit hier iets, helemaal achter in de hoek,' zei ze tegen Eli. 'In beide hoeken,' ontdekte ze.

'Ik kom zo.'

'Ik begrijp alleen niet waarom het de lade hindert. Het is gewoon...'

Ongeduldig duwde ze tegen de hoeken en de lade gleed prompt naar buiten en belandde bijna in haar schoot.

Eli keek opnieuw op bij het horen van haar verraste: 'O.'

'Alles goed met je?'

'Ja, ik heb alleen mijn knieën een beetje gestoten. Het is een soort ruimte, Eli. Een geheim compartiment achter deze lade.'

'Ja, daar heb ik er een paar van gevonden in bureaus en eentje in een oud dressoir.'

'Maar heb je daar ook zoiets in aangetroffen?'

Ze stak een houten doos op, die diep was ingesneden met een gestileerde, sierlijke L.

'Tot nu toe nog niet.' Geïntrigeerd hield hij op met zijn inventaris toen zij de doos naar de tafel bracht.

'Hij zit op slot,' zei ze.

'Misschien zit de sleutel bij de voorraad die we hebben verzameld, waarvan ik er nog meer heb gevonden in de geheime la in het oude dressoir.'

Ze keek naar de pot waar ze alle sleutels in hadden gestopt die ze tijdens hun zoektocht op zolder waren tegengekomen. Vervolgens trok ze een speld uit haar haren.

'Laten we dit maar eerst proberen.'

Hij moest lachen. 'Meen je dat nou? Ga je het slot openmaken met een haarspeld?'

'Dat is toch de klassieke manier? En hoe moeilijk kan het zijn?' Ze verboog de speld, stopte hem in het slot, friemelde er wat mee en draaide hem om. Aangezien ze vastberaden leek de doos te willen openen, stond Eli op om naar de pot te lopen. Toen hoorde hij een zachte klik.

'Heb je dit al eens eerder gedaan?'

'Een keer, toen ik dertien was en ik de sleutel van mijn dagboek kwijt was. Maar sommige vaardigheden vergeet je niet.'

Ze tilde de deksel op en zag een verzameling brieven.

Ze hadden al eerder brieven gevonden, de meeste even lang en kronkelig als de weg tussen Whiskey Beach en Boston of New York. Sommige waren van soldaten die oorlog voerden, of van dochters die waren getrouwd en nu ergens ver weg woonden, dacht ze.

Ze hoopte op liefdesbrieven, want die hadden ze tot nu toe niet gevonden.

'Het papier ziet er oud uit,' zei ze toen ze de brieven er voorzichtig uit haalde. 'Volgens mij zijn ze met ganzenveer geschreven en, ja, hier is een datum. 5 juni 1821. Geschreven aan Edwin Landon.'

'Dat moet Violeta's broer zijn.' Eli schoof zijn eigen werk aan de kant en draaide zich een stukje om het beter te kunnen zien. 'Hij moet toen in de zestig zijn geweest. Hij is gestorven in...' Hij groef in zijn geheugen naar de familiegeschiedenis die hij had bestudeerd. 'Ergens in de jaren na 1830. In het begin van dat decennium, in elk geval. Van wie is het?'

'James J. Fitzgerald, uit Cambridge.'

Eli schreef de naam op. 'Kun je het lezen?'

'Ik denk het wel. "Meneer, ik heb spijt van de ongelukkige omstandigheden en teneur van onze ontmoeting de afgelopen winter. Het was niet mijn bedoeling me op te dringen aan uw privacy of uw welwillendheid. Hoewel u uw mening en besluiten op dat moment... buitengewoon duidelijk hebt gemaakt, acht ik het noodzakelijk dat ik u nu schrijf ten behoeve van mijn moeder en uw zuster, Violeta Landon Fitzgerald."'

Abra hield op en keek Eli met grote ogen aan.

'Eli!'

'Lees door.' Hij stond op om de brief over haar schouder te bekijken. 'In de familiegeschiedenis staat niets over haar huwelijk of eventuele kinderen. Lees door,' herhaalde hij.

Zoals ik u reeds in januari heb medegedeeld, is uw zuster zeer ernstig ziek. Onze situatie is nog altijd moeilijk vanwege de schulden die zijn aangegaan bij het overlijden van mijn vader, twee jaar geleden. Mijn betrekking als secretaris bij Andrew Grandon, advocaat, levert me een eerlijk loon op, waarmee ik mijn vrouw en gezin goed kan onderhouden. Nu zorg ik uiteraard ook voor de behoeften van mijn moeder en probeer ik tevens de schulden af te lossen. Ik zoek geen contact met u om uit mijn naam om financiële steun te vragen, en dat zou ik ook nooit doen. Ik doe dat opnieuw uit naam van uw zuster. Haar gezondheid blijft slecht en de artsen dringen er bij ons op aan om haar van de stad naar de kust te brengen, waar de zeelucht volgens hen heilzaam zal zijn. Ik vrees dat ze de volgende winter niet zal halen als de huidige situatie voortduurt.

Het is uw zusters vurigste wens om terug te keren naar Whiskey Beach, naar het huis waar ze is geboren en waar zo veel herinneringen van haar liggen.

Meneer, ik smeek u, niet als oom. U hebt mijn woord dat ik nooit om een gunst zal vragen vanwege die familieband. Ik smeek u als broer, namens uw enige zuster, wier wens het is naar huis terug te keren.

Rekening houdend met de broosheid van het papier, legde Abra de brief voorzichtig op tafel. 'O, Eli.'

'Ze is vertrokken. Wacht, laat me denken.' Hij rechtte zijn rug en begon door de kamer te lopen. 'Er is nergens een vermelding van haar huwelijk, kinderen of haar overlijden. In elk geval niet in het familiearchief. En ik heb nog nooit van die Fitzgerald-connectie gehoord.'

'Haar vader heeft toch documenten laten vernietigen?'

'Volgens de overlevering wel. Ze is weggelopen en hij heeft niet alleen al het contact verbroken, maar in feite ook alle officiële documenten laten vernietigen.'

'Hij moet een lelijk, min mannetje zijn geweest.'

'Op zijn portretten is het anders een goed gebouwde, knappe man met donker haar,' verbeterde Eli haar. 'Maar jij bedoelt vanbinnen. En daar heb je vast gelijk in. Dus Violeta is hier vertrokken, vervreemd van haar familie en is vervolgens naar Boston of Cambridge gegaan. Zij hebben haar verstoten. Op een gegeven moment is ze getrouwd en heeft ze kinderen gekregen, in elk geval deze zoon. Was Fitzgerald de overlevende van de Calypso? Het is een Ierse naam, geen Spaanse.'

'Misschien was hij geronseld. Heet dat niet zo? Al kan ze hem evengoed hebben ontmoet en met hem zijn getrouwd toen ze van huis was vertrokken. Is er echt nooit een verzoeningspoging geweest, tot deze brief? Tot ze op sterven lag?'

'Ik weet het niet. In sommige versies van het verhaal wordt er gespeculeerd dat ze ervandoor is gegaan met een minnaar, maar de meeste versies gaan ervan uit dat ze is weggelopen nadat haar minnaar was vermoord door haar broer. Tijdens het onderzoek heb ik een aantal keer gelezen dat ze is weggestuurd omdat ze zwanger was, en vervolgens is verstoten omdat ze weigerde te doen wat haar vader van haar eiste. Waar het op neerkomt, is dat ze haar bestaan hebben uitgewist zodat ze na 1775 niet meer in de officiële familiestukken voorkomt. Nu we dit hebben, kunnen we op zoek gaan naar James J. Fitzgerald uit Cambridge en van daaruit verder werken.'

'Eli, de volgende brief. Die komt uit september van hetzelfde jaar. Nog een smeekbede. Ze is achteruitgegaan en de schulden stapelen zich op. Hij zegt dat zijn moeder te zwak is om een pen vast te houden en zelf te schrijven. Hij schrijft de woorden voor haar. O, het is hartverscheurend. "Broer, laat er vergiffenis zijn. Ik wil mijn Lieve Heer niet ontmoeten met deze vijandschap tussen ons. Ik smeek je, met de liefde die we ooit zo vreugdevol deelden, sta me toe naar huis te komen om te sterven. Laat mijn zoon mijn broer leren kennen, de broer die ik liefhad en die mij liefhad voor die verschrikkelijke dag. Ik heb God gevraagd om me te vergeven voor mijn zonden, en die van jou. Kun jij me niet vergeven, Edwin, zoals ik jou heb vergeven? Vergeef me en laat me thuiskomen."'

Ze veegde de tranen van haar wangen. 'Maar dat heeft hij niet gedaan, hè? Dit is de derde brief, de laatste. Die is van 6 januari. "Violeta Landon Fitzgerald is deze dag om zes uur gestorven. In haar laatste maanden op aarde heeft ze zwaar geleden. Dit lijden is aan u te danken, meneer. Moge God u vergeven, want ik zal dat niet doen.

Op haar sterfbed heeft ze me alles verteld wat er in de laatste dagen van augustus in het jaar 1774 is gebeurd. Ze heeft haar zonden aan mij opgebiecht, de zonden van een jong meisje, en die van u, meneer. Ze heeft geleden en is gestorven met de wens dat ze naar het huis kon gaan waar ze was geboren en waar haar bloedverwanten woonden. Ook wenste ze de omhelzing van haar familie, maar die is haar geweigerd. Mijn nabestaanden en ik zullen dat nooit vergeten. U zult haar nooit meer zien, en haar evenmin ontmoeten in de Hemel. Vanwege uw daden bent u verdoemd, evenals alle Landons die van u zullen afstammen."'

Ze legde de laatste brief bij de andere. 'Ik ben het met hem eens.'

'Iedereen is het erover eens dat Edwin Landon en zijn vader harde, onverzoenlijke mannen waren.'

'Dat blijkt ook wel uit deze brieven.'

'Daar blijkt nog meer uit. We weten niet of Edwin heeft gereageerd of wat hij heeft geschreven als hij dat wel heeft gedaan, maar het is duidelijk dat zowel Violeta als hij in augustus 1774 heeft "gezondigd". Vijf maanden nadat de Calypso is vergaan op Whiskey Beach. We moeten informatie zoeken over James Fitzgerald. We hebben een geboortedatum nodig.'

'Denk je dat ze zwanger was toen ze wegging of dat ze daarom is verstoten?'

'Dat lijkt me wel een zonde waar mannen als Roger en Edwin Landon iemand om zouden veroordelen. En gezien de tijd en het feit dat zij in steeds hoger aanzien kwamen te staan, zowel maatschappelijk als zakelijk, is het onhoudbaar om een dochter te hebben die zwanger is van iemand die minder is, iemand die zich niet aan de wet houdt.'

Hij liep weer naar haar toe en las de brief opnieuw. Hij bestudeerde de handtekening. 'James was een veel voorkomende naam, een populaire naam. Zonen worden vaak vernoemd naar hun vader.'

'Denk je dat haar minnaar, de zeeman van de Calypso, James Fitzgerald was?'

'Nee. Volgens mij was haar minnaar Nathanial James Broome en heeft hij het vergaan van de Calypso overleefd, samen met Esmeralda's bruidsschat.'

'Dus "James" was Broomes tweede voornaam?'

'Ja. Wie die Fitzgerald ook was, ik durf te wedden dat ze al zwanger was toen ze met hem trouwde.'

'Misschien is Broome er samen met haar vandoor gegaan en heeft hij een andere naam aangenomen.'

Afwezig streek Eli met zijn hand door zijn haar, en dacht eraan terug hoe zij de gedoemde schooljuffrouw en reeds lang overleden Landon een gelukkig einde had gegeven.

'Dat lijkt me niet. De man was een beruchte piraat. Ik zie hem niet een rustig leventje in Cambridge leiden en een zoon grootbrengen die secretaris wordt. En hij zou de Landons nooit de bruidsschat hebben laten houden. Nee, Edwin heeft hem vermoord, dat denk ik echt. Hij heeft hem vermoord, de bruidsschat ingepikt en zijn zuster op straat gegooid.'

'Voor geld? Dus waar het op neerkomt is dat ze haar het huis uit hebben gezet, haar bestaan hebben uitgewist, om geld?'

'Ze had een verhouding met een bekende bandiet. Een moordenaar, een dief, een man die zou zijn opgehangen als hij was gepakt. De Landons worden juist rijk en verwerven meer aanzien en politieke macht. En opeens is hun dochter, die ze hadden willen uithuwelijken aan de zoon van een andere rijke familie, geruïneerd. De kans is groot dat zij ook geruïneerd zullen zijn als bekend wordt dat ze een gezochte misdadiger onderdak hebben geboden of wisten waar hij verbleef. Zij, de situatie en haar toestand moesten worden aangepakt.'

'Aangepakt? Wat zeg je nou?'

'Ik zeg niet dat het goed was wat ze hebben gedaan. Ik verklaar alleen hoe hun positie was en wat ze waarschijnlijk hebben gedaan.'

'Advocaat Landon. Nee, hij zou niet een van mijn favoriete mensen zijn geweest.'

'Advocaat Landon verduidelijkt alleen hun positie, die van mannen uit die tijd, met die denkwijze. Dochters waren bezit, Abra. Dat deugt niet, maar zo was het wel. En opeens was ze geen aanwinst meer, maar een sta-in-de-weg.'

'Dit kan ik niet langer aanhoren.'

'Wind je niet zo op,' zei hij toen ze woest overeind kwam. 'Ik heb het over het einde van de achttiende eeuw.'

'Het klinkt anders alsof je het ermee eens bent.'

'Het is geschiedenis, en de enige manier waarop ik een helder beeld kan krijgen is als ik logisch nadenk, en niet emotioneel.'

'Ik vind emoties fijner.'

'Je bent er ook goed in.' Dus daar zouden ze ook gebruik van maken, besloot hij. Van emotie én logica. 'Goed, wat is er volgens jouw emoties dan gebeurd?'

'Die Roger Landon was een egoïstische, ongevoelige klootzak en zijn zoon Edwin een harteloze klerelijer. Ze hadden het recht niet om een leven weg te gooien zoals ze dat van Violeta hebben weggegooid. En het is meer dan alleen geschiedenis. Het gaat om mensen.'

'Abra, je weet toch wel dat we ruzie maken om iemand die bijna tweehonderd jaar geleden is overleden?'

'En wat wil je daarmee zeggen?'

Hij wreef met zijn handen over zijn gezicht. 'Waarom houden we het niet hier op: in wezen zijn we allebei tot dezelfde conclusie gekomen. Voor een deel bestaat die conclusie eruit dat Roger en Edwin Landon harteloze, keiharde, opportunistische klootzakken waren.'

'Dat klinkt al een beetje beter.' Ze kneep haar ogen tot spleetjes. 'Opportunistisch. Jij gelooft echt dat de bruidsschat niet alleen bestond en samen met Broome is aangespoeld, maar ook dat Edwin Broome heeft vermoord en de bruidsschat heeft gestolen.'

'Nou, het was al gestolen goed, maar inderdaad. Volgens mij heeft hij hem gevonden en ingepikt.'

'Waar is die dan nu in godsnaam?'

'Daar ben ik mee bezig. Maar al onze conclusies zijn verkeerd als de vooronderstelling niet klopt. Ik moet Violeta's zoon zien te vinden.'

'Hoe dan?'

'Ik kan hem zelf zoeken, maar dat kost tijd want het is mijn vakgebied niet, al zijn er meer dan genoeg hulpmiddelen en genealogiesites. Of ik kan tijd besparen en iemand bellen wiens vak het wel is. Ik ken een man. We konden vroeger goed met elkaar opschieten.'

Ze begreep het, iemand die Eli de rug had toegekeerd. En ze besefte dat, hoe logisch zijn redenatie ook was, hij precies begreep wat Violeta had doorgemaakt. Hij wist hoe het voelde om aan de kant gezet, veroordeeld en genegeerd te worden.

'Weet je zeker dat je dat wilt doen?'

'Ik heb het weken geleden al overwogen, maar het toen uitgesteld. Want, nee, ik heb er niet veel zin in. Maar ik zal mijn best doen om Violeta's voorbeeld te volgen. Als het erop aankomt, is het beter om mensen te vergeven.'

Ze liep naar hem toe en nam zijn gezicht in haar handen. 'We gaan het toch vieren. Sterker nog, ik ga nu naar beneden om de voorbereidingen te treffen. We moeten die brieven op een veilige plek opbergen.'

'Ik zal ervoor zorgen.'

'Eli, waarom denk je dat Edwin die brieven heeft bewaard?'

'Ik weet het niet, maar de Landons bewaren nou eenmaal altijd dingen. Misschien was die ladekast van hem en heeft hij ze in dat geheime vak gestopt. Wilde hij ze zo bewaren, zonder ze te hoeven zien.'

'Uit het oog, uit het hart, net als Violeta.' Abra knikte. 'Wat een treurige man moet hij zijn geweest.'

Treurig? Dat betwijfelde Eli zeer. Volgens hem was Edwin Landon een zelfvoldane klootzak geweest. Elke familieboom zou wel een paar kromme takken hebben, dacht hij.

Via zijn laptop zocht hij op internet het telefoonnummer van een oude vriend, en pakte vervolgens zijn telefoon. Vergiffenis schenken ging hem niet gemakkelijk af, ontdekte hij. Maar eigenbelang wel. Misschien zou vergeving volgen, en als dat niet gebeurde, dan zou hij alsnog antwoorden hebben.

28

Met haar haren opgestoken en haar mouwen opgerold tot haar ellebogen legde Abra halve aardappelen in een ovenschaal. Ze keek op toen Eli de keuken binnenkwam.

'Hoe ging het?'

'Het was ongemakkelijk.'

'Dat vind ik vervelend voor je, Eli.'

Hij haalde zijn schouders op. 'Ik denk dat het voor hem nog een stuk ongemakkelijker was dan voor mij. Eigenlijk kende ik zijn vrouw beter. Zij is de assistent van een advocaat op mijn oude advocatenkantoor. Hij doceert geschiedenis aan Harvard en verricht in zijn vrije tijd stamboomonderzoek. Een paar keer in de maand basketbalden we samen en we dronken af en toen een paar biertjes. Meer was het niet.'

In Abra's optiek was dat meer dan genoeg om wat loyaliteit en medeleven te verdienen.

'Maar goed, na de eerste onhandige openingszinnen en het geforceerde, net wat té enthousiaste "Wat leuk om iets van je te horen, Eli," stemde hij erin toe het te doen. Sterker nog, volgens mij voelt hij zich zó schuldig dat hij deze zaak voorrang wil geven.'

'Mooi. Dat brengt de situatie weer een beetje in evenwicht.'

'Waarom voel ik dan de behoefte om iets te slaan?'

Ze keek naar de aardappel die ze zojuist met een paar venijnige klappen in tweeën had gehakt. Ze wist precies hoe Eli zich voelde.

'Waarom ga je niet lekker met de gewichten trainen? Dan kun je meteen wat eetlust kweken voor gevulde karbonade, aardappelen in de schil uit de oven en sperzieboontjes met geschaafde amandelen. Een lekker, mannelijk maal om iets te vieren.'

'Misschien doe ik dat wel. Ik moet de hond ook nog te eten geven.'

'Dat heb ik al gedaan. Ze ligt nu op het terras en kijkt naar mensen die spelen in wat zij als háár tuin beschouwt.'

'Dan zal ik jou even helpen.'

'Zie ik er zo hulpeloos uit?'

Onwillekeurig glimlachte hij. 'Nee.'

'Nou dan. Toe, ga gewichtheffen. Ik hou van gespierde mannen.'

'In dat geval ben ik wel even bezig.'

Hij zweette de frustratie en de gedeprimeerdheid – die hand in hand leken te gaan – eruit. En nadat hij de laatste restjes frustratie en gedeprimeerdheid onder de douche had weggespoeld, bemerkte hij dat hij het los kon laten.

Hij had wat hij nodig had: een deskundige om een probleem op te lossen. Het deed er niet toe of schuldgevoel een rol bij het oplossen van dat probleem zou spelen.

In een opwelling besloot hij om met Barbie naar het dorp te wandelen. Het viel hem op dat de mensen een praatje met hem maakten, hem bij zijn naam noemden en aan hem vroegen hoe het met hem ging zonder een spoortje van de voorzichtigheid en de ongemakkelijkheid waar hij zo gewend aan was geraakt.

Hij kocht een boeket auberginekleurige tulpen. Op de terugweg naar huis wuifde hij even naar Stoney Tribbet toen hij de oude man naar de Village Pub zag kuieren.

'Kan ik je op een biertje trakteren, jochie?'

'Nee, vanavond niet,' riep Eli terug. 'Het eten staat thuis klaar, maar hou vrijdagavond een kruk voor me vrij.'

'Afgesproken.'

Daarom voelde hij zich thuis in Whiskey Beach, dacht Eli. Een kruk aan de bar op vrijdagavond, iemand die naar je wuift, eten dat klaarstaat en de wetenschap dat de vrouw om wie je gaf zou glimlachen als je haar een boeket paarse tulpen zou geven.

En dat deed ze ook.

De tulpen stonden samen met kaarsen op de tafel op het terras, de branding ruiste en de sterren flonkerden. De champagne bruiste en daar, op dat moment, had Eli het gevoel dat alles in zijn leven helemaal klopte.

Hij was er weer, dacht hij. Hij had zich losgemaakt uit het te strakke keurslijf, de bladzijde omgeslagen, de cirkel was rond; welke analogie ook maar van toepassing was. Hij was waar hij wilde zijn, samen met de vrouw bij wie hij wilde zijn, terwijl hij iets deed wat hem het gevoel gaf dat hij compleet was, en echt.

Hij had gekleurde lampen, windorgels en bloempotten op het terras, en een hond die een dutje deed boven aan de trap die naar het strand leidde.

'Dit is echt...'

Abra trok haar wenkbrauwen op. 'Wat?'

'Dit is echt helemaal volmaakt.'

En toen ze opnieuw naar hem glimlachte, was het dat inderdaad: helemaal volmaakt.

Later, toen het stil was in het huis en Eli wakker in bed lag naast Abra, kon hij niet precies zeggen waarom hij de slaap niet kon vatten. Hij luisterde naar het ritme van Abra's ademhaling en naar Barbie die af en toe gesmoord piepte. Eli stelde zich voor dat de hond droomde dat ze achter een felrode bal het water in rende.

Hij luisterde hoe Bluff House tot rust kwam, en beeldde zich in hoe zijn oma diep in de nacht wakker was geworden van ongewone geluiden.

Rusteloos stond hij op en overwoog om beneden een boek te halen, maar in plaats daarvan ging hij naar boven, naar de tweede verdieping waar de stapel grootboeken lag. Hij ging aan de kaarttafel zitten met zijn gele schrijfblok en zijn laptop.

Twee uur lang las hij in de boeken, maakte berekeningen, trok data na en vergeleek de huishoudelijke administratie met die van het bedrijf.

Toen zijn hoofd begon te bonzen, wreef hij in zijn ogen, maar hij ging stug door. Hij hield zichzelf voor dat hij rechten had gestudeerd. Maar dat was strafrecht, geen bedrijfsrecht. En al helemaal geen boekhouden of management.

Eigenlijk moest hij dit aan zijn vader of zijn zus doorspelen. Maar hij kon het niet loslaten.

Tegen drie uur 's nachts duwde hij de grootboeken van zich af. Zijn ogen voelden aan alsof hij zijn hoornvliezen met schuurpapier onder handen had genomen, en er klemde een venijnige bankschroef om zijn slapen en zijn nek.

Maar hij dacht dat hij het wist, dat hij het begreep.

Omdat alles te laten bezinken, ging hij naar beneden en haalde een paar aspirientjes uit het keukenkastje. Hij slikte ze door met water dat hij opdronk als een man die omkomt van de dorst, en daarna liep hij het terras op.

Het briesje dat naar zee en naar bloemen rook, streek als balsem over zijn huid. Overal flonkerden sterren, en de bijna volle maan stak fel af tegen de nachtelijke hemel.

Op de klip, boven de rotsen waar mannen om het leven waren gekomen, scheen de vuurtoren van Whiskey Beach zijn hoopgevende licht in het rond.

'Eli?' In een kamerjas zo wit als de maan, kwam Abra naar buiten. 'Kun je niet slapen?'

'Nee.'

De bries liet haar peignoir golven en danste door haar haar. Het maanlicht blonk in haar ogen.

Wanneer was ze zo ontzettend knap geworden? vroeg hij zich af.

'Ik heb thee die misschien wel helpt.' Ze liep naar hem toe en deed automatisch haar handen omhoog om zijn schouders te masseren en de knopen in zijn spieren op te zoeken. Toen ze elkaar aankeken, veranderde haar blik van bezorgd in nieuwsgierig. 'Wat is er aan de hand?'

'Er is heel veel aan de hand. Allerlei grote, onverwachte dingen die zich onverwachts hebben samengebundeld.'

'Ga even zitten. Dan kun je het me vertellen terwijl ik je schouders doe.'

'Nee.' Hij nam haar handen in de zijne. 'Ik vertel het je gewoon wel. Ik hou ook van jou.'

'O, Eli.' Ze verstrengelde haar vingers met de zijne. 'Dat weet ik toch.'

Dat was niet de reactie die hij had verwacht. Eigenlijk was het best een beetje irritant, dacht hij. 'Meen je dat nou?'

'Ja. Maar god-nog-aan-toe...' Haar adem stokte even toen ze haar armen om hem heen sloeg en haar gezicht tegen zijn schouder drukte. 'God, wat is het fijn om het je te horen zeggen. Ik heb mezelf voorgehouden dat het niet erg was als je het niet zou zeggen. Maar ik wist niet dat het zo heerlijk zou voelen om die woorden te horen. Hoe kon ik dat ook weten? Als ik het wél had geweten, dan had ik je achtervolgd als een hongerige wolf om die woorden uit je te trekken.'

'Hoe wist je het dan als ik het nog niet had gezegd?'

'Ik voel het elke keer dat je me aanraakt, aankijkt of vasthoudt.' Met tranen in haar ogen keek ze hem aan. 'Ik zou niet zo veel van je kunnen houden als ik niet zou weten dat je ook van mij hield. Als ik niet wist dat je van me hield, zou ik ook niet weten dat ik hier hoor, bij jou.'

Hij streek door haar haar, door al die warrige krullen, en hij vroeg zich af hoe hij de dagen door was gekomen in de tijd voordat hij haar kende. 'Dus je wachtte gewoon op het moment dat ik er klaar voor was?'

'Ik wachtte op jou, Eli. Volgens mij wachtte ik al op je sinds ik naar Whiskey Beach ben verhuisd, want jij was eigenlijk het enige wat nog aan het plaatje ontbrak.'

'En jij bent volmaakt.' Hij drukte zijn lippen op de hare. 'Helemaal volmaakt. Dat vond ik in het begin trouwens behoorlijk angstaanjagend.'

'Dat weet ik. Dat gold ook voor mij. Hoe gaan we nu verder?' Er stroomden tranen uit haar zeemeerminnenogen en die glinsterden in het maanlicht. 'Ik heb het gevoel alsof ik de hele wereld aankan. En jij?'

'Ik voel me gelukkig.' Geroerd door tederheid, kuste hij haar tranen weg. 'En ik wil jou net zo gelukkig maken als ik me nu voel.'

'Maar dat doe je al. Dit is een mooie nacht. Nou ja, eigenlijk is het alweer een nieuwe dag. En die wordt ook weer geweldig.' Ze drukte haar lippen opnieuw op de zijne. 'Laten we elkaar nog vele geweldige dagen bezorgen.'

'Afgesproken.'

En Landons hielden zich altijd aan hun afspraken, dacht ze. Overmand door emoties, omhelsde ze hem opnieuw. 'We hebben elkaar gevonden, Eli. En precies op het juiste moment en de juiste plek.'

'Is dat iets karma-achtigs?'

Lachend maakte ze zich van hem los. 'Ja, reken maar. Kon je daarom niet slapen? Omdat je plotseling je karmische lot aanvaardde en mij erover wilde vertellen?'

'Nee. Eigenlijk wist ik niet dat ik het zou gaan zeggen tot jij het terras op kwam. Een blik op jou en het besef drong keihard tot me door. De hele reutemeteut.'

'Kom, laten we weer naar bed gaan.' Haar glimlach was veelbelovend. 'Ik durf te wedden dat ik jou kan helpen om in slaap te komen.'

'Dat is nog een reden waarom ik van je houd. Jij hebt altijd geweldige ideeën.' Toen hij haar hand pakte, schoot het hem ineens weer te binnen. 'Jezus, ik was helemaal afgeleid.'

'Dat is een gewoonte van je.'

'Nee, ik bedoel dat ik was vergeten waarom ik in eerste instantie hierheen was gekomen, waarom ik niet kon slapen. Ik ben op zolder geweest en heb de administratie doorgenomen, de grootboeken en boekhoudingen.'

'Al die getallen en kolommen?' Ogenblikkelijk gingen haar handen naar zijn slapen die ongetwijfeld pijn zouden doen. 'Dat je niet binnen vijf minuten in slaap bent gevallen.'

'Ik heb hem gevonden, Abra. Ik heb Esmeralda's bruidsschat gevonden.'

'Wat? Hoe dan? Mijn god, Eli! Je bent een genie.' Ze pakte hem beet en draaide met hem in het rond. 'Waar is hij dan?'

'Hier.'

'Maar waar is hier? Moet ik een schep halen? O, o! We moeten het aan Hester en de rest van je familie vertellen. Die schat moet beschermd worden en... er moet een manier zijn om de afstammelingen van Esmeralda op te sporen, zodat ook zij deel gaan uitmaken van deze ontdekking. Hesters museum. Denk je eens in wat dat voor Whiskey Beach zal betekenen.'

'Je loopt veel te hard van stapel,' zei hij.

'Maar denk je toch eens in, Eli. Een schat die na twee eeuwen boven water komt. Je kunt er een nieuw boek over schrijven. En stel je eens voor hoeveel mensen die schat nu zouden kunnen zien. Je familie zou stukken ervan kunnen uitlenen aan het Smithsonian, het Metropolitan of het Louvre.'

'Zou jij dat doen met zo'n schat? Doneren, uitlenen en tentoonstellen?'

'Nou… Ja, inderdaad. Het behoort inmiddels toch zeker tot het geschiedkundig erfgoed?'

'Vast wel, op de een of andere manier.' Gefascineerd door haar bekeek hij haar stralende gezicht. 'Wil jij die schat dan niet? Helemaal niks ervan?'

'Tja… als je het vraagt. Tegen één smaakvol stuk zou ik geen nee zeggen.' Ze lachte en draaide opnieuw in het rond. 'O, denk toch eens aan de geschiedenis, aan het raadsel dat is opgelost, de magie die is ontketend.'

Ze hield even op en begon toen opnieuw te lachen. 'Maar waar ligt die schat dan, verdomme? En hoe snel kunnen we hem veiligstellen?'

Hij draaide haar om en gebaarde om zich heen. 'We hebben hem al. De schat is veiliggesteld. Abra, het is Bluff House zelf.'

'Hè? Ik kan je even niet volgen.'

'Mijn voorouders waren niet zo onbaatzuchtig of filantropisch als jij. Zij hebben de schat niet alleen gehouden, ze hebben hem ook uitgegeven.' Hij wees op het huis. 'Het is niet alleen gefinancierd met de verkoop van whiskey, maar ook met een piratenschat. De uitbreiding van de destilleerderij, de timing ervan, de uitbreiding van het huis, die eerste vernieuwingen. Het timmerhout, de bakstenen, het werkloon.'

'Bedoel je soms dat ze de bruidsschat hebben verkocht om hun zaak en het huis uit te breiden?'

'Stukje bij beetje, als ik de boekhouding goed heb geïnterpreteerd. Gedurende een generatie of twee, te beginnen met de kille Roger en Edwin.'

'O, dat moet ik even laten bezinken, hoor.' Ze duwde haar haren naar achteren, en hij vermoedde dat ze daarbij ook haar opgewonden gedachten aan musea en het delen van de schat wegduwde. 'Dus Bluff House ís de bruidsschat van Esmeralda?'

'In feite wel. Anders klopt het niet. Niet als je je werkelijk verdiept in de inkomsten en uitgaven. De familieoverlevering houdt het op gokken, daar hielden mijn voorouders van en ze waren gelukkig in het spel. Bovendien waren het gewiekste zakenlui. Toen kwam de burgeroorlog en daarna moest het land weer worden opgebouwd. Dat verhaal ken ik van haver tot gort. Maar om te kunnen gokken heb je wel inzet nodig.'

'En jij weet zeker dat dat de bruidsschat was.'

'Dat is logisch. Ik wil dat Tricia de zaak analyseert. En ik wil meer over die James Fitzgerald te weten komen. Het klopt allemaal, Abra. Het zit in de muren, de bakstenen, het glas en de gevels. Op hun eigen manier hebben Roger en Edwin het verantwoord, want zij beschouwden de schat als hun bezit.'

'Ja.' Ze knikte. 'Mannen die in staat zijn om een dochter en een zus zo kil en definitief te verstoten, zouden zo'n schat inderdaad als hun bezit beschouwen. Dat zie ik wel in.'

'Broome is met die schat aangespoeld op Whiskey Beach,' zei Eli. 'En Whiskey Beach was van hen. Zij hebben hem onderdak gegeven en hij heeft hun dochter en zuster onteerd. Dus namen ze wat hij had gestolen en hebben ze gebouwd wat ze wilden.'

'Meedogenloos,' mompelde ze. 'Meedogenloos en onrechtvaardig, maar... in feite is het ook poëtisch. Vind je niet?' Ze liet haar hoofd op zijn schouder rusten. 'En op een bepaalde manier heeft het verhaal ook een gelukkig einde. Maar wat vind jij er eigenlijk van?'

'Misschien is veel ervan wel op bloed en verraad gebouwd. Maar je kunt de geschiedenis nou eenmaal niet veranderen, je moet ermee leren leven. Het huis en de familie hebben alles doorstaan.'

'Het is een mooi huis en een lieve familie. Volgens mij hebben beide wel meer gedaan dan enkel de geschiedenis doorstaan.'

'Meedogenloos en onrechtvaardig,' herhaalde hij. 'En daarvan kan ik wel zeggen dat het me spijt. De moord op Lindsay was meedogenloos en onterecht. En het enige wat ik eraan kan doen is de waarheid proberen te achterhalen. Misschien is dat gerechtigheid.'

'Kijk, daarom hou ik zo veel van je,' zei ze rustig. 'Precies daarom. Het is nog te vroeg om Tricia te bellen, maar omdat ik denk dat we toch niet meer gaan slapen, ga ik maar wat eieren bakken.'

'Kijk, daarom hou ik zo veel van jou.' Toen ze begon te lachen trok hij haar naar zich toe. Terwijl hij over haar hoofd naar de verte keek, bleef hij ineens doodstil staan.

Bij de klip zag hij een zwak lichtschijnsel. 'Wacht even.' Hij liep snel naar de telescoop en keek er doorheen. Toen rechtte hij zijn rug en keek Abra aan.

'Hij is terug.'

Met één hand om zijn arm geklemd keek zij ook door de telescoop. 'Ik heb voortdurend gewenst dat dit zou gebeuren zodat we het achter de rug zouden hebben. Maar nu het eenmaal zover is...' Ze nam een momentje de tijd om de toestand te beoordelen. '... denk ik er nog precies hetzelfde over. Eindelijk kunnen we iets doen.' Ze wierp hem een koele, felle glimlach toe. 'Kom we gaan wat eieren kapotslaan.'

Terwijl zij dat deed en Eli koffie ging zetten, bedacht hij dat dit elke willekeurige ochtend had kunnen zijn, ook al was die ochtend voor hen al om iets voor vijven begonnen. Twee verliefde mensen die – en dat was echt nieuw, verfrissend en vitaliserend – samen het ontbijt klaarmaakten.

Je moest alleen de moordenaar even wegdenken.

'We kunnen Corbett bellen,' zei Abra terwijl ze bessen afspoelde in de gootsteen. 'Hij kan eindelijk met hem gaan praten.'

'Ja, dat kunnen we doen.'

'Maar dat zou weinig uithalen. Een gesprek met een man die ik in een bar heb gezien?'

'De man met wie Lindsay overspel pleegde heeft een huis gekocht in Whiskey Beach.'

'Maar advocaat Landon heeft me verzekerd dat er tijdens een rechtszaak geen spaan heel blijft van dat feit.'

Eli keek haar onderzoekend aan en zette haar koffie op het aanrecht. 'Het is een stap.'

'Een heel klein stapje op een ontzettend trage wandeling, en Suskind zal daardoor begrijpen dat jij het weet. Dan is hij toch gewaarschuwd?'

'Een stap waarvan hij zal schrikken en die er misschien voor zorgt dat hij Whiskey Beach weer verlaat. Dan is het gevaar hier geweken, en wordt het onderzoek naar de moord op Duncan voortgezet. In de tussentijd kunnen wij alle feiten natrekken met betrekking tot de bruidsschat, Edwin Landon, James Fitzgerald, enzovoort.'

'"De feiten natrekken met betrekking tot" klinkt behoorlijk als advocatenjargon.'

‘Zelfs toen ik nog advocaat was, stoorde ik me niet aan sarcastische geintjes over advocaten.’

Ze sneed een stukje boter af en deed het in een hete koekenpan. Terwijl de boter in de pan siste, wierp ze Eli een glimlach toe. ‘Er loopt slechts een dunne scheidslijn tussen de waarheid en sarcasme. Hoe dan ook, iets doen is bevredigender dan sarcasme. We hebben een kans om te bewijzen dat hij degene is die inbreekt in Bluff House, Eli. Als we daarin slagen, zal dat niet alleen aantonen dat hij iets met Hesters val te maken heeft gehad – wat op zich al heel belangrijk voor ons tweeën is – maar het maakt zijn connectie met Duncan ook geloofwaardiger. Als we die twee zaken met elkaar in verband kunnen brengen, is het niet zo moeilijk meer om hard te maken dat hij medeplichtig is aan moord.’

‘Er zitten een hoop haken en ogen aan dat plan.’

Ze goot de geklutste eieren in de koekenpan. ‘Ze hebben met minder reden en met minder bewijzen een jaar lang achter jou aangezeten voor de moord op Lindsay. Ik vind dat we het karma een handje moeten helpen zodat de man die daar op zijn minst een rol bij heeft gespeeld hetzelfde kan ondergaan.’

‘Is karma in dit geval een ander woord voor wraak?’

‘Ach, dat hangt maar net van je invalshoek af.’

Ze verdeelde de eieren, het fruit en sneetjes geroosterd volkorenbrood over twee borden. ‘Zullen we in de ochtendkamer eten? Dan kunnen we de zon zien opkomen.’

‘Mag ik voor we dat doen, vragen of het seksistisch is als ik zeg dat ik het geweldig vind om naar je te kijken als je het ontbijt klaarmaakt? En al helemaal in die ochtendjas?’

‘Het zou seksistisch van je zijn als je het van me zou verwachten of zou eisen.’ Langzaam liet ze haar vingers langs de zijkant van haar peignoir gaan. ‘Dat je ervan geniet, bewijst alleen maar dat je goede smaak hebt.’

‘Dat dacht ik al.’

Ze droegen de borden en de koffie naar de ochtendkamer en gingen voor het brede, gebogen raam zitten. Abra nam een hap ei.

‘Om door te gaan op die gedachte,’ ging ze verder. ‘Het zou seksistisch zijn als je het noodzakelijk acht om mij ergens in veiligheid te brengen voor jij je plan doorzet om Suskind het huis binnen te lokken.'

'Daar heb ik helemaal niks over gezegd.'

'Een verliefde vrouw kan gedachten lezen.'

God, hij hoopte van niet. Al had ze die aanleg al vaker laten zien dan hem lief was. 'Als we een valstrik opzetten, en als die werkt, dan heeft het geen nut dat we hier allebei aanwezig zijn.'

'Goed. Waar ga jij dan naartoe als ik hem vanuit de geheime gang film met de videocamera?' Met een rustige uitdrukking stopte ze een besje in haar mond. 'Ik wil wel contact met je kunnen opnemen zodra alles achter de rug is.'

'Het is heel irritant om al voor zonsopkomst de wijsneus uit te hangen.'

'Net als al jouw pogingen om het zwakke vrouwtje te beschermen. Ik ben niet klein en bovendien heb ik volgens mij al laten zien dat ik mijn mannetje sta.'

'Ik wist niet dat ik van je hield toen ik dit voor het eerst ter sprake bracht. Ik kon toen niet... Ik was toen niet in staat om me open te stellen voor alles wat ik voor je voel. En het verandert alles.' Hij legde een hand op de hare. 'Echt alles. Ik wil antwoorden hebben. Ik wil de waarheid weten over wat Lindsay is overkomen en wat er met oma is gebeurd. Over alles wat er is gebeurd sinds ik naar Whiskey Beach ben teruggekomen. Ik wil antwoorden over wat hier tweehonderd jaar geleden heeft plaatsgevonden. Maar ik zou overal zo mee ophouden als ik merkte dat de zoektocht naar die antwoorden jou in gevaar bracht.'

'Ik weet dat je dat meent, maar het is gewoon zo dat...' Ze draaide haar hand om onder de zijne zodat hun vingers zich met elkaar verstrengelden. 'Het overweldigt me. Maar ik heb ook antwoorden nodig, Eli. Voor ons samen. Dus laten we erop vertrouwen dat we elkaar zullen beschermen en die antwoorden samen zullen vinden.'

'Als jij tot die tijd bij Maureen gaat logeren, kan ik je een teken geven, áls hij binnenkomt. Dan kun jij de politie bellen. De agenten arriveren op het moment dat hij binnen is en hij wordt op heterdaad betrapt.'

'Maar als ik bij je ben, kan ik de politie vanaf hier bellen, terwijl jij hem filmt met jouw beroemde videocamera.'

'Jij wilt gewoon seksspelletjes doen in de geheime gang.'

'Ja, wie wil dat nou niet? Hij heeft je pijn gedaan, Eli. Hij heeft mijn vriendin pijn gedaan en hij zou mij ook pijn hebben gedaan. Ik ga niet bij Maureen logeren. We doen het samen of we doen het niet.'

'Dat klinkt als een eis.'

'Dat is het ook.' Ze haalde haar schouders op en liet ze heel achteloos weer zakken. 'Daar kunnen we ruzie over maken. Dan kun jij boos worden en ik me beledigd voelen. Maar daar zie ik het nut niet van in. Vooral niet op zo'n prachtige ochtend waarop we verliefd zijn. Kijk, Eli, ik zie het zo: ik zal zorgen dat jou niks overkomt, en ik wéét dat jij hetzelfde zult doen voor mij.'

Wat moest hij daar nou weer mee aan? 'Misschien lukt het niet eens.'

'Negatief denken levert niets op. Bovendien blijkt uit zijn verleden en zijn werkpatroon dat het zal lukken. We kunnen dit afronden, Eli. Of er op zijn minst voor zorgen dat hij vanavond is opgepakt, en wordt aangeklaagd wegens inbraak en wellicht ook voor vernieling van andersmans eigendommen. En daarna zou hij over de rest worden ondervraagd.'

Ze boog zich naar hem toe. 'En als dat gebeurt, zal Wolfe ineens een heel bittere pil moeten slikken.'

'Die troef heb je achter de hand gehouden,' mompelde Eli.

'Het is hoog tijd om het karma zijn loop te laten hebben, Eli.'

'Goed. Maar we moeten dit wel helemaal uitwerken en ook rekening houden met alle toevalligheden.'

Ze schonk voor hen allebei een tweede kop koffie in. 'Laten we onze strategie uitstippelen.'

Terwijl ze praatten, kwam de zon boven de horizon en werden er gouden stralen over de zee gestrooid die nog zo donker was als de nacht.

Gewoon een dag als alle andere, dacht Eli toen Abra het huis uit rende om 's ochtends les te gaan geven. Zo zou het tenminste lijken voor iedereen die in de gaten hield wat er gebeurde in Bluff House, wie er kwam en ging.

Hij liet de hond uit, stak in een kalm jogtempo het strand over, in het volle zicht van Sandcastle. Om Barbie een plezier te doen, maar ook vanwege het plaatje dat het opleverde, speelde hij een tijdje met haar. Hij gooide de bal in het water, zodat ze erin kon rennen en er weer uit kon zwemmen.

Toen ze weer thuiskwamen, strekte Barbie zich uit op het zonnige terras en belde Eli zijn zus.

'Met het gekkengesticht van de familie Boydon. Hoe gaat het ermee, Eli?'

'Goed, hoor.' Hij hield de telefoon een stukje bij zijn oor vandaan toen een schel gekrijs zijn trommelvlies dreigde te verscheuren. 'Wat is dat in godsnaam?'

'Selina tekent zwaar protest aan dat ze voor straf stil moet zitten op een stoel.' Toen Tricia haar stem verhief, hield Eli de telefoon haastig nog wat verder van zijn oor. 'En hoe langer Sellie gilt en stout is, hoe langer haar straf zal duren.'

'Wat heeft ze gedaan?'

'Mevrouw besloot dat ze bij het ontbijt haar aardbeien niet wilde opeten.'

'Nou, dat is toch niet zo er...'

'En daarom gooide zij ze naar mij. Vandaar dat ze nu straf heeft. Ik moet een andere blouse aantrekken wat weer betekent dat zij te laat op de crèche komt en ik te laat op kantoor.'

'Goed, ik merk dat ik ongelegen bel. Ik bel je nog wel terug.'

'We zijn toch al te laat. En ik moet afkoelen, anders geef ik mijn geliefde dochtertje een maskertje van aardbeienmoes. Wat is er aan de hand?'

'Ik heb wat oude huishoudboeken en zakelijke grootboeken gevonden. Echt heel oud. Het gaat terug van eind achttiende eeuw tot het beging van de negentiende eeuw. Ik heb ze doorgeploegd, behoorlijk nauwkeurig, mag ik wel zeggen, en ik ben tot een paar interessante conclusies gekomen.'

'Zoals?'

'Ik had gehoopt dat je tijd zou hebben om ze zelf door te nemen en te kijken of jij tot dezelfde conclusies komt als ik.'

'Wil je me geen hint geven?'

Hij wilde niets liever. Maar... 'Ik wil je niet beïnvloeden. Misschien heb ik wel een fout gemaakt.'

'Nou, ik ben heel benieuwd. Het lijkt me enig om ermee aan de slag te gaan.'

'Zal ik een paar pagina's voor je scannen om je een beginnetje te geven? Tegen het eind van de week kan ik wel even bij je langskomen om je de echte grootboeken te brengen.'

'Dat kun je doen. Maar Max, ik en de op dit moment gestrafte Sellie kunnen aan het einde van de week ook bij jou komen voor een weekendje aan het strand. Dan kan ik ze daar bekijken.'

'Dat is nog veel leuker. Maar ik serveer geen aardbeien als dat dit soort gedrag veroorzaakt.'

'Over het algemeen is ze dol op aardbeien, maar kleine meisjes hebben soms boze buien. Ik moet haar gaan loslaten en zorgen dat we het huis uit komen. Stuur me maar op wat je kunt en dan zal ik ernaar kijken.'

'Bedankt. En... sterkte.'

Hij hield zich aan zijn ochtendschema en liep naar boven om zijn laptop te pakken. Daarna ging hij op het terras zitten met uitzicht op Sandcastle. En met zijn vertrouwde Mountain Dew op tafel nam hij zijn e-mails door.

Hij opende eerst een mail van Sherrilyn Burke en begon haar bijgewerkte verslag over Justin Suskind te lezen.

Het viel Eli op dat de man sinds Sherrilyns vorige verslag weinig tijd op zijn werk had doorgebracht. Af en toe een dagje op kantoor, en een handjevol besprekingen elders. Het interessantste was dat Suskind naar een advocatenkantoor was gegaan en daar een ontmoeting had gehad met een deskundige in onroerend goed. Na afloop was Suskind, duidelijk boos, naar buiten gestormd.

'Dus je hebt niet de antwoorden gekregen die je wilde,' mompelde Eli. 'Nou, ik weet precies hoe dat voelt.'

Via het verslag volgde hij Suskind, hoe die zijn kinderen uit school haalde, ze meenam naar het park om te spelen, ergens met ze ging eten en ze vervolgens weer naar huis bracht. Zijn korte bezoekje aan zijn vrouw was niet veel beter verlopen dan de afspraak met zijn advocaat, aangezien hij in een duidelijk slecht humeur was weggescheurd.

De vorige avond had hij om kwart over tien zijn appartement verlaten met een koffer, een aktetas en een soort verhuisdoos. Hij was in noordelijke richting Boston uit gereden en was bij een supermarkt die vierentwintig uur open was gestopt om een pond rundergehakt te kopen.

Een uur later had hij de snelweg verlaten en was een tweede keer gestopt bij een vierentwintiguurs-supermarkt waar hij een doos rattengif had gekocht.

Rundergehakt. Vergif.

Zonder verder te lezen sprong Eli overeind.

'Barbie!'

Even beleefde hij een moment van pure paniek toen hij haar niet op het terras zag. Toen hij verder rende, kwam zij snel overeind van de plek waar ze zat: boven aan de trap naar het strand. Vrolijk kwispelend kwam ze naar hem toe gedribbeld.

Eli ging op zijn knieën zitten en sloeg zijn armen om haar heen. Liefde, besefte hij, kon soms snel komen, maar dat maakte het niet minder krachtig.

'De klootzak. De vuile klootzak.' Achteroverleunend aanvaardde Eli de liefhebbende likjes. 'Hij zal je geen kwaad doen, hoor. Ik zal ervoor zorgen dat hij je geen kwaad doet. Jij blijft gewoon bij mij, meid.'

Hij leidde haar terug naar de tafel. 'Jij blijft nu even hier bij mij.'

Als reactie legde ze haar hoofd in zijn schoot en zuchtte tevreden.

Hij las de rest van het verslag en e-mailde Sherrilyn toen zijn eigen verslag dat begon met:

> Die hufter wil mijn hond vergiftigen. Als je in Whiskey Beach bent, kom dan niet naar Bluff House. Ik wil niet dat hij zich gaat afvragen wie jij bent. Ik ben het zat om te moeten wachten tot hij de eerste zet doet.

Hij gaf haar een overzicht van wat hij tijdens zijn onderzoek had ontdekt, en een ruw verslag van wat hij had gedaan en wat hij van plan was te gaan doen.

Wat hij van plan was te doen, in plaats van toe te geven aan wat hij op dat moment wilde doen, namelijk naar Suskind gaan om hem helemaal in elkaar te trappen.

Met een kwaadheid die nog steeds rauw en rijp was, ging Eli weer met zijn werk en zijn hond naar binnen.

'Jij gaat niet meer in je eentje naar buiten tot die klootzak achter de tralies zit.'

Hij haalde zijn telefoon tevoorschijn toen die overging en was niet verbaasd toen hij de naam van Sherrilyn op het schermpje zag.

'Met Eli.'

'Eli, met Sherrilyn. Laten we dat idee van jou eens bespreken.'

Hij hoorde het niet gezegde woordje 'stom' en haalde zijn schouders op. 'Goed. Steek van wal.'

Tijdens hun gesprek liep hij door het huis omdat het een geheugensteuntje voor hem was. Het herinnerde hem eraan waar hij precies voor vocht. En voor hem kwam het inderdaad op een gevecht neer, ook al was de bevrediging van het uitdelen van fysieke stompen hem niet vergund.

Hij liep naar de tweede verdieping en naar het gotiche gevelraam: de plek waarvan hij zich voorstelde dat hij er op een goede dag zou schrijven als het gevecht voorbij was, als hij had gewonnen, als hij erin was geslaagd om een veilige plek te scheppen voor zijn dierbaren en hij zijn zelfrespect weer terug had.

'Je hebt een paar goede argumenten aangevoerd,' zei hij ten slotte.

'Maar die leg je toch naast je neer.'

'Ik heb er wel naar geluisterd en je hebt gelijk. Maar kijk, het zit zo: als ik nu een stap terug doe en de politie, of jou, alles laat afhandelen, dan ben ik weer op het punt waar ik een jaar geleden ook was. Dan ben ik iemand die alles maar laat gebeuren, die zich mee laat voeren door de omstandigheden in plaats van iemand die zelf het initiatief neemt. Dat wil ik niet meer. Ik moet dit voor mezelf en voor mijn familie doen. En uiteindelijk wil ik ook dat hij daarvan doordrongen is. Dat gevoel heb ik nodig als ik aan Lindsay denk, of aan mijn oma of aan dit huis.'

'Je geloofde zijn vrouw dus niet?'

'Nee.'

'Wat heb ik dan gemist?'

Hij liet zijn hand op Barbies kop zakken toen ze tegen hem aan leunde. 'Je zei dat je kinderen hebt. Je bent getrouwd.'

'Dat klopt.'

'Hoe vaak?'

Ze moest lachen. 'Een keer maar. En we zijn heel gelukkig.'

'Misschien komt het daardoor. Jij hebt de duistere kant nooit meegemaakt. Misschien heb ik het wel mis en beïnvloedt dat mijn mening. Maar ik denk het niet. De enige manier om er zeker van te zijn is om hem klem te zetten. En dat ben ik dan ook van plan. Hier, op mijn terrein. In mijn huis.'

Ze slaakte een zucht. 'Ik kan je erbij helpen.'

'Ja, dat denk ik ook.'

Na hun gesprek voelde hij zich op de een of andere manier lichter. 'Weet je wat?' zei hij tegen de hond. 'Ik ga eerst nog een paar uur aan het werk om mezelf eraan te herinneren waar mijn leven eigenlijk om hoort te draaien. Als je zin hebt, mag je mee.'

Hij verliet het verleden en alles wat daarachter vandaan zou komen en ging naar zijn werkkamer om zichzelf in het heden onder te dompelen.

29

Abra haastte zich de supermarkt in met een boodschappenbriefje in haar hand. Ze had die dag een aantal lessen achter elkaar gegeven, een klant gemasseerd die zich voorbereidde op een vijf-kilometer-loop en ook nog snel een vakantiecottage schoongemaakt. Nu wilde ze vlug boodschappen doen om daarna weer naar Eli te gaan.

Als ze eerlijk tegen zichzelf was, dacht ze, dan zou ze de rest van haar leven niets liever doen dan dat: naar Eli gaan.

Vanavond zou voor hem het keerpunt kunnen zijn. Voor hen allebei. Het moment waarop ze samen een begin konden maken om de vragen en de pijn uit het verleden daadwerkelijk achter zich te laten en zich op de toekomst te richten.

Wat die toekomst ook bracht, ze zou gelukkig zijn omdat door hem de liefde weer in haar leven was teruggekeerd. Het soort liefde dat accepteerde, begreep en – wat zelfs nog fijner was – genoot van wie en wat ze was.

Wat was er nou betoverender en fantastischer dan dat?

Ze visualiseerde de kleine tas met problemen uit het verleden die ze nog steeds met zich mee droeg, en stelde zich vervolgens voor dat ze het ding in zee slingerde.

Weg ermee.

Maar dit moment was niet de tijd om te dromen, hield ze zichzelf voor. Dit was het moment om te handelen. Om iets onrechtvaardigs recht te zetten. En als er een beetje avontuur bij kwam kijken, des te beter.

Ze pakte de schoonmaakspray die ze het vaakst gebruikte – biologisch afbreekbaar, niet op dieren getest – en liet die in haar mandje vallen. Vervolgens draaide ze zich om.

En botste bijna tegen Justin Suskind op.

Ze snakte onwillekeurig naar adem, en ze probeerde haar schrik snel in een zenuwachtige verontschuldiging te veranderen terwijl haar hart als een bezetene tekeer ging.

'Sorry. Ik lette niet op.' Vurig hopend dat ze niet zou gaan beven, probeerde ze een ontspannen glimlach op haar gezicht te toveren, maar ze voelde hem trillen bij haar mondhoeken.

Hij had zijn haar kort laten knippen en een coupe soleil genomen. En zijn bruine kleurtje kwam uit een potje, tenzij hij de afgelopen weken veel in de zon had gelegen.

Ze wist ook vrij zeker dat hij zijn wenkbrauwen had laten waxen.

Hij wierp haar een kille blik toe en maakte aanstalten om door te lopen.

In een opwelling deed ze een stap opzij en stootte met haar elleboog een paar artikelen van de plank op de vloer.

'Jeetje, wat ben ik vandaag onhandig.' Ze hurkte neer om de spullen op te rapen en blokkeerde zo zijn doorgang. 'Zo gaat het altijd als je al achter loopt op je schema, vindt u ook niet? Ik moet echt hoognodig naar huis. Mijn vriend neemt me straks mee uit eten in Boston. We hebben een hotelsuite in The Charles geboekt en ik weet nog steeds niet wat ik moet aantrekken.'

Met een arm vol schoonmaakmiddelen kwam ze overeind, en ze wierp hem een verontschuldigende glimlach toe. 'En ik sta u nog steeds in de weg. Het spijt me.'

Ze deed een stap opzij en zette de spullen terug die ze van de plank had gestoten. Ze onderdrukte de neiging om hem na te kijken toen ze hem hoorde weglopen.

Nu weet je het, dacht ze. Dat denk je, althans. Die uitgelezen kans wil je niet missen, zoals ik de mijne net niet kon missen.

Ze beval zichzelf om haar boodschappenlijst verder af te werken, voor het geval hij haar in de gaten hield. Ze maakte zelfs nog een praatje met een van haar yoga-leerlingen. Alles is normaal, hield ze zichzelf voor. Gewoon een snel bezoekje aan de supermarkt voor je grote avond in Boston.

Omdat ze erop lette, ving ze een glimp van hem op in een donkere

SUV op het parkeerterrein terwijl zij haar boodschappentassen in de auto zette. Ze zette de radio opzettelijk hard aan, controleerde haar kapsel, deed wat lippenstift op en reed toen net iets harder dan was toegestaan naar huis.

Toen zij afsloeg naar Bluff House, keek ze in haar achteruitkijkspiegel en zag ze dat hij rechtdoor reed. Haastig greep ze haar boodschappentassen en rende het huis in.

'Eli!' Nadat ze de tassen snel had neergezet, racete ze de trap op en liep vlug door naar zijn kantoor.

Aangezien hij was opgesprongen en zijn kamer uit was gerend bij het horen van haar kreet botsten ze bijna tegen elkaar op. 'Wat is er? Is alles goed met je?'

'Ja, niks aan de hand. Alles in orde. Maar ik heb zojuist de prijs voor snel denken en razendsnel acteren verdiend. Ik ben in de supermarkt letterlijk tegen Suskind op gebotst.'

'Heeft hij je aangeraakt?' Instinctief pakte Eli haar armen en keek of die verwondingen vertoonden.

'Nee, nee. Hij wist wie ik was, maar ik heb me van de domme gehouden. Al heb ik in feite een heel slimme zet gedaan. Ik heb een paar spullen van de plank gestoten zodat hij niet langs me heen kon, daarna heb ik iets gezegd over hoe onhandig ik was en dat ik haast had omdat mijn vriend me mee zou nemen naar Boston voor een etentje en een wilde nacht in het Charles Hotel.'

'Heb je met hem gesproken? Jezus, Abra.'

'Nee, ik heb tégen hem gesproken. Hij zei geen woord terug. Maar hij wachtte wel tot ik had afgerekend. Hij zat in zijn auto op het parkeerterrein en is me achternagereden tot het huis. Eli, hij denkt dat we vannacht weg zullen zijn. Dit is zijn grote kans. Op deze manier hoeven we niet bang te zijn dat hij ons in de gaten houdt tot hij ons ziet vertrekken. Hij is nu alles al aan het plannen. Dit is een buitenkansje, Eli. Vanavond gaat het gebeuren. Het is zover.'

'Schaduwde hij je? Ik bedoel, al voor je de supermarkt verliet?'

'Ik... Nee... nee, volgens mij niet. Hij had een mandje bij zich met spullen. Ik denk niet dat hij zo dicht bij me in de buurt was gekomen als hij me schaduwde. Dit was voorbestemd, Eli. En ditmaal staat het lot aan onze kant.'

Zelf zou hij het toeval, of misschien geluk, hebben genoemd, maar daar ging hij niet over muggenziften. 'Ik heb een verslag binnen van Sherrilyn. Hij is bij twee verschillende supermarkten geweest toen hij naar Whiskey Beach ging, en die liggen kilometers bij elkaar vandaan.'

'Misschien heeft hij een supermarkt-fetisj?'

'Nee. Hij is voorzichtig. Hij heeft zijn eigen boodschappen in andere winkels gekocht dan het pond gehakt en het doosje rattengif.'

'Rattengif? Ik heb nog nooit gehoord dat iemand ratten heeft gezien bij... O, god.' Eerst kwam de schrik, direct gevolgd door woede. 'Die... die klootzak. Dus hij wil Barbie vermoorden? Wat een walgelijke vent. Het is maar goed dat ik dat niet wist. Anders had ik hem een trap in zijn ballen gegeven.'

'Rustig aan, vechtersbaas. Voor wanneer was onze reservering ook alweer?'

'Onze wat?'

'Voor ons dineetje.'

'O. Zo specifiek ben ik niet geweest.'

Eli keek op zijn horloge. 'Goed, dan moeten we rond zessen weg. Heb jij verder alles met Maureen geregeld?'

'Ja, zij zullen zo lang op Barbie passen. Dus we gaan gewoon zoals gepland. We vertrekken hier mét de hond en die brengen we naar Maureen. Daarna maken we te voet een omtrekkende beweging naar de zuidkant, en dan... shit.'

Ze legde haar handen op haar hoofd en deed een dansje op de plek waar ze stond. 'Een dineetje. Dan moet ik schoenen met hoge hakken aantrekken om het overtuigend te laten lijken. Goed, goed. Ik stop wel gympies in mijn tas en wissel van schoenen voor de wandeling terug. Kijk me niet zo aan. Schoeisel is belangrijk.'

'We moeten alles nog een keer doornemen en ik moet je nog vertellen wat Sherrilyns rol zal zijn.'

'Laten we dat beneden doen. Ik moet de boodschappen die ik al voor de ontmoeting met Suskind in mijn mandje had nog opbergen. Daarna moet ik nog bedenken wat ik moet aantrekken voor onze nep-romantische avond annex hinderlaag.'

Hij nam elk aspect door, en toen nog eens vanuit een andere invalshoek. Hij bracht tijd door in de geheime gang en achter de planken in de kelder, hij bekeek de hoek van waaruit de videocamera filmde en probeerde die een keer uit. Die diende alleen nog ter ondersteuning, dacht hij.

Maar als het misging, dan had hij nog een tweede ondersteuning.

'Je twijfelt aan jezelf,' zei Abra, terwijl ze de contouren van de jurk controleerde die ze over een zwart mouwloos T-shirt en een korte yogabroek had aangetrokken.

'Vroeger geloofde ik heilig in het systeem. Ik maakte er deel van uit. En nu ben ik het aan het omzeilen...'

'Nee, je maakt er gebruik van, maar dan op een andere manier. Dat heb je geleerd toen het systeem jou in de steek liet, Eli. Je hebt het volste recht om je eigen huis te verdedigen, en om alles te doen wat in je macht ligt om je naam te zuiveren.'

Ze deed oorbellen in. Niet enkel om het uiterlijke plaatje te vervolmaken, maar ook omdat ze haar zelfvertrouwen een oppepper gaven. 'Je hebt zelfs het recht om ervan te genieten.'

'Meen je dat echt?'

'Nou en of.'

'Mooi, want ik geniet er nu al van. En dat zal ik straks nog veel meer doen. Je ziet er geweldig uit. Als dit achter de rug is, neem ik je beslist een keer mee naar Boston voor een dineetje en een wilde nacht.'

'Dat lijkt me leuk, maar ik heb een veel beter idee. Als dit allemaal achter de rug is, moet je het eerste van die feesten geven waar je het over had. Een echte knalfuif.'

'Dat is inderdaad een beter idee, maar daar heb ik wel hulp bij nodig.'

'Je boft, want niet alleen heb ik tijd, ik ben zelfs bereid én in staat om je daarbij te helpen.'

Hij pakte haar hand. 'Volgens mij moeten we nog een heleboel bespreken. Na afloop.'

'We hebben een lange, en ik voorspel ook een gelukkige, zomer voor de boeg waarin we over van alles en nog wat kunnen praten.' Ze draaide zijn pols iets zodat ze op zijn horloge kon kijken. 'Zes uur, precies.'

'Laten we dan maar aan de slag gaan.'

Hij droeg de weekendtassen terwijl Abra de spullen bijeen raapte die ze voor de hond wilden meenemen. Beneden belde Eli met Sherrilyn.

'We verlaten nu het huis.'

'Weet je zeker dat je hiermee door wilt gaan, Eli?'

'Ja, dit is de manier waarop ik het wil aanpakken. Ik bel je opnieuw als we weer binnen zijn.'

'Goed, dan ga ik mijn post betrekken. Succes.'

Hij zette zijn telefoon op de trilstand en stopte het apparaat in zijn zak. 'Nou, daar gaan we dan.'

Abra plaatste twee vingers in zijn mondhoeken en duwde die zachtjes omhoog. 'Blij kijken. Je gaat uit eten en overnachten in een luxe hotel met een ongelooflijk sexy vrouw. En de kans is groot dat je vanavond een paar keer mazzel zult hebben.'

'Gezien het feit dat we in elk geval een deel van de avond zullen doorbrengen in een donkere gang in de donkere kelder, en de van de tijd rest waarschijnlijk zullen moeten besteden aan gesprekken met politieagenten, vraag ik me af of ik wel mazzel zal hebben?'

'Dat garandeer ik je.'

'Zie je hoe blij ik opeens kijk?'

Ze liepen naar buiten.

'Weet je wat ik nou zo leuk vind?' vroeg ze terwijl ze de achterbak van de auto opendeed voor de hond en de bagage. 'Ik vind het geweldig dat hij ons nu observeert en denkt dat hij degene is die mazzel heeft.'

Eli sloot de deur en nam Abra in zijn armen. 'Laten we een toneelstukje voor hem opvoeren.'

'Dolgraag.' Abra sloeg haar armen enthousiast om Eli heen en hief haar gezicht op voor zijn zoen. 'Teamwork,' mompelde ze tegen zijn mond. 'Zo pakken we de zaken aan hier op Whiskey Beach.'

Hij opende het portier aan de passagierskant. 'Vergeet niet dat we snel moeten zijn als we eenmaal bij Maureen zijn geweest. We weten niet hoe lang hij wacht voor hij in actie komt.'

'Ik doe alles het liefste snel.'

Toen ze bij Maureens huis kwamen, pakte Eli de tas waarin zijn andere kleren en Abra's schoenen zaten.

Voor Eli en Abra bij de voordeur van Maureens cottage waren, had Maureen de deur al opengetrokken. 'Moeten jullie eens luisteren,

Mike en ik hebben het er nog eens over gehad en...'

'Te laat.' Zodra Abra binnen was, trok ze de rits van haar jurk omlaag. Terwijl ze zich eruit wrong, deed Eli zijn colbert uit en maakte zijn stropdas los.

'Als we nou gewoon afwachten en toekijken, en dan de politie bellen...'

'Dan kan hij bang worden en slaat hij misschien op de vlucht,' zei Eli, die met een spijkerbroek en een zwart T-shirt naar hun toilet liep. 'Dan kan hij zijn vertrokken voor de politie arriveert.'

'Er speelt meer.' Abra trok haar schoenen met hoge hakken uit terwijl Eli de deur dichtdeed. 'Hij moet hier aan meedoen. En ik moet hem daarbij helpen. We hebben dit met jullie besproken.'

'Dat weet ik wel, maar als die man echt iemand heeft vermoord...'

'Hij hééft iemand vermoord.' Om het eenvoudig te houden, ging Abra op de vloer zitten om haar gympies aan te trekken. 'De kans is groot dat hij twee mensen heeft vermoord. En vanavond laten we de ketting vieren waaraan het anker zit dat hem mee de diepte in zal sleuren.'

'Jullie zijn geen misdaadbestrijders,' begon Mike.

'Vanavond wel.' Abra sprong op toen Eli weer naar buiten kwam. 'We zien er zelfs uit als misdaadbestrijders. Waar zijn de kinderen?'

'Die zijn boven aan het spelen. Ze weten hier niets van af. En we wilden niet dat ze zouden horen dat we jullie proberen over te halen om af te zien van iets waar zij niks over weten.'

'Ze gaan straks lol maken met Barbie.' Abra gaf eerst een zoen aan Maureen en toen aan Mike. 'Ik bel jullie zodra alles achter de rug is. Snel, dus?' vroeg ze daarna aan Eli. 'Door de achterdeur?'

'Ik volg je op de hielen.' Hij bleef nog even staan en zei: 'Ik zal ervoor zorgen dat haar niets overkomt. Als dat wel dreigt te gebeuren, blaas ik het af.'

'Zorg er nou maar voor dat jullie allebei niets overkomt.' Maureen haastte zich achter hen aan en keek hen na toen ze van haar cottage naar de achterkant van Abra's cottage liepen. 'Mike.' Ze pakte zijn hand. 'Wat moeten wij doen?'

'De kinderen van boven halen en een wandeling maken met de hond.'

'Een wandeling?'

'Op het strand, schat. Dan kunnen we Bluff House zien en een oogje in het zeil houden.'

Ze gaf een kneepje in zijn hand. 'Slim van je.'

Eli deed de zijdeur van Bluff House van het slot, drukte het resetknopje van het inbraakalarm in en zei toen tegen Abra: 'Weet je het echt zeker?'

'Hou op.' Na die woorden ging ze voorop naar de kelder. 'Net tien over zes. We hebben het heel snel gedaan.'

Toen ze de deur achter zich dicht hadden getrokken, knipte Eli zijn zaklamp aan om de trap en de doolhof van gangen bij te lichten. Het kon een paar minuten maar ook uren duren, dacht hij. Het laatste leek hem echter het meest waarschijnlijk. 'Hij wacht vast tot het gaat schemeren of tot het helemaal donker is. Hij denkt immers dat hij de hele nacht de tijd heeft.'

'Dan blijven we gewoon wachten.' Ze wrongen zich langs de planken en gingen de gang in.

Voorlopig zouden ze de plafondlamp gebruiken. Abra nam haar positie in op de trap om het laptopscherm en de bewakingscamera te controleren die ze op de tweede verdieping hadden neergezet. Eli controleerde de videocamera nog een laatste keer en belde toen Sherrilyn.

'We staan nu in de gang.'

'Suskind heeft zich nog niet verplaatst. Als hij dat wel doet, neem ik direct contact met je op.'

'Reken maar dat hij het zal doen.'

'Positief denken,' zei Abra goedkeurend toen Eli de telefoon opborg.

'Nou, hij is hier beslist niet teruggekomen om te surfen of te zonnebaden. Dit is zijn doel, dit is zijn kans om het nog een keer te proberen. Zodra hij Sandcastle heeft verlaten, doen wij onze lichten uit.'

'En we houden ons doodstil. Net als op een onderzeeboot. Ik heb het begrepen, Eli. Als hij naar de tweede verdieping gaat, wordt hij gefilmd door de bewakingscamera. Als hij hier naar beneden gaat, en dat ligt voor de hand, dan filmen wij hem. De zon gaat over minder dan twee uur onder, ális hij besluit om zo lang te wachten. Dus wij zullen waarschijnlijk wat tijd moeten doden.'

Ze zaten vast en er was geen ruimte om de spanning van zich af te ijsberen.

'We hadden een spel kaarten moeten meenemen,' zei hij. 'Maar aangezien we dat niet hebben gedaan, kun je me net zo goed vertellen hoe je yogastudio eruit moet zien, als je er een zou hebben.'

'O, toekomstdromen? Nou, daarmee kom ik mijn tijd wel door.'

Ze had nog geen uur gepraat, toen ze haar hoofd schuin hield en zei: 'Gaat de telefoon nou over? De vaste aansluiting?'

'Ja. Het kan iedereen zijn.'

'Of *híj* is het, om te controleren of er echt niemand thuis is.' Ze schudde haar hoofd toen het zachte gerinkel stopte. 'Vanaf hier kunnen we niet horen of de beller een boodschap inspreekt.'

Niet lang daarna begon de telefoon in Eli's jaszak te trillen.

'Hij komt in beweging,' zei Sherrilyn. 'Hij heeft een grote plunjezak bij zich. Hij neemt de auto. Blijf nog even aan de lijn. Ik wil kijken wat hij precies gaat doen.'

Eli herhaalde Sherrilyns boodschap mompelend, en terwijl hij in Abra's ogen keek, zag hij die oplichten van verwachtingsvolle spanning.

Maar er stond geen angst in te lezen, dacht hij. Geen spoor van angst.

'Hij heeft de auto op de oprit gezet van de vakantiecottage die zo'n tweehonderd meter bij Bluff House vandaan ligt. Hij is net uitgestapt en gaat nu te voet op weg naar jullie.'

'We staan klaar om hem op te vangen. Wacht tot hij een kwartier binnen is en bel dan de politie.'

'Komt in orde. Je had gelijk over dit deel, Eli. Ik hoop ook dat je gelijk hebt als het om de rest gaat. We zien elkaar nog.'

Hij zette zijn telefoon uit en borg hem op. 'Jij blijft hier, zoals we hebben afgesproken.'

'Jawel, maar...'

'Geen gemaar. We hebben geen tijd meer om van plan te veranderen. Jij blijft hier, je houdt je stil en doet het licht uit.' Hij nam even de tijd om zich voorover te buigen en haar een zoen te geven.

'Vergeet niet dat ik ervoor moet zorgen dat jou niets overkomt.'

'Daar reken ik zelfs op,' zei hij. Net zoals hij erop rekende dat ze veilig in de gang bleef.

Hij glipte de kelder in en sloot het paneel zachtjes achter zich. Daarna nam hij zijn post achter de planken in en liet zijn ogen aan de duisternis wennen.

Hij had gewoon op de opnameknop van de camera kunnen drukken en bij Abra kunnen blijven. Maar hij wilde het zien en horen, hij wilde alles volledig in de hand hebben. Hij wilde ter plekke aanwezig zijn om veranderingen aan te kunnen brengen, voor het geval dat nodig was.

Hij hoorde de achterdeur niet opengaan. Hij wist zelfs niet eens of hij voetstappen hoorde of dat hij zich dat inbeeldde. Maar het gepiep van de deur naar de kelder hoorde hij wel, net als de zware voetstappen op de smalle trap.

Het gaat beginnen, dacht hij, en hij zette de camera aan.

De gedaante kwam langzaam binnen en lichtte zichzelf bij met een zaklamp. Eli zag de brede lichtbundel heen en weer bewegen, waardoor de ruimte van de generatorkamer tot ver erachter baadde in het licht. Daarna scheen de bundel het oude deel van de kelder in. De man die de zaklamp vasthield was niet meer dan een schaduw terwijl het licht achtereenvolgens de wanden, de vloer en de planken bestreek.

Tijdens de seconden waarin de lichtbundel over de planken en de muur kroop, ging Eli's hart als een bezetene tekeer. Hij maakte zich gereed om de achtervolging in te zetten, om te vechten. Misschien verheugde hij zich daar zelfs op.

Maar de lichtbundel trok weer verder.

Nu ben ik veilig, dacht Eli. En toen de werklamp aan ging, kon hij Suskind voor de eerste keer duidelijk zien.

Net als Eli was Suskind in het zwart gekleed. Zijn haar was kortgeknipt en er zaten blonde highlights in. Een nieuw uiterlijk, dacht Eli. Nog een manier om niet op te vallen tussen de vakantiegangers.

Hij controleerde de zoeker van de camera en stelde die nauwkeurig bij toen Suskind het pikhouweel pakte. Die eerste harde klappen van het metaal dat de grond raakte, klonken bijzonder bevredigend voor Eli.

Nou ben je erbij, dacht hij. Nu hebben we je te pakken.

Hij moest het deel van hem dat wilde opspringen om de confrontatie met Suskind aan te gaan als het ware vastbinden. Nog niet, zei hij tegen zichzelf. Nog even wachten.

Omdat zijn oren erop gespitst waren, hoorde hij de politiesirenes heel zacht door de dikke muren heen. Intussen hield hij Suskind in de gaten die doorging met het hakken en graven in de grond. Eli zag dat er ondanks de koele lucht zweetdruppeltjes van Suskinds gezicht liepen.

Toen de sirenes stil vielen, telde Eli de seconden af. Hij zag dat Suskind verstijfde toen er boven hem voetstappen klonken.

Suskind hield het pikhouweel ineens vast als een wapen. Hij boog zich heel langzaam voorover, keek naar links en naar rechts en zette toen zijn werklamp uit.

Eli gaf hem tien seconden in het donker en schatte toen – afgaand op het gehijg – de plek waar Suskind stond. Eli stapte voorzichtig achter de planken vandaan, richtte zijn zaklamp en deed die aan.

Suskinds arm schoot omhoog om zijn ogen tegen het felle schijnsel te beschermen.

'Als ik jou was, zou ik dat pikhouweel op de grond laten vallen en het licht weer aandoen.'

Suskind kneep zijn ogen tot spleetjes en pakte het pikhouweel met twee handen vast. Eli wachtte terwijl Suskind op de ballen van zijn voet ging staan.

'Als je het doet, schiet ik je neer. Ik hou de Colt 45, de Peacemaker, uit de wapenverzameling van de tweede verdieping, op je gericht. Precies op je bovenlichaam. Misschien ken je het wapen niet, maar het is geladen en het doet het nog.'

'Je bluft.'

'Ga vooral je gang, dan kom je er wel achter. Maar doe het dan wel vóór de politie beneden is. Je bent me wat bloed verschuldigd vanwege mijn oma. En die schuld wil ik graag vereffenen.'

Er klonken stampende voetstappen op de trap. Suskinds vingers werden wit toen zijn greep om het pikhouweel verstrakte. 'Ik heb hier het volste recht toe. Dit huis is net zo goed van mij als van jou. Ik heb evenveel recht op wat er in dit huis staat als jij. Die bruidsschat is meer van mij dan van jou.'

'Zou je denken?' vroeg Eli inschikkelijk. Daarna riep hij: 'We zijn hier. Doe eens wat lampen aan.'

'Ik had je moeten vermoorden,' snauwde Suskind met opeengeklemde kaken. 'Ik had je moeten vermoorden nadat jij Lindsay had vermoord.'

'Je bent gek. En dat is nog het minst erge.'

Toen het eerste licht tot in de uithoeken van de kelder doordrong, deed Eli een stapje achteruit en keek Abra heel even in haar ogen.

Hij had haar achter zich aan naar buiten horen glippen, uit haar veilige schuilplaats.

Corbett, Vinnie en een andere geüniformeerde hulpsheriff kwamen met getrokken wapen de trap af en verspreidden zich door de ruimte.

'Laat dat ding vallen,' beval Corbett. 'Laat dat ding nú vallen. Je zit in de val, Suskind.'

'Ik heb het volste recht om hier te zijn.'

'Laat die pikhouweel vallen en doe je handen omhoog. Nu.'

'Ik heb het volste recht.' Suskind gooide het pikhouweel opzij. 'Hij is de dief. Hij is de moordenaar.'

'Alleen nog even dit,' zei Eli luchtig, terwijl hij naar voren stapte en tussen de politie en Suskind ging staan.

'Ik wil dat u achteruitgaat, meneer Landon,' beval Corbett.

'Ja, ik heb u gehoord.' Maar eerst moest hij iets doen. Hij wachtte tot Suskind hem aankeek en hij er zeker van was dat ze elkaar echt zagen. Daarna ramde hij zijn vuist in Suskinds gezicht met een kracht waarin alle woede, pijn en ellende van het afgelopen jaar zaten.

Toen Suskind tegen de muur smakte, deed Eli een stap naar achteren en stak zijn handen omhoog om aan te geven dat hij klaar was. 'Je was me nog wat schuldig,' zei hij en liet een hand zakken om te laten zien dat die besmeurd was met het bloed van Suskind.

'Dat zet ik je betaald. Ik zal je alles betaald zetten.'

Toen Suskind plotseling zijn hand achter zijn rug stak, reageerde Eli zonder erbij na te denken. Puur instinctief. Door de tweede klap sloeg Suskind tegen de grond. Het wapen dat hij had willen trekken viel kletterend op de vloer.

'Hiermee is de schuld vereffend.'

'Doe je handen omhoog. Ik wil ze kunnen zien,' zei Corbett streng toen Suskind probeerde op te krabbelen. 'Handen omhoog. Nu.' Daarna zei hij waarschuwend tegen Eli: 'En u doet nu een paar stappen terug, meneer Landon.' Hij schopte het wapen buiten het bereik van Suskind. Toen knikte hij naar Vinnie. 'Hulpsheriff?'

'Tot uw orders, rechercheur,' zei Vinnie. Hij trok Suskind overeind, duwde hem tegen de muur om te kijken of hij nog andere wapens bij zich had. Hij verwijderde de holster die onder aan Suskinds rug was bevestigd en gaf die aan de andere hulpsheriff. 'U bent gearresteerd wegens inbraak, het zich bevinden op verboden gebied en de vernieling van privé-eigendommen,' begon hij, terwijl hij de handboeien om Suskinds polsen deed. 'Daar komen nog twee aanklachten wegens geweldpleging bij. En zo te zien kunnen we daar nog het dragen van een verborgen, gevaarlijk wapen en poging tot mishandeling aan toevoegen.'

'Lees hem zijn rechten voor,' beval Corbett. 'En neem hem mee.'

'Komt in orde.' Vinnie stak nog even subtiel zijn duim op naar Eli, waarna hij en de andere hulpsheriff Suskind bij de armen pakten en de kamer uit trokken.

Corbett stopte zijn wapen weer in zijn holster. 'Dat was een stomme zet van u. Hij had u wel kunnen neerschieten.'

'Maar dat is niet gebeurd.' Eli keek opnieuw naar zijn met bloed besmeurde hand. 'Die had hij nog van me tegoed.'

'Ja, dat denk ik ook. U hebt een hinderlaag opgezet. U hebt hem erin laten lopen.'

'O, ja?'

'Uw privédetective belde me om te vertellen dat ze zag dat Justin Suskind bezig was om in te breken in Bluff House. Ze zei erbij dat ze vreesde dat hij gewapend was. Ze maakt zich zorgen om uw veiligheid.'

'Dat klinkt heel redelijk en verstandig. Vooral omdat hij werkelijk heeft ingebroken en een wapen bij zich had.'

'En jullie twee waren zeker toevallig in de kelder? Precies op het juiste moment?'

'We... waren de gangen aan het onderzoeken.' Abra haakte haar arm in die van Eli en zei met een schalks glimlachje: 'U weet wel, we speelden piraatje en de lichtekooi. We hoorden iets. Ik wilde niet dat Eli erop af zou gaan, maar hij vond dat hij niet anders kon. Ik wilde net naar boven gaan om de politie te bellen toen we jullie hoorden komen.'

'Handig. Waar is de hond?'

'Die logeert bij vrienden,' zei Eli op vlakke toon.

'Een hinderlaag dus,' zei Corbett hoofdschuddend. 'Ik had liever gehad dat u op mij had vertrouwd.'

'Dat heb ik ook gedaan. Dat doe ik nog steeds. Maar het gaat om mijn huis, mijn oma, mijn leven. Mijn vrouw. Toch vertrouw ik u wel degelijk, en daarom zou ik u graag een verhaal vertellen voor u Suskind gaat verhoren. Sommige delen van het verhaal sluiten aan bij de recente ontwikkelingen. Ik weet wie Lindsay heeft vermoord, of in elk geval weet ik het bijna zeker.'

'Ik ben een en al oor.'

'Ik zal het u vertellen, maar dan wil ik wel het verhoor met Suskind observeren. Ik wil erbij zijn.'

'Met informatie of aanwijzingen over een moord kunt u niet gaan sjacheren.'

'Ik heb een verhaal en een theorie waarvan ik denk dat ze u allebei wel zullen aanstaan. Ik denk dat zelfs rechercheur Wolfe er belangstelling voor zou hebben. Ik wil dat verhoor zien, rechercheur. Deze ruil is in het voordeel van ons allebei.'

'Als u met me meerijdt, kunnen we er in de auto over praten.'

'Abra en ik rijden zelf wel naar het bureau.'

Corbett slaakte een diepe zucht. 'Zorg dat die privédetective van u ook komt.'

'Geen probleem.'

'Een hinderlaag,' mompelde Corbett opnieuw, waarna hij door de doolhof terugliep naar de trap.

'Jij bent niet in je schuilplaats gebleven,' zei Eli tegen Abra.

'Toe zeg, als je echt dacht dat ik dat zou doen, dan hou je misschien wel van me, maar ken je me nog niet.'

Hij pakte een lok van haar haren en trok er zachtjes aan. 'Het is anders wel min of meer zo gelopen als ik had gedacht.'

'Laat je hand eens zien.' Ze nam zijn hand en kuste zijn gekneusde knokkels. 'Dat doet vast pijn.'

'Ja, eigenlijk wel.' Hij lachte een beetje en kromp even ineen toen hij zijn vingers strekte. 'Maar op een plezierige, bevredigende manier.'

'Ik ben echt heel erg tegen geweld, behalve als het om zelfverdediging of de bescherming van anderen gaat. Maar je had gelijk. Die had hij van je tegoed.' Weer drukte ze een zoen op zijn hand. 'En ik moet bekennen dat ik het bevredigend vond om jou die klootzak een mep te zien verkopen.'

'Dat klinkt niet erg pacifistisch.'

'Ik weet het. Ik moet me diep schamen. Maar nu we alleen zijn, wil ik nog wel even kwijt dat je een revolver had. Dat hoorde niet bij onze afspraak.'

'Een kleine wijziging van de plannen, dat is alles.'

'Waar heb je dat ding nu?' vroeg ze. 'Ik heb de camera uitgezet zodra de politie binnenkwam,' voegde ze eraan toe.

Zwijgend liep Eli naar de planken waar hij het wapen had neergelegd en pakte het. 'Omdat ik meen dat ik je wél degelijk ken, en ervan uitging dat je toch niet in je schuilplaats zou blijven, besloot ik om geen enkel risico te nemen. Niet als het om jou gaat.'

'Wat een enorm ding,' mompelde ze. 'Zou je het ook hebben gebruikt?'

Die vraag had hij zichzelf ook gesteld toen hij het wapen uit de afgesloten kast had gehaald en het had geladen. Hij keek haar aan, en dacht aan wie ze was en aan wat ze voor hem betekende.

'Ja. Als het echt nodig was geweest wel. Als ik had gedacht dat hij langs me heen zou kunnen glippen om jou aan te vallen. Maar zoals ik al zei, is alles precies zo gegaan als ik had verwacht.'

'Jij vindt jezelf heel slim, hè?'

'Als je de korte tijd dat ik niet goed kon nadenken niet meerekent, ben ik altijd slim geweest.' Hij sloeg een arm om haar heen en trok haar naar zich toe om een zoen op de bovenkant van haar hoofd te drukken.

Ik heb jou toch? dacht hij. Dat maakt me verdomd slim.

'Ik moet Sherrilyn bellen en tegen haar zeggen dat ze naar het politiebureau moet komen. En ik moet dit ding op zijn plaats terugleggen.'

'Dan haal ik de camera op en bel Maureen om te zeggen dat alles in orde is. Teamwerk.'

'Dat klinkt me goed in de oren.'

Corbett zat tegenover Suskind en keek hem lang en onderzoekend aan. Suskind had niet om een advocaat gevraagd, althans nog niet, en dat vond Corbett stom. Maar verdachten die stommiteiten begingen, maakten zijn werk vaak makkelijker, dus zou hij daar niet over zeuren. Hij had gezegd dat Vinnie aan de binnenkant van de deur moest gaan staan. Corbett vond dat de hulpsheriff een prettige uitstraling had, en hij had het idee dat Vinnies aanwezigheid een pluspunt zou zijn.

Maar Corbett concentreerde zich vooral op Suskind, op diens zenuwtics, de manier waarop hij zijn handen tot vuisten balde en vervolgens weer uitstrekte, de spiervertrekkingen in zijn kaak, die blauw en gezwollen was. En op zijn mond, die hij had samengetrokken tot een harde, koppige streep en waarvan de lip kapot was.

Nerveus? Ja, dacht Corbett. Maar Suskind had zijn hakken wel in het zand gezet wat betreft zijn eigen rechtsgevoel.

'Nou...' begon Corbett, 'dat is me nogal een groot gat in de kelder van Bluff House. Dat moet heel wat werk en tijd hebben gekost. Heeft iemand u daarmee geholpen?'

Suskind keek hem ijskoud aan en zweeg.

'Nee, dat zal wel niet. Voor zover ik kan beoordelen, is dit alleen uw werk, uw zoektocht. Dat zal u wel niet met anderen hebben gedeeld. U zei toch dat u in uw recht stond?'

'Ik had het volste recht.'

Hoofdschuddend wipte Corbett zijn stoel achterover. 'Dat moet u me toch echt even uitleggen. Het enige wat ik zie, is dat de man die is betrapt op overspel met Landons vrouw, een groot gat heeft gegraven in de kelder van Landons huis.'

'Het is net zo goed mijn huis als het zijne.'

'Waarom?'

'Ik ben een directe afstammeling van Violeta Landon.'

'Het spijt me, ik ben niet bekend met de stamboom van de familie Landon.' Hij wierp een blik naar Vinnie. 'Bent u daar beter van op de hoogte, hulpsheriff?'

'Jazeker. Zij is de vrouw die lang, lang geleden zogenaamd de zeeman redde die de scheepsramp met De Calypso had overleefd. Zij zou die man hebben verzorgd tot hij weer hersteld was. In sommige versies van het verhaal gaan ze met elkaar naar bed en worden daarbij betrapt.'

'Het was niet zomaar een zeeman, maar de kapitein. Kapitein Nathanial Broome.' Suskind drukte zijn vuist hard op tafel. 'Die heeft niet alleen de scheepsramp overleefd, maar ook de bruidsschat van Esmeralda te pakken gekregen.'

'Nou, daar doen nogal wat theorieën en verhalen de ronde over,' begon Vinnie.

Nu sloeg Suskind met zijn vuist op tafel. 'Ik weet de waarheid. Edwin Landon heeft Nathanial Broome vermoord omdat Landon die bruidsschat voor zichzelf wilde houden. Hij heeft zijn bloedeigen zus het huis uit gegooid en zijn vader overgehaald om haar te onterven. Zij was op dat moment zwanger van Broomes zoon.'

'Dan had ze het geluk bepaald niet aan haar kant,' zei Corbett. 'Maar het is wel erg lang geleden.'

'Ze was zwanger van Broomes kind,' herhaalde Suskind. 'En toen ze stervende was en armoede leed, was dat kind een volwassen man geworden. Die man is naar Landon toe gegaan en heeft hem gesmeekt om zijn zus te helpen, om haar terug naar huis te laten gaan. Maar hij deed niets. Zo zijn de Landons. En ik heb het volste recht om op te eisen wat van mij is, wat ooit van haar was en wat ooit van Broome was.'

'Hoe komt u aan al deze informatie?' vroeg Vinnie terloops. 'Er zijn nogal wat verhalen over die schat in omloop.'

'Dat zijn allemaal maar fabeltjes. Mijn verhaal is de waarheid. Het heeft me bijna twee jaar gekost om de puzzel helemaal compleet te krijgen. Ik heb brieven die zijn geschreven door James Fitzgerald, en die hebben me een lieve duit gekost. Dat was de zoon van Violeta en Nathanial Broome. Daar staat tot in detail in wat ze hem heeft verteld over wat er die avond op Whiskey Beach is gebeurd. Fitzgerald, haar zoon, heeft het er maar bij gelaten. Hij heeft geen aanspraak gemaakt op zijn rechten. Maar dat doe ik dus wel.'

'Zo te horen had u beter een advocaat in de arm kunnen nemen dan met een pikhouweel gaten te hakken in de kelder,' merkte Corbett op.

'Denkt u soms dat ik dat niet heb geprobeerd?' Rood van woede boog Suskind zich naar voren. 'Ik ben van het kastje naar de muur gestuurd. De mensen vertellen alleen maar smoesjes. Het zou te lang geleden zijn, ze zou wettelijk toch nooit iets hebben geërfd. Ik kan wettelijk nergens aanspraak op maken. Maar hoe zit het dan met de aanspraak vanwege mijn afstamming, of omdat ik het morele recht aan mijn kant heb? Die bruidsschat behoorde toe aan *míjn* voorvader, niet aan die van Landon. Die schat hoort nu van mij te zijn.'

'Dus met uw aanspraak op morele en voorouderlijke gronden hebt u verscheidene keren ingebroken in Bluff House en... Waarom zocht u eigenlijk specifiek in de kelder?'

'Violeta heeft aan haar zoon verteld dat Broome had gezegd dat ze die schat daar op een veilige plek moest verbergen.'

'Goed, maar denkt u niet dat iemand die schat in de loop van tweehonderd jaar heeft gevonden en te gelde heeft gemaakt?'

'Zij heeft die schat verborgen. Die ligt er nog, en hij komt mij toe.'

'En u beweert dat u daarom ook het recht heeft om in te breken, eigendommen te beschadigen en een oude vrouw van de trap te duwen?'

'Ik heb haar niet geduwd. Ik heb haar met geen vinger aangeraakt. Het was een ongeluk.'

Corbett trok zijn wenkbrauwen op. 'Een ongeluk zit in een klein hoekje. Hoe gebeurde dit ongeluk?'

'Ik moest op de tweede verdieping kijken. De Landons hebben daar allerlei dingen opgeslagen. Ik wilde weten of er iets lag wat me details over de bruidsschat kon verschaffen. Die ouwe vrouw kwam uit bed en zag me. Ze is op de vlucht geslagen en toen is ze gevallen. Dat is alles. Ik heb haar met geen vinger aangeraakt.'

Nee, je hebt haar met geen vinger aangeraakt, dacht Corbett. Maar je hebt haar wel bloedend onder aan de trap laten liggen.

'Hebt u haar zien vallen?'

'Ja, natuurlijk. Ik was er immers bij. Het was niet mijn schuld.'

'Goed, nu even alles op een rijtje. U hebt in de nacht van 20 januari van dit jaar ingebroken in Bluff House. Mevrouw Hester Landon was op dat moment thuis en toen ze u zag, probeerde ze u te ontvluchten en is daarbij van de trap gevallen. Heb ik het zo goed geformuleerd?'

'Ja, dat klopt. Ik heb haar met geen vinger aangeraakt.'

'Maar u hebt Abra Walsh wel aangeraakt op de avond dat zij naar Bluff House ging en u de elektriciteit had afgesloten en had ingebroken.'

'Ik heb haar geen pijn gedaan. Ik moest haar gewoon even... in bedwang houden, zodat ik kon vluchten. Zij viel mij trouwens aan. Net als Landon mij vanavond aanviel. Dat hebben jullie zelf gezien.'

'Ik zag u naar een verborgen wapen grijpen,' zei Corbett, en hij wierp een korte blik naar Vinnie.

'Ja, rechercheur. Dat zag ik ook. We hebben dat wapen als bewijs in beslag genomen.'

'U boft dat u slechts twee klappen hebt gekregen. Laten we het nu weer hebben over de avond waarop u met Abra Walsh hebt gevochten in Bluff House.'

'Dat heb ik net al verteld. Zij viel mij aan.'

'Dat is een interessante kijk op de zaak. Heeft Kirby Duncan u ook aangevallen voor u hem doodschoot en zijn lichaam van de rotsen bij de vuurtoren in zee gooide?'

Een spier in Suskinds kaak trilde opnieuw en de man wendde zijn blik af. 'Ik weet niet waar u het over hebt. Ik weet niet eens wie die Kirby Duncan is.'

'Wie hij was. Ik zal uw geheugen even opfrissen. Hij was de privédetective uit Boston die u hebt ingehuurd om Eli Landon in de gaten te houden.' Corbett stak een hand op voor Suskind hem in de rede kon vallen. 'Laat ik ons wat tijd besparen. Mensen denken altijd dat ze hun sporen goed hebben uitgewist. Zoals u, met de inbraak in Duncans kantoor en appartement en door zijn administratie weg te werken. Maar als mensen haast hebben, zien ze vaak kleine dingen over het hoofd. Zoals back-upbestanden. Of spullen die ze zelf hebben bewaard en die boven water komen als de politie uw huis hier doorzoekt en een tweede team uw appartement in Boston uitkamt.'

Dat liet Corbett goed tot Suskind doordringen.

'En dan het wapen dat u trok. Dat blijkt op naam van Kirby Duncan te staan. Hoe bent u in het bezit gekomen van Duncans wapen?'

'Dat heb ik... gevonden.'

'Gewoon een mazzeltje?' Corbett wierp Suskind een glimlach toe. 'Waar hebt u het gevonden? En wanneer? En hoe precies?' Corbett bracht zijn gezicht tot vlak bij dat van Suskind. 'Hebt u daar een antwoord op? U mag er gerust even over nadenken, hoor. En neem dan gelijk het volgende in overweging. Veel mensen geloven dat ze veilig zijn als ze een wapen afvegen of handschoenen dragen. Maar ze vergeten vaak om ook handschoenen aan te trekken als ze het wapen laden. U hebt dat wapen in het huis van Abra Walsh neergelegd, meneer Suskind. Maar haar vingerafdrukken zaten niet op de kogels die de lijkschouwer uit het lichaam van Duncan heeft gehaald. U mag raden wiens vingerafdrukken er wél zijn gevonden.'

'Het was noodweer.'

'Dat klinkt redelijk. Vertelt u verder.'

'Hij kwam op me af. Ik moest mezelf wel verdedigen. Hij... viel me aan.'

'Net zoals Abra Walsh u aanviel?'

'Ik had geen keuze. Hij kwam op me af.'

'Dus u hebt Kirby Duncan doodgeschoten en vervolgens zijn lichaam bij de vuurtoren van de rotsen geworpen?'

'Ja, het was zelfverdediging. Daarna heb ik zijn pistool gepakt. Hij kwam op me af, hij was gewapend. Het kwam tot een worsteling. Het was een ongeluk.'

Corbett krabde aan de zijkant van zijn hals. 'Er lijken u nogal wat ongelukken te overkomen. Maar weet u, wij verstaan hier ons vak. Kirby Duncan is niet om het leven gekomen door een schot van dichtbij zoals kan gebeuren tijdens een worsteling. Dat verhaal wordt niet ondersteund door de forensische gegevens.'

'Maar zo is het wel gegaan,' zei Suskind, en hij sloeg zijn armen over elkaar. 'Het was zelfverdediging. Ik heb toch zeker het recht om mezelf te verdedigen?'

'U vindt dat u het recht hebt om inbraken te plegen en om vervolgens in een huis te gaan graven, u vindt dat u het recht hebt om weg te lopen bij een gewonde vrouw die is gevallen omdat u in haar huis hebt ingebroken, u vindt dat u het recht hebt om een andere vrouw aan te vallen én om een man te vermoorden. U zult merken dat de wet u geen van die rechten toekent, meneer Suskind. En u zult in de gevangenis alle tijd hebben om daarover na te denken, wanneer u een levenslange straf uitzit wegens moord met voorbedachten rade.'

'Het was zelfverdediging.'

'Gaat u dat ook beweren als ze u vragen waarom u Lindsay Landon hebt vermoord? Heeft zij u ook aangevallen of bedreigd, waarna u haar uit zelfverdediging de hersens moest inslaan?'

'Ik heb Lindsay niet vermoord. Dat heeft Landon gedaan. En de politie heeft hem er ongestraft mee weg laten komen. Dankzij het geld en de goede naam van zijn familie. Daarom is zij dood en loopt hij nog steeds vrij rond. En dan speelt hij ook nog eens de baas over een huis dat rechtmatig van mij is?'

Corbett keek even naar de doorkijkspiegel en gaf een kort, nauwelijks zichtbaar knikje. Hij slaakte een onhoorbare zucht en hoopte dat hij geen vergissing beging, maar ja, afspraak was afspraak.

'Hoe weet u dat Landon haar heeft vermoord?'

'Omdat hij dat heeft gedaan. Ze was bang voor hem.'

'Heeft ze u verteld dat ze bang was voor haar echtgenoot?'

'Ze was een wrak nadat hij haar die dag in het openbaar te kijk had gezet. Ze zei dat ze niet wist wat hij zou gaan doen. Hij had haar bedreigd en tegen haar gezegd dat hij het haar betaald zou zetten. Dat staat zwart op wit. Ik had haar beloofd dat ik voor haar zou zorgen, dat ik alles zou regelen. Ze hield van mij en ik van haar. Landon wilde haar allang niet meer, maar toen hij erachter kwam dat wij wat met elkaar hadden, kon hij het blijkbaar niet verkroppen dat zij gelukkig was. Hij is naar haar toe gegaan en heeft haar vermoord. Daarna heeft hij de politieagenten omgekocht en kon hij gewoon vrij blijven rondlopen.'

'Dus Wolfe is omgekocht?'

'Reken maar, verdomme.'

Corbett keek om zich heen en knikte opnieuw toen Eli binnenkwam. 'Eli Landon komt binnen tijdens het verhoor. Meneer Suskind, ik denk dat we ons ook nu tijd kunnen besparen in onze poging alles boven tafel te krijgen als meneer Landon meedoet aan dit gesprek. Mocht u bezwaar hebben tegen zijn aanwezigheid, dan moet u dat zeggen en dan vertrekt hij weer.'

'Nou, ik heb hem genoeg te zeggen. Jij vuile moordenaar.'

'Goh, dat had ik tegen jou willen zeggen. Maar laten we even praten.' Eli ging aan de tafel zitten.

30

'Jij wilde haar niet meer.'

'Nee,' gaf Eli toe. 'Dat is waar, en ik wilde haar nog minder toen ik erachter kwam dat ze tegen me had gelogen. Dat ze me had bedrogen en gebruikt. Wist ze eigenlijk waarom jij een verhouding met haar bent begonnen? Wist ze dat jij haar gebruikte om informatie over mij in te winnen? En informatie over Bluff House, mijn familie en de bruidsschat?'

'Ik hield van haar.'

'Misschien wel, maar je bent niet uit liefde met haar naar bed gegaan. Dat heb je gedaan om mij dwars te zitten, en om alles uit haar te zuigen wat ik haar misschien over de bruidsschat had verteld.'

'Ik kende haar. Ik begreep haar. Jij wist niet eens wie ze was.'

'Jezus, dat kun je wel beweren. Dat hoor je me niet tegenspreken. Ik wist niet wie ze was. Ik wilde haar niet meer en ik hield niet meer van haar. Maar ik heb haar niet vermoord.'

'Jij bent dat huis binnengegaan, en toen zij tegen jou zei dat je naar de hel kon lopen, dat je moest opdonderen, dat ze een relatie met mij had, dat we gingen trouwen en samen een nieuw leven wilden opbouwen, heb je haar vermoord.'

'Was het niet moeilijk dat je met haar wilde trouwen terwijl je al een vrouw had?'

'Ik had al tegen Eden gezegd dat ik van haar wilde scheiden, en toen Lindsay tegen jou zei dat zij en ik vrij wilden zijn, kon jij dat niet aan. Jij wilde haar niet meer, maar een ander mocht haar ook niet hebben.'

'Ik dacht dat jouw vrouw pas over de relatie tussen jou en Lindsay had gehoord nadat Lindsay was vermoord.'

Suskinds handen balden zich tot vuisten op de tafel. 'Ze wist niets van Lindsay.'

'Dus toen je jouw vrouw, de moeder van je twee kinderen, vertelde dat je van haar wilde scheiden, heeft zij geen enkele vraag gesteld?'

'Dat is iets tussen Eden en mij. Dat gaat jou niets aan.'

'Toch is het opmerkelijk. Lindsay en ik waren absoluut niet zo beschaafd en redelijk tegen elkaar toen we op een scheiding af koersten. Veel ruzie en veel beschuldigingen over en weer. Jouw vrouw heeft kennelijk de eer aan zichzelf gehouden door een stapje opzij te doen en jou alles te gunnen wat je wilde. Waar wilden Lindsay en jij naartoe, de avond dat ze werd vermoord? Kom op, Justin, ze was haar koffers aan het pakken. Zij en ik hadden in het openbaar een enorme ruzie gehad en ze was overstuur. Jij was verliefd op haar en je had je vrouw al om een scheiding gevraagd. Lindsay zou de stad heus niet uit zijn gegaan zonder jou.'

'Het gaat je niets aan waar we naartoe wilden.'

'Maar toen je langskwam om haar op te halen...'

'Toen was het te laat. Jij had haar al vermoord. De politie was er al.'

Toen Suskind overeind schoot, liep Vinnie op hem af, legde een hand op zijn schouder en duwde hem terug in zijn stoel. 'Zou u op uw stoel willen blijven zitten?'

'Raak me niet aan. Jij bent even schuldig als hij. Jullie allemaal. Ik mocht die avond niet eens voor het huis blijven staan, ik mocht haar zelfs niet meer zien. Het enige wat ik kon doen was een buurman, die buiten in de regen stond, vragen wat er aan de hand was. Hij zei dat er was ingebroken en dat de vrouw die in dat huis woonde dood was. Ze was dood. En jij was toen al bezig om er onderuit te komen.'

Zwijgend keek Eli even naar Corbett als teken dat de politieagent verder kon gaan.

'Maar wat u nu zegt komt niet overeen met uw verklaring tegen de politie in de zaak van de moord op Lindsay Landon.'

'Ik weet hoe zoiets in zijn werk gaat, hoor. U denkt toch niet dat ik gek ben? Als ik had toegegeven dat ik in de buurt van dat huis was geweest, zou de politie mij die moord in de schoenen hebben geschoven. Maar hij heeft haar vermoord,' zei Suskind met een priemende wijsvinger op Eli gericht. 'Dat weten jullie donders goed. En nu zit ik hier vast omdat ik iets heb gedaan waartoe ik het volste recht had. Doe je werk. Arresteer hem.'

'Voor ik mijn werk kan doen, moet alles me eerst wel duidelijk zijn. Daarvoor heb ik feiten nodig. Hoe laat bent u precies langs het huis van de Landons in de Back Bay gereden?'

'Zo rond kwart over zeven.'

'En daarna?'

'Daarna ben ik meteen naar huis gereden. Ik was helemaal van slag en kon niet meer nadenken. Eden was bezig met het avondeten. Zij vertelde me dat ze net op het nieuws had gehoord dat Lindsay was vermoord. Toen ben ik ingestort. Wat had u dan verwacht? Ik hield van haar. Ik was compleet overstuur. Eden heeft me geholpen om te kalmeren en alles op een rijtje te zetten. Ze maakte zich zorgen om mij en onze kinderen, dus zei ze dat ze tegen de politie zou zeggen dat ik vanaf half zes bij haar was geweest zodat we niet het hele schandaal en alle druk van buitenaf hoefden te doorstaan waar Landon verantwoordelijk voor was.'

'Dus ze loog?'

'Ze beschermde mij en ons gezin. Ik had haar in de steek gelaten, maar toch nam ze het voor me op. Ze wist dat ik Lindsay niet had vermoord.'

'Ja, dat wist ze inderdaad,' zei Eli. 'Ze wist dat jij Lindsay niet had vermoord. En ze wist dat ik Lindsay niet had vermoord. Ze heeft jou een alibi verschaft, Justin. Een alibi dat de politie geloofde. En jij verschafte haar een alibi, door te zeggen dat zij samen met jou thuis was als een brave echtgenote. Jullie hebben zogenaamd een paar margarita's gedronken terwijl zij voor jullie tweeën kookte. Maar in werkelijkheid was ze naar Lindsay toe gegaan om haar aan te spreken op haar gedrag. En Lindsay liet haar binnen.'

'Dat is een leugen. Dat is een belachelijke leugen uit eigenbelang.'

'Waarschijnlijk heeft Lindsay toen iets tegen haar gezegd wat ze ook tegen mij heeft gezegd toen we elkaar voor de laatste keer spraken. Dat het haar speet, maar dat de zaken nou eenmaal zo lagen. Zij hield van jou, en jullie hadden allebei het recht om gelukkig te zijn. Dus toen heeft Eden in een vlaag van woede de pook gepakt en Lindsay vermoord.'

'Daar is ze niet toe in staat.'

'Je weet wel beter. Ze heeft uitgehaald omdat de vrouw die zij als vriendin beschouwde haar voor schut had gezet. De vrouw die ze als vriendin beschouwde, vormde plotseling een bedreiging voor alles wat haar dierbaar was. De echtgenoot met wie ze haar leven had gedeeld, die ze had vertrouwd, in wie ze had geloofd, had haar verraden. Hij zou haar huwelijk vernietigen door er met de vrouw van een ander vandoor te gaan.'

'Ze heeft u die scheiding niet zomaar gegund,' bracht Corbett naar voren. 'Jullie hebben ruzie gehad. Zij wilde weten waarom u van haar af wilde en toen hebt u haar verteld dat u verliefd was geworden op een ander. En daarna hebt u haar verteld op wie.'

'Dat doet er niet toe.'

'Wanneer precies? Wanneer hebt u haar over Lindsay verteld?'

'De avond vóór de moord. Maar dat doet er niet toe. Eden nam mij in bescherming en het enige wat ze daarvoor terug wilde, was dat we ons huwelijk nog een kans zouden geven. Nog een paar maanden. Dat heeft ze voor mij gedaan.'

'Dat heeft ze voor zichzelf gedaan,' zei Eli, en hij ging staan. 'Jullie handelden allebei uit eigenbelang. Jullie hebben alleen aan jezelf gedacht en wat er met een ander gebeurde kon jullie geen donder schelen. Van mij had je haar mogen hebben, Justin. Ik wilde alleen de ring van mijn oma terug, maar Eden wilde meer. En ze heeft jou gebruikt om dat te krijgen. Al kun je haar dat moeilijk kwalijk nemen.'

Eli liep de kamer uit en ging meteen naar Abra. Ze stond op van het bankje waarop ze had zitten wachten. Ze hield hem stevig vast toen hij zijn armen om haar heen sloeg en zijn voorhoofd zacht tegen het hare legde.

'Dat was moeilijk voor je,' zei ze rustig.

'Een stuk moeilijker dan ik had gedacht.'

'Vertel.'

'Doe ik. Het hele verhaal. Maar zullen we eerst naar huis gaan? Laten we maken dat we hier wegkomen en naar huis gaan.'

'Eli?' Vinnie kwam uit de verhoorkamer gesneld. 'Wil je nog heel even wachten?' Hij liet een korte stilte vallen en keek even naar Eli's gezicht. 'Hoe gaat het?'

'Alles bij elkaar? Goed. Het is fijn om duidelijkheid te hebben. Eindelijk durf ik te geloven dat ik het achter me kan laten.'

'Blij dat te horen. Ik moest van Corbett zeggen dat hij meteen contact zal opnemen met Wolfe als hij klaar is met het verhoor van Suskind. De politie in Boston zal Eden oppakken om haar te verhoren. En als je het mij vraagt is Corbett van plan om voor dat verhoor naar Boston te gaan.'

'Dat mogen zij opknappen. Ik heb er niets meer mee te maken. Niets van dat alles maakt nog deel uit van mijn leven. Bedankt voor je hulp, Vinnie.'

'Het hoort bij mijn werk, maar je mag me best eens een keer op een biertje trakteren.'

'Je kunt er zo veel krijgen als je wilt.'

Abra stapte om Eli heen, nam Vinnies gezicht in haar handen en drukte haar lippen zacht op de zijne. 'Kijk, dat biertje krijg je van hem, maar dit was van mij.'

'Dit is misschien nog wel lekkerder dan dat biertje.'

'Laten we nu maar naar huis gaan,' herhaalde Eli. 'Dit hebben we achter de rug.'

Maar dat bleek toch niet waar te zijn. Niet voor hem. Nog niet helemaal.

De volgende ochtend zat Eli, met Abra naast hem, tegenover Eden Suskind.

Hoewel ze bleek was, keek ze hen rustig aan en haar stem klonk volkomen kalm.

'Ik waardeer het dat jullie met z'n tweeën naar Boston zijn gekomen. Ik weet dat ik jullie daarmee ontrief.'

'Je had gezegd dat je mij, of eigenlijk ons, iets wilde vertellen,' merkte Eli op.

'Ja. Toen jullie naar mijn huis liepen, zag ik dat jullie tweeën een sterke band hebben. Ik heb altijd geloofd in zo'n band, zo'n verbintenis tussen mensen en de beloftes die daaruit voortkomen. Daar heb ik mijn leven als volwassene op gebouwd om vervolgens te ontdekken dat die band is gebroken. Daarom wilde ik jullie allebei spreken. Ik heb gisteravond al een hele tijd met de politie gesproken. In aanwezigheid van mijn advocaat, natuurlijk.'

'Heel verstandig.'

'Dat is Justin niet geweest, maar goed, hij is altijd al impulsief, een tikje overhaast geweest. Ik zorgde voor evenwicht omdat ik de zaken meestal goed op een rijtje zet en de voors en tegens tegen elkaar afweeg. We zijn een hele tijd een goed team geweest. Jij begrijpt ongetwijfeld wat ik met evenwicht bedoel,' zei ze tegen Abra.

'Nou en of.'

'Dat dacht ik al. Aangezien Justin inmiddels heeft bekend dat hij... Nou ja, dat hij heel veel heeft gedaan... Nu ik weet wat hij heeft gedaan, kan en wil ik verder gaan met mijn leven. Ik kan hem niet langer beschermen, in balans brengen of hopen dat hij weer bij zijn verstand komt en ons gezin op de eerste plaats stelt. Dat zal nooit meer gebeuren. De politie gelooft dat hij in koelen bloede een man heeft doodgeschoten.'

'Ja.'

'En dat hij jouw oma ernstig heeft verwond.'

'Ja.'

'Het was een obsessie voor hem. Daarmee wil ik het niet goedpraten, maar het is wel waar. Ongeveer drie jaar geleden, na het overlijden van zijn oom, heeft Justin brieven en een dagboek gevonden. Allerlei dingen die zijn familie met de jouwe verbond, en natuurlijk met die bruidsschat.'

'Informatie over Violeta Landon en Nathanial Broome?'

'Ja. Ik weet er verder weinig van omdat hij al die informatie voor zichzelf hield. Hij hield mij erbuiten. Vanaf toen begon alles te veranderen. Hij bleef zoeken en spitten naar informatie. Daarvoor moest hij soms forse vergoedingen betalen. Ik zal je niet vervelen met de problemen die Justin in het verleden heeft gehad, zijn vermogen om anderen de schuld te geven van zijn mislukkingen, vergissingen of tekortkomingen. Maar ik kan je wel vertellen dat hoe meer hij te weten kwam over dit deel van zijn familiegeschiedenis, hoe meer hij begon te geloven dat jij en je familie de reden waren dat hij niet had wat hij wilde hebben. Sterker nog, toen hij erachter kwam dat ik jouw vrouw kende en af en toe met haar samenwerkte, zag hij dat als voorteken. Wie weet? Misschien was het dat wel.'

'Hij heeft zijn zinnen op haar gezet?'

'Ja. Maar ik wist niet hoe ver hij daarin ging. Daarmee heeft hij me een rad voor ogen gedraaid, maar weet je wat ik denk? Hij begon haar toen te begeren en hij overtuigde zich ervan dat hij van haar hield omdat ze jóúw vrouw was. Hij wilde wat van jou was. Dat zag hij als zijn recht. Ik wist niets van het huis in Whiskey Beach, of over de privédetective en de inbraken. Het enige wat ik in de maanden voor Lindsays dood wist, was dat ik mijn man kwijtraakte en dat hij tegen me loog. Dat voelen we altijd aan, denk je ook niet?' vroeg ze aan Abra.

'Ja, waarschijnlijk wel.'

'Ik heb alles geprobeerd, maar uiteindelijk ben ik gestopt om ruzie met hem te maken over de tijd en het geld die hij eraan besteedde. Ik heb mezelf ervan overtuigd dat ik beter kon wachten tot het voorbij was. Hij had vaker obsessies gehad waaraan ik hem bijna was kwijtgeraakt, maar hij was altijd weer bij zinnen gekomen.'

Ze liet even een stilte vallen en streek een lok van haar haar achter haar oor. 'Maar ditmaal was het anders. Hij zei dat hij van me wilde scheiden. Zomaar, alsof het niet meer dan een formaliteit was. Hij wilde ons leven samen niet meer, en hij kon niet langer doen alsof hij van me hield. Nogmaals, daar zal ik jullie niet mee vervelen, maar ik was radeloos. We kregen ruzie en zeiden afschuwelijke dingen tegen elkaar, zoals mensen nou eenmaal doen als ze ruzie hebben. Hij vertelde me dat hij een relatie met Lindsay had en dat zij zijn zielsverwant was, zo'n afgezaagde uitdrukking. Hij zei dat hij met haar verder wilde.'

'Dat moet ontzettend veel pijn hebben gedaan,' zei Abra toen Eden even zweeg.

'Het was afschuwelijk. Het ellendigste moment van mijn leven. Alles waar ik van hield en in geloofde glipte door mijn vingers. Hij zei dat we het de kinderen in het weekend zouden vertellen, zodat we veel tijd hadden om de klap voor hen wat minder hard te laten aankomen. Tot die tijd zou hij in de logeerkamer slapen en moesten we beleefd zijn tegen elkaar. Ik hoorde Lindsays woorden uit zijn mond komen, hij gebruikte haar formuleringen en haar toon. Begrijp je wat ik bedoel?' vroeg ze aan Eli.

'Ja, dat begrijp ik.'

Ze rechtte haar schouders en knikte. 'Wat ik nu ga zeggen doe ik zonder dat mijn advocaat of de politie erbij is. Dit is officieus, maar ik vind dat jullie het recht hebben om dit te weten. En dat ik het recht heb om jullie dit te vertellen.'

'Ik weet al dat je haar hebt vermoord.'

'Wil je dan niet weten wat er die avond is gebeurd? Het hoe en waarom?'

Voor Eli iets kon zeggen, legde Abra een hand op de zijne. 'Ik wel. Ik wil het graag weten.'

'Kijk, daar heb je dat evenwicht tussen jullie weer. Jij zou zijn weggelopen omdat je erg boos bent, maar zij helpt je om te blijven, omdat ze weet dat die informatie jou zal helpen om dit alles achter je te laten, voor zover dat mogelijk is.'

'Je wilde haar erop aanspreken,' begon Abra.

'Zou jij dat dan niet hebben gedaan? Hij belde me op om me te vertellen dat hij van gedachten was veranderd. We zouden een paar dagen moeten wachten met het de kinderen vertellen. Lindsay was overstuur omdat ze ruzie met jou had gemaakt, Eli. Daarom wilde ze er een paar dagen tussenuit. Hij wilde bij haar zijn. Zij had behoeftes en hij had behoeftes. Maar zijn gezin was ineens niet belangrijk meer. Volgens mij haalden die twee het ergste in elkaar naar boven,' mompelde Eden. 'De ergste egoïstische kanten.'

'Daar kun je wel eens gelijk in hebben.' Eli draaide zijn hand om, zodat hij die van Abra kon vasthouden. Even schoot het door hem heen dat hij een enorme bofkont was.

'Dus inderdaad, ik ben naar haar toe gegaan om haar erop aan te spreken, om met haar te redetwisten, zelfs om bij haar te smeken. Ze was heel boos dat jij de confrontatie had gezocht en om de dingen die je had gezegd. En achteraf bekeken voelde ze zich misschien een beetje schuldig. Maar niet schuldig genoeg. Ze liet me binnen en nam me mee naar de bibliotheek omdat ze schoon schip wilde maken, zodat Justin en zij verder konden gaan met hun leven. Wat ik ook zei, niets maakte indruk op haar. Onze vriendschap was onbelangrijk, net als mijn kinderen, mijn huwelijk en de pijn die zij en Justin veroorzaakten. Ik heb haar gesmeekt om mijn man, de vader van mijn kinderen, niet van me af te pakken. Ik kreeg te horen dat ik volwassen moest worden en dat het leven nou eenmaal ging zoals het ging. Ze heeft afschuwelijke dingen tegen mij gezegd, wrede, kwaadaardige dingen. En toen keerde ze me haar rug toe. Ze deed het voorkomen alsof ik en mijn pijn niets voorstelden.'

Na een stilte legde Eden haar samengevouwen handen op tafel. 'De rest is in een waas gebeurd. Het was alsof ik naar de handelingen van iemand anders keek, alsof het iemand anders was die de pook pakte en uithaalde. Ik was niet goed bij mijn verstand.'

'Die verdediging zou kunnen werken,' zei Eli kalm. 'Als je advocaat even goed is als jij.'

'Hij is bijzonder goed, maar dat even terzijde. Ik ben dat huis nooit binnengegaan met het voornemen om haar kwaad te doen, maar juist om een beroep op haar te doen. En toen ik weer bij mijn verstand kwam, was het al te laat. Ik dacht aan mijn gezin, mijn kinderen, en aan wat het voor hen zou betekenen. Wat ik in een vlaag van verstandsverbijstering heb gedaan kon ik niet meer ongedaan maken. Ik kon alleen proberen om mijn gezin te beschermen. Dus toen ben ik naar huis gegaan. Daar heb ik de kleren die ik aanhad in stukjes geknipt. Ik heb ze in een zak gedaan die ik vervolgens heb verzwaard, en daarna ben ik naar de rivier gereden en heb de zak erin gegooid. Toen ben ik weer naar huis gereden en ben ik gaan koken. Toen Justin thuiskwam, was hij helemaal overstuur, en opeens besefte ik dat we elkaar konden beschermen. En zo hoort het ook binnen een huwelijk, daar is het voor bedoeld. We zouden proberen om het achter ons te laten en onze relatie weer op de rit te krijgen. Ik had het gevoel dat hij me nodig had. Lindsay zou hem helemaal kapot hebben gemaakt. En eigenlijk heeft ze dat ook gedaan. Ze liet mij achter met een man die ik niet meer kon steunen of redden. Ik liet hem los en deed wat ik moest doen om mezelf te beschermen.'

'Maar je hebt slechts toegekeken toen jouw daden Eli's leven verwoestten.'

'Het was te laat om het tegen te houden of te veranderen. Maar het speet me oprecht dat iemand die evenzeer was bedrogen als ik nog veel meer zou verliezen. Maar uiteindelijk ben ik niet degene die zijn leven heeft verwoest. Dat heeft Lindsay gedaan. Zij heeft zijn leven, mijn leven en dat van Justin verwoest. Ook al was ze dood, ze heeft onze levens verpest. En nu zullen mijn kinderen daar de gevolgen van ondervinden.'

Haar stem beefde een beetje, maar werd toen weer krachtig. 'Zelfs als mijn advocaat een overeenkomst sluit met de openbaar aanklager, en ik ben ervan overtuigd dat hij dat voor elkaar zal krijgen, dan zullen zij er de gevolgen van moeten dragen. Jullie twee hebben evenwicht, jullie hebben een kans op een gezamenlijke toekomst. Ik heb alleen twee kinderen die in het verdriet gestort zullen worden om wat hun vader uit egoïsme en hun moeder uit wanhoop heeft gedaan. Jullie zijn vrij, en hoewel ik misschien niet zo lang zal worden gestraft als jullie rechtvaardig lijkt, zal ik toch nooit meer vrij zijn.'

Eli leunde over de tafel heen. 'Wat ze ook had gedaan of wat ze ook wilde gaan doen, ze had het niet verdiend om te worden vermoord.'

'Jij bent veel aardiger dan ik. Maar we kunnen ook helemaal teruggaan naar waar het begon. Jouw voorvader pleegde een moord en verloochende zijn eigen zus uit hebzucht. Als dat niet was gebeurd, zouden we nu hier niet zitten. Ik ben niet meer dan een radertje in het geheel.'

'Dat idee helpt je misschien door de komende weken heen,' zei Eli, en hij stond op.

Opnieuw legde Abra een hand op de zijne. 'Omwille van je kinderen hoop ik dat jouw advocaat echt zo goed is als je denkt.'

'Dank je wel. Ik wens jullie twee echt het allerbeste.'

Hij moest naar buiten. Zo snel mogelijk. 'Jezus christus,' was het enige wat hij kon uitbrengen toen Abra zijn handen beetpakte.

'Sommige mensen zijn nou eenmaal verknipt op een manier die je niet aan de buitenkant ziet. Op een manier die ze zelf niet eens zien of begrijpen. Misschien hebben de omstandigheden ervoor gezorgd dat ze verknipt is geraakt, Eli, maar zelf zal ze nooit inzien hoe gek ze is.'

'Ik zou ervoor kunnen zorgen dat ze een lage straf krijgt,' mompelde hij. 'Ik zou ervoor kunnen zorgen dat ze maar vijf jaar krijgt, en daar zou ze er slechts twee van hoeven uit te zitten.'

'Dan ben ik blij dat je geen strafpleiter meer bent.'

'Ja, ik ook.' Hij pakte haar hand steviger beet toen hij Wolfe door de gang zag lopen.

'Landon.'

'Rechercheur.'

'Ik zat er helemaal naast. Maar je was wel de volmaakte verdachte.'

Toen Wolfe gewoon doorliep, draaide Eli zich om. 'Is dat alles wat je te zeggen hebt? Daar moet ik het mee doen?'

Wolfe keek even achterom. 'Ja, daar zul je het mee moeten doen.'

'Hij schaamt zich,' zei Abra, en ze glimlachte pas toen Eli haar een verbaasde blik toewierp. 'Hij is natuurlijk een klootzak, maar hij geneert zich ook. Vergeet hem en onthoud dat karma altijd rechtvaardig is.'

'Ik weet niets van karma, maar ik zal zeker mijn best doen om hem te vergeten.'

'Mooi zo. Kom, we gaan bloemen kopen voor Hester en dan vertellen we dit geweldige nieuws aan je familie. Daarna gaan we naar huis en dan zien we wel wat daar gebeurt.'

Daar had hij wel een paar suggesties voor.

Hij wachtte een paar dagen, zodat ze allebei de tijd hadden om alles te laten bezinken. Hij had zijn leven weer terug en hij had de mediaberichten over de arrestatie van Eden Suskind wegens de moord op Lindsay en de arrestatie van Justin wegens de moord op Duncan niet nodig om dat te beseffen.

Hij had zijn leven terug, maar niet het leven dat hij vroeger had geleid en daar was hij maar wat blij om.

Hij had plannen gemaakt – sommige met Abra – om Bluff House open te stellen voor een groots feest op 4 juli. Hij liet haar de voorlopige schetsen zien voor een lift, zodat zijn oma weer naar huis kon komen en er een comfortabel leventje kon leiden.

En sommige plannen deelde hij nog even niet met haar.

Dus wachtte hij af, ging wandelen met zijn hond, schreef en bracht tijd door met de vrouw van wie hij hield. Langzaam begon hij Bluff House in een geheel nieuw perspectief te zien.

Hij koos een avond waarop er een zacht briesje stond en er een spectaculaire zonsondergang te zien zou zijn, gevolgd door een vollemaan.

Hij droeg zijn steentje bij door de afwas te doen, terwijl zij aan het keukeneiland haar rooster voor de komende week maakte.

'Volgens mij, als ik een beetje schipper met de tijden, dan zou ik tegen de herfst zumbalessen kunnen geven. Zumba is niet voor niets zo populair. Ik kan mijn diploma halen.'

'Ik weet zeker dat je dat gaat lukken.'

'Ach, yogalessen zullen altijd mijn voornaamste bezigheid blijven, maar ik vind het leuk om er andere dingen bij te doen. Dat houdt het fris.' Ze ging staan en prikte haar nieuwe rooster op het prikbord.

'Zeg, over het fris houden gesproken, ik wil je op de tweede verdieping graag iets laten zien.'

'In de geheime gang? Wil je piraatje en lichtekooi spelen?'

'Misschien wel, maar eerst is er nog iets anders.'

'Ik vind het heel jammer dat we die verdieping niet open kunnen stellen voor ons grote feest in juli,' zei ze, terwijl ze met hem meeliep. 'Dan wordt het veel te ingewikkeld. Het staat nu veel te vol met allerlei spullen, maar jongens-nog-an-toe, wat zouden we daar een grote feesten kunnen geven.'

'Misschien. In de toekomst.'

'In de toekomst vind ik prima.'

'Grappig dat je dat zegt, ik kom er net achter dat ik dat ook vind. Dat heeft me wel een tijdje gekost.'

Hij leidde haar naar de oude bediendenvertrekken waar een emmer met een fles champagne stond.

'Hebben we iets te vieren?'

'Nou, dat hoop ik verdomme wel.'

'Ik hou ook van feestjes. Hé, daar liggen de bouwplannen.' Ze liep naar de tafel die hij had ontdekt en keek naar de bouwtekening. 'Eli! Je bent met de bouwplannen bezig voor je nieuwe werkkamer. O, dit is geweldig. Het wordt vast een prachtig plekje voor je. Maak je een buitentrap bij het terras? Wat een goed idee. Dan kun je naar binnen en naar buiten. Zo van hier daarheen om lekker te zitten en na te denken. Daar heb je me niets over verteld.'

Met een ruk draaide ze zich om.

'Het zijn nog maar voorlopige plannen. Ik wilde er alvast een deel van op papier hebben om te kijken wat er mogelijk is, voor ik het aan jou zou laten zien.'

'Nou, voorlopige plannen of niet, het is een geweldige reden om een fles te ontkurken.'

'Toch is dat niet de reden waarom die fles daar staat.'

'Is er dan nog meer?'

'Ja, nog veel meer. Kijk, de architect heeft deze ruimte leeg gelaten. De plek waar we nu staan. De badkamer komt daar. Ik heb hem gevraagd een basisschets te maken en de ruimte niet in te vullen.'

'Nog meer plannen.' Ze draaide een rondje en toen nog eentje. 'Je kunt zo veel met deze ruimte doen.'

'Eh… nee. Ik niet. Maar jij wel.'

'Ik?'

'Jij zou hier je studio van kunnen maken.'

'O, Eli. Wat ontzettend lief van je, maar…'

'Toe, laat me eerst even uitpraten. Jouw klanten of leerlingen, hoe ik ze ook moet noemen, kunnen dan door deze ingang binnenkomen, via het terras. Daarna moeten ze wel twee trappen op, maar als ze toch komen om te sporten, kan die klim er wel bij. Als je yoga voor senioren geeft of zoiets, dan kunnen die mensen de lift gebruiken. En dan heb je dit stuk nog. Daar zou je jouw massagekamer van kunnen maken. Mijn werkkamer is hier in de noordelijke vleugel. Heel besloten, dus ik zal nergens last van hebben. Ik heb oma gevraagd wat zij ervan vindt, en het leek haar een geweldig idee. Dus je hebt haar toestemming.'

'Jij hebt er echt goed over nagedacht.'

'Ja, en dat had allemaal met jou te maken. Of met ons. Met Bluff House. Met… nou ja… de toekomst. Wat zeg je ervan?'

'Eli.' Helemaal ondersteboven liep ze door de ruimte. Ze zag het al helemaal voor zich. 'Je reikt me een van mijn dromen op een presenteerblaadje aan, maar…'

'Als tegenprestatie zou je mijn droom ook waar kunnen maken.'

Hij tastte in zijn zak en haalde een ring tevoorschijn.

'Dat is niet de ring die ik aan Lindsay heb gegeven, hoor. Die ring wilde ik niet aan jou geven, en daarom heb ik oma gevraagd of ik een nieuwe ring mocht hebben. Dit is een hele ouwe en eentje waar zij bijzonder op gesteld is. Ik had ook een ring voor je kunnen kopen, maar ik wilde je iets geven dat van generatie op generatie is doorgegeven. Iets symbolisch. En jij bent verzot op symbolen.'

'O, god. O, mijn god.' Ze kon alleen maar naar de perfect geslepen vierkante smaragd kijken.

'Ik wilde je geen ring met een diamant geven. Dat is veel te gewoontjes. En bovendien deed deze ring me aan jou denken. Aan jouw ogen.'

'Eli.' Ze wreef met de zijkant van haar hand tussen haar borsten, alsof ze ervoor wilde zorgen dat haar hart bleef kloppen. 'Het is gewoon zo dat... dat dit nooit bij me is opgekomen... Hier heb ik echt geen moment aan gedacht.'

'Dan doe je dat nu toch?'

'Ik dacht dat we zouden overleggen of ik bij je in zou trekken, dat we officieel zouden gaan samenwonen. Dat we de volgende stap zouden zetten.'

'Dat kunnen we ook doen. Als dat op dit moment het hoogst haalbare is, dan doen we dat. Ik weet dat ik hard van stapel loop, en ik weet dat we in het verleden allebei grote vergissingen hebben begaan. Maar die liggen achter ons. Ik wil met je trouwen, Abra. Ik wil een echt leven met je beginnen. Ik wil een gezin met jou stichten en een thuis met je delen.'

Hij zou hebben gezworen dat hij de ring in zijn handen voelde branden. Als een vlam, als het leven zelf. 'Wanneer ik naar je kijk, zie ik de toekomst met al haar mogelijkheden. Eigenlijk wil ik niet wachten om aan die toekomst te beginnen, maar toch zal ik dat doen. Ik zal wachten, maar je moet wel weten dat je me niet alleen hebt geholpen om weer terug te komen uit de duisternis, om me te laten inzien wat ik echt van het leven wil, maar dat jíj het leven bent wat ik wil.'

Haar hart hield niet op met slaan, maar vulde zich wel met liefde. Ze keek hem aan terwijl de ramen achter hem roze en goud kleurden door de ondergaande zon. Dat is nou liefde, dacht ze. Hij staat voor je neus. Aanvaard dit geschenk.

'Ik hou van je, Eli. Ik vertrouw op mijn eigen hart. Dat heb ik mezelf aangeleerd. Volgens mij is liefde het sterkste en belangrijkste ding van het universum. Jij hebt mijn liefde, en ik wil de jouwe. We kunnen het leven opbouwen dat we graag willen hebben. Daar ben ik van overtuigd. Dat leven kunnen we samen opbouwen.'

'Maar jij wilt wachten?'

'Dat had je gedroomd.' Ze begon te lachen en stortte zich min of meer op hem. 'O, god. Nou, daar ben je dan. Mijn grote liefde.'

Met haar armen stevig om hem heen geslagen, drukte ze haar mond op de zijne en ze liet zich volkomen meeslepen door de eerste kus van de nieuwe belofte.

Hij wiegde hen heen en weer en hield haar stevig vast. 'Ik zou kapot zijn gegaan door het wachten.'

'Soms moet je het geluk gewoon grijpen.' Ze stak haar hand uit. 'Toe, maak het officieel.' Nadat hij de ring om haar vinger had geschoven, sloeg ze haar armen opnieuw om hem heen en hief ze haar linkerhand op in het licht van de ondergaande zon. 'Hij is prachtig. En warm.'

'Net als jij.'

'Ik vind het geweldig dat het een oude ring is die al generaties in je familie is. Ik vind het fantastisch dat ik familie van je ben. Wanneer heb je deze eigenlijk aan Hester gevraagd?'

'Toen we haar de bloemen gingen brengen, nadat we op het bureau met Eden Suskind hadden gesproken. Op dat moment kon ik het je niet vragen, eerst moest alles achter de rug zijn. Dit is een nieuw begin voor ons. Toe, Abra, neem die ruimte van me aan. Neem mij erbij. Laten we gewoon al het mogelijke geluk grijpen.'

'Al het geluk. Daar hou ik je aan.' Ze drukte haar lippen op de zijne voor een zachte, lange, tedere kus. 'En daarna maken we gewoon nog meer geluk.'

De ring aan haar vinger ving de laatste zonnestralen en gloeide even op zoals hij al generaties lang had gedaan voor vrouwen uit de familie Landon.

Daarna glansde de ring in het zachtere licht, zoals hij ooit had gedaan in een ijzeren kist die samen met zijn gewiekste kapitein na de schipbreuk van de Calypso was aangespoeld op Whiskey Beach.